Weinhold, K.

Weihnacht- Spiele und Lieder aus Süddeutschland und Schlesien

Weinhold, Karl

Weihnacht- Spiele und Lieder aus Süddeutschland und Schlesien

Inktank publishing, 2018

www.inktank-publishing.com

ISBN/EAN: 9783747764558

Weihnacht-

Spiele und Lieder

aus

Süddeutschland und Schlesien.

—◆—

Mit Einleitungen und Erläuterungen

von

Dr. Karl Weinhold

ordentlichem Professor an der Universität zu Kiel.

Mit einer Musikbeilage.

Neue Ausgabe.

———

Wien, 1875.

Wilhelm Braumüller

k. k. Hof- und Universitätsbuchhändler.

Uebersicht des Inhalts.

Zusätze und Berichtigungen.

Seite 23. Vgl. G. **Phillips** Ueber den Ursprung der Katzenmusiken. Freiburg 1849. S. 38. ff.

— 61, Zeile 8. v. u. l. Eritis.

— 61, „ 3. l. Letabundus.

— 121. Vgl. den Dreikönigsaufzug zu Freiburg im Breisgau, der bei **Flögel** Geschichte der komischen Literatur 4, 7 geschildert wird.

— 180, Zeile 23. l. daß dich verliebest.

— 196, „ 22. l. Alachīm.

— 203, „ 16. l. kettm.

In Edelpöcks Komödie ist auf den ersten Bogen vereinzelt ei für ai gesezt, namentlich in ain, kain, klain, was zu beßern ist.

— 285, Zeile 27. l. das.

— 296. Anm. 3. Auch in der gräfl. Ortenburgschen Bibliothek zu Tambach in Oberfranken ist ein handschriftl. deutscher Belial. Naumann Serapeum 3, 345.

— 378, Zeile 5. v. u. l. etlichem.

— 399, „ 1. v. u. sind die Worte „Anm. 1." zu streichen.

— 420, „ 22. l. Omner.

— 422, „ 23. l. Pogaschi.

— 424, „ 2. v. u. l. Zulp.

Vorwort.

Mit hellem Blicke und sorgsamer Hand haben seit einer Reihe von Jaren deutsche Forscher, gefürt von den Brüdern Grimm, die Schätze unserer Volksdichtung aufgesucht und gesammelt. Das Lied, die Sage, das Märchen sind mit vorzüglicher Liebe bedacht und die Wißenschaft vom deutschen Volke durch sie bereichert und geschmükt worden. Auch andern verwanten Erzeugnifsen, wie dem Rätsel, dem Spruche, dem Schwanke, ist die Aufmerksamkeit zugefallen, wärend das volksthümliche Schauspiel entweder nur flüchtig gestreift oder ganz übersehen wurde. Und doch ist in ihm eine reiche Fundgrube aufzudecken, die nach mereren Seiten hin zu nutzen wäre, abgesehen von dem Werte der Stücke an sich.

Ich habe zunächst dramatische Spiele der Weihnachtzeit zu sammeln gesucht, und es wird mir hoffentlich gelungen sein, an dem hier gebotenen die Geschichte dieser Gattung zu entwickeln. Der doppelten Quelle dieser Spiele, wie unsers Schauspiels überhaupt, war nachzugehen: der germanisch-heidnischen und der kirchlichen. In kurzen Umrißen suchte ich also die heidnische Feier der Wintersonnenwende in den Resten unserer Volksgebräuche zu schildern und ihre Umwandlung nachzuweisen; sodann hatte ich von dem kirchlichen Ritual dieser heiligen Zeit zu reden und die Steigerung der Cerimonie zum Drama außzufüren. Hier gebe ich zwei alte ludi einer Freisinger Handschrift, deren vorhandensein bißher fast unbekant war.

Nach dieser Grundlegung habe ich versucht, die Entwickelung unsers Weihnachtspiels von dem Wechselgesange an biß zu dem wirklichen Spiele darzustellen. Jede Stufe wird vertreten sein und sich hierauß ein deutliches Bild von dem Gange dieser dramatischen Dichtungen überhaupt machen laßen. Das geschichtliche Weihnachtspiel ligt hier klar zur Einsicht vor; um es auch als Erzeugnifs der Kunstdichtung zu kennzeichnen, habe ich Benedict Edelpöcks Weihnachtkomödie mitgetheilt. Das parabolische Weihnachtdrama ist durch ein Paradeisspiel auß Obersteier vertreten, das für die Literaturhistoriker und für die Theologen in gleichem Maße anziehend sein wird. Alles was ich in diesem Buche gebe, ist ungedrukt; das meiste haben Steiermark und Kärnten beigesteuert, einiges ist auß Schlesien.

Mit dem geistlichen Drama ist das geistliche Lied vielfach verknüpft; der Samlung der Spiele ist daher ein Strauß Weihnachtlieder beigelegt. Das deutsche religiöse Volkslied ist in hohem Grade der Beachtung wert. Es findet sich in allen katholischen Gegenden Deutschlands, aber man hat es bißher fast übersehen. Für das Weihnachtlied thätig zu sein, muste außerdem der Wetteifer mit den Engländern und Franzosen ansporuen, welche ihre Christmascarols und Noels seit dreihundert Jaren sammeln, wärend wir nur vereinzelt diese Blumen auflasen, die unter dem Schne des Winters durch die Wärme des Herzens getrieben werden. Zwei und vierzig Lieder gebe ich hier, die mit Außname eines schlesischen auß Steiermark und vornemlich auß Kärnten sind. Bei dem Reichthum des südöstlichen Deutschlands an diesen Gesängen wäre es mir leicht gewesen, die Zal zu verdoppeln; für meinen Zweck genügen indefsen die hier vorgelegten. Mögen sich andre Männer in den übrigen deutschen Ländern veranlaßt sehn, mir nachzufolgen; nur in Westfalen schienen biß jezt Augen für diese Poesie zu wachen.

Zur Einleitung der Lieder habe ich einen Abriß der Entwicklung des deutschen Weihnachtliedes zu geben gesucht. Genauer einzugehn, vermochte ich in meiner gegenwärtigen Lage nicht; außerdem war mein Raum beschränkt. Die bevorstehende zweite Außgabe der Geschichte des deutschen Kirchenliedes von Hoffmann von Fallersleben wird warscheinlich hier als Ergänzung dienen können.

Meine Arbeit würde in manchen Theilen tiefer gehn und reicher dastehn, wenn mich nicht der Mangel an Hilfsmitteln überall gehemt hätte. Nicht alles ließ sich erlangen, was nötig gewesen wäre. So entberte ich u. a. Prätorius Weihnachtfrazzen, Chressulder (Drechsler) de Christianorum larvis natalitiis Sancti Christi nomine commendatis. Lips. 1677 und C. F. Pezold de S. Christi larvis et munusculis Lips. 1699. Sandys Christmastide gieng mir erst zu, als der Druck schon vorgerükt war; indefsen hatte ich defselben Verfaßers Christmascarols schon vorher zur Hand, welche für meinen Zweck zum Theil mer enthielten als die Christmastide. Zu dem von mir S. 18 geschilderten Georgspiel tritt nun ein ganz änliches zweites Mockplay (Christmastide 292 — 301). Es ligt auch in Deutschland noch manches verborgen, was als Ergänzung meines Buches erscheinen wird; erst jüngst hat Hoffmann von Fallersleben einen Wechselgesang zwischen Maria und Joseph in einer älteren Handschrift zu Bremen aufgefunden; anderes wird namentlich auß süddeutschen Bibliotheken, wenn auch nur almählich, zu Tage kommen.

Wer sich für das innere Leben unsers Volkes im algemeinen interefsirt, wer im besondern für die Geschichte unsers geistlichen Liedes und unsers Schauspiels Sinn hat, dem werden diese Weihnachtspiele und Lieder wilkommen sein. Ich hoffe daß ihnen auf ihr anklopfen in Deutschland viel Thüren sich öfnen, daß sie aber auch in England und Skandinavien, und selbst in Frankreich gastliche Aufnane finden werden. Daß sie von den lieblichen deutschen Weihnabhten singen und sagen, wird ihnen die Wege bereiten.

Græz in der Steiermark, Ende Juni 1853.

Karl Weinhold.

Weihnachten! — Wort voll sensüchtiger Anung für die Kinder, Wort voll bunter Erinnerungen für die alten! Wir träumen uns zurück in die Erlebnifse der Adventabende, da wir in dem dunkeln Zimmer saßen, eines an das andere geschmiegt, und von dem flüsterten, was das Kristkind bringen möchte und was es wol bringen werde. Da gieng von der Gaße her ein flüchtiger Schein an den Wänden hin. Das Kristkind, das Kristkind! riefen wir, und wir lauschten, ob die Hausthür klingeln werde. Und horch! es schellte, es pochte an die Stubenthür, sie öffnete sich und Aepfel und Nüße regneten herein. Aber sie that sich rasch wider zu und wir klagten, daß der alte Josef oder Ruprecht nicht zu uns hereintrete. Ein ander Mal hatte er mer Zeit; da stürzte er in das Zimmer, in Pelz gehüllt, das Gesicht vermumt, die mächtige Rute in der Hand, den schweren Sack auf dem Rücken. Er fragte nach Fleiß und Artigkeit und seine Rutenhiebe vergalt er durch Gaben auß seiner Bürde. Am liebsten aber war uns, wenn das schöne Kristkind mit ihm kam oder Gabriel und Petrus. Da sangen sie schöne alte Gesänge, und die Milde des Kristkindes und des Engels stachen scharf ab gegen die gutmütige aber strenge Art des Petrus und die komisch polternde des Josef oder Ruprecht.

So gieng die Adventzeit hin in wonniger dämmernder Anung; wir wurden früher zu Bette geschikt, weil das

1

Kristkind mit den Eltern zu sprechen hatte, und wir zweifelten nicht daran; denn am Morgen waren Goldflimmer auf den Boden verstreut, die hatte das Kristkind von seinen Flügeln gestreift. In den Dämmerungen giengen wir auch einmal in ein Nachbarhaus, wo ein Krippel aufgebaut war, zalten unser kleines Eintrittsgeld und standen bewundernd vor dem erleuchteten stufenweisen Gerüste an der Wand, das die heilige Geschichte der Geburt Kristi versinlichte. Es war gar bunt und seltsam; Jerusalem und Bethlehem prangten mit Moscheen und Minarets, im Gefolge der heiligen drei Könige schritten neben den Kamelen preußische Soldaten, und neben dem Stall plätscherte als höchster Schmuck des Krippels ein kleiner Springbrunn. Aber das störte uns nicht, ebenso wenig wie die Vorfaren im 15. und 16. Jahrhundert sich in der Andacht irren ließen, wenn die Anbetung der heiligen Könige in der Tracht der Zeit gemalt war und die Gesichter bekanter Menschen auf heiligen Leibern sie anblikten.

So schlich der Weihnachtsabend heran. Wir konten kaum die Dämmerung erwarten; endlich schlug die ersente Stunde. Die Reihe der Bescherung kam an uns und auß dem Dunkel stürzten wir in das blendend helle Zimmer, in dessen Mitte der grüne Kristbaum stolz sich erhob mit den unzälichen Lichtern, der goldenen Fane und seinem Schmuck an allerlei niedlichen und süßen Dingen. Schenkten wir ihm auch zuerst wentger Augen als den Gaben, die jedes für sich abgesondert fand, so kerten wir doch zulezt aufmerksam zu ihm zurück, dem gemeinsamen Gute, und er verbreitete noch so lange weihnachtlichen Nachglanz, biß er dürr vor Alter dem Feuer übergeben wurde.

Noch einmal zogen wunderbare Gestalten durch die

Häuser: die heiligen drei Könige mit den goldenen Kronen und den weißen buntbebänderten Gewändern; dann aber war es vorüber. Wir hatten nichts mer zu ersenen und langsam floßen die Wochen an uns vorbei, Welle auf Welle, biß wir im winterlichen Nebel eine Woge fern rollen sahen, die das Weihnachtfest trug.

O du süßes Fest der Kinder, o du hohes Fest der Eltern! Freilich bringt es über viele schwere Sorgen, und wenn die Kinder wüßten, wie die Goldflimmer durch das pochende Herz der Mutter geschlagen sind, sie würden im jauchzen einhalten. Aber die Mutterthränen werden durch den Krist getroknet; wo das Elternherz reich ist an Liebe und kindlichem Gefül, da wird die Sorge besiegt und die Armut flüchtet zu den kalten und leren Selen der reichen, die keine Kindheit in der Liebe hatten und über denen keine warme Lebenssonne aufgeht, sondern nur die trügerische Nebensonne des unterirdischen Goldes.

Von dieser Weihnachtzeit handelt mein Buch und vorzüglich von den Gestalten, welche durch die Dämmerung der Adventabende und Zwölfnächte schleichen. Es sind verschiedenartige Wesen: im Norden des deutschen Vaterlandes altheidnische Götter, unter ihnen verirrt eine Gestalt auß der Schar der Kirchenheiligen; im Süden und dessen Grenzgegenden die lebendig gewordenen Bilder der biblischen Geschichte; mitten unter ihnen tauchen aber alte Heiden auf und gemanen an die gestürzte Dynastie, deren Reich das Kristkind eroberte und die früher zu solcher Zeit die Länder durchzogen.

Ich habe hier manches zusammengetragen, was bei diesen Umzügen der Weihnachtzeit gesungen und gesagt wird; es komt auß den Thälern der steirischen und kärntischen Alpen, einiges ist auß Schlesien, anderes auß süddeutschen Handschriften und dient zur geschichtlichen Be-

1 *

gründung und Erläuterung. Dann gibt aber mein Buch überhaupt Zeugnifs von der Weihnachtbewegung des Volkes, indem es eine Samlung volksthümlicher Weihnachtgesänge bietet. Dabei wird ein Blick auf das Weihnachtlied überhaupt zu werfen sein und auf den Eindruck, welchen die Geschichte der Geburt Kristi auf das deutsche Gemüt machte. Wer sich nicht an dem religiösen Inhalte dieser Lieder und Spiele, nicht an der frischen und kindlichen Weise, die auß ihnen tönt, erfreuen kann, den wird vielleicht das kulturgeschichtliche dabei anziehen. Alzulange haben sie im Dunkel gestanden und sie sind theilweise schon von der Vernichtung ergriffen, so daß es an der Zeit war zu retten was noch zu retten ist. Sie verdienen wenigstens dieselbe Aufmerksamkeit wie manches andere Denkmal unserer Geschichte.

Die Warnemung, daß in den Adventen und den zwölf Nächten noch heute Wesen des germanischen Heidenthums auftreten, die Beobachtung wie sich an diese Zeit abergläubische Meinungen knüpfen, die nicht auß kirchlichen Dogmen entsprungen sein können, deuten auf die vorkristliche Heiligkeit der Wintersonnenwende auch bei den deutschen Stämmen. Wenn die römischen Feste der Bacchanalien Saturnalien und Juvenilien der römischen Kirche ein Anlaß waren, das Fest der Geburt Kristi Ende Dezember einzusetzen, indem sie überdieß durch die Ueberliefcrung geleitet wurde, daß die Geburt in die Wintersonnenwende gefallen sei [1]), so wurde damit eine Zeit gewält, welche auch den germanischen Völkern eine altheilige war, denen bald darauf der kristliche Glaube zugefürt werden solte.

---

[1]) Guericke Lehrbuch der kristlichen kirchlichen Archäologie. Leipzig 1847. Seite 207.

5

So durfte sich die Verkündigung der Kirche nach dieser Seite hin nur umbildend verhalten; die Zeit als solche galt schon für besonders außgezeichnet.

Der Mitwinter oder die Wende der winterlichen Sonne zu sommerlichem Glanze, mit einem dunkeln alten Worte der Jul genant, war eine hochheilige Zeit der Germanen. Das war bedingt durch den Ursprung der meisten religiösen Anschauungen auß dem Leben der Natur, durch die Entstehung der meisten und bedeutendsten Gottheiten als ideelle Verkörperungen natürlicher Kräfte. Eine Zeit also, welche wie der Mitwinter einerseits den vollen Abschluß des alten, andererseits den Aufschluß des neuen Jares in sich hält, muſte die vergöttlichten Naturkräfte in sich sammeln und zu ihrem großen Opferfeste werden. Es muſten ebensowol die gottesdienstlichen Gebräuche des lezten Jaresdrittels in ihr verlaufen, als die des ersten mit ihr anheben. So sehen wir in der That die Gebräuche des Herbstes und des Frühlings in der Weihnachtzeit zusammenströmen.

Bei den deutschen Stämmen tritt Wuotan (Wodan) als die Gottheit auf, welche hauptsächlich den Segen des Feldes verleiht [1]) und der somit die Ernteopfer und die Frühlingsopfer vor allem gehören. Wuotans Gemahlin, die mütterliche Erdgöttin, Fricke oder Holda oder Berchta, auch Hera und wenigstens in jüngerer Zeit Gode genant [2]), hat als Genoßin des Gottes an seiner Thätigkeit und seiner Ere Theil; wir sehen sie darum namentlich in den Zwölften neben Wuotan auftreten.

Nach der vollen Bestellung des Winterfeldes, wenn in den Hof alle Ernte eingebracht war, begann die heilige

---

[1]) J. Grimm deutsche Mythologie Kap. VII. Ad. Kuhn in Haupts Zeitschrift für deutsches Alterthum 5, 472 — 494.

[2]) Grimm deutsche Mythologie Kap. XIII. meine deutsche Frauen in dem Mittelalter S. 34. f. (Wien 1851).

Zeit des Gottes. Da zog er auf seinem weißen Rofse durch
das Land, empfieng Opfer und gab Segen. Die Erinnerung
an diesen Umzug Wuotans haben viele deutsche Landschaft-
en in der Darstellung des Schimmelreiters [1] bewart. In
Norddeutschland wird derselbe meist dadurch gebildet, daß
einem Burschen ein Sieb mit langer Stange vor die Brust
gebunden wird, an der ein Pferdekopf befestigt ist; das
ganze wird mit weißen Tüchern verhängt. In Schlesien
wird der Schimmel durch drei oder vier Burschen dargestellt, deren jeder die Arme über die Schultern des Vor-
dermannes legt; der Kopf ist durch eine Erhöhung angedeutet, durch welche das weiße Tuch emporgehoben wird.
Der Reiter auf dem Schimmel ist ebenfalls meist verhang-
en und hat nicht selten einen Topf auf mit glühenden
Kolen, die auß den Augen und Mundlöchern hervorleuchten.
In Schwaben, wo der Gebrauch zu Fasnacht statt hat,
wird das Rofs auß einem Sack gebildet mit einem Kopf
auß weißen Tüchern; zwei Burschen nemen ihn auf die
Schultern, das Linnen verhüllt sie. Auf dem Sack sizt der
Reiter.

Der Schimmelreiter komt nicht allein. Fast überall
begleitet ihn ein Bär, dargestellt durch einen Burschen,
welcher in Stroh, vorzüglich in Erbsstroh, gehüllt, den
gefeßelten Bären an der Stange spielt [2]. In Sachsen geht
der Haferbräutigam mit, ein ganz in Haferstroh gepak-

[1] Kuhn in Haupts Zeitschrift f. deutsch. Alterth. 5, 472. Kuhn und Schwarz
norddeutsche Sagen Märchen und Gebräuche. Leipzig 1848. S. 360. 402 f.
E. Sommer Sagen Märchen und Gebräuche aus Sachsen und Thüringen. Halle 1846.
S. 160. f. E. Maier deutsche Sagen Sitten und Gebräuche aus Schwaben. Stuttgart 1852. S. 372.

[2] Ueber die Bedeutung dieses Bären kann man zweifelhaft sein. Allerdings läßt er sich mythologisch erklären; man muß aber auch die allgemeine
Vorliebe des Alterthums für abgerichtete Bären erwägen (W. Wackernagel bei
Haupt Zeitschr. 6, 185) und kann ihn also für eine rein weltliche Zuthat zu
dem alten Umzuge nemen.

ter Knecht. Auf der Insel Usedom komt der **Klapperbock** hinzu [1]), das ist ein Bursche mit einem Pferdekopfe, dessen untere Kinnlade beweglich ist, und womit geklappert wird; er stößt die Kinder welche nicht beten können. In der Mark ziehen auch die **Feien** beiher, junge Leute mit geschwärztem Gesichte in Weiberkleidern; in Schlesien geht eine Schar Knechte nebenher, welche vor den Häusern mit großen Peitschen knallen oder platzen, biß sie eine Gabe erhalten, daher der Gebrauch auch Kuchenplatzen heißt.

In Schlesien und Sachsen zieht der Schimmelreiter zur Ernte oder Martini herum, in der Zeit der Kirmfsen d. i. der kirchlich gemachten Opferschmäuse. Der heilige Martin selbst ist zum Schutznamen für Wuotan gemacht worden, wozu das weiße Rofs beider, der Mantel und ihr Heldenthum nächsten Anlaß boten [2]). In Schlesien sagt man, wenn es um Martini schneit: der Märten komt auf dem Schimmel geritten; es werden zu dem Tage Hörner gebacken wie auch in Halle und früher in Hannover, ein Rest uralten Opfergebäckes, das sich auf jenen Bock zu beziehen scheint, der im Gefolge des Schimmelreiters anftritt [3]). In Schlesien sagt man „der Märten komt, er wird dich stoßen,“ und Märten ist ein Beiname des Bockes überhaupt. Besonders wichtig ist uns, daß Martin segenspendend an seinem Tage erscheint. In Holland und in der Mark beschert er den Kindern gleich dem Kristkinde und die armen sammeln Almosen (Wolf Beiträge 1, 51. Kuhn märk. Sagen 344) [4]); auch in

---

[1]) In England tritt der Klapperbock ebenfalls auf bei dem hoodening oder hobby horse dance, welcher unserm Schimmelreiter entspricht, Haupt Zeitschrift 5, 474.

[2]) Vgl. J. W. Wolf Beiträge zur deutschen Mythologie 1, 38 — 54. Göttingen 1852.

[3]) Freilich ist der Bock dem Donar und nicht dem Wuotan heilig.

[4]) Kuhn norddeutsche Sagen S. 401 führt an, daß dieß auch in Schlesien geschehe; mir ist das ganz unbekant.

Halle wird den Hallorenkindern von dem „lieben Martin" ein-
beschert, Most und Martinshörner (Sommer Sagen 161);
in Schwaben aber zieht der Pelzmärte umher, ein vermum-
ter Kerl mit geschwärztem Gesicht und einer Kuhschelle.
Wichtig ist, daß der Pelzmärte auch zu Weihnachten mit
seinen Gaben und Schlägen komt (Meier Sagen aus Schwab-
en 453). Diese schwäbische ganz unheilige Erscheinung
und die Feuer, welche am Martinstage in Flamland und
am Rheine noch jezt angezündet werden [1]), weisen deutlich auf die heidnische Gestalt, welcher der Heilige seinen
Namen borgte. Es ist Wuotan, welcher die Opferschmäuse
besucht und segenspendend durch seine gläubigen zieht,
die jezt biß auf die Kinder zusammengeschmolzen sind.

In einigen Gegenden (Halle, Usedom) fürt der Schimmelreiter den Namen R u p r e c h t (in England Robin Hood)
oder wird wenigstens von dem Ruprecht begleitet. Das ist
jene kinderschreckende und kinderfreuende Gestalt, die
auch für sich allein auftritt, in Pelz oder Stroh gehüllt, das
Gesicht vermumt, die Rute oder Keule in der Hand, den
Sack mit Gaben auf dem Rücken. Knecht Ruprecht ist bekant in der Mark, in Sachsen, Thüringen, Lausitz und
dem westlichen Theile von Schlesien; auch in dem südlich-
en Deutschland ist er stellenweise zu treffen (Schmeller
baierisches Wörterbuch 1, 195). Kein Knecht ist in dem
alten Pelzträger verborgen, sondern wie der Name schon
verkündet, ein rumglänzender (hruodperaht) Gott, niemand
anders als Wuotan [2]). Darum begleitete ihn auch bei seinen
Umzügen die leuchtende Göttin Berchta (Schmeller a. a. O.
Grimm Mythologie 482) und wo die Mischung des heidnisch-
en mit dem kirchlichen naiver geschehen ist, die Jungfrau Maria; grade wie in England zu dem mythischen Robin

---

[1]) Wolf Beiträge zur deutsch. Mythol. 1, 41—43.
[2]) Vgl. Kuhn in Haupts Zeitschrift 5, 482 f.

Hood sich die Maid Marian gesellt. In Schlesien wird
Ruprechts Gebiet durch den alten Josef beschränkt; im
nordwestlichen und im südlichen Deutschland tritt der heilige Nikolaus an seine Stelle. In Meklenburg der rauhe
Klas genant, in der Altmark, in Braunschweig, Hannover,
Westfalen, Ostfriesland einfach Klas oder Bullerklas oder
von seinem Aschensack Aschenklas, tritt er ganz wie
Ruprecht auf; in einigen norddeutschen und schwäbischen
Orten komt er sogar zu Rofs, ja auf dem Schimmel [1]). In
der Grafschaft Glaz, in Oesterreich, Steier, Kärnten, Baiern,
der Schweiz und in manchen schwäbischen Strichen ist er
aber der Kirchenheilige, der kinderliebende Bischof; er
tritt im bischöflichen Ornate auf und ein Engel im Kor-
hemde begleitet ihn; der andere Begleiter aber, in Oesterreich Grampus, in Steier und Kärnten Bartel, in Baiern
Klaubauf genant, hat das heidnische Wesen bewart. In
Steiermark komt der Bartel in Pelz gehüllt, Gesicht und
Hände geschwärzt; auß dem Munde hängt ihm eine lange
rote Zunge und am Kopfe hat er Hörner. Er ist mit einer
Kette an beiden Armen gefeßelt, trägt eine Feuergabel oder
eine Rute und auf dem Rücken eine Krechse (Tragkorb),
in welche er die schlimmen Kinder stekt. In Kärnten ist
der Bartel gewönlich in Pelz gekleidet und hat stets eine
hölzerne Larve vor, auß welcher die rote Zunge hängt.
Auß dem Namen Strohbartel, der in Oberösterreich bekant
scheint (Höfer etymolog. Wörterbuch 1, 313) geht hervor,
daß er auch in Stroh gekleidet wird. Die teufelmäßige Auß-
stattung des Bartel halte ich für eine jüngere halbkirchliche
Zuthat; bei seinem Namen ist an Bartholomeus schwerlich
zu denken. Er und sein Genoße Grampus mit dem dunkeln

---

[1]) Kuhn und Schwarz norddeutsche Sagen S. 402. Meier Sagen aus Schwab-
en 465.

Namen [1]) sind, wenn nicht Vermummungen des Wuotan selbst,
worauf der für ihn erscheinende Ruprecht (Höfer a. a. O.)
und der Name Bartel d. i. Berchtolt füren möchten, doch wenigstens Wesen elbischen Ursprungs, die zum Gefolge des
Gottes gehören (Grimm Mythol. 482 f.). Besonders wichtig
ist, daß in Obersteier mit dem Nikolo die Habergaiß auftritt. Sie wird durch vier Männer gebildet, welche sich an
einander halten und mit weißen Kotzen bedekt sind. Der
vorderste hält einen hölzernen Gaißkopf empor, dessen
untere Kinnlade beweglich ist und womit er klappert. Die
Habergaiß stößt die Kinder [2]). Hier haben wir den norddeutschen und englischen Klapperbock, der mit dem Schimmelreiter und Ruprecht umherzieht, den Bock der auch den
Martin begleitet. Der sächsische Haferbräutigam im Gefolge
des Schimmelreiters mag auch in das Gedächtniß kommen.

Der Nikolaus zieht auch unter den polnischen Ober-
schlesiern an seinem Tage (6. Dezember) herum; ein Engel
und eine Vermummung in Pelz begleiten ihn.

Die Umzüge des Schimmelreiters, des Ruprechts,
Martins, Niklaus, der Berchte, sind die Vorspiele der Feier
der zwölf Nächte. Auf den Mitwinter fällt eines der drei
großen Opfer und Gerichte der Germanen, die nach dem
Jareslauf vertheilt waren, auf Winter Lenz und Hochsom-
mer (Jak. Grimm deutsche Rechtsalterthümer S. 822 f.)
Nach der Sage hatte Odhin selbst in Schweden drei Opfer
gestiftet: eins im Spätherbst für das glückliche Jar (til árs,
wol ein Erntefest), das andere im Mitwinter für die Frucht-
barkeit des nächsten Jares (til gródhrar), das dritte im

---

[1]) Schmeller bairisches Wörterbuch 2, 110. Höfer etymol. Wörterb. 1, 313.

[2]) Von der Habergaiß erzält man in Steier und Kärnten viel; sie ist ein
Vogel mit drei Füßen, der sich gewönlich in den Feldern hören läßt. Wer ihren
Ruf nachäfft, den sucht sie nachts heim. Oft erscheint der Teufel als Habergaiß.
Bei Schmeller 2, 137 findet sich Hafergaiß für Nachteule; auch die bairische
Schelte Gaißbartel, Schmeller 2, 74, mag erwähnt werden.

Sommer für den Sieg (Ynglingasaga c. 8). Wir sehen aber auch eine Vereinigung dieser Opfer im Mitwinter: denn in Norwegen wurde beim Julgelag der erste Becher dem Odhin getrunken um Sieg und Macht, der zweite dem Niördh und Freyr um Gedeihen des Feldes und um Frieden (Saga Hâkonar gôdha c. 16. 18). Ein dritter Becher, auf den Gelübde abgelegt wurden, galt dem Bragi (Saemund. Edda 146ᵃ. Rask).

Die ganze Zeit, seit dem die Sonne ihren Wendepunkt erreichte, biß zu dem Tage, wo sie wider vorwärts geht, die zwölf Nächte oder die Zwölften, Rauhnächte, Loßtage genant, war geheiligt; der Gerichtsfriede herschte, alles ergab sich der festlichen Freude. Die Gottheit wachte über der Heilighaltung ihrer Zeit. Daher ist es noch in den meisten Gegenden Deutschlands Glaube, daß in den Zwölften keine Arbeit vorgenommen werden dürfe, namentlich sei es nicht erlaubt zu spinnen [1]. Die Uebertreter trifft die Rache der misachteten Götter; besonders die Mägde, deren Spinnrocken nicht abgesponnen ist, werden von der hausmütterlichen Göttin Berchte oder Holle gestraft. Das Haus muß auch fein sauber sein zur festlichen Zeit: ist das obersteirische Haus am Kristabend nicht rein gefegt, so schneidet die Perchtel den faulen Diernen den Bauch auf und füllt Kericht hinein; darum hat sie Besen Nadel und Schere bei sich [2]. In Untersteier heißt es, daß auß einem Hause, das zu Weihnachten nicht sauber ist, die Kinder verschwinden. Auch theilt bei solchen Leuten die Pudelmutter, wie die Perchtel hier heißt, durch die Fenster Spindeln zum überspinnen auß; man kann sie aber nicht sehen. Im Sausaler Gebirge (Steiermark) heißt es, daß die Mutter Gottes

---

[1] Kuhn und Schwarz norddeutsche Sagen 406 — 412. E. Meier Sagen aus Schwaben 468. 472. f.

[2] Aehnliches auß Oberbaiern bei Fr. Panzer Beitrag zur deutschen Mythologie S. 247.

in der Nacht nachsehe, ob alles in der Küche ordentlich
sei; daher wird jeden Abend der Herd aufgeräumt. Findet
sie Unordnung, so weicht sie von dem Hause und Unglück
komt darüber [1]. Die Maria, welche im Liegnitzischen (Schlesien) als Kerweibel vor dem Kristkind herfegt, ist zulezt
nichts anders als die mütterliche sorgende Göttin, die
oberste Verwalterin des Hauses.

Ist die Ordnung des Hauses für die festliche Zeit bestimt, dann darf sie nicht gestört werden. So oft der
Tisch wärend der Zwölften verrükt wird, so oft donnert es
im nächsten Jare (Höfer etymolog. Wörterb. 3, 261). Die
heilige Stille muß gehütet werden: wer durch Lärm, besonders durch lautes zuschlagen der Thüren die Weihnachten
entweiht, hat im nächsten Sommer den Blitz zu fürchten
(Eisenerz in Obersteier).

Als Zeichen der festlichen Tage loderten die Feuer,
welche alle hochheiligen Zeiten der Germanen schmükten:
Frühling und Mitsommer, hie und da auch den Herbst.
Die Weihnacht- oder Julfeuer sind noch allgemein in
Schweden und theilweise in Norwegen; daß sie auf Island,
in den Niederlanden, in Westfalen und im Mosellande einst
loderten, wißen wir mit Bestimtheit [2]. In England wird
noch heute ein festliches Kaminfeuer in den Weihnachten
unterhalten. Sobald das Haus mit Immergrün geschmükt
ist, wobei die Mistel nicht vergeßen werden darf, ist es
das erste, den Weihnacht- oder Julblock (Christmas block,
Yule log) anzuzünden. Es ist ein tüchtiger Holzklotz, gewönlich die Wurzel eines Baumes, und er muß die heilig-
en Tage hindurch brennen. Ein Stückchen muß übrig

[1] Kreistet (knistert) ein Tisch, so ist es ein Zeichen, daß die Mutter Gottes darauf herumgeht.

[2] J. Grimm deutsche Mythologie 594. Wolf Beiträge zur deutschen Mythologie 117. ff.

bleiben, mit dem der nächste Julblock angezündet wird. Zu Shakspeares Zeit lag der Klotz gewönlich in der Mitte der großen Halle; die Glieder des Hauses sezten sich der Reihe nach auf ihn, sangen ein Jullied und tranken auf fröliche Weihnachten und ein glückliches neues Jar [1]).

Mer oder minder stehen diese Jarfeuer in Bezug auf die Sonne; wie die Fasnacht- und Osterfeuer die wachsende Kraft derselben feiern, die Johannisfeuer ihre sommerliche Wende, so die Weihnachtfeuer die winterliche Umker. Die Räder, welche dabei in norddeutschen Gegenden angezündet und die Abhänge hinuntergerollt werden, das Scheibentreiben oder Scheibenschlagen, das in Süddeutschland allgemein ist, sind symbolische auf die Sonne bezügliche Zeichen. Merkwürdig ist auch die saterländische Sitte der Wepelrote [2]). Die Wepelrot ist ein Rad auß Weidenruten, in der Mitte mit breitem Goldblech, von dem dichte Weidenstäbe stralenförmig nach dem Rande laufen. Die über die Felge ragenden Speichen sind mit Aepfeln geschmükt. Die Wepelrot wird zu Neujar in die Häuser guter Nachbarn oder geliebter Mädchen geworfen; der werfende entflieht. Dieß zuwerfen, das jedenfalls mit einem Segen verbunden sein muß, erinnert an das süddeutsche Scheibenschlagen, das auch zu Gunsten jemands geschieht [3]). Die ursprünglichen Gebräuche, die hier zu Grunde liegen, werden wir schwerlich wieder entdecken; möglich daß die Wepelrot in feierlichem Umzuge getragen wurde und als heilbringendes Symbol der Sonne [4]) zulezt besonders angesehenen Männern oder Frauen über-

---

[1]) Sandys Christmas carols. London 1833. p. LI. XCI.

[2]) Kuhn und Schwarz norddeutsche Sagen S. 406. f.

[3]) Schwäbische Sprüche dieser Art mitgetheilt von E. Meier Sagen aus Schwaben S. 381. bairische und tiroler bei Panzer Beitrag zur deutsch. Mythologie 210 — 12.

[4]) Ueber das Rad als Sinnbild der Sonne vgl. J. Grimm Mythologie 586. f. 664.

geben ward. Die ganze Sonnenwende des Winters scheint nach diesem Rade (altnord. hvel, fries. jul) benant zu sein. Auch jenes Rad, das auf einigen Höfen der Eifel in den Zwölften die Dauer der Malzeit der Hüfner nach seinem langsamen verkolen bestimte [1]), mag sich auf die Sonne dieser Tage zurückführen.

Welche Gottheiten sind es aber, denen diese Feier vornemlich gilt? Vor allen Wuotan, wie der erste Becher beweist, der ihm beim Julgelage geweiht war und wie der Umzug in der Vorbereitungszeit verkündigte. Zu ihm steht die Sonne in genauer Beziehung, er waltet als Gott der Luft und alles durchdringenden Kraft über dem gedeihen des Feldes, er gibt den Sieg und die Macht den reichen. Zog er schon seit der Ernte durch das Land, so muß er in dieser heiligen Festzeit einen noch feierlicheren Umzug halten. Vorher dem Menschen mer genähert und ihrem Dank entgegennemend, zeigt er sich jezt, wo sie zu ihm flehen, in größerer Ferne und mer in göttlicher Art. In nächtlicher Weile jagt der Schimmelreiter oder der Breithut, wie er von seinem breiten Hut im Alterthum und noch heute im schwäbischen Filsthale heißt (E. Meier Sagen no. 103) durch das Land; gewönlich braust sein Gefolge hinter ihm her, 's Wuotas oder das Wuotesher, mit des Gottes Namen heute nach benant (E. Meier Sagen aus Schwaben 140-141) entstellter das Muotesher (Meier n. 142-158), auch bloß das wütende oder wilde Her, die wilde Jagd oder wilde Fare, das Nachtgejaid geheißen; es sind die elbischen Geister, welche den großen Gott im Sturmeswehen begleiten. Die Zeit des Umzugs ist vorzugsweise Weihnachten und die Zwölften [2]). In diesem nächtlichen Umzuge

---

[1]) J. Grimm deutsche Weisthümer 2, 615. 616. 693.

[2]) In Obersteier sagt man, das wilde Gjoad gehe um vom Kristabende bis Dreikönigsabend, am Karsamstag, Pfingstsamstag und dem Vorabend des Fron-

nam Wuotan die Opfer entgegen, welche man ihm brachte.
Eine hannöverische Sage hat davon merkwürdige Erinnerung behalten; sie erzält, daß in dem Helhause in Osten-
holz jeden Kristabend eine Kuh, welche seit Martini vorzüglich gedih, herausgelaßen werden muste, welche der Heil-
jäger mit sich nam [1]). Verwant wenigstens ist eine schwedische Sage. In Grötomsby, Häggenassocken, Jemtland,
verlor ein gewißer Fjäril jede Julnacht in einer bestimten
Abtheilung seines Stalles eine Kuh, und zur selben Zeit
kam ihm stets etwas von seinem Tische weg. Da beschloß
er eine Julnacht zu wachen, und sieh! spät am Abend kam
ein Mann zu Fjäril, der ihn freundlich einlud mit zu gehn.
Er that es und sie kamen in eine prächtige Stube, wo der
Tisch gedekt war. Sie sezten sich mit dem Gesinde zur
Tafel; aber wie sie den Julbrei verzeren wolten, fiel Kuh-
mist in die Schüßel. Da sagte der Mann zu Fjäril: sieh,
welche Ungelegenheit ich habe. Verseze den Stall wo anders hin, ich will dir helfen. Das geschah und Fjäril verlor
seitdem keine Kuh in der Julnacht und sein Vieh gedih
außnemend. (Richard Dybeck Runa 1845. Stockholm S. 99.)
Hier nimt zwar nicht Odhin die Kuh zum Opfer, das überdieß als Sünopfer erscheint, aber ein elbischer Untergott,
dessen genauere Beziehung zu dem großen Gotte dahin
gestelt sein mag [2]). Daß sich der Vorfall in der Julnacht
begibt, bleibt für uns wichtig.

Von den feierlichen Gebräuchen zu Eren des Gottes
haben sich noch Reste erhalten. Außer den schon erwähnten Feuern muß der Kampf zwischen Sommer und Winter

---

leichnamstages, von dem Avemarialäuten bis um Mitternacht. Schon die längere
Frist zu Weihnachten beweist, daß hier seine eigentliche Stelle ist.

[1]) Kuhn und Schwarz norddeutsche Sagen S. 276. f.

[2]) Sagen von Unterirdischen, die durch Ställe über ihren Wonungen gestört werden, finden sich auch in Deutschland öfters.

namentlich beachtet werden, der in Obersteier und in einigen norddeutschen Gegenden zu Weihnachten, an einzelnen Orten Niederschlesiens schon zur Ernte aufgefürt wird; bekantlich ein Wettgesang zwischen dem grünen Sommer, der auch durch ein weißes buntbebändertes Mädchen dargestelt wird, und dem in Pelz oder Stroh gepakten Winter, welcher besiegt wird. Bei dem deutlichen Bezuge Wuotans auf die sommerliche Seite des Naturlebens dürfen wir in dieser halb dramatischen Auffürung einen alten Hymnus auf den Gott annemen. Als Schmuck zu Eren des Frühlingsgottes haben wir auch die englische Sitte zu deuten, das Haus zu Weihnachten mit grün zu zieren [1]; ja den deutschen lieben Weihnacht- oder Kristbaum werden wir auf Wuotan zurückfüren können. Wie es an dem Sommersontage (Lätare) in Schlesien Sitte ist, bunt geschmükte Tannenreiser (die Sommer) bei dem festlichen Umzuge zur Ere des Frühlings in der Hand zu tragen, wie an einigen Orten der Sommer sogar ein Tannenbaum ist, welcher der Schar vorausgetragen wird, die jezt nur auß Kindern oder höchstens auß Knechten besteht, so wird auch zu Weihnachten mitten im winterlichen Schne der grüne Tannenbaum als Andeutung der wider nahenden Macht des Frühlingsgottes aufgepflanzt. Die Gaben am Baum, die jezt den Kindern gelten, galten ursprünglich dem Gott; Aepfel und Nüße mögen der uralt heidnische Schmuck des Weihnachtbaumes sein: es sind Fruchtopfer, zugleich die symbolischen Zeichen der zeugenden Kraft. Die Vergoldung ist ebenfalls heidnische Opferzier [2].

---

[1] Sandys Christmas carols L. XCI. C. ff.

[2] Zu erwähnen ist, daß der Kristbaum in Gräz als eine protestantische Sitte betrachtet wird; er wurde hier vor etwa vierzig Jaren durch ein par protestantische Familien eingefürt, ist aber jezt allgemein. Den kleineren Orten in Steier und Kärnten ist er fremd. In Görz ist er deutsches Kennzeichen. In Krakau haben ihn schon viele Polen angenommen.

An die schlesischen Sommerkinder [1]) erinnert ein südirischer Gebrauch vom Stephanstag (26. Dezember). Die jungen Leute des Dorfes ziehen von Haus zu Haus mit einem Stechpalmbusch, der mit Bändern und Zaunkönigen geschmükt ist; sie nennen sich die Zaunkönigbuben (wrenboys). Die Lieder, die sie jezt dabei singen, sind freilich nichts anders als Bettellieder. Die erste Strophe lautet:

Zaunkönig, Zaunkönig, der Fürste der Vögel
Hat sich in der Heide zu Stephan gefangen.
Der winzige Kerl hat viel Kinder im Haus,
Wir bitten, lieb Frau, gebt uns was zum Schmaus [2]).

Erscheint bei dem Kampf zwischen Sommer und Winter und in dem Sommerumgange der Gott selbst nicht, so fürten ihn doch andere Darstellungen mit auf, wovon wir in England die treueste Erinnerung finden. In der Grafschaft York, in Northumberland und einigen anderen Gegenden des Königreichs wird im Herbste und zu Weihnachten [3]) der Schwert- oder Riesentanz aufgefürt. Der vornemste Riese, der hierbei auftritt, heißt noch jezt Woden, seine Frau hat biß heute den Namen Frigga gerettet; vermumt treten sie mit ihren Begleitern den Tanz, wobei um den Hals eines Knaben Schwerter geschwungen werden. Wir müßen nach der Bedeutung dieses Gebrauches fragen und auf welche That des Gottes er sich beziehe; denn das wird von allen gottesdienstlichen Gebräuchen unseres Heidenthums, wie zulezt jeder Religion gelten, daß sie eine auß-

---

[1]) Vgl. das Gedicht K. v. Holteis „die Sommerkindel" worin 3 Strophen, welche bei dem Umgange gesungen werden, eingeflochten sind, in seinen schlesischen Gedichten (2. Aufl. Breslau 1850) S. 2—4. Brendel Klänge der Heimath 9—14.

[2]) Sandys Christmas carols LXV. Auch in der Normandie hat der Zaunkönig zu Weihnachten besondere Bedeutung; komt er zu den Dreikönigstagsfeuern, so kündet er Friede und häusliches Glück an. Bosquet la Normandie romanesque et merveilleuse. Paris. Rouen 1845. 8. 220. 221. Ueber die deutsch-mythische Bedeutung des Zaunkönigs S. Grimm Mythol. 647.

[3]) Grimm Mythologie 280. Sandys Christmas carols CXIII.

2

gezeichnete Handlung der Gottheit dramatisch lebendig dem Volke vergegenwärtigen wolten, ebenso wie in den Lobliedern die Erzälung einer herrlichen That den Hauptinhalt bildete. Ich glaube, daß mit diesem Riesentanze ein anderer englischer Weihnachtgebrauch in Verbindung zu setzen ist, das Spiel von dem Drachentöter oder dem heil. Georg [1]), das noch in mannichfacher Art vor sich geht und bei dem die Theilnemer mit hölzernen Schwertern bewaffnet sind. Entweder wird bloß die Ballade von dem Drachenkampfe gesungen, oder eine volle dramatische Szene aufgeführt [2]). Freilich ist der kirchliche Heilige zunächst darin zu finden; allein, so weit er hier in Betracht komt, ist er nur die Verhüllung eines altheidnischen Wesens, änlich wie Martin und Nikolaus. Der Kampf gegen den Drachen ist eine That, den fast alle Völker kennen; auch die Germanen scheinen einen solchen Mythus von Wuotan beseßen zu haben. Die Schlange ist das Sinnbild des Waßers, des

---

[1]) Adalb. Kuhn hat diese Gebräuche auß denselben Gesichtspunkten besprochen bei Haupt Zeitschrift f. deutsch. Alterth. 5,484 ff.

[2]) Sandys in den Christmas Carols 174—178 theilt ein solches Christmas play of Saint George auß Kornwall mit (abgedrukt bei Marriott collection of english miracleplays XXXV—XXXVIII). Zuerst tritt der türkische Ritter auf, dann Vater Christmas, dann der König von Egypten, hierauf S. Georg, der einzige Erbe des Königs von Egypten. Als er sich vornimmt den Drachen töten zu wollen, komt dieser und der Kampf beginnt, in dem der Drache fällt. Da ruft Vater Christmas den Doctor, daß er die tiefe Wunde des Drachen heile; der Quacksalber gibt dem Thiere, das er gemütlich Jack anredet, ein wenig Flix Flop zu trinken und der Drache steht zum neuen Kampfe auf, um wieder erschlagen zu werden. Nun pralt S. Georg mit seiner That und wie er damit schön Sabra, des Königs von Egypten Tochter, erworben. „Wer ist's der mir zu trotzen wagt? seine Eingewelde werde ich ihm durchlöchern und seine Knöpfe ihm platzen machen." Da stelt sich der türkische Ritter und wird überwunden, vom Doctor gleich dem Drachen behandelt. Nun erscheint der Riese Turpin, vor dem alle Länder zittern, mit dem seit lange keiner fechten wolte. Aber St. Georg wagt es mit ihm und es geht ihm wie dem Drachen und dem Türken. Der Doctor macht auch an ihm seine Künste. Vater Christmas schließt, indem er mit dem Hute Gaben sammelt. — Auch bei dem Schwertertanze in Yorkshire tritt ein Doctor auf. Sandys CXIV.

feuchten und nebligen Winters; mit ihr kämpft der Gott, sein Sieg ist der Sieg der Sonne über den Winterhimmel. So ist der englische Drachenkampf nichts anderes als unsere Wettgesänge von Sommer und Winter, die hier und da von Wort zur That übergehn und ein Wettschlagen werden. Der Riesen- oder Schwerttanz ist die ältere Darstellung des Mythus. Frigga trat dabei gewiss nicht müßig auf, sondern mochte in die darzustellende Begebenheit tief verflochten sein; warscheinlich befreite sie Wodan auß der Gewalt der Riesen und Drachen, wie S. Georg schön Sabra erkämpft. Der Knabe, um dessen Hals die Schwerter geschwungen werden, stelte vielleicht die Schlange dar, wie auf alten Bildern und in dem steirischen Paradeisspiele, das ich unten mittheilen werde, die Schlange durch ein Mädchen gegeben wird.

Neben dem Gotte war seine göttliche Gemahlin in den Zwölften besonders gefeiert. Der englische Schwert- oder Riesentanz fürt sie noch heute mit sich und im Norden wie im Süden unsers Vaterlandes ist der Glaube lebendig, daß Frick oder Gode oder Herke, Holle oder Perchtel, wie sie nach der Landschaft grade heißt, ihren Umzug in den Zwölften halte. In Norddeutschland erzält man, daß Frick (Gode, Herke) an der Spitze des wilden Heres gleich Wodan einherziehe; in thüringischer Landschaft weiß man, wie Perchte mit den Heimchen durch das Land färt; überall aber, nördlich wie südlich, mustert die Göttin zu dieser Zeit die Häuser [1] und vor allem die Spinnstuben, denn der Flachs steht unter ihrer besonderer Pflege und die Kunkel, des Weibes Zeichen, ist ihr heilig [2]. Es ist zu beachten, wie Perchte im südlichen Deutschland in doppelter Gestalt,

---

[1] Vgl. das oben mitgetheilte.
[2] Ueber die Göttinnen der Zwölften vgl. Grimm Mythol. 246 f. 250 — 260. Kuhn und Schwarz norddeutsche Sagen 412—418.

freundlich und mild, und furchtbar und scheuslich, erscheint.
Sie beschert den Kindern in Schwaben am Klausenabend ein
(Panzer S. 248), in Obersteier am Thomasabend, nordöstlich
von Gräz und in Untersteier als Pudelmutter am Kristabend.
Im Salzburgischen geht die Perchtel „schien" herum, trägt
ein blaues Kleid mit einem Schellenkranze, tanzt und singt.
Gegen diese freundliche Erscheinung sticht die oberkärnt-
ische ser ab. Im Möllthal zieht die (verkleidete) Perchtel
am Vorabend des Perchtentages (6. Januar) und am Nach-
mittage desselben nach dem Segen in den Häusern herum.
Sie hat gewönlich einen Pelz um, eine fürchterliche hölzerne
Larve vorgebunden, und trägt eine Kuhglocke oder große
Schelle an dem Rücken. Mit wilden mutwilligen Geberden
hüpft sie im Hause herum, verfolgt die Leute, fragt nach
dem Fleiß und der Artigkeit der Kinder und sammelt
Gaben ein. Ihr Spruch dabei, den sie wild heraus stößt,
lautet:

> Kinder oder Speck,
> Derweil geh ich nit weg.

Zuweilen treten zwei Berchteln auf, nie aber mer; dieser Umgang heißt das Berchteljagen.

Diese Perchtel ist nur die Nachbildung der „wilden
Perchtel", die an ihrem Tage zuweilen selbst in die Häuser
dringen soll. Beim Schwager in der Innerfragant (Seitenthal
des Möllthals, zur Pfarre Flattach gehörig) machten die Kinder einmal am Vormittag des Dreikönigtags gewaltigen Lärm.
Da ist die wilde Perchtel gekommen als grausliches Weib
mit einem Tigermantel und one Kopf [1]). Hätten die Kinder
nicht rasch ein andächtiges Gebet gesprochen, so hätte sie
die Perchtel mitgenommen.

Beim Sagler in der Innerfragant war am Dreikönigstag

---

[1]) Der wilde Jäger oder Schimmelreiter erscheint ser oft kopflos. Auch weiße
Frauen zeigen sich one Kopf, vgl. Meier Sagen aus Schwaben n. 18. 24.

eine Spielgesellschaft beisammen. Da ist die Perchtel als
grauer Wuzel voll Schellen gekommen. Das Weihbrunn-
sprengen hat sie vertrieben, aber sie ließ einen grauslichen
Gestank zurück.

Ein ander Mal komt sie als Labdrüster (kegelförmiger
Haufe von Laubästen, die auf dem Felde aufgeschichtet
werden). Ihre Augen sind groß wie Glasscheiben. Um sie
von Haus und Hof abzuhalten, wird alles mit geweihten
Sachen eingeräuchert und mit dem Kreuz bezeichnet. Beim
Kometer in Fragant hat man einmal zu räuchern vergeßen.
Da kam die Perchtel des Nachts und hat einen Menschen
auß dem Hause geholt. Des Morgens brachte sie ihn tot
wider; zwischen seinen Zehen und Fingern fand man Blumen,
die kein Mensch kante. Da ist er wol in fremden weiten
Ländern mit der Perchtel gewesen.

Einmal sehen wir hier die Perchtel hexenmäßig auftreten, wie sie in der That die Fürerin der Wesen ist, die
in späterer Zeit die Grundlage der Hexen abgaben; das
andere Mal erscheint sie in diesen Sagen als Rächerin der
Störung des festlichen Friedens durch Lärm oder unheil-
iges Spiel, also in ganz göttlicher Weise, wie sie schon oben
geschildert wurde. Dieses Rächeramt und der kirchliche
Einfluß haben hier das freundliche Antlitz der mütterlichen
Göttin in ein finsteres wüstes verstellt. Sie ist zur Kinderscheuche geworden, wird wild oder eisern genant (Grimm
Mythol. 255) und in manch unheimlicher Gestalt gedacht.
Ganz so ist auch die Hildeberte oder die Brechthöldere
schwäbischer [1]) und fränkischer, die Spillahole (Holle)
schlesischer Gegenden.

Zu beachten ist die Schelle, welche die kärntische und
salzburgische Perchtel trägt. Ich würde, zumal ein ganzer
Schellenkranz erscheint, nicht zögern hierin einen Rest

---

[1]) Grimm Mythol. 255. 257. Meier Sagen aus Schwaben n. 49.

alterthümlicher Tracht zu sehen, da es vom 12. biß 15. Jarhundert häufig war, die Kleider mit Schellen zu besetzen. Allein die Schellen zeigen sich auch an andern mythischen Persönlichkeiten: an dem elsäßischen Hanstrapp, an dem schwäbischen Pelzmärte, an dem Pfingstlümmel im Schwarzwald (Meier Sagen aus Schwaben S. 403), an dem Schellenmoriz, welcher in einem sächsischen Pfingstgebrauche der verkappte Winter ist [1]), an dem thüringischen Maikönig und dem märkischen Kaudernest (Kuhn und Schwarz norddeutsche Sagen S. 384. 385). Sodann bilden sie einen wesentlichen Theil der Außrüstung beim perchtenlaufen oder perchtenspringen. Diese Sitte ist über die ganzen deutschen Alpen verbreitet; in den Rauhnächten ziehen die Burschen der Alpendörfer, ihrer oft gegen dreihundert, mit Kuhglockenschall und Peitschenlärm in seltsamer Vermummung von Haus zu Haus, von Dorf zu Dorf mit hüpfen und springen (Grimm Mythol. 256) [2]). In schwäbischen Orten komt der Gebrauch auch zu Weihnachten vor, one den Namen des perchtenspringens. So viel sie Kuhschellen bekommen können, reihen die Knaben auf eine Schnur und hengen sie über die Brust. Also lärmend, mit Stäben in der Hand, springen sie den ganzen Tag im Dorfe herum (Meier Sagen aus Schwaben S. 464). In Neubulach zieht der Klas unter ihnen mit und theilt Aepfel und Nüße auß. Die Erklärung, das läuten mit Kuhschellen geschehe zum Andenken an die Krippe Kristi, ist natürlich ein Versuch, die heidnische Sitte dem Kristenthum zu assimiliren. Was die germanisch-heidnische Bedeutung dieser Schelle ist, weiß ich freilich nicht zu sagen; so viel ist sicher, daß wir in diesem berchtelspringen den

---

[1]) E. Sommer Sagen Märchen und Gebräuche aus Sachsen und Thüringen 74. 154. 160. — Auch die elsäßischen Kristkindspieler füren eine Schelle in der Hand, Stöber Alsatia 1851. S. 164.

[2]) In Obersteier gehen die Reifspringer zu Weihnachten herum, junge Burschen in festlicher Landestracht, welche durch Reifen springen.

Rest eines der Berchte heiligen Tanzes haben. Daß derselbe nicht still vor sich gieng, daß mit den geringen Musik-instrumenten, zu welchen die Schelle gehören mochte, da-bei gelärmt wurde, läßt sich leicht schließen [1].

Das berchtenspringen in den Alpen wird von ver-mumten Burschen außgefürt; die Feien im Gefolge des Schimmelreiters sind geschwärzt, die kärntische Perchtl, der kärntisch-steierische Bartel tragen Larven [2], bei dem englischen Riesentanz sind die Theilnemer verkleidet; diese Vermummungen scheinen ein algemeiner Gebrauch der Weih-nachtzeit gewesen zu sein. Aber wir finden sie nicht bloß in Deutschland, sondern die Kirche eifert allenhalben gegen sie, dem Vorgange Augustins folgend, welcher in seinem 129. Sermon gegen die Vermummungen in Thiergestalt und die Verhüllung von Männern in Weiberkleider sprach. Auch der heilige Eligius († 659) erhob sich gegen die schänd-lichen und lächerlichen Neujarslarven in Kalbs- und Hirsch-gestalt. Darum sah sich auch das trullanische Konzil von 692 genötigt, in seinem 62. Kanon gegen die Maskeraden und den Kleidertausch der Geschlechter an den Brumalien, den Januarkalenden und am ersten Merz einzuschreiten. Haupt-sächlich enthalten gallikanische Beichtbücher Bußsätze für die Hirsch- und Kalbslarven, und über den Rhein her mögen d i e s e Vermummungen nach Deutschland [3], über den Kanal nach England gekommen sein. In England waren die Kalbs-larven biß in neuerer Zeit beliebt, wie überhaupt die Neu-

---

[1] Die Schelle der Narren, die außerdem mit Hanenkamm Eseloren und Fuchsschwanz außgestattet waren, steht warscheinlich mit dieser Schelle der Volksgebräuche in Verbindung.

[2] Auch bei andern dieser mythischen Darstellungen werden Larven ge-tragen, vgl. den Pfingstlümmel in Schwaben, welcher eine Larve von Baum-rinde hat (Meier Sagen aus Schwaben S. 403).

[3] Es scheint mir ser kün, daß J. W. Wolf auß diesen Hirschlarven auf den Frodienst Schlüße macht vgl. seine Beiträge 1, 105.

jarsmaskeraden, welche unter Heinrich VIII. unter Elisabeth und Jakob dem ersten auch am Hofe in voller Blüte stunden (Sandys a. a. O. XXXIV. LXXX). Von diesen Vermummungen haben wir die deutschen zu sondern.

Wuotan (Ruprecht) und Berchta sind die Hauptgötter der Weihnachtzeit gewesen, aber nicht die einzigen, welche dem Volke dann näher als sonst traten. Noch heute ist allgemeiner Glaube, daß in den Adventen vornemlich die Geister umgehen; dann ist auch die rechte Zeit der Irrlichter und Feuermänner. Ueberraschen darf es daher nicht, daß auch die Hexen in den Adventen tanzen sollen (Meier Sagen aus Schwaben 15, 4) und daß sie in der Kristnacht ihren großen Umzug halten (ebd. 195, 10); sie gehören zum Gefolge Wuotans und seiner Gemahlin [1]. Wichtig ist, daß schwäbische Sage drei weiße Frauen zu Weihnachten auftreten läßt (Meier a. a. O. 46. 81), in denen vielleicht sich Erinnerung an die Nornen kund gibt [2]; auch zwei weiße Fräulein zeigen sich in den Adventen (Meier a. a. O. 17. 83). Die alte Götterwelt bricht auß ihrem Verstecke herauß, und mit den Göttern laufen ihre heiligen Thiere, so die weiße Gans (Meier a. a. O. 255, 2), das weiße Schwein (ebd. 255).

Es wurde schon der Julgelage gedacht, der Opferschmäuse zu Eren Odhins und anderer hohen Götter. Nachdem das Heidenthum gebrochen war, dauerten sie, wie so vieles darauß, fort, und sie haben sich biß zum heutigen Tage in Skandinavien und England erhalten [3]. Die Erinner-

---

[1] Vgl. J. Grimm Mythologie Kap. 34, meine deutschen Frauen S. 66—73.

[2] Was neuerlich Ernst Meier in seinen schwäbischen Sagen, Fr. Panzer in den bairischen von diesen drei Frauen gesammelt hat, macht dieß ser warscheinlich.

[3] Ueber die englische Weihnachtgastlichkeit vgl. Sandys XLVI — CVII. — Auch in Polen herscht zu Weihnachten besondere Gastlichkeit. Auß oft weiter Ferne kommen die Glieder einer Familie auf den Kristabend zu dem ältesten zusammen, um ein frohes Gelage zu halten.

ung an die Opferschmäuse, bei denen natürlich bestimmte
Speisen gefordert waren, hat sich auch in Deutschland
durch die Gerichte bewart, welche auf den Kristabend, Sylv-
esterabend oder Dreikönigsabend nach alter Sitte bereitet
werden, oft mit dem Glauben, daß die Uebertreter der Sitte
gestraft würden. Wer im salfeldischen (Thüringen) nicht
Knödel und Häring am Sylvester gegeßen hat, zu dem komt
Berchta, schneidet ihm den Bauch auf, füllt Häckerling hinein
und näht ihn mit Pflugschar und Eisenkette wider zu. Gleiches thut im Voigtlande die Werre dem, welcher am Dreikönigstage nicht Polse, einen dicken Melbrei, gegeßen hat
(Grimm Mythologie 251). Im wittenbergischen wird zu
Weihnachten und Silvester Häringsalat gegeßen; wer dieß
thut, wird das nächste Jar immer Geld haben. Dasselbe verheißt man in Schwaben dem, welcher zu Neujar gelbe Rüben
ißt. In Steiermark ißt man Karpfen und einen Mon- und
Honigstrudel, in Mären Monknödel, in Schlesien und der
Lausitz Monklöße und Karpfen, oder in Schlesien geräuch-
ertes Schweinefleisch mit Backobst (schlesisches Himmelreich). In der Altmark muß zu Neujar Häring oder Hirse
gegeßen werden, in der Uckermark wärend der Zwölften
grüner Kol mit Schweinskopf und Lungenwurst. Der Eber-
kopf bildet in England das feierliche Hauptgericht· der
Weihnachten (Sandys LIX. ff.); auch in Skandinavien war
bei den Julschmäusen der Eber das Hauptopfer (Mythol. 45).
Es sind dieß alles wie erwähnt Opfergerichte, ein Theil davon muste also der Gottheit zukommen. Und noch heute ist
es im Möllthal in Oberkärnten Sitte, in der Dreikönigsnacht
Brot und gefüllte Nudeln für die Perchtel auf den Küchen-
tisch zu stellen, damit sie davon abbeiße und koste. Thut
sie das, so wird ein gutes Jar. Auch in Steiermark war dieß
wenigstens früher der Brauch (Schmeller baier. W. 1, 195), in
Schlesien ist das Opfer auf die Engel übertragen. Man läßt

die Kristnacht den Tisch gedekt, damit die Engel kommen und davon speisen. In Obersteier (Eisenerz) wird den Diernen am Berchtenabend die Berchtenmilch gegeben. Die Schüßel mit daran gelegten Leffeln wird stehen gelaßen; deren Leffel herunterfiel, die muß im angehenden Jare sterben.

Auch besondere Bäckereien sind zu Weihnachten gebräuchlich, die sich ebenfalls auf Opferdienst zurückfüren. Wir wißen, daß Bilder von den germanischen Göttern und den geheiligten Thieren in Teig geformt und von den Frauen in den Tempeln gebacken wurden [1]. Noch in neuerer Zeit wurde in Schweden den Weihnachtbäckereien die Gestalt des Julebers gegeben. Derartiges Gebäck in Thier- und Menschenform findet sich auch in den meisten deutschen Ländern; so werden in Schlesien Männer und Schweine, in Steiermark Männer und Hirsche, freilich nicht bloß zu Weihnachten sondern das ganze Jahr lang, auß Semmelteig gebacken. In Schwaben hat man zu Nikolai „Hanselmänner" von Teig, zu Weihnachten „Springerln", ein Backwerk mit darauf gepreßten Menschen, Thieren, Blumen u. dgl. (Meier Sagen aus Schwaben S. 462. 465); in märkischer Gegend finden sich zu Neujar die Pèreken, Kuchen in Pferde- und anderer Thiergestalt; in Ostfriesland die Nüjarskaukjes, dünne Kuchen mit daraufgedruckten Pferden u. dgl. (Kuhn und Schwarz norddeutsche Sagen 406). Man hat aber gediegenere Bäckereien als diese Menschen- und Thiergestalten. Im mittleren und nördlichen Deutschland herschen die Striezel, Kriststollen, Kristwecken zu Weihnachten; im südlichen Deutschland ein Gebäck auß gedörten gespaltenen Birnen oder auß Birnenmus, Rosinen, Feigen, Honig u. dgl.: im schwäbischen Gebiete Huzelbrot, im bairisch-österreichischen Klozen- oder Klözenbrot geheißen [2]. Das Klözen-

[1] Grimm Mythologie 45. 56.

[2] Die gedörten Birnenspalten heißen im schwäbischen Huzel, im bairisch-österr. Klözen, Schmeller 4, 67 fürt unter dem Namen Hauswolf ein Weihnachtgebäck auf.

brot wird von Niklaus (6. Dezbr.) bis zum Dreikönigstag gegeßen. In Oberkärnten wird dem Gesinde am Kristabend ein Mal gegeben, bei dem Klözenbrot nicht felen darf. Im Pangau (Baiern) beschenken die Mädchen ihre Liebhaber in der Rumpelnacht (Kristnacht) mit einem Klozenscherzen (Schmeller 2, 366). In Steiermark werden neben dem Klözenbrot zu Weihnachten noch die Putizen gebacken, ein strudelartiges Gebäck mit Nuß oder Mon gefüllt. Sie gehören den Slovenen (Höfer etymolog. Wörterb. 2, 349).

Der Beweis wie außgezeichnet unsre heidnische Zeit den Mitwinter hielt, hat sich auß allem angefürten ergeben. So läßt sich noch weiter schließen, daß dieser Zeit besondere Kraft zugeschrieben ward und daß man vorzügliche seltene Gaben in ihr zu finden meinte.

Unser Alterthum wuste von der Sprachfähigkeit der Thiere mancherlei zu erzälen. Dieser Glaube wurde durch die Einfürung des Kristenthums nicht vernichtet aber beschränkt, und zwar auf die heilige Nacht, in der Kristus im Viehstall geboren war. Ueberall in Deutschland sagt man daher, daß in der Kristnacht die Thiere (nicht bloß Pferde und Rindvieh) miteinander reden; auch unter den romanischen Völkern [1]), ja sogar unter den nordamerikanischen Indianern ist dieser Glaube verbreitet [2]). Bemerkenswert ist die obersteirische Meinung, daß auch die Geister wärend dieser Nacht mit den Thieren sprechen, unter der Motte sogar der Teufel. Die Geister haben in dieser Nacht überhaupt besondere Gewalt [3]). Die ganzen zwölf Nächte werden für die Thierwelt als bedeutend angesehn und mancher Aberglaube über die Hausthiere knüpft sich an sie [4]). Das-

---

[1]) Amélie Bosquet la Normandie romanesque et merveilleuse 221.
[2]) Sandys Christmas carols LV.
[3]) E. Meier Sagen aus Schwaben S. 463.
[4]) Vgl. Kuhn und Schwarz norddeutsche Sagen 404 — 412. Panzer Beitrag zur deutschen Mythologie 264. E. Meier Sagen aus Schwaben 463. 466,

selbe gilt für die Pflanzenwelt; auß den vielen hergehör-
igen Meinungen [1] hebe ich nur den schlesichen Brauch
hervor, die Fischgräten von dem Weihnachtmal an die
Bäume zu schütten, damit sie das nächste Jar reichlich
tragen. Es scheint der Rest eines Opfers, gebracht der
Gottheit welche über den Baumsegen waltete.

Mit diesen Anzeichen über Thiere und Pflanzen stehen
die Wetterbeobachtungen in Verbindung, die man in den
Zwölften macht und auß denen man die Witterung des neuen
Jares deutet. Daß sich der Mensch selbst nicht vergaß,
versteht sich von dem selbstsüchtigen Geschlechte one
weiteres. Mancherlei Gebräuche haben sich biß heute erhalten, durch welche man Glück oder Unglück, Tod oder
Leben, Heirat und das blühende Geld zu erkennen glaubt.
Die Schätze der Erde sind in dieser Zeit zugänglich oder
erlösbar; die Felsen und Berge thun sich auf, in welchen
sie ruhen, und die blaue Blume blüht, welche das Gold der
Tiefe verrät. Zu beachten ist dabei, daß Angaben dieser
Art über denselben Ort hier von der Weihnacht, dort von
der Johannisnacht gemacht werden (z. B. in Schlesien). Ich
will nur ein par bißher unbekante Gebräuche anfüren. Im
Ensthale in Obersteier versuchen es die Leute, welche reich
werden wollen, auf diese Weise. Sie füren am Kristabende,
oder auch an einem andern heiligen Vorabende, eine Bare
dreimal um die Kirche. Es muß binnen einer halben Stunde
vollbracht sein, ist aber gar nicht leicht; denn die armen
Selen setzen sich auf die Bare, daß sie ganz schwarz ist;
darum muß einer mitgehn, welcher die Selen herunter-
wischt. Kommen sie mit dem bartragen zu stande, so er-
hält jeder einen Haufen Geld; werden sie aber nicht fertig,
so ist es um sie geschehn. — In Eisenerz (Obersteier) wird

---

[1] Vgl. Kuhn und Schwarz 404 ff. Sommer Sagen aus Sachsen und Thüringen 162. 182. Panzer 262. Meier 461.

von dem totenbarziehen also erzält. Man muß die lezte
Leiche auß dem Grabe scharren und auf einer Bare in der
Nacht zwischen elf und zwölf dreimal um eine Kirche ziehn,
welche drei Thore und einen Freidhof hat. Einer muß zieh-
en, der andere mit einer weißelsenen [1]) Rute, die drei
Knospen hat, fortwärend einhauen; denn das ziehen ist
schwer, weil sich die Teufel auf die Bare setzen. Darum
sind wenige mit dem totenbarziehen glücklich geworden,
sondern haben den grauslichen Tod durch die Teufel gefunden, die sie zerrißen, weil sie um zwölf noch nicht
fertig waren. Nur einer ist einmal rasch über die Freidhof-
mauer gesprungen, und der Teufel konte ihm nur den
Rockzipfel abreißen. Freilich für den, welcher die Bare
glücklich herumzieht, ist es gut, denn die Teufel müßen ihm
die Leiche mit Gold aufwiegen [2]).

Auch die Gabe der Unsichtbarkeit kann man in den
Zwölften erlangen. Wer nämlich in der Kristnacht Neujars-
nacht und Berchtennacht wacht, kann sich fortab unsicht-
bar machen. Die lezte Nacht wird er aber von dem Teufel
stark angefochten und kann sich nur retten, wenn er ein
Kreuz vom Holze eines weißen Elxenbaumes hat, der am
S. Johannistage noch blühte. (Eisenerz.)

Es ist begreiflich, daß all dieser Aberglaube in der
vorkristlichen Zeit wurzelt und daß er in der kristlichen
den Zeitbegriffen nur angepasst wurde. In dem barziehen
scheint ein Wettkampf mit den Schwarzelben verborgen,
welche dem Sieger das Gold der Unterwelt überliefern
müßen; in dem wachen um die Unsichtbarkeit ligt irgend

---

[1]) Elsen- oder Elxenbaum, Eisenberbaum: die Eberasche Sorbus terminalis.
— Ueber die magische Kraft der Eisenrute vgl. auch Meier Sagen auß Schwab-
en S. 301. In Schwaben ist der Elsenbaum die Salweide.

[2]) Etwas änlich ist die Art wie man zu dem Farnsamen kommen kann,
wodurch man so viel arbeitet wie zwanzig oder dreißig Mann. Meier a. s. O.
S. 242. f.

eine heidnische List zu Grunde, den elbischen Geistern die
Tarnkappe abzugewinnen [1]). Kreuz und Teufel sind jüngere
Umwandelungen. Genug daß wir sehen, welche Mächte in
dem Mitwinter entfeßelt sind, wie neben den hohen Gestalten Wuotans und Fricks auch die unteren Gottheiten
sich regen und rüren, und wie ein geheimnissvolles gärendes
walten durch die Welt in dieser Zeit geht, wo die alte
Pforte geschloßen, die neue aufgethan wird und eine heilige Stille sich über alles legt, deren Störung ein strafbarer
Frevel ist.

Was wir in dem vorangehenden aufgestellt haben,
zeigte bereits merfach, wie sich die kristlichen Vorstellungen mit den heidnischen mischten und wie heilige Gestalten der Kirche durch irgend welchen änlichen Zug den
Anlaß geben, die alten Ueberlieferungen der Väter auf sie
zu übertragen und durch sie fortzusetzen. Wir wißen namentlich auß skandinavischen Quellen, welch eigenthümliche
Vermengung des Kristenthums mit dem Heidenthum unmittelbar nach der Bekerung eintrat und wie die Gebiete göttlichen wirkens unter den Kristengott und die Heidengötter
vertheilt wurden. Dieser Zustand ist im wesentlichen biß
heute derselbe geblieben und wird es bleiben, biß das Volk
ganz nüchtern und ler geworden ist, was freilich bald genug eintreten wird. Wo wir einer Volkssage lauschen, tönt
ein altes heidnisches Lied der Vorfaren; wo das Volk sich

---

[1]) Nachträglich erfare ich noch folgendes auß dem Sausal (Steiermark). In der
Kristnacht muß man auf einen Kreuzweg gehn, und mit der Hand einen Kreiß um
sich machen. Dann komt der „böse Feind" und man kann von ihm begeren
was man will, Geld oder eine Nebelkappe oder was sonst; der Teufel muß es
bringen. Man muß sich aber ser hüten auß dem Kreiße zu treten, wozu einen
der Teufel durch allerlei Schreckmittel zu treiben sucht. Verläßt man den
Kreiß, so ist man verloren.

nicht am saufen und spielen, sondern an Spruch und Lied
und drastischer Aufführung erfreut, sehen wir ein Tagesbild
heidnisch festlicher Zeit. Es wäre für die Geistlichkeit unmöglich gewesen, die ganze Geisteswelt des Volkes zu ent-
völkern, und sie versuchte es auch nicht. Die Gebräuche
ließ sie fortbestehen als unschädlich dem Glauben, als nützlich für Sitte und Recht; in der Schar heiliger Personen
brachte sie dem Volke anscheinend änliche Bilder, und die
Legenden klangen der Menge wie Geschichten die den alten
verwant seien. So lenkte die Geistlichkeit unvermerkt den
volksmäßigen Strom in ihr Gebiet; die alten Heidengötter
wurden verkirchlicht und unschädlich fristeten sie ihr da-
sein fort.

Am schwersten möchte diese Wirkung für die Mitwint-
erzeit geschienen haben und doch ist sie hier fast volkom-
men gelungen. Durch das mächtige Fest gelang es, welches
die Kirche hier einsezte, dem sich alles unterordnen muste.
Diese neue heilige Zeit riß die alte an sich und ser viel
heidnisches konte einen kirchlichen Schein erhalten. Mit
allem freilich gelang es nicht, namentlich im nördlichen
Deutschland nicht, wo die Heidengötter sich mit ihren Namen
biß auf heute in den Volkssagen erhalten haben. Den Grund
davon müßen wir in der späteren und härteren Bekerung zum Kristenthum suchen und in der völligen Durchfür-
ung der Reformation, wodurch die heiligen Streiter in den
Hintergrund traten, welche den kleinen Krieg gegen Woden
und Frick zu füren hatten. In den katholischen Ländern
und in den gemischten ist es anders. Der Name Wuotan
taucht ganz einzeln auf, Perchtel oder Holle ist zwar bekant genug, aber fast nur als Kinderscheuche; im algemeinen ist Wuotan-Ruprecht dem h. Nikolaus oder Josef
oder auch dem h. Petrus gewichen; die Göttin ward durch
die h. Maria, auch wol durch das Kristkind und den Engel

verdrängt. Es gilt dieß vor allem von den Adventumzügen. Und hier zeigt sich wider eine landschaftliche Verschiedenheit; denn in dem streng katholischen Steiermark und Kärnten treten dabei die höchsten heiligen Personen nicht auf [1]), wärend in Elsaß und Schlesien, wo die Bekentnifse gemischt sind mit überwiegen des Protestantismus, der Krist und Maria erscheinen. Möglich daß die strenge Gegenreformation im Südosten die Adventumzüge von allem säuberte, was zur Entstellung Anlaß geben konte.

Ganz wie die Berchta als mütterliche Göttin um das Hauswesen der Menschen Sorge trägt; wie Holle namentlich das spinnen beaufsichtigt und nach schlesischer Sage die fleißigen Kinder belont, die faulen mit sich nimmt; wie Perchtel die schlimmen Kinder überhaupt heimsucht; so treten in den Adventen das Kristkind, der Engel, Petrus, Josef und Nikolaus auf. Der Ruprecht wird unter sie gemischt, der an andern Orten noch mit Berchta den gleichen Umzug allein hält. Singend oder mit Reimsprüchen treten diese Gestalten in die Kinderstuben, und kleine dramatische Szenen, in welchen Eltern und Kinder mitspielen, heften sich an ihre Fersen.

Wir können diese Sprüche durch längere Zeit verfolgen. Zuerst mag eines Ruprechtspruches gedacht werden, der sich in einer Handschrift der Magdalenenbibliothek zu Breslau erhalten hat [2]). Er wurde bei dem Umgange des Ruprechts gesprochen und zeigt ein Wechselgespräch zwischen Herr und Knecht. Der Herr beklagt sich, daß die Bauern nichts mer geben wollen; der Knecht aber sagt, sie hätten sich noch besonnen und allerlei in die Küche gelief-

---

[1]) Für die eigentlichen Weihnachtspiele gilt dieß nicht, da diese einen ganz andern Ursprung haben als diese Umzüge, und in ihnen als Darstellungen der heil. Geschichte die Hauptpersonen begreiflicher Weise nicht felen durften.

[2]) Mitgetheilt von Heinr. Hoffmann in dem Anzeiger für Kunde deutscher Vorzeit von H. v. Aufseß 1832. S. 306.

ert. Anfänge bekanter Volkslieder schließen sich an. So weit dieser Ruprechtspruch vorliegt, ist er nur ein Bettelspruch, ganz änlich den Kolendeliedern [1]), welche noch heute in manchen Kirchspielen Oberschlesiens beim Neujarsumgange der Pfarrer und Kantoren gesungen werden. Ich gebe ein par Strophen des Woischniker Liedes in profaischer Uebersetzung:

> Unser Wirt, Herr Schafner im Hause, seid nicht zäh
> und gebt was zum Schmause, guten Brantwein und
> Pfefferkuchen, zur Kolende.
> Weißes Brot und Butter zum naschen; laßt die Tische
> decken, die Teller waschen; gebt gutes Eßen, guter
> Herr, zur Kolende.
> Eine Entensuppe, ein gut Stück Rindfleisch, eine ge-
> bratene Gans, 'nen Hasen zugleich, und etwas dazu
> wollen wir eßen, zur Kolende.

So geht die Bettelei fort; sie bitten um Spanferkel, Wein, Bier, Speck, Geld, alte Stiefeln und Röcke, um Getreide, ja um Pferde und Ochsen. Zulezt wird die Wirtin angesungen:

> Frau Wirtin, des Hauses Verwalterin, zeig deine Güte,
> gib ein Faß Butter hin; und bist du nicht knickrig,
> leg ein Schock Käse zur Kolende.
> Frau Wirtin, des Hauses Verwalterin, zeig deine Güte,
> laß eine Fleischwurst braten, und wenn wir diese
> verzeren, empfelen wir uns in Eren, zur Kolende.

Laßen wir diese Bettelverse und sehen wir nach unsern Adventumzügen. Prätorius in seinen Weihnachtfrazzen [2]) spricht davon, daß Kristus mit S. Peter, Nikolaus

---

[1]) Kolendä, calendæ, der Neujarsumgang, und die Lieder die dabei gesungen werden.

[2]) Leipzig 1663. Ich habe das Buch leider nicht erlangen können, und entneme diese Mittheilung der Alsatia von Stöber auf 1851. Stuttgart S. 167.

3

und dem Engel Gabriel herumgehen; der Knecht Ruprecht
ist auch dabei und spricht folgenden Spruch:

Ich bin der alte böse Mann,
der alle Kinder freßen kann.
Ich Ruprecht hab euch was zu sagen,
wie mir der heilige Geist hat aufgetragen,
er mit seinem Engel draußen,
und ich will euch die Kolbe lausen.

Warscheinlich traten nun der Engel und der h. Krist,
dann Peter und Nikolaus ein; die Kinder wurden gemustert
und nach Verdienst behandelt. Das feststehende in diesen
Szenen ist durch die Reste dieser Dichtungen bekant,
welche sich biß heute erhalten haben. Ich theile zuerst ein
K r i s t k i n d l i e d auß Niederschlesien mit, worin das Kristkind und der Engel allein auftreten.

Der Engel und das Kristkind.

D e r E n g e l t r i t t e i n , w e i ß g e k l e i d e t , in der Hand ein
S c h w e r t , u n d s i n g t : [1]

Vom Himmel hoch da komm ich her,
ich bring euch neue gute Mär,
der guten Mär bring ich so viel,
davon ich singen und sagen will.

D a s K r i s t k i n d t r i t t e i n , b u n t g e k l e i d e t , i n d e r H a n d
e i n e R u t e u n d s i n g t :

Ein schön guten Abend geb euch Gott,
ich komm herein on allen Spott.
Hat es auch fromme Kinder innen,
die fleißig beten und singen können,
die fleißig in die Schule gehn
und züchtig vor dem Tische stehn?

---

[1] Treflich ist hier der Anfang des bekanten luther. Weihnachtliedes für
den Eingang des Engels benuzt. In der ältern kathol. Rezension des Liedes
(Wackernagel Kirchenlied no 842) geht eine einleitende Strophe vorauß.

Wenn sie fleißig beten und singen,
so werd ich eine große Bürde bringen.

Engel:

Ei liebes Kristkind, wenn ich dir soll die rechte Warheit sagen,
so muß ich über die kleinen Kinder klagen.
Des Morgens wenn sie aufstehn,
kein Gebet auß ihrem Munde geht,
die Bücher thuen sie zerreißen,
die Blätter in die Winkel schmeißen.

Kristkind:

Ei lieber Engel, hätt ich das eher vernommen,
in das Haus wär ich nicht gekommen;
da hätt ich mir meine Gaben erspart
und wär wider gen Himmel gefarn.

Engel:

Ei liebes Kristkind, bis nicht so hart
gegen die kleinen Kinder zart;
sie wollen fromm sein und beten,
daß du kannst mit dein Gaben vor sie treten.

Kristkind:

Ach lieber Engel, weil du der Kinder thust gedenken,
so will ich ihnen etwas geben und schenken,
damit sie an das heilge Kristkind gedenken.

Das Kristkind theilt seine Gaben auß, unterdessen
singt der Engel:

Ach liebes Kristkind, wenn ich wär wie du,
so hieb ich mit der Rute zu.

Der Engel und das Kristkind bleiben vor einander
stehn und singen:

Wir stehen auf einem Lilienblatt,
wir wünschen euch allen ein gute Nacht,

3 *

ein schön gute Nacht, ein fröliche Zeit,
die uns der Herr Kristus vom Himmel bereit.

Im heraußgehen:

Gute Nacht, gute Nacht, gute Nacht,
wir haben uns noch weiter bedacht;
wir haben draußen stehn ein schönen Wagen,
der ist mit lauter Gold und Silber beschlagen.

Wir haben in diesem sogenanten Liede den einfachen
Hergang mit möglichst wenig Personen dargestellt. Auß
meiner Kindheit erinnere ich mich ser deutlich, mit welcher
Würde unsere Dienstleute ihre Rollen spielten. In weißen
bunt bebänderten Kleidern traten sie fein und möglichst
zart auf; das Gesicht versteckten sie hinter Larven, ein
Schleier hieng vom Haupt des Krists und des Engels, die
Hände stekten in weißen Handschuhen. Mit feiner Stimme
sprachen oder sangen sie in rezitierender (sagender)
Weise die Verse. — In dem mitgetheilten Liede kann das
Schwert des Engels auffallen; jedenfalls schwebte dem
Volkssinne der Cherub mit dem flammenden Schwerte an
dem Paradiese vor. Das Kristkind, stets erwachsen dargestellt, hat die Rolle der Berchte übernommen; die evangelische Erzälung, wie Kristus die Kindlein zu sich kommen
ließ, erleichterte diesen Tausch. In einigen niederschlesischen Gegenden erscheint mit dem Kristkinde der Ruprecht,
in ostschlesischen (deutschen) der h. Joseph. Am Schluße
des obigen Liedes wird des Wagens gedacht, mit dem der
h. Krist herumfare. Ich stehe nicht an, darin jenen Wagen
der Berchte zu sehen, auf welchen sie thüringischer Sage
nach zu Weihnachten das Land durchzieht. In einem warscheinlich in Thüringen entstandenen Weihnachtspiel: „ein
holdseliges und ganz liebliches Gespräch von der Krist-

fårt u. s. w. Jena 1666" [1]) spielt dieser Wagen, auf dem
der h. Krist herumfårt, ebenfalls seine Rolle. Er ist übrigens
in manchen schlesischen Gegenden keine bloße Redensart,
sondern die Kristkindelspieler ziehen wirklich mit einem
Wagen herum; der Engel Gabriel ist dabei der Wagen-
lenker. Dieß. belegen auch die beiden zunächst folgenden
Lieder, deren erstes auß Kolbnitz bei Jauer ist.

Der Engel mit dem Szepter und mit einer Krone auf dem Haupt.

Guten Abend! ich komm herein getreten
und habe nicht um Vergunst gebeten [2]);
will fragen ob die Kinderlein
den Eltern auch gehorsam sein.

Fragt die Eltern darüber und fragt sie ferner:

Mag das Kristkind 'rein kommen?

Kristkindelein, komm immer herein,
der Stul soll dir bereitet sein,
die Thür will ich dir machen auf
(Der Engel macht die Thür auf.)
die Kinder warten mit Freuden darauf.

Kristkind:

Guten Abend geb euch Gott,
ich komm herein on allen Spott [3]),
ich komm herein on allen Schein,
will sehen ob die Kinder fleißig gewesen sein.
Wenn die Kinder werden fleißig beten und singen,
so werd ich ihnen eine große Bürde bringen;
wenn sie aber nicht werden fleißig beten und singen,

---

[1]) Gottsched nötiger Vorrat zur Geschichte der dramatischen Dichtkunst
I, 220 — 222. Leipzig 1757.

[2]) Herr Wirt, ir tugenthafter man, ir sult uns nit ver ubel han, daß wir
sein do ungeladen kumen. Fastnachtspiele des 15. Jarhund. 88, 10.

[3]) Ueber diese Formel vgl. unten die Anmerk. zu dem Schlaupitzer Krist-
kindellede.

so wird ihnen die Rute auf dem Rücken rum springen.
Ei! Engel Gabriel sag mir an,
was haben die Kinder böses gethan?

Engel:

Ei Kristkindelein, wenn ich dir das solte sagen,
so würdest du über diese Kinderlein klagen.
Wenn sie in und auß der Schule gehn,
bleiben sie auf den Gaßen stehn,
die Bücher thun sie zerreißen,
die Blätter in alle Winkel schmeißen,
solche Bosheit treiben sie.

Krist:

Ei hätt ich das eher vernommen,
so wär ich nicht in das Haus rein gekommen,
hätte mich gesezt auf mein Roß und Wagen
und wäre mit den Gaben weiter gefaren.

Engel:

Ei Kristkindelein, sei nicht so hart,
die Kinder sind nicht nach deiner Art,
sie sind wie das gewundene Wachs,
bald sind sie weich bald sind sie hart.

Kristkind:

Ei Engel, weil du mich so thust beten [1]),
so will ich noch einmal zu den Kindern treten.
Geh hinauß zu meinem Roß und Wagen
und hol herein die Gottesgaben,
die Gottesgaben und die Geschenke,
damit die Kinder an uns gedenken.

Wärend das Kristkind die Gaben außtheilt, singt der **Engel**:
    Engel Gabriel werd ich genant [2]),

---

[1]) Beten, bitten; auch in dem Flattacher Hirtenreime „Hui hui, was ist denn das", s. unten.
[2]) Vgl. unten das Kristkindlied auß Schlanpitz.

den Szepter trag ich in meiner Hand,

(er stampft mit dem Szepter auf)

die goldene Krone auf meinem Haupt,
die hat mir Gottes Son erlaubt;
hätte er mir sie nicht erlaubt,
so trüg ich sie nicht auf meinem Haupt.

Darauf singen beide:

Gute Nacht, gute Nacht in aller Frist,
wir sind der heilige Krist;
und haben wir was nicht recht gemacht [1]),
so wünschen wir eine gute Nacht.

Gute Nacht, wir müßen scheiden,
die Zeit will uns nicht leiden.
Gute Nacht, wir müßen fort
an einen andern Ort.

Kristkind, Gabriel, Petrus.

Kristkind:

Ich soll fragen ob die Kindelein
den Eltern auch gehorsam sein,
ob sie fleißig in die Schule gehn
und züchtig vor dem Tische stehn.
Wenn sie fleißig beten singen und spinnen,
wird das Kristkind eine große Bürde bringen,

---

[1]) Hier komt die namentlich bei den Fasnachtspielen des 15. Jarh. häufige Entschuldigung. Zu diesem ganzen Abschiede vergleiche den Schluß eines Fasnachtspiels des 15. Jarh. (Fastnachtspiele, herausg. von Ad. Keller no. 9, S. 96, 23—34. „Die kurzweil die ist nu volpracht. Herr wirt, das sei zu guter nacht, Und nemt vergut unsern schimpf, Zieht unser torheit in einen glimpf. Wir meinen, wer heut nerrisch tut, Das halt man im doch alls vergut. Und gebt uns urlaub, es ist zeit, Wann wir mueßen noch ziehen weit. Und wolt iemant nach uns fregen, So weist sie hin gen Erlestagen Oder hinuber zu dem tauben etlein da sol heint unser herberg sein". — Vgl. auch zu dem Schluß: Herr Wirt, wir wollen urlaup han, wann wir müßen noch ferrer gan. Fastnachtsp. 107, 33.

wo sie aber nicht fleißig beten singen und spinnen,
wird das Kristkind eine große Rute bringen.

Die Eltern:

Wenn die Kinder in die Schule gehn,
bleiben sie auf der Gaße stehn,
die Bücher thun sie zerreißen,
die Blätter in finstre Winkel schmeißen,
solche Poßen treiben sie.

Engel Gabriel:

Ach liebes Kristkindlein, wenn ich wär wie du,
so hieb ich mit Ruten und Peitschen zu.

Kristkind:

Ach lieber Engel Gabriel, sei doch nicht so hart,
die Kindlein sind ja noch jung und zart.

Petrus:

Ach liebes Kristkindlein laß dir raten,
wir wollen wider nach Hirschberg faren.

Kristkind:

Lieber Engel Gabriel spann an den goldnen Wagen,
wir wollen wider in Himmel faren.

Petrus:

Gute Nacht gute Nacht gute Nacht gute Nacht,
ich hab mir mein Bett nach Hirschberg gemacht.

Engel Gabriel:

Gute Nacht gute Nacht gute Nacht,
ich hab mir mein Bett in Himmel gemacht.

Kristkind:

Gute Nacht gute Nacht ihr lieben Kindelein,
die Kristnacht will ich wider bei euch sein.

Das zweite dieser Lieder ist auß der Gegend von Hainau; seine niederschlesische Heimat ist durch den Witz, den Petrus mit Hirschberg und dem Himmel macht, bezeugt. Petrus erscheint in diesen wenigen Worten dem komisch-gutmütigen Karacter gemäß, in dem ihn Dichtungen unserer älteren Zeit gern auffaßen. In andern Weihnachtszenen ist dieser Karacter auf den heiligen Joseph, „den alten Joseph", übertragen. So in einem Wechselgesang auß der südlichen Grafschaft Glaz [1]). Als karacteristisches Attribut trägt der h. Petrus den Schlüßel, Gabriel den Szepter oder, wie um den Költschenberg bei Reichenbach, eine Trompete.

Diesen schlesischen Adventspielen scheinen die elsäß-ischen ganz gleich zu kommen. Stöber erzält in der Alsatia auf 1851 (S. 164) daß im Elsaß acht oder vierzehn Tage vor Weihnachten weißgekleidete erwachsene Mädchen oder Knaben von Haus zu Haus ziehen, eine goldpapierene Krone auf dem Haupte, einen Schleier vor dem Gesichte oder dasselbe mit Mel bestrichen, eine Rute oder Schelle in der Hand [2]). Wenn es dem Kristkinde erlaubt wird ein-zutreten (vgl. oben S. 37 die schlesischen Lieder) so thuen sie Fragen nach der Aufführung der Kinder, wie in Schlesien und sonst wo. Am Weihnachtabend komt das Kristkind wider, und zwar oft in Gesellschaft des Hanstrapp, der vermumt und mit Kolen geschwärzt ist und mit Ketten und Schellen raßelt. Der elsäßische Hanstrapp ist ein Bruder des steirisch-kärntischen Bartel; die Schellen erinnern an die Schellen der kärntischen und tiroler Berchteln, wie oben schon gesagt wurde. Der Umzug des Nikolaus mit

---

[1]) Haupt Zeitschrift für deutsches Alterthum 6, 843. 344.

[2]) Stöber a. a. O. S. 165 erwähnt, daß in den französischen Häusern des Elsaß die dame Noel auftritt, in der Freigrafschaft la fée Arie, tante Arie; sie erscheint ganz wie unser Kristkind.

dem Bartel geht auch nicht still vor sich. Wenn sich Bischof Nikolaus meldet, rufen die Eltern:

> Herein herein, Herr Nikolo,
> es sein brave Kinder do;
> sie beten gern, sie lernen gern,
> und der heilige Nikolo wird ihnen was verern.

Zu dem Bartel aber sagen die Kinder:

> Bartel Bartel, wilder Bär,
> leg mir ein was i beger.
> Steck auß deine wilden Brafsen [1]
> und leg mir ein a schens par Hosen.

Bartel hat jedoch nur die Ruten für die schlimmen Kinder in seiner Krechse; die Geschenke vertheilt der Engel in Nikolos Auftrage. Niklaus legt aber auch oft wärend der Nacht seine Gaben ein, daß sie die Kinder beim Erwachen am Fenster und auf dem Bette finden.

Der Pelzmärte in Schwaben scheint in ganz gleicher Weise aufzutreten (Meier Sagen aus Schwaben S. 460); mit ihm komt an manchen Orten das Kristkind und ein weißgekleideter Engel (Meier a. a. O. 465). Die Kinder werden geprüft und beschenkt oder gestraft; die dabei üblichen Sprüche entfernen sich von den schlesischen gewifs nicht weit. Verrät sich doch in den Gesängen bei dem Nikolaiumgange in dem polnischen Theile Oberschlesiens der änliche Zug. Den Anfang macht daselbst der Engel mit den Versen:

> Jam jest [2] anioł z nieba zeſtany,
> przyszedłem się dowiedzieć
> jeżeli dziatuszki paciorek mowiają
> i ojca i matki pięknie ſłuchają.

(Ich bin der Engel vom Himmel gekommen, bin gesant zu sehen ob die Kinderlein das Vaterunser beten und Vater und Mutter schön gehorchen).

---

[1] Pratzen, Tatzen.
[2] Mundartliche Formen des oberschlesisch-polnischen.

Wie poetisch lebendig und durch Gesang und Spiel
gefeiert diese ganze Zeit im Volke noch heute ist, werden
außer dem schon mitgetheilten weiterhin die dramatischen
Aufführungen und die Hirtenlieder beweisen. Hier wollen
wir nur noch des süddeutschen klöckeln oder klöpfeln
gedenken.

An den Dienstagabenden der Advente ziehen in Kärnten
die Burschen von Haus zu Haus und klocken (klopfen).
Zwischen ihnen und den drinnen entspinnt sich ein Wett-
reimen. Die Leute im Hause sprechen etwa also:

Bist a Môn,   schloag brav drôn;
bist a Bue,   schloag brav zue;
bist ä Jungfrau mit roatn Zöpfn,
kannst noch a moal zuecher klökn.

Oder:

Der Klökler ba der Wond,
heart sein aigne Schond.

Oder:

Druntn âfn Môs   ligt a toats Rôs,
is hintn und vorn ôfen,   is der Klökler auser gschlôfn.

Die Klökler müßen in entsprechenden Reimen antworten.

In Salzburg scheint der Gebrauch in selber Weise zu
bestehn; er heißt hier anglöckeln. In Tirol Baiern Schwab-
en und Franken heißt man es klöpfeln; die Klöpfelsnächte
fallen aber hier Donnerstags und namentlich wird der lezte
Donnerstag vor Weihnachten außgezeichnet. Arme Leute
und Kinder gehen von Haus zu Haus, klopfen mit hölzernen
Hämmern an die Thür oder werfen mit Erbsen an die
Fenster (Schwaben). Die Sprüche die sie dabei sagen,
stimmen vielfach zu den Sommerliedern und Fasnachtreimen
anderer Gegenden [1]). In früheren Jarhunderten war es in

---

[1]) Pichler Drama in Tirol 8. 9. Schmeller bairisches Wörterb. 2, 361. f.

Schwaben Sitte, daß die jungen Männer um Neujar vor die Häuser ihrer Liebsten giengen und durch Lieder und Reime zum Zeichen der Gunst einen Kranz zu erlangen strebten [1]). Proben dieses Kranzsingens geben das zweite und dritte Lied in L. Uhlands Samlung alter hoch- und niederdeutscher Volkslieder.

Zuverläßig in weit größerer Fülle, als diese Blätter andeuten konten, rauschten die heidnischen Gebräuche des Mitwinters den kristlichen Priestern entgegen, welche das schwere Werk anhuben, in die deutschen Waldwüsten das Weizenkorn der kristlichen Lere zu streuen. Damals war das Weihnachtfest schon zu einer großen Kirchenfeier geworden, und die Zeit war vorüber, in der man die leibliche Geburt unverhältnifsmäßig zurücksezte gegen den leiblichen Tod, welcher die Geburt zum geistigen Leben sei. Nachdem zuerst in Egypten und in Gallien die Geburt Kristi gefeiert worden war [2]), wurde das Weihnachtfest von der abendländischen Kirche im vierten Jarhundert eingefürt und von der morgenländischen bald angenommen. Für die Adventfeier sprechen zuerst Zeugnifse auß dem sechsten Jarhundert [3]); in Deutschland scheint sie erst im neunten Eingang gefunden zu haben, wenigstens auf der Synode von Mainz im Jar 813 wird die Adventzeit nicht unter den heiligen Zeiten aufgefürt. Bald darauf beginnt indefsen das Kirchenjar, welches biß da mit Ostern angefangen wurde, mit Weihnachten [4]), und hiernach läßt sich schließen, daß

E. Meier Sagen aus Schwaben 457–461. — Der schwedische Julklapp, der auch nach Pommern verpflanzt ist, hat etwas änliches mit dem klöpfeln.

[1]) Vita Henrici Susonis ap. Bolland. T. II. Jan. p. 658. cf. M. Gerbert. vet. liturg. Alemann. IX. 1, 5.

[2]) Augusti Denkwürdigkeiten aus der kristlichen Archäologie 1, 223.

[3]) Augusti a. a. O. 1, 178.

[4] Rettberg Kirchengeschichte Deutschlands. Göttingen 1848. 2, 790.

fortan auch die Advente gefeiert wurden. Damit trat den Deutschen jener völlig außgebildete Weihnachtcyklus der Kirche entgegen, und den heidnischen zum Theil wüsten Julgebräuchen, die ihres echten Inhalts immer mer ledig wurden, stellte sich ein ernster und doch auch heiterer Gottesdienst gegenüber, der würdig gehalten den Eindruck auf das Volk nicht verfelen konte.

Sehen wir in welcher Weise die Kirche des Mittelalters die Geburt Kristi vorbereitete, begieng und nachfeierte; wir haben darin die Anknüpfung für das, was uns forthin beschäftigt [1]).

Die Advente sollen die Kristenheit zum würdigen Empfange des Heilands geschikt machen; sie werden daher mit tiefem Ernste in stiller Betrachtung und der Enthaltung von aller weltlichen Lust begangen. Ein vierzigtägiges Fasten ward den Gläubigen geboten, es dürfen keine Hochzeiten gefeiert werden, die kirchlichen Gewänder mit freudigen Farben werden bei Seite gelegt, hier und da die Bilder verhüllt und anstatt der heiteren Hymnen und Sequenzen erschallen Bußpsalme, namentlich das Miserere mei. Selbst das Te deum laudamus wurde in vielen Kirchen (die Klosterkirchen sämtlich außgenommen) nicht gesungen. Fast an jedem Tage wurde in den größeren Kirchen gepredigt, dem Volke werden dabei die prophetischen Stellen des alten Testamentes mitgetheilt, außgelegt und zur Rüstung auf die Ankunft Kristi gemant, damit sie nicht wie die thörichten Jungfrauen von dem Bräutigam überrascht würden und er sie nicht kenne. Die Gesänge, welche von dem Kore angestimt werden und die Cer-

---

[1]) Hauptquellen sind Edmund. Martene de antiquis ecclesiæ ritibus und Gullelm. Durand. rationale divinorum officiorum, beide oft gedrukt, lezteres auch in deutschen Uebersetzungen des 14. und 15. Jarhund. vorhanden. (Hoffmann Wiener Handschr. no. CCCXXX. CCCXXXI.)

imonien nähern sich mit dem heranrücken der Weihnachten
größerer Lebendigkeit.

Bei dem Morgengottesdienste am vierten Adventsonn-
tage geschah es in manchen Kirchen, daß nach Beendigung
des Psalmengesanges der Diakon und Subdiakon und die
Akolythen in Alben mit Liechtern und dem Weihrauchfaß in
Prozefsion zu dem Pulte zogen, wo der Diakon das Evangelium Missus est angelus Gabriel a deo mit der feststehenden
Homilie vorlas. Darauf zündete er die Kerzen des Altars an,
und er und der Subdiakon sezten sich, biß ein Akolyth die
Liechter des ganzen Kores angezündet hatte. Diese Cerimonie wird als Darstellung der Verkündigung gedeutet. Der
Diakon vertritt den Engel, die Räucherung des Kores ver-
sinnlicht die Beschattung durch den heiligen Geist, die
Stille und Ruhe wärend des ganzen bedeuten die Bangig-
keit der Jungfrau und ihr Nachsinnen über den Gruß des
Engels [1].

In anderen Kirchen fand in dem Nocturn des vierten
Adventsonntags ein änlicher Gebrauch statt. Nach festlicher
Erleuchtung des Altars tritt der Priester mit den Kerzen-
trägern und Weihrauchministranten in den Kor, und mit ver-
hülltem Haupte begint er das Evangelium Missus est angelus. In der Magdalenenkirche zu Besançon antwortete dem
Diakon, welcher die Worte des Engels vortrug, eine
schön gekleidete Jungfrau, die vorher darin wol unter-
wiesen war, in den Worten der h. Maria. Außdrücklich
wird von Marteue (l. IV. c. 10. §. 30) hinzugefügt, das geschehe zur Belerung des Volkes, welches durch solche
Gebräuche tiefere Eindrücke empfange als durch Predigten.

Mit der Vigilie wurden die bißherigen düsteren Gewänder beseitigt und Altäre und Kor festlich geschmükt;

[1] Durandi rationale l. VI. c. 8.

die Vorsänger erhielten rote Kappen. Sobald der Lector
die Geburt Jesus Kristi verkündete, warfen sich alle zur
Erde (Martene l. IV. c. 11.). An dem heiligen Tage selbst
wurde die Bedeutung der Geburt noch einmal in den feststehenden Lectionen hervorgehoben; in dem ersten Nocturn
waren die Legenden auß dem Jesaias gewält, im zweiten
auß den Kirchenvätern. Auch die Verse der erythräischen
Sibylle [1]) wurden in manchen Kirchen vorgelesen; das
wirkte darauf ein daß die Sibyllen in die dramatischen
kirchlichen Aufführungen aufgenommen wurden. Die Lectionen waren an vielen Orten an merere Lectoren vertheilt.
(Martene L. IV. c. 12. §§. 9 — 13.)

Nach dem Te deum am heiligen Weihnachttage wurde
in der Kirche von Rouen die Anbetung der Hirten in dieser
Art gefeiert. Hinter dem Altare ist eine Krippe erbaut, darauf das Bild der h. Jungfrau. Vor dem Kor auf einer Erhöhung steht ein Knabe, welcher den Engel darstellt, und
verkündet die Geburt Kristi. Durch die große Thür des
Kors treten die Hirten ein und gehen auf die Krippe zu,
unter dem Gesange Pax in terris u. s. w.; sie begrüßen die
Jungfrau und beten das Kind an. Vor dem Altar wird eine
Meſse gelesen; nachdem sie der Priester geendet, wendet
er sich zu den Hirten und fragt: quem vidistis pastores?
die Hirten antworten: natum vidimus. (Martene IV. 12, 16).
In dem Sprengel von Nantes war es Brauch, daß nach dem
Gesange des Benedicite Knaben mit Stäben vor das Altar
traten. Der Kantor fragte Pastores dicite etc., die Knaben
antworteten Infantem vidimus. Darauf begann einer die Antiphone Parvulus filius, auf welche der Psalm Laudate
Dominum folgte. Aenlich war die Cerimonie in Tours und

---

[1]) Wie schon Eusebius und Augustin die Autorität der Sibylle nicht besonders hoch hielten, darüber vgl. J. G. Friedlieb Oracula Sibyllana. Die sib-
yllinischen Weißagungen. Leipzig 1852. p. XI.

einigen andern Orten. In Rheims gieng sie also vor sich: Nach dem Schluße der Antiphone Parvulus filius beginnt ein Priester mit dem Vorsänger die Antiphone Pastores dicite. Der Kor antwortet Infantem vidimus, der Priester singt Laudate dominum in sanctis, der Kor Pastores dicite, und so geht der Wechselgesang fort biß zu dem Gloria patri et filio (Martene IV. 12, 30). In der Kirche von Laon traten nach der Meſse und den Laudes Kantor und Unterkantor in weißen Kappen an die rechte Thür des Kors und sangen Pastores dicite. Die Kleriker, welche vor der Thüre stunden, erwiderten Infantem vidimus, und indem die Glocken ertönen, begint der Kantor Lux fulgebit, worauf die zweite Meſse anhebt [1]).

Wir werden bald sehen, wie diese Cerimonien weiter außgebildet wurden. Auß diesen Fortbildungen wird sich der Beweis ergeben, daß sie nicht auf die gallikanische Kirche beschränkt waren, sondern auch in Deutschland ser früh Eingang gefunden haben. Ihre Volksthümlichkeit war der Anlaß daß deutsche Wörte bei ihnen in Gebrauch kamen. In der Münchener Handschrift (Cgm. 715. Tegernsee) welche die Lieder des Mönchs von Salzburg enthält, steht Bl. 4ᵃ: Zu den weihnachten der froeleich ympnus A solis ortus cardine. Und so man daz kindel wigt über daz Resonet in laudibus, hebt unser vraw an ze singen in ainer person: Joseph lieber neve mein; so antwurt in der andern person Joseph: geren, liebe mueme mein: Darnach singet der kor die andern vers in einer diener weis, darnach den kor. [2]) Wir haben uns also in der Kirche eine Krippe aufgestellt zu denken, an der Maria saß. Sie fordert Joseph auf, ihr das Kind zu

[1]) Martene IV. 12, 31. Gerbert vetus liturgia alemann. IX. 1, 3.

[2]) Altdeutsche Blätt. von Haupt und Hoffmann 2, 329. Das ganze Lied ist von Fr. Pfeiffer mitgetheilt ebd. 341. f. Eine Umdichtung von Joh. Mathesius steht bei Ph. Wackernagel das deutsche Kirchenlied n. 478.

wiegen und dieser erklärt sich bereit dazu; der Kor stimmt
ein frommes Weihnachtlied an. In Weihnachtspielen, welche weiterhin mitgetheilt werden, wird sich die wörtliche
Erinnerung an diesen Wechselgesang finden. [1] Wie volksmäßig diese Cerimonie wurde, beweist ein Tübinger Gebrauch, der noch vor zwanzig Jaren bestand. In der Kristnacht um zwölf wurde nämlich auf dem Thurm der Tübinger
Hauptkirche in einer kleinen mit Liechtern umstellten Wiege
das Bild des Jesuskindes gewiegt, wärend die Musik den
Koral „Ere sei Gott in der Höhe" blies. Das unten zuseh-
ende Volk sang darauf ein weltliches Wiegenlied. [2] So hat
sich jene alte dramatische Darstellung auß der katholischen
Kirche auch in die protestantische hier und da hinübergezogen.

Diese Cerimonien waren bei allem heitern Weihnachts-
tone doch auf ernsten und heiligen Boden gebaut. Frühzeitig
gesellten sich ihnen aber weltliche unkirchliche Gebräuche
zu, die ihre Stäte neben ihnen in den Kirchen suchten und
durch viele Jahrhunderte fanden, angefochten schon durch
Augustin, untersagt 1210 durch Innozens III., in Spanien
Frankreich England Deutschland dennoch wuchernd und bei
uns noch 1651 durch eine Kölner Synode bekämpft (Hartzheim IX. 739). Es sind jene Lustbarkeiten, welche die
Schuljugend und besonders die Korknaben trieben und denen
sich erwachsene beimischten, jener Brauch wonach die
Knaben sich am Nikolaustage einen Bischof wälten, der biß
zum Tage der unschuldigen Kindlein in seiner Würde blib
und die kirchlichen Gebräuche nachamte, wobei es an Ver-
spottung des ernsten und Entweihung des geweihten nicht
felen konte: das Fest der Unterdiakonen oder wie es beßer

---

[1] Sandys Christmas Carols p. CXX fürt eine Stelle an, wonach im 16. Jh.
auf dem Festlande es allgemeiner Gebrauch war, daß am Kristtage eine Puppe,
welche das Kristkind vorstelte, auf den Altar gestelt wurde, vor welcher die
Kinder Weihnachtslieder sangen.

[2] E. Meier Sagen aus Schwaben S. 464.

4

heißt das Fest der Narren und das Eselsfest. Es hatte seinen
Gipfel wie gesagt am Tage der unschuldigen Kindlein, anderwärts auch am Feste der Beschneidung oder an Epiphanias
oder deren Octave (Durandi rationale VII, 42). Ursprünglich bestand die Feierlichkeit nur darin, daß alle kirchlichen
Funktionen des Tages von Knaben vollzogen wurden, und
alles gieng nach dem herschenden Rituale (Martene IV. 13,
11). Allein wohin dieser Gebrauch fürte, mag die Baseler
Kirchenversamlung bezeugen, welche in ihrer 21. Sitzung
jenen schändlichen Misbrauch untersagt, „daß die einen in
bischöfliche und priesterliche Gewänder gekleidet den Segen
ertheilen, andre sich als Könige und Fürsten verkleiden,
andere verlarvt Schauspiele auffüren, andre Tänze und
Gelage abhalten, und zwar alles in der Kirche." Am weit-
esten scheint das Narrenfest in England und Frankreich
gediehen zu sein; besonders in lezterem Lande spielte
der Esel Bileams seine Rolle in den Kirchen und wurde vor
dem Altar mit der schönen Strophe begrüßt:

Orientis partibus	adventavit asinus
pulcher et fortissimus	sarcinis aptissimus.
Hez sire asnes, car chantez,	belle bouche rechignez;
vous aurez du foin assez	et de l'avoine à plantez.

Daß indessen auch in Deutschland dieser Unfug nicht
spärlich getrieben wurde, beweisen die wiederholten Verbote namentlich in dem Kölner Sprengel. [1] Als Rest dieser
Knabensaturnalien hat sich im südlichen Deutschland und in
Franken das kindeln, aufkindeln, fitzeln, pfeffern erhalten,
der Umgang der Kinder am unschuldigen Kindleintage, wo-

---

[1] Vgl. weiteres über dieses Fest bei Du Cange glossarium mediæ et infimæ
latinitatis s. v. festum. Kalendæ. — S. auch M. Gerbert de cantu et musica sacra
II. 83. 236. Vetus liturg. alemann. IX. 7, 6. Mone Schausp. des Mittelalt. 2, 367.
v. Schack Geschichte der dramat. Literatur und Kunst in Spanien 1, 39. 136. 239.
Sandys Christmas carols CIV. ff. Aventin Chronica 1566. f. 504. rw.

bei sie unter Rutenschlägen sich eine Gabe erbitten.[1]) In Steiermark und Kärnten sagen sie dabei: frisch und gesund, frisch und gesund, lange leben und gesund bleiben.

Gehen wir nun in dem Weihnachtcyklus weiter und sehen wir zu, welche Cerimonien am Epiphanienfeste sich zu dramatischer Lebendigkeit erhoben. Die Anbetung der drei Weisen auß dem Morgenlande war nach der Auffaßung der lateinischen Kirche der Gegenstand des Festes und bildet demgemäß auch den Inhalt der Cerimonien. Es ist abermals das Rituale von Rouen, welches für uns wichtige Mittheilungen macht. Es heißt darin: Nachdem die Terz am Epiphanientage gesungen ist, beginnt das Officium der drei Könige. Auß drei verschiedenen Theilen der Kirche schreiten die drei Könige in Kappen mit Kronen geschmückt auf den Altar zu, begleitet von ihren Dienern, welche in Tuniken und Ueberwürfen die Geschenke tragen. Der erste König, welcher auß der Mitte komt, deutet mit seinem Stabe nach dem Stern und spricht: Stella fulgore nimio rutilat; der zweite von rechts kommend fügt hinzu: quae regem regum natum demonstrat, und der dritte, welcher von links herzutritt, schließt: quem venturum olim prophetiæ signaverant. Da treffen die Magier vor dem Altar zusammen, küssen sich und singen: Eamus ergo et inquiramus eum, offerentes ei munera aurum thus et mirrham. Hierauf stimmt der Kantor das Responsorium an Magi veniunt etc. und die Prozession beginnt. Wenn es nötig ist, wird dabei noch das zweite Responsorium gesungen: Interrogabat magos. Sobald die Procession in das Schiff der Kirche tritt, wird ein Kronleuchter, der an dem Kreuzaltar hängt, angezündet, und die Magier singen: Ecce stella in oriente prævisa iterum præcedit nos lucida. Hæc inquam stella natum demonstrat,

---

[1]) Schmeller bair. Wörterb. 1, 306. 580. 2, 310. E. Meier Sagen aus Schwaben 467.

4*

de quo Balaam cecinerat dicens: Orietur stella ex Jacob et
exsurget homo de Israel et confringet omnes duces alienigen-
arum et erit omnis terra possessio ejus. Da treten zwei, die
in Dalmatiken gehüllt sind, auf die beiden Seiten des Altars
und singen mit sanfter Stimme: Qui sunt hi qui stella duce
nos adeuntes inaudita ferunt? Die Magier antworten: Nos
sumus qui cernitis reges Tharsis et Arabum et Sabae, dona
ferentes Christo regi nato domino, quem stella deducente
adorare venimus. Die beiden in Dalmatiken schlagen den
Vorhang zurück und sagen: Ecce puer adest quem queritis,
quem properate adorare quia ipsa est redemtio mundi. Die
Könige fallen auf ihre Knie und begrüßen das Kind mit den
Worten Salve princeps saeculorum! darauf nimt der erste
das Gold von seinem Diener und spricht: suscipe rex aurum!
der zweite opfert den Weihrauch mit den Worten: tolle thus,
tu vere deus! der dritte bietet die Mirrhe als Zeichen des
Todes. Wärend dessen geht die versammelte Menge zum
Opfer und das geopferte Gold wird den beiden in den Dalmatiken gegeben. Die Magier aber liegen im Gebet, und indem sie gleichsam auß dem Schlafe erwachen, singt ein Knabe
in der Albe, den Kopf verhüllt, als Engel am Pult stehend
ihnen die Antiphone zu: Impleta sunt omnia quæ prophetice dicta sunt. Ite ob (!) viam remeantes aliam nec delatores
tanti regis puniendi eritis. Da gehn die Könige durch das
Seitenschiff auß der Kirche und treten durch die linke Thür
in den Kor, indem der Kantor das Responsorium beginnt:
Tria sunt munera. Wärend der Messe leiten die drei Könige den Kor und es wird das Kyrie fons bonitatis, das Alle-
luja, Sanctus und Agnus gesungen. (Martene l. IV. c. 14. §. 9).

Nach dem Rituale von Limoges wurde die Feier in
dieser Weise begangen. Ehe das Volk zum Opfer gieng, trat-
en drei Korsänger (chorarii) in seidenen Kleidern, goldene
Kronen auf dem Haupte, einen vergoldeten Becher oder

änliche Kleinode in der Hand, durch die größere Thür in den Kor der Kirche, schritten würdevoll einher und sangen diese Prosa:

O quam dignis celebranda	dies ista laudibus,
in qua Christi genitura	propalatur gentibus,
pax terrenis nunciatur	gloria cœlestibus.
Novi partus signum fulget	orientis patria.
Currunt reges orientis,	stella sibi prævia,
currunt reges et adorant	deum ad præsepia.

Tres adorant reges unum,   triplex est oblatio,
der erste indem er den Becher in die Höhe hebt
   aurum primo,
der zweite: thus secundo,
der dritte: myrrham dante tertio,
der erste: .
   aurum regem,
der zweite: thus coelestem,
der dritte: mori notat unctio.

Unter diesem Gesange sind sie in die Mitte des Kores gekommen; da erhebt einer die Hand und deutet nach dem Sterne, welcher an einem Stricke vor ihnen herschwebt, und ruft mit lauter Stimme: Hoc signum magni regis! Darauf gehen sie gegen das Hochaltar, singend: Eamus, inquiramus eum et offeramus ei munera aurum thus et myrrham. Sie legen ihre Kleinode nieder und gehen zum Opfer. Hiernach singt ein Knabe hinter dem Altar als Engel zu den Königen: Nuncium vobis fero de supernis! natus est Christus, dominator orbis, in Bethlehem Judæ, sic enim propheta dixerat ante. Da erstaunen die Könige und mit Verwunderung gehen sie durch die Thür, welche nach der Sakristei führt, indem sie die Antiphone anstimmen: In Bethlehem natus est rex cœlorum. (Martene l. IV. c. 14. §. 12).[1]

---

[1] Aenliche kirchliche Cerimonien mit Prozessionen von einer Kirche zur andern fanden im 14. Jarh. zu Mailand statt. Warton history of poetry II, 128. Sandys Christmas carols LXXXIX.

Die Opfergänge des Dreikönigtages gaben in Frankreich Burgund und England zu Hofcerimonien im 14.—16. Jh. Anlaß. Die Fürsten entzogen sich nämlich dem Opfergange nicht, sondern namen im vollen Schmucke daran Theil. Vor dem Könige von Frankreich, und warscheinlich auch vor dem Herzoge von Burgund, schritten drei Kämmerer einher, welche die Gaben trugen, welche vor der Kirche niedergelegt wurden.[1] Heinrich VII. von England hielt diese Cerimonie im höchsten königlichen Schmucke ab. Das geopferte Gold, Weihrauch und Myrrhen sante der Dechant des Kapitels sogleich an den Erzbischof von Canterbury durch einen Kleriker, welchem der Erzbischof die erste erledigte Pfründe geben muste.[2] So zeigen sich uns alle Kreiße von den kirchlichen Darstellungen der Weihnachtzeit berürt.

Ich habe vorhin erwähnt daß sich die Cerimonien von Rouen und Limoges zu noch größerer dramatischer Fülle außbildeten. Diejenigen welche mit der dramatischen Literatur des Mittelalters bekannt sind, werden sich dabei jener beiden Dreikönigsspiele erinnert haben, des Herodes sive magorum adoratio und der Interfectio puerorum, welche zuerst Monmerqué auß einer Handschrift der Statbibliothek von Orleans in nur dreißig Abzügen für die französischen Bibliophilen heraußgab und die von Thomas Wright in seinen Early mysteries and other latin poems of the twelft and hirteenth centuries (London 1844) der gelerten Welt zugänglich gemacht wurden. Sie werden dem zwölften Jarhundert zugeschrieben[3] und sind, wie die Vergleichung lert, auß jenem oder einem änlichen Rituale hervorgegangen;

---

[1] Martene l. IV. c. 14. §. 12. 6. Görres in den histor. polit. Blättern Bd. 6. S. 12.
[2] Sandys Christmas Carols LXXIX.
[3] Wright a. a. O. p. VI.

es findet sich wörtliche Uebereinstimmung. Die Orleanser Misterien sind weit mer außgefürt; daß sie aber ebenfalls in einer Kirche und zwar in einer Klosterkirche gespielt wurden, beweisen die szenischen Anordnungen, wenn wir es onehin nicht behaupten müsten.

Wir können nun auß Deutschland noch ältere lateinische Kirchenschauspiele vorlegen, die ebenfalls zu dem Dreikönigsoffizium gehören und in genauester Verwantschaft mit den Misterien von Orleans und der rotomagischen Liturgie stehen. Sie befinden sich in zwei Freisinger, jezt Münchener Handschriften, welche dem 9. biß 11. Jarhundert zugetheilt werden. Die erste Kunde von ihnen gab Schmeller[1]), der mir wenig Tage vor seinem Tode Abschrift vermittelte. Das erste, der Handschrift nach ältere, behandelt das Erscheinen der Magier vor Herodes und ihre Anbetung des Kindes, das zweite den Kindermord; sie gleichen auch hierin den Spielen von Orleans. Daß sie gesungen wurden, beweist ihre durchgängige Neumirung. Das erste ist leider in ser verwaschenem Zustande, so daß meine Abschrift bedeutende Lücken hat und ich daran verzweifeln müste, einen auch nur einigermaßen zusammenhängenden Text zu geben, wenn nicht das Orleanser Misterium und die Ritualen an mereren Stellen zu Hilfe kämen. Freilich bleibt auch so noch genug des lückenhaften, dessen Ergänzung ich einer neuen Vergleichung der Handschrift und, was Hauptsache, der Auffindung anderer verwanter Misterien überlaßen muß. In den Anmerkungen bezeichnet O den Text des Misters von Orleans, R das Rituale von Rouen, F unsern Text.

---

[1]) Vgl. Historisch-politische Blätter Bd. 6. S. 29.

I. Herodes sive Magorum adoratio.[1])

Cod. Frising. 64ᵃ· Cod. lat. monac. 6264ᵃ· f. 1. (saec. IX?)

Ascendat rex et sedeat in solio,
audiat sententiam········
querat consilium,
exeat edictum
ut per·····continuo
qui detrahunt ejus imperio. (V)[2])

        Angelus[3]) inquit inprimis
Pastores, annuntio vobis gaudium magnum.

        Pastores

Transeamus Bethleem et videamus hoc verbum
Gloria in excelsis deo et in terra pax hominibus bone vo-
        luntatis.

        Magus primus
Stella fulgore nimio[4]) rutilat
        secundus
que regem regum natum monstrat
        tertius
quem venturum olim prophetie signaverant
        Simul cantent
Eamus ergo et inquiramus eum, offerentes ei munera aurum
        thus et mirram.

        intrantes chorum[5])
Dicite nobis, o Hierosolymitani cives,
ubi est exspectatio gentium,
noviter natus[6]) rex Judeorum,
quem signis celestibus agnitum
venimus adorare?

---

[1]) Die Ueberschrift nach O.

[2]) Diese gereimten Verse, welche die scenische Anordnung und außerdem das Argument enthalten, wurden, wie die Neumen beweisen, gesungen.

[3]) Das durch den Druck außgezeichnete ist ergänzt.

[4]) nimis. O. nimio. R. Unser Text stimmt hier wörtlich zu R, wo sich die szenische Anordnung findet; vgl. oben S. 51 f.

[5]) Für chorum scheint die Hs. templum zu haben, von intrantes schimmert noch es hervor.

[6]) ubi est qui natus est. O.

Internuncius currens

Salve rex Judeorum!

Rex

Quid rumoris affers?

Internuntius

Assunt nobis, domine, tres
viri ignoti ab oriente venientes,
noviter[1]) natum regem quendam queritantes.

Rex

Que sit causa vie, jamjam citus, impero, quere.

Internuncius ad Magos

Que rerum novitas aut que vos causa subegit[2])
ignotas temptare vias? quo tenditis ergo?
quod genus? unde domo? pacemne huc fertis an
arma?

Magi

Chaldei sumus, pacem ferimus,
regem regum querimus,
quem natum esse stella indicat
que fulgore ceteris clarior rutilat.[3])

Internuncius ad regem

Vive rex in æternum!

Rex

Quid · · · ·habesque· · · · · · ·nunti· ·vives

Internuntius

Rex mir· · · · regis · · · ·
· · · · vocemus ut eorum sermones an· · · ·

Internuntius ad Magos

Regia vos mandata vocant, non segniter ite.[4])

ad regem

En Magi veniunt
et regem regum natum stella duce requirunt.[5])

---

[1]) novum. O. Die vorangehende Begrüßung und die Antwort des Königs
weichen in O. ab, die Uebereinstimmung zwischen O und F betrift auch weniger die Folge der Handlung, als die Reden und Verse.

[2]) Die Ergänzungen auß O.

[3]) Wörtlich mit O. stimmend.

[4]) O, auch in dem Weihnachtspiel von Benedict-Beuren befindet sich dieser
Vers. Carmina burana Stuttg. 1847. p. 93.

[5]) Mit O. stimmend.

Rex ad internuntium

Ante venire jube, quo possim singula scire,
qui sint, cur veniant, quo nos rumore requirant
·········· inde ·········· ···
··········· aut·········· ··dic··
············· suavis ex ·······

Rex ad Magum primum [1])
Tu mihi responde stans primus in ordine, fare!

Respondeat primus

Impero Chaldeis dominans rex omnibus illis

Ad secundum

Tu autem unde es?

Respondeat secundus

Tharsensis regio me rege ··· Zoroastro.[2])

Ad tertium

Tute ··· unde es?

Respondeat tertius

Me·····[3]) Arabes, mihi parent usque fideles.

Rex

Regem, quem queritis,
natum esse, quo signo didicistis.[4])

Respondeant

Illum natum esse didicimus in oriente; stella monstravit.

Rex

Ex quo illum[5]) regnare creditis, dicite nobis.

Nunc respondeant

Hunc regnare fatentes, cum mysticis muneribus.
de terra longinqua adorare venimus[6])

Primus

Auro regem

Secundus

Thure deum

---

[1]) In der Hs. folgen die Verse Tu mihi responde biß usque fideles erst
weiter unten hinter dem.vom Armiger wiederholten Regia vos mandata vocant.
Sie scheinen mir aber hierher zu gehören.

[2]) Zoroaster soll nach dem Evangelium infantiae Arab. die Ankunft der
Magier vorher gesagt haben.

[3]) Meine Abschrift hat meruunt.

[4]) didicistis O, meine Abschrift queristis.

[5]) Der Anfang ser zweifelhaft.

[6]) Zu diesem und dem folgenden war besonders O zu vergleichen.

Tertius

Mirra mortalem

Rex ad milites

Vos mei sinistri, accite disertes pagina scribas prophetica.[1]

Miles ad scribas

Vos legis periti,   ad regem vocati,
cum prophetarum libris   properando venite.

Rex ad scribas

O vos scribe,
interrogati dicite,
si quid de hoc puero
scriptum habetis in libro.

Respondeant scribe

Vidimus domine in prophetarum libris
nasci Christum in Bethlehem civitate
David propheta sic vaticinante:

Antiphona[2] Bethlehem

Rex ad scribas

··········· finem spectat prudentia rerum?
Vadite cum vestris ············[3] estis!

et projiciat librum

Rex ad proceres

Consilium nobis proceres date! laudis honoris······

Armiger ad regem

Audi que facias, rex, audi pauca sed apta!
mox des dona Magis, ne······ morari,
ut noviter nato quem querunt rege reperto,
rex, per te redeant ut et ipse scias quod adores.

Rex ad armigerum

Abduc externos citius, vasalle, tyrannos.

---

[1] In O. Vos, mei sinistri, legis paritos ascite, ut discant in prophetis quod sentiant ex his.

[2] Chorus Bethleem non es minima etc. O. — Das folgende felt in O. wo nur gesagt ist, Herodes sei ser zornig geworden; sein Son tritt dann auf, ihn zu besänftigen.

[3] Die Abschrift hat an den bezeichneten Stellen Lücken, weder O noch R geben Hülfe.

Armiger ad magos
Regia vos mandata vocant, non segniter ite.[1]
Rex consilio habito dicat
Ite et de puero diligenter investigate
et invento redeuntes mihi renunciate
ut ego veniens[2] aderem eum.
Magi aspicientes stellam canant
Ecce stella in oriente praevisa
iterum praecedit nos lucida.
Magi ad pastores
Pastores dicite quidnam vidistis?[3]
Pastores
Infantem vidimus pannis involutum.
Angelus[4] ····
Qui sunt hi, qui stella duce
nos adeuntes inaudita ferunt?
Magi respondeant
Nos sumus, quos cernitis, reges Tharsis et Arabum et Sabae,
dona ferentes Christo nato, regi domino, quem stella
duce adorare venimus.
Obstetrices
Ecce puer adest quem queritis. Jam properate et orate [5],
quia ipse est redemptio mundi.
Intrantes magi
Salve princeps seculorum!
Primus
Suscipe rex aurum!
Secundus
Tolle thus, tu vere deus!
Tertius [6]
Mirram signum sepulture.

---

[1] Hier bringt die Hs. jene oben eingesezten Fragen über die Heimat der Magier.

[2] Auß O. wo diese drei Verse und die folgenden auch sich finden, für welche nicht minder R zu benutzen war. Vgl. oben S. 51. das Rituale von Rouen.

[3] Auch Carmina burana p. 90.

[4] In O den Obstetrices, in R den beiden in Dalmatiken zugetheilt (Maria und Joseph).

[5] Properate adorare R. et adorate O.

[6] In R die hiesige Reihenfolge, in O die Myrrhe zu zweit.

Angelus ad prostratos magos

Impleta sunt omnia que prophetice dicta [1]) sunt. Ite, viam
remeantes aliam, ne delatores tanti regis puniendi sitis [2]).

Magi redeuntes antiphonam canant

O regem celi.

Internuncius

In æternum vive [3]), domine!

Magi viam redierunt aliam.

Rex prosiliens

Incendium meum ruina extinguam!

Armiger

Discerne, domine, vindicare iram tuam et stricto mucrone
querere jube pueros; forte inter occisos occidetur et puer [4]).

Rex gladium versans armigero reddit dicens

Armiger eximie, pueros fac ense perire!

Hos versus cantent pueri in processione regum

Eia dicamus regi ····· dies annua (?) laudes

Hoc dedit quod meus sperare ·······

········· gaudia mille ·······

Hoc regnum regi ···· quoq·· reddidit·orbi

················ festa choreas ·····

························· tenere

························· moriens

Expleto officio [5])

Letabundus exultet

Angelus consilii

Sicut sidus radium

---

[1]) Scripta O.

[2]) Eritris O. R. vorher nec für ne.

[3]) In den Hs. nach meiner Abschrift verwaschen. Von hier ab gehören die
Verse in O zu der Interfectio puerorum.

[4]) Christus O.

[5]) In der Handschrift in derselben Zeile mit Hos versus cantent etc., Letabundus mit Eia dicamus u. s. f. Letabudus exultet fidelis chorus, eine bekannte
Prosa, bei Clichtoveus Paris. 1556. Fol. 170. Angelus ist der Anfang der dritten, Sicut sidus der fünften Strophe.

II. Ordo Rachelis [1]).

Cod. Frising. 64. Cod. lat. Monac. 6264. f. 27ᵇ. (Saec. XI.)

Angelus ·

Ortum pastoris, pastores, nuncio vobis,
Qui redimet proprias pastor et agnus oves.
Pannis obductus, decus orbis, gloria regum,
In feno situs est, qui cibat omne quod est.
In Bethleem vite panem queratis eundem.

Angeli

Gloria in excelsis deo!

Pastores

Quis audivit his similia,
ab eterno mirabilia!
O mirandum puerperium,
tantum habens ministerium!
Transeamus ergo Bethleem,
explorare rei seriem.

Venientes ad presepe dicant ·

O regem celi, cui celicole famulantur!
clauditur in stabulo concludens cuncta pugillo,
despectissimus in terris [2]) et summus in astris.

Chorus dicat [3])

Pastores dicite, quidnam vidistis?

Respondeant pastores

Infantem vidimus pannis involutum.

Angelus ad Joseph cantet [4])

Joseph Joseph, surge Joseph in Egyptum,
cum matre feras cito Christum,

---

[1]) Alle diese Angaben, die scen. Anordnung, die Namen der Personen sind in der Handschr. rot. Von diesem Stücke besitze ich eine Durchzeichnung.

[2]) Terris habitus et, Hs.

[3]) In dem Rituale von Rouen dem mefselesenden Priester, in dem von Nantes und Laon dem Cantor zugetheilt; vgl. oben S. 52.

[4]) In O ist die Aufforderung des Engels prosaisch; Joseph geht mit Maria ab, indem er nur das Aegypte noli fere singt. In dem Spiele von Benedictbeuern ist die Aufforderung kurz und ebenfalls in Prosa. Joseph sagt nichts, Maria spricht (oder singt) die beiden Hexameter, die ihr auch hier in den Mund gelegt werden. Carm. bur. p. 91.

ne cum mactandis pueris rex mactet et ipsum.
Admonitus redeas ubi nex fraus rexque quiescunt.

Joseph surgens de stratu dicat ad Mariam

Eia prophetica dudum vox insonuit,
angelica tuba nunc admonuit.
Intrat Egyptum lux mundi dominus,
levi carnis nube superpositus;
ydolis Egypti corruentibus,
adest salus expectata gentibus.

Iterum Joseph dicat ad Mariam

Angelus a patria   nos precipit ire, Maria.
Rex fugendus erit,   puerum qui perdere querit.

Maria dicat ad Joseph

Omnia dura pati   vitando pericula nati
mater sum presto.   Jam vadam, tu comes esto! [1]

Joseph pergens in Egyptum cantet

Egypte noli flere!

Internuncius properans ad regem dicat

Felix et vivus
sit rex per secula divus!

Rex internuncio respondeat

Quid rumoris habes?
est pax an bellica clades?

Internuncius respondeat

Reges illi, quos misisti,
explorare cunas Christi,
jusso calle permutato
redierunt, te frustato.
Quid facturus sis exquire;
constat eos non redire.

Rex internuntio respondeat

Rex novus ut pereat
regisque furor requiescat,
omnibus modis
et fraude et dolis [2]
mecum satagatis.

---

[1] Carmina burana p. 91.
[2] Omnibus—dolis in meinem Facsimile nicht deutlich, daher der Text nicht gesichert.

Internuntius dicat

In Bethleem natum
probat istum pagina vatum.
Inque, mactetur
mas lactans quisquis habetur,
nullus ut evadat.

Rex de solio prosiliens cantet

Sic sic, quandoquidem de justis sencio fraudem,
incendium meum ruina extinguam [1]).

Armiger regi respondens cantet

Ecce [2]) miles ego regius,
ecce vindex regis gladius,
paratus ad omne facinus
quod jubebit noster dominus,
qui placabit iram principis
multa strage turbe simplicis.

Rex ad armigerum

Etatis bine pueros fac ense perire.

Armiger interficiens pueros dicat

Disce mori puer!

Angelus e longinquo cantet

Christus sospes abiit,
strages quem tanta requirit..
Ipsius in populum
trux furit in vacuum.

Chorus cantet

Hostis Herodes impie,
Christum venire quid times [3])

Rachel plorans super pueros dicat

O dolor, o patrum mutataque gaudia matrum!
ad lugubres luctus lacrumarum fundite fluctus!
Heu [4]) teneri partus! laceros quos cernimus artus!
heu dulces nati, sola rabie jugulati![5])

---

[1]) Vgl. oben N. I. S. 61.

[2]) Miles ego ecce miles ego. Hs.

[3]) Der bekannte Hymnus auf das Epiphanienfest, bei Clichtoveus (Paris. 1556) Fol. 21. rw. Simrock Lauda Sion (Köln 1850) S. 86.

[4]) Ach, die Hs., ebenso v. 11. dieses Gesetzes.

[5]) Diese ersten vier Verse auch in O, 1. und 2. aber in einer späteren Klage der Rachel.

Quid commisistis quod talia fata subistis?
cur vitam vobis livor subtraxit Herodis,
quam nondum vere vos cognovistis habere?
Heu quem nec pietas nec vestra coercuit etas!
Heu matres misere que cogimur ista videre! [1]
Cur autem natis patimur superesse necatis?
saltem morte pari nobis licet hos comitari!

Consolatrix accedat

Quid tu virgo máter ploras [2]),
Rachel formosa, cujus vultum Jacob electat,
heu sororis agnicule lippitudo eum juvat

Tergat hic consolatrix oculos Rachelis

Terge terge mater fluentes [3]) oculos,
qui te decent genarum rivuli.

Iterum Rachel dicat

Heu heu heu,
quid tu me incusas fletus incassum fudisse,
cum sim orbata nato, paupertatem meam
qui solus curaret [4]), qui non hostibus cederet
augustos [5]) terminos, quos michi Jacob acquisivit?

Consolatrix accedens dicat

Numquid flendus est iste,
numquid flendus est iste,
qui regnum possedit [6]) celeste,
quique preces frequentans [7])
miseris fratribus apud dominum auxiliatur [8]).

Te deum laudamus.

Auf die einfache, an vielen Stellen überraschende
Schönheit dieser kirchlichen Dreikönigsspiele im einzelnen
hinzuweisen, ist denen gegenüber von Ueberfluß, welche

---

[1] Diese beiden Verse auch in O.
[2] Plorans O, und hinter formosa. Für lippitudo sext Wright limpitudo.
[3] Flentes Wright p. 31.
[4] (Qui) paupertatem meam curaret. Wright p. 31.
[5] Angustos Wright.
[6] Possidet Wright.
[7] Prece frequenta Wright.
[8] Deum auxilietur Wright.

5

dieselben lesen werden. Die Form zu besprechen, wird sich an einem andern Orte Anlaß bieten, wo ich sie mit verwantem zusammenhalten will; sie zeigen jene Verbindung von Prosa, von gereimten Kurzversen mit und one strophisches Gefüge, von reimlosen und leoninischen Hexametern die an diesen Dichtungen bekant ist. Daß es Schauspiele sind, welche in der Kirche gespielt wurden, beweist das auftreten des Kors und namentlich der Schluß des ersten Misteriums, wo das vorausgegangene als Offizium bezeichnet wird. Uns zieht notwendig die genaue Verwantschaft besonders an, welche zwischen diesen Freisinger und den Orleanser Misterien besteht; tieferen Grund fanden wir bereits durch die gallikanischen Rituale. Die kirchlichen Officia Regum sind der Keim; daß dieser in Frankreich gelegt wurde, ergibt sich auß der Kentnifs, daß in Gallien zuerst unter den occidentalen Ländern die Weihnachtfeier außgebildet wurde. Ob die Freisinger, ob die Orleanser Misterien älter sind, wage ich nicht zu entscheiden; das größere Alter des Pergaments und der Schriftzüge können die frühere Entstehung hier nicht bestimmen. Beiderseits findet sich einfache Anlage und Anlenung an den Ritus; die Thatsachen werden dargestellt mit einfachem Außdrucke des Gefüls; das Streben dogmatische Leren zur Anschauung zu bringen, hat noch keinen Eingang gefunden. Schwerlich fällt hiernach ihre Entstehung weit von einander; ihre gemeinsame Quelle ist sicher. Gemeinsam stehen sie auch jenem Weihnachtspiele gegenüber, das in der bekanten lateinisch-deutschen Liederhandschrift von Benedictbeuren sich findet und in derselben von J. Andr. Schmeller für den Stuttgarter literarischen Verein berausgegeben wurde [1]). Dieser ludus de nativitate domini ist weniger

---

[1]) Carmina burana. Lateinische und deutsche Lieder und Gedichte einer

episch-dramatisch als lyrisch-didactisch, er breitet sich
überdieß über den ganzen Weihnachtcyklus auß. Die Adventzeit wird durch die erste Abtheilung nach ihrer dogmatischen Bedeutung dargestellt. In der Mitte des kirchlichen Schauplatzes thront Augustinus, zu seiner rechten
die Propheten, zur linken die Juden. Auß jenen tritt Jesaias hervor und eröffnet das Spiel mit einer prophetischen
Strophe, welcher Antiphonen auß seinen Weißagungen
folgen. Daniel erhebt sich nach ihm, darauf die Sibylla,
welche auf den Stern deutend unter lebhaften Geberden
(gestu mobili) ihren Gesang vorträgt. Nach ihr wird Aaron
als vierter Prophet von dem Kore eingeführt, und Balaam
auf dem Esel. Er schließt mit der Antiphone Orietur stella
ex Jacob. Da erhebt sich mit Getümmel und Gestampfe der
Archisynagogus und verhönt die Weißagungen. Ihm wirft
sich zuerst im jugendlichen Ungestüm der Episcopus puerorum entgegen und der dialectische Kampf begint, von
den Propheten und Augustinus in würdiger ernster Weise
(voce sobria et discreta), von dem Archisynagogus unter
Honlachen geführt. Auf die Schlußworte Augustins an die
Juden daß sie an den Meßias, welcher nun erscheinen
werde, glauben sollen, wird nur mit Lachen und heftigen
Geberden geantwortet; dann ziehen sich die Personen
dieser Abtheilung zurück und die Verkündigung Mariæ
wird nach den biblischen Worten aufgeführt. Der Besuch
bei Elisabeth und die Geburt Jesu folgen sich in raschester
kürzester Weise, leztere nur dadurch bezeichnet, daß die
h. Jungfrau im Bett liegt und die Antiphone Hodie Christus
natus gesungen wird. Die drei Könige, welche nun auftreten, sprechen jeder in mereren mit allerlei Gelersam-

Handschrift des XIII. Jahrhunderts aus Benedictbeuern. Stuttg. 1847. Der ludus
scenicus de nativitate domini steht fol. 99 — 107 der Hs., S. 80 — 95 des
Druckes.

5 *

keit gezierten Strophen. Sie begegnen den Boten des Herodes und werden gefragt wer sie seien. Die Könige sagen den Zweck ihrer Reise, die Boten theilen es sofort dem Herodes mit, welcher voll Unmut den Archisynagogus kommen läßt, der ihm die Verstellung gegen die Könige rät. Diese gehen nach kurzem Gespräch von Herodes fort und die Verkündigung auf dem Felde bei den Hirten schließt sich an. Hier sucht der Teufel den Worten des Engels entgegen zu wirken, so daß die Hirten lange schwanken ob Warheit oder Lüge ihnen verkündet sei. Endlich vom Engel überzeugt gehen sie zu der Krippe, beten das Kind an und begegnen auf der Rückker den Magiern, welche sie fragen: Pastores dicite quidnam vidistis et annuntiate Christum natum. Die Hirten antworten: Infantem vidimus pannis involutum et choros angelorum laudantes salvatorem. Die Anbetung der Könige wird von keinem Worte begleitet; stumm legen sie sich nieder und der Engel ruft ihnen zu: Nolite redire ad Herodem etc.

In den nächsten Strophen drükt Herodes seine Angst auß; er hört von dem Archisynagogus Tu Bethlehem terræ Juda etc. und befielt sofort den Söldnern die Kinder zu morden. Es geschieht unter den Klagen der Mütter.

Eine ganz neue Reihe von Personen tritt auf; der König von Egypten erscheint mit seinem Gefolge, zwei Lenz- und Liebeslieder [1] werden gesungen, denen sich ein Studienlied, so möchte ich es nennen, anschließt welches wider in ein Liebeslied übergeht. Da heißt es, als Maria und Joseph mit Jesu in Egypten einziehen, stürzen die Götzenbilder zusammen [2]. Der König, benachrichtigt hiervon,

---

[1] Carmina burana n. 53. 123.

[2] Bekantlich gab dieser Sturz der Götzen, welcher auf einer Weißagung des Jesaias gebaut ist, zu vielfachen Berichten Anlaß. Vgl. Legenda aurea c. VI. c. X. R. Hofmann das Leben Jesu nach den Apokryphen (Leipzig 1851) S. 149.

läßt die Weisen holen; die Bilder wider aufgerichtet fallen
wider zusammen, und der Auftritt endet mit Entfernung der
Götzen. Hic est finis regis Egypti. Der König von Babylon
komt mit Gefolge, darunter die Synagoge, die Ecclesia und
die Gentilitas. Ein hönischer Kampf gegen den Glauben an
einen Gott wird von der Gentilitas gefürt. Das Weihnachtspiel ist hier nur Bruchstück und wäre an und für sich in
seinen Einzelnheiten unverständlich, wenn wir nicht ein
Osterspiel des 12. Jh. auß Tegernsee, den ludus paschalis
de adventu et interitu Antichristi[1]), besäßen, auß dem es
hier entlehnt.

Der König von Babylon[2]) samt seinem Gefolge huld-
igen dem Antikrist. Die Gentilitas schließt mit Drohungen
gegen Herodes und der Verkündigung seines Todes. „Hierauf wird Herodes von den Würmern gefreßen und von den
Teufeln unter Frohlocken tot von seinem Throne genomm-
en; Herodes Krone wird seinem Sone Archilaus aufgesezt.
Als er regiert, erscheint in der Nacht dem Joseph der
Engel.“[3]) So heißt es wörtlich. Die heilige Familie kert
zurück.

Absichtlich habe ich dieses Weihnachtspiel von Benedictbeuren außfürlicher erwähnt, damit sich der bedeutende Abstand zwischen ihm und den Misterien von Freisingen und Orleans klar zeigen soll. Hier der strenge galli-

---

[1]) Herausgeg. von Bern. Pez in dem Thesaurus anecdotorum novissimus.
T. II. p. 3 pag. 187—196 (August. Vindel. et Græc. 1721). Ueber Wernher von
Tegernsee als Verfaßer dieses Spiels siehe Fr. Kugler de Werinhero sæc. XII.
monacho Tegernseensi. (Berolini 1831) p. 35. — Besonders kommen auß dem
lud. paschal. p. 187. 191. 193. 195 in Betracht.

[2]) Die Verse die er spricht, sind ihm auch in dem lud. paschal. (bei Pez p.
195) in den Mund gelegt, dieselben spricht vorher der rex Græcorum. Die Verse
welche früher der babylonische König sang (59. des ludus de nativitate) gehören dem rex Teutonicorum in dem Osterspiel.

[3]) In der Hs. und in dem Drucke wird dieser Satz vor die Szene mit dem
Könige von Egypten gesezt.

kanische Sinn, die Beschränkung auf die geschichtlichen Szenen welche mit gleichmäßiger Liebe außgefürt sind, die Sprache biblisch oder wenigstens streng kirchlich. Dort dagegen
die Außdenung von den Prophetenstimmen biß zu der Heimker auß Egypten; die Thatsachen werden als gröste Neb-
ensache behandelt; die dogmatische und individuelle Ansicht ist dem Verfaßer der Hauptzweck. Darum die Weiß-
ägungen, der Kampf gegen die Judenschaft, die Betrachtungen der drei Magier, der Streit des Engels und Teufels
bei den Hirten und endlich als Schluß die Zwietheilung der
Welt in das kristliche und antikristliche Lager. Hier sind
ganz neue Elemente wirksam, eine Weiterbildung des Dramas im allgemeinen und des Weihnachtspieles im besondern
ist erfolgt. Ein leitender Faden geht zwar durch das ganze
durch, allein die Einheit des Gedankens ist nicht begleitet
von der Gleichmäßigkeit in der Außfürung. Das kirchliche
Element ist durch das humanistische und weltliche beeinträchtigt; Erinnerungen an altklassisches Heidenthum drück-
en sich auß und das weltliche lateinische Lied der Zeit hat
sich mit seinem kräftigen Flügelschlag in die Region der
Antiphonen eingedrängt. Das sind die Vorboten einer ganz
neuen Zeit für das Schauspiel. So gehört das Benedict-
beuernsche Weihnachtspiel einer jüngern Periode an als die
Misterien von Orleans und Freisingen; es gehört mit dem
Tegernseeschen Osterspiele in eine neue Reihe.

Dieser ludus de nativitate domini auß Benedictbeuren
erinnert an das älteste Misterium welches die provenzal-
ische Literatur aufzuweisen hat, das Spiel von den klug-
en und thörichten Jungfrauen.[1]) Es ist scheinbar

---

[1]) Es wird dem 11. Jh. zugeschrieben; zulezt heraußgegeben in dem Théâtre
français au moyen âge publié par L. J. N. Monmerqué et Franç. Michel. Paris
1839 p. 3—9; früher von Raynouard in dem Choix des poésies originales des
troubadours. vol, II.

ein Passionsspiel, wenigstens schildern die ersten prosaischen Sätze die drei Marien am Grabe. Allein ich halte
dieselben nicht zum Spiele gehörig und sehe in den Hin-
weisungen auf den Tod des Bräutigams keinen Gegenbe-
weis. — Gleich im Anfang spricht der Bräutigam die Aufforderung auf wachsam zu sein, denn er werde kommen die
Welt von der Sünde Adams zu befreien. Die klugen Jungfrauen manen die Gespielinnen dem Gebote zu gehorchen,
und widerholen provenzalisch, was der Bräutigam lateinisch
gesagt hatte. Da klagen die thörichten daß sie kein Oel
haben und die klugen verweigern es ihnen, sie mögen es
kaufen. Aber die Kaufleute verkaufen es ihnen nicht und
verweisen sie auf die klugen. Da komt Kristus und verstößt
sie; die Teufel werfen sie in die Helle. Ein Freudengesang
über die Geburt Kristi schließt sich an,[1] mit der Manung
an die Juden dem Messias zuzufallen. Die Propheten werden
aufgefordert die Zweifel derer zu widerlegen, welche nicht
an die Geburt der Jungfrau glauben wollen. So treten nach
einander heran Israel, Moses, Jesaias, Jeremias, Daniel,
Abakuk, David, Simeon, Elisabeth, Johannes der Täufer.
Ihnen schließen sich an Virgil der vates gentilium, Nabu-
kodonosor das os lagene, und die Sibylle. Mit dem Letabundi
jubilemus schließt das Spiel, dessen zweiter Theil uns an
den ersten des Benedictbeuernschen Misteriums erinnern
muß, dessen erster aber, das Gleichnifs von den klugen
und thörichten Jungfrauen, auch in der bildenden Kunst[2]
häufig in genauer und leicht erklärlicher Verbindung mit

---

[1] Er ist der sicherste Beweis daß das Spiel ein Weihnachtspiel ist. Er
lautet:

Omnes gentes	congaudentes
dent cantum letitie.	
Deus homo fit	de domo David
natus hodie.	

[2] K. Schnaase Geschichte der bildenden Künste. IV. 1, 398 (Düsseldorf 1850).

den Weihnachtvorstellungen erscheint. Wenn die Jungfrauen
eben so oft mit dem jüngsten Gericht zusammen gestellt
werden, so beruht es darauf, daß dieses gewissermaßen
die zweite Ankunft des Herren ist. Auf beide Zeiten, die
Geburt des Heilands und sein kommen als Richter, ist Vor-
bereitung not. Die interessanteste plastische Darstellung
dieser Gedanken, die wir darum erwähnen müßen, findet
sich in der Vorhalle des Münsters von Freiburg im Breisgau.[1]) An der Seitenwand rechts vom Westportal des
Langhauses stehen die Bildsäulen von fünf Vertretern des
gläubigen Judenthums: von Aaron, Maria Jakobi, Johannes
dem Täufer, Abraham und Maria Magdalena; daran schließen
sich die fünf klugen Jungfrauen; ihnen folgt Kristus der
Bräutigam. Diesen Figuren gegenüber an der Südseite der
Vorhalle finden sich die sieben freien Künste,[2]) dann die
fünf thörichten Jungfrauen. An sie schließt sich in der südlichen Portalschräge zuerst das Heidenthum oder die Synagoge (das ungläubige Judenthum), dann eine Gruppe
welche die Heimsuchung, und eine andere welche die Verkündigung darstellt. In der nördlichen Portalschräge steht
dem Heidenthum gegenüber das Kristenthum, neben diesem
die Magier. An dem Mittelpfeiler der Thür ist die h. Jungfrau
mit dem Kinde angebracht.

Diese Gruppierung ist an sich verständlich und findet
ihr dramatisches Spiegelbild in den Misterien von Benedictbeuren, Tegernsee und der Provence. Jenes Spiel von
den klugen und thörichten Jungfrauen, das am 24. April
1322 von den Predigermönchen zu Eisenach vor dem Land-
grafen Friedrich von Thüringen aufgefürt wurde, und ihn

---

[1]) Schnaase a. a. O. 401. Kallenbach und Schmitt christliche Kirchenbau-
kunst S. 132. Halle 1851.

[2]) Ueber diese ungünstige Stellung der weltlichen Wißenschaft vgl. Schnaase
a. a. O. 402, 1.

in solches verzagen stürzte daß er starb,[1]) muß diesen allegorisch dogmatischen Darstellungen, deren Geist die ganze Zeit durchdrang, verwant gewesen sein.

Einmal eingedrungen konte sich das parabolische Element in dem Weihnachtspiel ein ser günstiges Feld bereiten; wenn wir wenig Schößlinge dieses Geistes besitzen, so ligt dieß theils in der Ungunst welche über der dramatischen Literatur biß jezt gewaltet hat[2]), theils darin daß die Weihnachten in zweiter Festreihe stunden und die dramatischen Spiele der Passionszeit beliebter waren. Wir werden indessen weiterhin ein merkwürdiges Denkmal des parabolischen Weihnachtspiels mittheilen, um so merkwürdiger als dasselbe noch heute in dem Volke der Steiermark lebt.[3])

Gesünder, weil einfacher und nicht· auß dogmatischer Abstraction erwachsen, ist das prophetische und das demselben nahverwante historische Weihnachtspiel. Wir besitzen in einer Handschrift des vierzehnten Jarhunderts von St. Gallen ein ganz deutsches Drama, in dem sich der prophetische und geschichtliche Karacter vereint finden.[4]) Zuerst treten die Altväter und Propheten auf als Verkündiger des nahenden Messias, wie in dem Benedictbeurenschen

---

[1]) Menken scriptores rerum germanicarum III. 326. f.

[2]) In den von Ad. Keller für den Stuttgarter literar. Verein zum Druck besorgten Fasnachtspielen finden sich unter Z. 29 und 68 merkwürdige Stücke vom Antekrist, welche beweisen daß jener ludus paschalis de adventu et interitu Antichristi auß Tegernsee nicht als bloß kirchliches Misterium zu betrachten ist, sondern daß er tief in das Volk drang. Die vielen Gedichte vom Antikrist und altheidnische Erinnerungen wirkten zusammen.

[3]) Die niderländische Literatur bietet als Weihnachtspiel dieser Klasse die eerste bljscap van Maria (heraußgeg. von Willems in dem Belgisch Museum IX, 59—138). Sie ist Vertreter einer Reihe entsprechender Stücke ; vgl. auch Mone Uebersicht der niederländischen Volkliteratur älterer Zeit. Tübing. 1838. S. 355. f.

[4]) Von Mone unter dem Namen „Kindheit Jesu" heraußgegeben in seinem Schauspielen des Mittelalters 1, 132—181 (Karlsruhe 1846).

ludas dé nativitate domini. Hier sind es Moses, Balaam, David, Salomon, Isaias, Jeremias, Daniel. Daran schließt sich die Vermählung Josephs mit Maria und die Heimsuchung, die Geburt, die Anbetung durch die Hirten und durch die Töchter Sion, die drei Könige vor Herodes, die Begegnung der Magier und der Hirten, ihre Anbetung, die Darstellung Jesu im Tempel, Herodes Befel zum Kindermord, die Flucht nach Egypten und die Klagen der Rachel, endlich die Aufforderung des Engels zur Heimker nach Nazareth.

In solcher Weise entstunden im 14. und 15. Jh. gewiss viele Weihnachtspiele, für welche nun auch die deutsche Sprache durchdrang. Ein Bruchstück besitzen wir von einem mitteldeutschen derartigen Spiele [1]), das ganz dem vorigen gleich angelegt scheint. Augustinus fordert den „Heiden" Virgilius auf, den Leuten zu sagen was ihm von Kristus bekant sei und Virgil spricht nun jene prophetische Stelle, die sich in der vierten Ecloge seiner Bukolika findet und von dem Mittelalter auf Kristus gedeutet ward. Zuverläßig traten noch andere Weißagen auf und dann schloß sich die Geschichte der Verkündigung und Geburt an. Auch dieses Spiel ist ganz in deutscher Sprache zu denken; es gehört dem Anfang des 14., vielleicht dem Ende des 13. Jh. an.

Manche dieser Spiele scheinen nicht so umfangreich gewesen zu sein und nur einen Theil des heiligen Stoffes behandelt zu haben. Dieß beweist das Spiel von der Verkündigung, welches in Baiern am Ende des 14. oder am Anfang

---

[1]) Nach den antiquit. biblic. des J. Konr. Dietrich mitgetheilt von Friedrich von Stade in seinem Specimen lectionum antiquarum francicarum ex Otfridi monachi Wizenburgensis libris evangeliorum atque aliis ecclesiae christianae germanicae veteris monumentis antiquissimis. Stadae, 4° p. 34. Die Sprache ist mitteldeutsch; das Stück mag nach Heßen Thüringen oder Meißen gehören. Für Augustus, was bei Stade und andern steht, war unbedenklich Augustinus zu schreiben. Da die Prophetenstimmen deutsch sind, ist anzunemen daß die historischen Theile um so eher deutsch geschrieben waren.

des 15. Jh. entstanden sein mag.[1] Nach dem Prologe des Præcursor und dem Argument, welches durch drei Jünglinge gesprochen wird, hält der Jude Talmut (!) eine Rede über das Verbot Schweinefleisch zu eßen; aber der Præcursor heißt ihn seine unzeitige Belerung unterbrechen, denn es sollen Wunder verkündet werden. Isaias tritt mit seiner Weißagung auf, worüber sich die Juden erzürnen und mit ihm ein dialectisches Gefecht anheben, gerade wie in dem Spiel von Benedictbeuren.[2] Die Beweise der Propheten wollen aber nicht überzeugen. Das Missus est angelus wird gesungen und der Præcursor schließt mit einer Lobrede auf die h. Maria. Wir lernen aus diesen Stücken, wie die kirchlichen Vorbilder in diesen deutschen Spielen fortlebten, wie sich aber auch Geschmacklosigkeit und Roheit zeitig hinein finden und ihr Leben gefärden.

Ein kurzer Blick auf verwante Erzeugnisse der englischen dramatischen älteren Literatur mag nicht überflüßig sein. Unter den zu Coventry lange Zeit an dem Fronleichnamsfeste aufgefürten geistlichen Spielen, welche die ganze evangelische Geschichte in ihrem inneren Zusammenhange darstellten[3]), befinden sich merere auf die Weihnachtzeit bezügliche Stücke. Zwei behandeln den Verdacht Josephs gegen Marias Schwangerschaft und die Reinigung der Jungfrau durch ein Gottesurtheil nach apokryphem Berichte.[4] Den ersten Gegenstand finden wir schon in angelsächsischer

---

[1] Früher in dem Sterzinger Archiv, jezt in der Bibliothek des Innsbrucker Museums. Nachricht davon gab Ad. Pichler über das Drama des Mittelalters in Throl. S. 5. f. (Innsbruck 1850).

[2] Diese Disputationen müßen ser gefallen haben. Hans Folz schrib ein Fasnachtspiel: die alt und neu Ee, worin die Kirche und Synagoge auftreten und der Doctor den Rabi der Albernheit und Verworfenheit des Judenthums zu überfüren sucht. Fastnachtspiele des 15. Jh. herausg. von A. Keller no. 1.

[3] Will. Marriot a collection of englisch miracleplays or mysteries. p. XLII. (Basel 1838.)

[4] Marriott a. a. O. 41—47. 48—56.

Zeit, wenn nicht dramatisch so doch dialogisch, behandelt,[1]) und als Szene auch in ein anderes Coventryspiel und ein altfranzösisches Misterium (Jubinal II. 54—58) aufgenommen. Umfangreicher ist das zur selben Reihe gehörige Spiel von der Geburt Kristi, das in genauer Verwantschaft mit unsern deutschen Dramen steht.[2]) Jesaias eröffnet das Spiel mit der Weißagung und einer Rede von der Bedeutung' der Geburt Kristi. Die Verkündigung schließt sich an, dann der Verdacht Josephs und seine Abbitte, die Verkündigung bei den Hirten und ihre Anbetung; darauf das Gespräch zweier Propheten über die Erscheinung des Messias; Herodes mit dem Boten tritt in höchstem Uebermut auf; nach seinem Abgange kommen die drei Könige, ihre Szene mit Herodes, die Anbetung und der außfürlich behandelte Kindermord. Da komt dem Herodes die Nachricht, das gesuchte Kind sei nach Egypten entflohen, und das Spiel schließt mit dem Befele ihm rasch ein Ross zu satteln, er wolle es dorthin verfolgen. — Jünger (von 1512) ist ein Lichtmefsspiel, in welchem der bethlehemitische Kindermord die erste Abtheilung bildet (Marriott 199—219).

Eines der außfürlichsten Weihnachtmisterien ist französischem Boden enstiegen.[3]) Es begint mit der Schepfung und dem Sündenfalle; die Verheißung der künftigen Erlösung schließt sich an und der Ruf der Altväter und Propheten um die Erlösung folgt. Die zweite Abtheilung eröffnet die Vermählung Mariæ; dann werden die Verkündigung und Josephs Verdacht vorgefürt. Nach einer Lücke finden wir

---

[1]) Codex exoniensis. A collection of anglosaxon poetry, by B. Thorpe p. 11—14, 3 (London 1842). Ein Gebet des Dichters schließt sich an. Nach der jüngst von Dr. Dietrich in Marburg aufgestelten Behauptung gehörte dieser Dialog dem Dichter Cynevuif und seinem Evangeliengedichte an. Haupt Zeitschrift 9, 197.

[2]) The Nativity bei Marriott 59—88.

[3]) Bei Ach. Jubinal Mystères inédits du XV. siècle. tom. II. p. 1—78 79—136 (Paris 1837).

die heilige Familie in Bethlehem; die Vorfälle bei der Geburt im Stalle werden außfürlich behandelt und die Hirtenscene bequem durchgefürt. Die Fortsetzung, das Dreikönigspiel, stellt die Geschichte Kristi von dem auftreten der drei Könige biß zur Heimker auß Egypten dar. — Noch außgedenter ist das Mystère de la conception de la Vierge Marie, la nativité d'icelle, avec la Naissance de Jesus Christ [1]). Es begint mit dem flehen um Erlösung und geht biß zu Jesu zwölftem Jare, wie er mit den Schriftgelerten sich unterredet und seine Eltern ihn suchen.

In Spanien, um dieß zulezt zu erwähnen, in dem fruchtbarsten Lande des geistlichen Schauspiels, nam das Weihnachtspiel denselben Anfang und hielt sich in derselben Weise, wie in den andern occidentalen Ländern [2]).

In der Zeit, da sich das spanische Drama zu heben begann, hatten Juan del Encina (1504 — 1534) und Gil Vincente besonderen Einfluß auf die Behandlung des Weihnachtspiels, so daß sich ihr Vorbild noch in den autos al nacimiento der folgenden Zeit erkennen läßt [3]). Mit besonderer Liebe werden von ihnen die Hirtenszenen behandelt. Als ein Muster dieser Gattung kann das Hirtenspiel des Pedro Suarez de Robles (1561) gelten, welches schon seinem Titel nach ein Hirtentanz ist, der in der Kirche von zwei Reihen aufgefürt wurde. Nach der Verkündigung stimmen die Hirten einen Gesang zu Eren des Kindes an, dem sich ein Wechselgesang mit den Engeln anschließt. Mit der Anbetung endet das Spiel [4]). So einfach blieben diese span-

---

[1]) Im Außzuge mitgetheilt von den Brüdern Parfait in ihrer Histoire du théatre françois I, 59 — 158 (Amsterdam 1735).

[2]) Vgl. A. F. v. Schack Geschichte der dramatischen Literatur und Kunst in Spanien. 1, 113. (Berlin 1845.)

[3]) Schack a. a. O. 1, 149 – 152. 166. 2, 103.

[4]) Schack a. a. O. 1, 240. f.

ischen Weihnachtsfloke freilich nicht; auch in sie drang
die Allegorie ein und die grösten spanischen Dramatiker
versuchten sich an dem Stoffe den sie boten.

Durch die vorangehenden Nachweisungen haben wir
uns zum Bewustsein gebracht, wie die Kirche die Geschichte
der Geburt Kristi in der Liturgie dramatisch lebendig behandelte, wie sich darauß selbstständigere dramatische
Szenen entwickelten und wie sich auß ihnen ein geistliches
aber außerkirchliches Schauspiel gestaltete. Leider felt es
uns oder wenigstens mir an urkundlichen Belegen, um die
kirchlichen Darstellungen durch die Jarhunderte zu verfolgen [1]). Wenn aber in andern Zweigen unserer Alter-
thumswißenschaft ein Schluß von heut bestehendem auf die
Vorzeit nicht bloß erlaubt, sondern gefordert und höchst
fruchtbringend war, so mag dieses verfaren auch hier an-
gewendet werden. Zwar haben sich meines wißens wirkliche
dramatische Auffürungen selbst in den Dorfkirchen Ober-
deutschlands nirgends mer erhalten [2]), allein es werden
doch in manchen von ihnen noch Weihnachtgesänge mit ver
theilten Stimmen gesungen, welche uns gewißermaßen in die
alten liturgischen Darstellungen versetzen. Ich kann hiervon
einige Beispiele mittheilen. Sie gehören in die Kristmette,
diese fröliche nächtliche Feier der Geburt Kristi, und behandeln demgemäß die Verkündigung der großen Botschaft
bei den Hirten. Daß gerade diese Begebenheit von dem

---

[1]) Ein par hergehörige Notizen bei Mart. Gerbert de cantu et musica sacra
II. 82 (S. Blasii 1774). Ob das Dreikönigsspiel, welches 1768 bei dem Brande
des Stiftes S. Blasien vernichtet wurde und das im Kloster von den Grafen von
Lupfen, Fürstenberg u. a. aufgefürt warde, älterer oder neuerer Zeit angehört,
ist mir auß Gerberts Angabe nicht deutlich.

[2]) Ich trenne die geistlichen Auffürungen außerhalb der Kirche, welche
unter Leitung und Betheiligung der Geistlichkeit standen und biß vor kurzem
zalreich genug in Oberdeutschland statt hatten, von den scenischen Darstellungen
heiliger Geschichte innerhalb der Kirchen

Volke und von volksthümlichen Geistlichen mit besonderer Vorliebe behandelt wurde, ist leicht begreiflich; mein Buch wird dafür die reichsten Belege geben, auß denen der Grund dieser Vorliebe in jedem Verse spricht. Die volksthümliche Haltung, der gutmütige Scherz, welche darin herrschen, thun, wie alle vorurtheilsfreien wißen, der Andacht des Volkes keinen Eintrag; sie wird hierdurch mer angeregt als durch nüchterne dogmatische Betrachtungen oder durch heillose Polemik.

Das erste, welches folgt, wurde in der Kirche der Erwürd. Ursulinerinnen zu Græz gesungen, ein Wechselgesang zwischen einer Diskant- und Altstimme mit Begleitung der Orgel, zwei Clarinetten und Pauken. Ich entneme es einer Aufzeichnung auß dem Anfange dieses Jarhunderts, welche von dem Organisten Zehner herrürt, der vor ungefär vierzig Jaren starb.

1.

Canto.   Gelt, Brudar liaba Bua,
           du sagst grad ja dazua.
           Da alls in Dorf recht schnarcht und schlaft,
           habn wir all zwen was neigs dafragt.
           Der Himmel is recht Sterna voll,
           die Musik oni Gspafs is toll.

Alto.   Schau Brudar, ha! sigst nöt?
           die Engerln spiln selbst mit; [1]
           sie neigen si gegn der Erden all
           und machen d Musik ôbern Stall.
           Lâf mit zum Nachbern, laß uns sechn,
           was denn heunt Nacht no neigs is gschechn.

2.

Canto.   Botz Plunder, was is doas?
           schau gschwind durchs Augengloas!

---

[1] Der Reim nöt: mit beweist daß das Lied nicht in Steier gedichtet wurde, sondern in einem Lande wo die Negation nit lautet, also etwa in Kärnten. Es bequemte sich aber steirischer Außsprache.

an Jungfrau und an alten Mann,
die segn uns ja gar freundli an;
es ligt a Kind im Krippel dort,
die Engerln singen immer fort.

Alto. Allein Gôt in dä Höh
sei Ehr jezt und wie eh!
Nur schad, es muaß das kloane Kind
da liegn bein Ösel und bein Rind;
es ist ganz bloß, daß Gott derbarm!
geh hin und nims flugs âfn Arm.

3.

Canto. Was sôl i mit ihm thân?
nix ôßen mags allân;
und koch i ihm halt Brein und Sterz,
da bringt das Kind nix übers Herz.
In meina Hütten wärs a Spôt,
daß sôl einkeren der ware Gôt.

Alto. I laß das Kind nöt auß,
trags in mein Nachbärn Haus.
Dort kriegts a Koch und Milli gnue,
i kanns hâm suchen alle Täg [1]).
Geh, geng ma, seg ma d Jungfrau an,
und s Kindel mit dem alten Mann.

4.

Canto. So lâf i gschwind voran
und sag im Dorf enk [2]) an,
daß d Nachbern was zusamma tragn,
an Putta [3]) und an Hönigfladn,

---

[1]) Von späterer Hand durchstrichen und dafür gesext: in an Hui.

[2]) Enk, euch; alte Dualform, aber in rein pluraler Bedeutung gebraucht, so daß „euch“ nicht daneben gehört wird. Vgl. J. Grimm Geschichte der deutschen Sprache. S. 972. ff. (Leipzig 1848).

[3]) Der Butter, bairisch-österreichisch (ein für allemal bemerkt verstehe ich unter bairisch-österreichisch die gemeinsame Mundart des eigentlichen Baierns, des Erzherzogth. Oesterreichs, Steiermarks, Kärntens und Tirols. Unterabtheil-

a Federbettel richten zua,
da liegts Kind pur åf Heu und Strah.

Alto. Bleib liaber no bei mir,
i nimms Kind glei mit mir.
Die Jungfrau mit dem alten Mann
für du ganz freundli sacht voran,
damit all drei beisammen sein,
in unsrer Hütten keren ein.

5.

Chorus. So låf ma alli zwän
und bitten halt recht schen,
daß s' uns vors Kind än Oertel göbn,
wos oni Frost und Gstank kann löbn.
Ja ja, muaß sein parola, ja,
a Federbett anstatt dem Strah.
Glaub was ma gnats haben thoan,
das bleibt nöt oni Loan [1]).
Das kleine Kind der große Gôt
hilft uns aft [2]) å auß aller Nôt;
und wann er zu seim Voada kimt,
so hoff ma daß er uns mit nimt.

Das zweite ist auß der Kircho von Mosburg bei Klagenfurt in Kärnten und ebenfalls ein Wechselgesang zweier Hirten. Das Lied ist vornemer gehalten und nicht in der Mundart. Vielleicht wird es noch gesungen, wenigstens war es noch vor wenig Jaren im Brauch. Da diese Lieder nicht zum eigentlichen Gottesdienst gehören, hängen sie von dem Leben und Sterben der alten Mesner ab. Die jung-

ungen sind zwar für die Dialecte dieser Länder aufzustellen, aber ihr Ursprung und ihre Hauptart ist dieselbe).

[1]) Loan, Lon: dialectische früh nachweisbare Färbung des o, vgl. meine Dialectforschung S. 24.

[2]) Aft, nachher. — Ein für allemal werde bemerkt daß die Außsprache der kurzen und langen a fast durchgängig unrein ist.

en Lerer verdrängen sie allenthalben und setzen am liebst-
en lateinische Musiken an ihre Stelle.

Primo solo:
Was komt doch heut von Bethlehem
Ein solcher Schein zu sehen?
Mir scheint, es muß dort bei dem Stall
Was bsonders sein gschehen.

Basso solo.
Mir komt es selbst nicht auß dem Sinn,
Wir müßen auch hinsehen,
Zu sehen was so viele Leut
Ja gar so viel hingehen [1]).

Ambo.
O Wunder hört man schreien,
Den höchsten benedeien,
Der von dem Himmelsthron
Uns elenden auf Erden,
Nur daß wir selig werden,
Gesendet seinen Son.

2.
Jezt sind schon unsre Wünsch erfüllt,
Meßias ist gekommen.
Ein Engel singt: „Gott sei die Er,
Den Menschen Fried auf Erd."

Basso.
So hat er wegen uns
Die Menschheit angenommen.
Wie groß war seine Liebe doch,
Wir seind es ja nicht wert,

Ambo.
Daß der uns hat erschaffen
Und der uns konte straffen

---
[1]) Hs. erkenn.

Mit der Natur vereint,
In einem schlechten Stalle
Anstatt dem Himmelssaale
Uns als ein Kind erscheint!

3.

O Gott soll das dein Herberg sein [1]
Bei zwei verachten Thieren?
Wo ist der Himmelsbürger Schar,
Die sonsten dich begleit?

Basso.

Du hast dir einen Ort erwält,
Wo es ja zum erfrieren,
Wo Elend Armut und die Not
Fast um die Wette streit.

Ambo.

Du ligst in einer Krippen
Zwischen finstern Klippen [2]),
Soll das dein Ruhstatt sein?
Anstatt der Engel Scharen
Die Thiere dich bewaren;
Was kann wol ärmers sein?

4.

Ihr Eltern des vermenschten Gott,
Seht wir sind arme Sünder!
Ersetzet das was uns gebricht
Und bittet euren Son,

Basso.

Daß er uns seine Gnade gibt
Zu bleiben treue Kinder,

---

[1] Vgl. Ubi sunt famuli, aula, thronus, potestas et stratum lectuli.
  Hymn. In Bethlcem transeamus.
[2] Nach den apokryphischen Evangelien wurde Jesus in einer Felsenhöle
vor Bethlehem geboren. Hofmann Leben Jesu nach den Apokryphen. Leipzig 1851.
S. 106. Vgl. auch weiter unten das Lied: Da das Gebot ward angestellt Str. 5
und O wie ein so rauhe Krippen.

6 *

Und wenn der Feind uns stürzen will,
Sich unsrer neme an.

Ambo.

Daß wir auch nach dem sterben
Das Himmelreich erwerben.
Was könt uns mer erfreun
Als in dem Himmel oben
Gott ewig ewig loben
Und in den Freuden sein?

Auch das folgende ist von Mosburg. Es ist ganz volks-
thümlich und ein ansprechendes trauliches Lied. Durch die
Einführung des Engels als dritten Sängers, zeigt es eine
Fortbildung zu mer dramatischer Art.

1.

Hirt. Lustig lustig ist es heunt
Weil so hell der Monat [1]) scheint.
Wie komts dir
Lustig für,
O Nachbar, lieber Freund?

Engel. Gloria in excelsis!
Ere sei dem Menschenson,
. Der heut komt auf Erden
Vom hohen Himmelsthron.

Hirt 1. Mueß schon spät sein, weil so kalt;
Glaub es is schon zwölfe bald.

Hirt 2. Kann nit sein;
Was hilfts grein? [2])
Wanns schlagt, so zäl ma halt.

---

[1]) Monat für Mend auch ahd. und mhd. nachzuweisen; der bairische Dialect
hat es bewart. Schmeller bair. Wörterb. 2, 584. Sonst ist in Kärnten auch das
einfache Moane für Mond gebräuchlich.

[2]) Greinen: klagen, weinen; sonst auch murren und schelten.

2.

Hirt. 1. I höre allweil Gloria schrein! ·

Hirt. 2. Mei! [1] wie fällt dir das Ding ein?

   1. Los [2] nur zue!

   2. I hœr zue,
      Es mueß schon zwölfe sein.

Engel. Eilt in Stall nach Wethlachem [3]),
      Dort ligt euer Herr und Gott
      Als ein klein unmündigs Kind
      Ganz arm in gröster Not.

Hirt. 1. Mei! wer singt so wunderschen?
      Kann es jô blutleicht verstehn.
      Zue dem Kind
      Sôl ma [4]) gschwind
      Auf Wethlem umme gehn.

3.

Hirt. 2. Sigst du, wann mein Aug nit liegt,
      Mein Aid! [5]) dort ein Engel fliegt!
      Gib nur Acht!
      Bei der Nacht
      Oan öfta [6]) was betriegt.

Engel. Laufts [7]) ihr Hirten, laufts geschwind,
      Euch das Kind zuerst verlangt,

---

[1]) Mei, mein! oberdeutscher Außruf der Verwunderung. Schmeller 2, 592.

[2]) Losen ahd. hlofên, hören; in ganz Oberdeutschland noch gebraucht.

[3]) Der Uebergang von b zu w, und umgekert von w zu b, ist in der bairisch-österr. Mundart Gesetz. Vgl. auch meine Dialectforschung (Wien 1853). S. 72.

[4]) Sollen wir.

[5]) Mein Eid, gewönliche oberdeutsche Betheurung, vgl. Schmeller 1, 27. Auch im Odenwalde mein âd. In Steier und Kärnten jezt im verschwinden.

[6]) Außlautendes r wird in einsilbigen Worten und in Bildungssilben häufig abgestoßen.

[7]) —ts — die bairisch-österr. Endung der 2. pl. præs. und imperativ. vgl. Schmeller die Mundarten Baierns grammatisch dargestellt. München 1821. S. 312 —314. Die ältesten Belege die ich dafür kenne sind auß einem Gedicht des 14.

Euch wirds rufen auch zuerst
Wenn es im Himmel prangt.

Hirt. 1. Schau! der Engel gibt nit nach,
Hirt. 2. Das is mal a rare Sach!
  1. Dort im Stoal
  2. Brinnts überoal
Beide. Das Feuer is schon im Dach.

4.

Hirt. 1. Lauf ma [1] gschwind, nur nix verzoagt!
Hirt. 2. Oft gwinnt oaner, ders frisch woagt.
  1. Is alls woar!
  2. Bei eim Hoar!
Beide. Was uns der Engel soagt.

Engel. Da ihr geht zu eurem Gott,
   Auch das Opfer nit vergößt,
   Schenkts ihm euer Herz und Seel,
   Das ist das allerböst.

Hirt. 1. Das is mir entfallen schoan.
Hirt. 2. I hätt bald vergößen droan.
  1. I nim a Schmalz,
  2. I a Salz,
Beide. Die Seel noch oben droan.

5.

Hirt. 1. Sei nit launig, mei liebes Kind,
Hirt. 2. Daß ma nit sein kömma gschwind.
  1. Hoan nix gwist
  2. Wo du bist,
Beide. Mir hoan lang noache gsinnt.

Jarhund. bei· Aufseß Anzeiger 2, 40 und in dem Kranzsingen bei Uhland Volkslieder no. 2. (15. Jarh.) Auch in H. Wittenweilers Ring findet sich diese Flexion
z, B. p. 113. 130.
 [1] Laufen wir.

Engel. Hier anbetet euren Gott,
Denn Fleisch worden ist das Wort;
Nur auß Lieb zum Menschengschlecht
Liegt er an diesem Ort.

Hirt. 1. Nimm uns wannst im Himmel bist,
Hirt. 2. Das für uns das böste ist;
    1. Das alloan
    2. Muest uns thoan,
Beide. Gelobt sei Jesu Krist! Amen.

Die folgenden dramatischen Lieder sind nicht im Gebrauche in der Kirche, könten es aber ebenso gut sein als die vorangehenden. Sie werden vor der Krippe gesungen, welche in jedem katholischen Hause aufgebaut ist. Junge Burschen des Dorfes oder der Nachbarschaft gehen zu dreien oder mereren von Haus zu Haus, gewönlich one jede Verkleidung, und tragen diese Gesänge vor gegen eine Gabe an Schmalz Speck Eier oder andern Lebensmitteln. Das erste, welches ich mittheile, ist von A u s s e e, auß dem steirischen Theil des Salzkammergutes. Es wird von zwei Männern und einer Frau, die als Mann verkleidet ist, gesungen; ihr fällt die Diskantpartie zu.

Die Hirten liegen beim Beginne schlafend auf der Erde; dann hebt der erste an.

Erster Hirt erwacht.

Buama [1] stéhts gschwind zuan Hiarten
und schauts ma [2]) das Wundading aon.

---

[1] Buben; Buama auß der mundartlichen Pluralform Bubman entstanden. Der südostdeutsche Dialect fügt an schwachflectirte auf b außlautende Stämme die Liquida m; z. B. die Schaubmen bei Sigm. v. Herberstein. Mofcovia (Wien. 1557.)
[2] Mir.

I sich jô von weiten a Liachten,
hiazt [1]) gêm ma [2]) und schau mas [3]) aon.

Zweiter Hirt.

I sich an Kometstearn.

Dritter Hirt.

Bua Hiasl [4]), i gláebs gearn,
es wird halt bedeutn an Kriag.

Alle drei.

Hiazt gêm ma na horti [5]) und fraogn,
wôr wâß was ûns eppa [6]) nô gschicht.

Erster Hirt.

I sich jô in Himmel a Lucken,
viel tausend sein fîrti [7]) âf d Roas.
Wanns dâten âf ûns aba rucken,
daß jeda sein Stecken gschwind woaß.

Zweiter Hirt.

Es kimt jô schan oana
und nôt gar a kloana,
a hat an a wundersohêns Kload [8]).
Hiazt gêm ma na horti und froagn
nau was a uns eppa neigs woaß.

Dritter Hirt.

Es kimt jô schan oana
und nôt gar a kloana,
a lermt schan vôn weitem dahear.
Seits frôli ir Hiarten,

---

[1]) Jezt, südostdeutsch.
[2]) Wir. Meine Dialectforsch. 75.
[3]) Wir es.
[4]) Mathias, Koseform.
[5]) Hurtig.
[6]) Etwa. Schmeller Gr. 682.
[7]) Fertig auf die Reise, zum Zuge. — oa Verdampfung des â und dieses auß ai (mhd. ei) entstanden.
[8]) Kleid.

ös [1]) derfts enk nöt flarohten,
es is jô der Herr in da Glorie,
weil a duat halten sein Khoaß [2]).

Erster Hirt.

Hiazt möcht i mi harben [3]) zum Plunner!
was han i vergößen, ha Bua?
ma ham ma [4]) koana an Opfer mitgnumma,
hiazt kum ma all lâri dazua.

Zweiter Hirt.

Bua, i han was z ößen
und hans dahâm vagößen.

Dritter Hirt.

Und i han in Ranzerl a Gwand
und an etla Moaß Bier in en Plutzer [5]),
daß do âf d'Feiertäg was hant.

Alle drei
(zu dem Kinde.)

Ma duan di ſtets grüaßen
und falln da zua Füaßen
und s Buaberl hat üns schön s Handerl schan göben.
Di etla Moaß Bier ghearn dein Voda [6]),
und d Muada hat z'ößen danöben.

Erster Hirt.

Bua Rüapl [7]), nim d Pfeifen!

---

[1]) Ös, Nebenform dös, 1. dual. des zweiten Personalpronomens; im bairisch-österreich. one dualen Begriff für ihr algemein gebraucht. Vgl. weiteres bei J. Grimm Geschichte der deutschen Sprache 972. ff. — Ueber die 2. Person auf -ts und über enk s. oben S. 80. 85.

[2]) Geheiß, Verheißung.

[3]) Erzürnen. Schmeller bair. Wörterb. 2, 235.

[4]) Wir haben wir; eine solche Wiederholung von wir ist dem steirischen geläufig.

[5]) Krug, eigentlich Kürbisflasche vgl. Schmeller baier. Wörterb. 1, 340.

[6]) Vater.

[7]) Koseform von Ruprecht.

Zweiter Hirt.

I dua schan drum greifen.

Dritter Hirt.

Und i laß mei Dudelsack drehn.

Alle drei.

Hiazt wärm ma beim Krüppel was singen
und dann ham ma Zeit daß ma gehn:
Mir duan di stets preisen
und all Aer aweisen,
mir göbn da unser Herz zuam Pfand
und müaßn wider Äfs Land.

Das folgende ist ebenfalls auß der Obersteiermark. Es unterscheidet sich dadurch von allen mir bekanten, daß es die beiden Hirten vor dem Stalle auftreten läßt, wie sie ihr Vieh hineinführen wollen und die heilige Familie darin entdecken. Leider ist es nicht vollständig.

Erster Hirt.

Bua, woas is denn heunt schan mear [1]),
woas hat si neigs zuatroagen?
wör stöllt ma Ochs und Ösel ein
und duat mi nöt drum froagn?
Da Stall da gheart mein Schäflein zua
wo i drinnen schlafen dua;
wör is dann so verwögen
und duat si eini lögen.

Zweiter Hirt.

Bua Rüapel, woas hast für a Gschrei
und für a Plaramönt? [2])

---

[1] Mer für wieder, wie auch an Ober-Isar, Ils und in Schwaben. Schmeller bair. Wb. 2, 609.

[2] Geplerre.

wör wird denn heunt im Stall doa sein?
i moan, du bist anbrönnt![1])

Erster Hirt.

Dua na glei dö Agen åf,
dann wirstu sêgen gwifs
daß wör im Stall da is.

Zweiter Hirt.

Des Wåb dö muaß a Gräfin sein,
dö das Kind duat wiagen.

Erster Hirt.

Schau! si is so zart und fein,
si muaß von koan Hiartengschlecht sein.

Zweiter Hirt.

Und nöben is a stoanalta Greis,
er hat Hoar als wie a Seiden,
hübsch woach und schneweiß.

Auß dem Flattacher Kirchspiel im Möllthal
in Oberkärnten sind die nächsten drei. Das erste ist bei
aller Volksthümlichkeit doch in gewissem Maße gehalten
und besonders bei der Anbetung des Kindes wird aller Ernst
bewart. Auch in der Sprache verrät sich Hinneigung zu
der hochdeutschen Rede.

Jodl.[2])   Riepl, sollst gschwind aufstehn!
Riepl.   Woas denn thuen?
Jodl.   A Wunder daßd' schlafen magst!
R.   I schloaf schuen.[3])

---

[1]) Verwirrt, vgl. Schmeller b. W. 1, 260.
[2]) Jodl, Koseform von Georg, Riepl von Ruprecht. — Zu diesem Wechselgesange stimt im ganzen und meist auch im einzelnen einer auß dem Ziller-
thal in Tirol, mitgetheilt von Ad. Pichler in dem Drama des Mittelalters in Tirol
S. 10. 11.
[3]) Schon.

J. Geh mit mir auf dö Weid,
Schau was für Musik geit.
Die Musik gwärt schuen lang.

R. I hör schuen.

2.

Jodl. Trags Pfeifel à mit dir!

R. Is schuen kricht.[1]

J. Hoaß den Hansl à mit gehn!

R. I sich ihn nit.

J. Singen die Engeln oben,
Soll sein a Kind geborn;
Wann es Messias wâr!

R. Des wâr rar.

3.

J. Seind Leut im alten Stoal.

R. Wer hats gsoagt?

J. I hoans vom Engel khert.[2]

R. Hast ihn gfroagt?

Jodl. Eine Jungfrau keusch und rein
Soll seine Mutter sein,
Dort wo der Sterren brint.

R. Gehts nur gschwind.

4.

Jodl. Wölln an Opfer à mit nem.

Riepl. Is schuen recht.

J. Wöln a Fleisch à mit nem.

R. Wanns nur mecht!

J. I glaub, es is voller Not
Und is doch der ware Gôt,
Hat gar kein Wiegel nit.

R. Leug do nit!

[1] Gerichtet, bereit.
[2] Gehört.

5.

J. So schens is keins geborn,

R. Wie das Kind,

J. Das auf dem Heu mueß liegn.

R. Is recht a Sünd!

J. I mueß gehn die Mutter froagen,
Wann i's derft mit mir troagen;
I hätt a rechte Freud.

R. Du rödst gscheit!

6.

Jodl. Warts ihm nur fleißig auf,
Dem kloanen Kind.

Riepl. Mir komm noch einmal her
Und suchen ihn.

J. Bitten mir das kloane Kind,
Daß s uns verzeicht die Sünd.

R. Es wird schon denken droan,
Der Gottes Soan.

Das zweite hingegen atmet außgelaßene Weihnachts-
freude. Und dennoch bei allem übernaiven Außdruck, bei
der neckischen Art wie die Anbetung geschieht, bei der
Weise wie die Hirten dem Elend des Kindes abhelfen wollen,
daß sie ihm Dienst bei sich anbieten wenn es groß geword-
en, bei alle dem ist keine Spur von Spott, sondern die demütige
Freude daß der Erlöser arm gekommen und sich ihnen den
armen gleich gemacht hat. Auf blasierte Menschen und auf
kalten Verstand wird solche Andacht freilich keinen andern
Eindruck machen als den der Lächerlichkeit; allein es gibt
noch genug deutsche Herzen die dafür empfänglich sind.

1.

Jörgl. Auf auf Riepl, heb dein Schedel!
Schau was gibts für frömde Göst?

Riepl. Halt dein Maul, du grober Kerl,
Hoan mi glei erst glögt ins Nöst.

Jörgl. Lög di gschwind oan! [1]
Riepl. Wart, i kimm schoan.
J. Beutl[2] d' Frömdleut auf beim Schopf,
Du bist sonst a starker Knopf.

2.

Riepl. Woas is das für a Getümmel,
I versteh mi nit in d' Welt.

J. Is den heunt eingfalln der Himmel,
Fleugn d' Engeln auf unserm Feld?

R. Thuen Sprüng macha
Jörgl. Von oben acha! [3]
R. I turft das Ding nit noacha thoan,
that mir brechn Hals und Boan. [4]

3.

J. Is das nit a narrisch wösen,
Is der Himmel voll Latern!

R. Mei Tag is das a nit gwösn,
Dö Engeln sich i a von fern.

J. Sichst dort enten? [5]
R. Im Stall drenten?
J. Dort gibts Engeln ganz scharweis [6]
Fleugn um wie die Flödermäus.

4.

Riepl. Das wärn für uns guete Handl, [7]
Wärn [8] mir von der Sünd losgmacht,

---

[1] Anlegen, ankleiden.
[2] Beuteln, schütteln. Schmeller baier. Wb. 1, 219.
[3] Oacher, herab, anß abher, vgl. Schmeller Grammatik §. 699.
[4] Bein.
[5] enten, drenten, jenseits. Schmeller baier. Wb. 1, 69.
[6] Scharenweise.
[7] Gute Händl — gute Verhältnisse.
[8] Werden wir.

Jörgl. I schaff dem Buebn glei a Gwandl
Z' Loan daß er uns Post hat bracht.

R. Wâr guet, mein Oad!¹)

J. Woas der Bue gsoagt!

R. Bist der ware Herrgôts Bue,
Bleib heunt dô, kriegst Krapfen gnue!

5.

Jörgl. Riepl schau mal, geh du voroan,
Epper²) d' Frömdling nit derkönst.

R. Mei, es brint der ganze Stall schoan,
Schau daß d' dein Rock nit verbrönst.

J. Wölln mir gehn fort?

R. Is a Brunst dort!

J. Nimst halt³) — —
— — — — — —

6.

R. Hast mei Jörgl glei wol tröfen,
Der uns hat das Heil ankündt.

J. Sein mir nit umsonst herglôfn,
Sechn schon aufm Heu das Kind.

R. Darf ichs küfsen?

J. Kannst nit wißen!

R. Wanns dô Mutter küssen last
Von am so kolschwarzen Gast.

7.

J. Mei Kind, kanst kei Herberg finden?
Muest so viel Frost leiden schoan.

R. Ligst du under kalden Windeln!
Lägts ihm doch a Gwandl oan!

¹) Mein Eid, Betheuerung, vgl. oben S. 85.
²) Ob etwa.
³) Unters Bietl da Mal Herr Dockter, i hab a Mar. so die handschriftl. Aufzeichnung.

J.   Machts ihm d' Füeß ein,
     Hüllts in zue fein!

R.   Göbet dir mein Stiefel sonst,
     Wann i wüst daß d' eini konnst.

8.

J.   Mein Heiland, wie hart muest löben,
     Underm Viech fangsts Löben oan!

R.   Voder, Mueter, thuts acht göben,
     Daß dem Kind nix gschechen koan.

J.   Döckt es zue guet,

R.   Daß's nit frirn thuet,

J.   Dös[1]) müeßts Kind zudöcken fein,
     Dann dem Ochs fallts â nit ein.

9.

R.   Dank dir, daß so guet bist gwösn
     Und hast üns den Gfallen thoan,

J.   Hast üns gwöllt vom Tod erlösn,
     Beten dich von Herzen oan.

R.   Gib dir gern vil,

J.   Frag was 'r habn will!

R.   Bin halt â ein armer Tropf,
     Hoan nix als ein groasen[2]) Kopf.

10.

J.   Bleib halt fein gsund, mein kloans Liebl,
     Wannst woas brauchst, so komm ze mir.

R.   Hätt a Puttn voll saure Ruebn,
     Wilst sie hoabn, i schenk sie dir.

J.   Pfüet[3]) di Gôt halt!

R.   Wär[4]) fein groß bald!

[1]) Ihr. vgl. S. 89.
[2]) Großen.
[3]) Behüt.
[4]) Werd.

J. Kannst in mein Dienst stehen ein,
Wann darzu wirst groß gnue sein.

Wie diese Wechselgesänge der Weiterbildung fähig
sind, beweist der dritte dieser Flattacher „Hirtenreime“.
Auch er beginnt mit dem erwachen der Hirten durch den
englischen Glanz und mit dem besinnen über die im Traume
vernommene Verkündigung. Ein dritter Hirt komt bestät-
igend hinzu und mit ihrem Opfer gehn sie nunmer zum Stalle.
Nachdem sie dem Kinde Vererung bezeigt haben und zurück-
gehen, begegnen ihnen die drei Könige, welche sie wie in der
Liturgie nach dem Kinde fragen; die Hirten laufen aber fort
Verrat fürchtend. Die Könige erblicken nun den verschwund-
enen Stern wider und preisen Gott. Die Anbetung selbst ist
in die Scene nicht aufgenommen.

Die Reden der Hirten sind von der Mundart stark
gefärbt; nur die Arie, welche sie singen, und das Gebet
ist in höherer Rede. Die Könige vermeiden, so gut der
Dichter vermochte, den Dialect. Das Spiel scheint mir älter
als die vorangehenden; es nimt in der Hervorbildung des
Weihnachtdramas auß dem Liede eine interessante Stufe ein.

Riepl. Hui hui, woas is denn doas
Daß i heunt nit kann schloafen?
I bin schoan fuchzig Joar
Ein Hirt bei meinen Schoafen.
Sichst du nit a die Liechten,
Die mi von Schloaf aufgwöckt?
I ziter an Händ und Füesen, [1]
So vül hats mi erschröckt.

Mei mei, woas is denn doas?
So vül i sich von weiten

[1] Der Uebergang von inlautendem ß in s ist der Mundart eigen. Handschriften des 15. Jh. geben schon dafür Belege.

Und wanns mi nit betriegt,
Engeln von Himmel reiten!
Sö werden joa in Himmel
Koan Handl gfangen oan?
Göt Voater übel wâr
Und joagets all davoan.

Lip.[1]) Mir is wol à die Nacht
Krad spanlang vorgekömen.
Is sohoan der liechte Toag?
Das thuet mi wunder nömen.
Es is joa nit so lang
Daß i hoan Nachtmal gösen,[2])
Da soach i oan kloan Buebn.
Mei, wer is er eppa gwösen?

Glanzt hat er aso[3]) schen
Wien Gschlößherrn seine Joppen,[4])
Voll Porten auf und auf,
Ja i thu di gwis nit foppen.
Gsungen hat er schen
Vor Freuden etwas her;
Mir hoaba ja koane Handl nit,
Mei, wer is eppa der?

Löx.[5]) Woar is, wie du soagst,
I hoan ihn à khert[6]) singen;
Derwegen i gschwint
Hoab oangfang zu springen
Nach Wethlachem in Stoal
Han i woas antrôfen;
Von dorten bin i gschwint
Zu enk daher glofen.

---

[1]) Philipp.
[2]) Gegeßen.
[3]) Also. Vgl. meine Dialectforschung 65.
[4]) Wie des Schloßherrn Joppe (Jacke).
[5]) Alexius.
[6]) Gehört.

Ein herzig schenes Kind,
Sein Eltern à derbei,
Ein Ösel und ein Rind,
Das Kind ligt auf dem Heu.

Riepl. Is woar mei lieber Löx?
Hast du doas selber gsechen?
Wann du uns nit vorlügst,
So wöln wir à hin gechen.

Wer woaß, wer das Kind ist,
Villeicht ists Gottes Soan!
Es is joa profezeit
Von alten Leuten schoan,
Doaß er geboren wird
Zu Wethlachem im Stoal.
I nimm a Lampl[1]) mit
Und ihm zu Füesen foal.

Lix. Hast Recht, mei lieber Ruep.
I nimm mit mir a Mel,
Das Kind kann uns vergölten
Und sögnen Leib und Sel.

Löx. I nim an Putter mit,
Mei Lip, das taugt zum Mel;
Hernach wöln mir gschwind
Laufen eilends schnel.

Mei, Buebn, dös werd schien!
Was dort für Musig ist!
Man mecht ver Freid vergiehn,
All Trübsal man vergißt.[2])
Mei Ruep, mit deiner Geigen
Megst nit dertuen so schien,
Und i mit meiner Pfeifen
Mueß gar auf d' Seiten stiehn.

---

[1]) Oblättein.
[2]) Schriftsprache und Mundart vermischen sich fortwährend in diesem Spielen.

7 *

Riepl. Mir wölens do proviren
Mit unserm Hirtenklang,
Dem waren Gôt zu Eren
Anstimmen ein Gesang.

Lipl. Er wird ja wol den Willen
Fürs Werke nemen an,
Oan ieder machts so guet
So guet ers immer kann.

Lex. So will i â mit singen
Zu Lieb dem Kindelein,
Wenn i schoan nit vül koan
Wird nit so hoaggl[1] sein.

Aria.

Wir wollen dich hier grüßen,
Kleines Kindlein, großer Gott,
Fallen dir zu deinen Füßen
Weil du leidest große Not.
Wir vereren unserm Herren
Ein gar kleine Hirtengab;
Du wirst merer nit begeren,
Wann wir geben was wir habn.

Wir bringen auch zu eßen
Ein klein Lampl und ein Mel.
Vater thu doch nit vergeßen,
Zieh dem Lamplein ab das Fell.
Hüll das Kind zue daß s nit friern thue;
Die Költe ist kein Narretei.
Mir thuets Hascherl[2] ja erbarmen,
Weils mueß liegen auf dem Heu.

Ein drei Eier und ein Butter
Bringen wir auch, nemt es an!

---

[1] Hakel, haikel: wälerisch.
[2] Hascher, deminutiv das Hascherl, armes bedauernswürdiges Wesen. vgl.
mhd. häschen, schluchzen.

Einen Han zu einer Suppen,
Wanns die Mutter kochen kann.
Gießts ein Schmalz drein, wirds wol guet sein.
Weil wir sonsten gar nix han,
Sind wir selber arme Hirten,
Nemts den guten Willen an.

Sünder kommet, nit verweilet,
Zu dem Kind, wir bitten euch;
Nur geschwind dem Stall zueilet,
Weil Gott noch die Gnad verleicht.
Thut bekennen mit Bußthränen
Alle eure Missethat;
Wann er kommet als ein Richter,
O dann ist die Reu zu spat.

Eines wollen wir noch beten,
Jesus Maria Joseph rein:
Wann wir sein in Todesnöten,
Stellet euch nur dort gwiss ein.
Komt bei Zeiten, helft uns streiten,
Biß der Sieg gewunnen is;
Sein wir von euch nit verlaßen,
So ist uns der Himmel gewiss.

Die drei Hirten sprechen.

Weil du bist warer Gôt,
Wir thun dich gar schen bitten:
Wann zu uns kommt der Tod
In unsre arme Hütten,
Dort nim dich unser an,
Denk daß wir da sein gwösen;
Weil wir sonst a niemt han,
Thue nit auf uns vergösen.
Das Kind ist wol so guet,
Es wird uns nit versagen.

Kaspar. Halt ein, mein lieber Bue!
　　Ich mueß dich um was fragen:

Wo ist dann jenes Kind?
Thue uns es zeigen an!

Ruep. Das war, mein Aid, a Sünd,
Eh läfn wir gar darvoan.

(gehen ab.)

Kaspar. Ihr geliebte weise Herrn,
Folgt der Schriftgelerten Rat.
Himmel schick uns jenen Stern,
Der uns biß her gfüret hat.
Was die Priesterschaft gesprochen,
An dem nicht zu zweifeln ist;
Dero Wort bleibt unzerbrochen,
Diß wir glauben zu jeder Frist.

Melchior. Siehe der Propheten Wort,
Schön dursuchet, sonnenklar:
Betlehem soll sein der Ort
Wo jener Prinz geboren war.
Himmels Sterren, wolst uns zeigen
Jenen Prinz so außerkorn,
Dem wir uns zu Füßen neigen,
Der in Judäa geborn.

Balthas. Wenn wir dieses Kind antroffen,
(Walt- Von dem wir so schön belert,
hauser) So kann auch Herodes hoffen
Daß ihm alles wird erklärt.
Ort und Stat soll er auch wißen,
Dieses wir ihm zeigen an,
Dann er scheinet höchst heflißen
Daß ers Kind anbeten kann.

Kaspar. An Herodes sein Begeren
Ich mir ein Bedenken mach.
Wann er will das Kindlein eren,
Warum folgt er uns nicht nach?
Er ist voller Grimm und Zoren,

Wie wir gesehen alle drei,
Hat die Falschheit hintern Oren,
Ich gesteh es one Scheu.

O was seh ich dort von ferren
Außer der Stat Wetlachem?
Es erscheint uns jener Sterren,
Der uns zu Jerusalem
Ist entwichen auß den Augen,
Hat uns gsezt in Traurigkeit;
Laßt sich iezt mit Freud anschauen,
Wir sind von dem Ort nit weit.

Melchior. Warlich warlich ist alldorten
Der von uns erwünschte Stern,
Dessen wir so senlich harten,
Dem wir folgen herzlich gern.
Gottes Liebe uns begleite
Daß wir endlich nun alda!
Unsere Herzen zu bereite,
Zu empfangen deinen Son.

Balthas. Herzlich gern wela tragen wir
Weiter unsre matten Glieder,
Biegen sie noch für und für,
Da der erwünschte Sterne wider
Sich alldorten thut einfinden
So hell liecht und spiegelrein,
Und schon wirklich thuet anzeigen
Das herzliebste Kindelein.

Kaspar. Gott sei Dank Lob Er und Preis,
Für die Gnad so er uns geben!
Daß wir endlich die weite Reis
Gott können zu Füßen legen.
Wir danken dir, herzliebstes Kind,
Daß du uns das hast erwiesen,
Abzubüßen unsre Sünd,
Daß wir die ewig Freud genießen.

Wir können den weitern Fortschritt dieser Hirtenreime
verfolgen. Zwar nicht auß Kärnten oder Steier, denen diese
Lieder angehörten, sind die Belege für die nächsten Schritte,
aber auß Schlesien. Das an diese Stelle gehörige „Krist-
kindellied" ist auß Schlaupitz im Reichenbacher Kreiße
und wird dort und in den benachbarten Dörfern noch gespielt. Es zeigt die Vereinigung der früher erwähnten Adventreime mit der Anbetung der Hirten und fürt Maria und
Joseph als handelnde Personen ein. Der gemeinsame Typus
aller schlesischen Kristkindelspiele tritt auß ihm hervor;
er weist auf eine Quelle hin, die nach der ganzen Färbung
der Dichtung im 14. oder 15. Jh. zu liegen scheint. Ueber
die zum Theil ser merkwürdigen Einzelnheiten suchen meine
Anmerkungen Aufschluß zu geben.

Gabriel, Petrus, das Kristkind, der alte Joseph
und zwei Schäfer.

In die Mitte der Stube wird ein Stul gestelt, darauf die Wiege des heil. Kindes.

Gabriel mit dem Szepter.

Ein schön guten Abend will ich Euch geben
und für war ein langes Leben!
Der heilige Gabriel werd ich genant,[1]
den Szepter trag ich in meiner Hand
und hätt mir ihn Gott nicht selbst zuerkant,
könt ich ihn nicht tragen in meiner Hand.
So will ich die junge Frau bitten und fragen[2]
ob sie will den heiligen Petrus auch rein haben?

[1] Vgl. S. 38. das Kolbnitzer Spiel. — Die Art dieser Dichtung, dieses an-
einanderreihen der Verse, ist alt vgl. unter andern Uhland Volkslieder no 3. Sie
hat sich in den Kinderreimen besonders erhalten.

[2] In dem kornwallisischen Weihnachtspiel vom H. Georg tritt in gleicher
Weise eine Person nach der andern ein und ruft die folgende. Die Formel ist
hier so: if you will not believe what I do say, let (Father Christmas) come in —
clear the way. Sandys Christmas Carols p. 174. f.

Komm rein, komm rein, lieber Petrus mein,
laß hören deine Stimme fein.

Petrus mit dem Schlüßel.

Ein schön guten Abend in aller Frist,
nach mir kommet der heilge Krist,
Der heilge Petrus werd ich genant,
Die Schlüßel trag ich in meiner Hand;
und hätt sie mir Gott nicht selbst zuerkant,
könt ich sie nicht tragen in meiner Hand.
So will ich die junge Frau bitten und fragen
ob sie den heilgen Krist auch will rein haben?
Komm rein, komm rein, lieber heilger Krist,
der Stul dir schon bereitet ist,
die Thüre will ich dir machen auf,
die kleinen Kinder warten mit Freude drauf.

Kristkind.

Ein schön guten Abend geb euch Gott,
ich komm herein on allen Spott,[1]
ich komm herein getreten,
will sehn ob die Kinder fleißig beten,
will sehn ob die Kinder beten und singen,
so will ich ihnen eine schöne Gabe bringen;
wenn sie aber nicht fleißig beten und singen,
werd ich ihnen eine Rute bringen.
Der heilge Krist werd ich genant,
vom Himmel hoch herab gesant,

---

[1] On allen Spott, one Spott: formelhafter Außdruck für warhaftig, wirklich; das gleichbedeutende sunder spot bei Walther 24, 30: wol mit triuwen sunder spot. — âne spot Mar. Himmelf. v. 336 (Mone altt. Schausp.) in allen spot ebd. v. 208. Donaueschlng. Passion v. 160. 1446. 1863. 1962. (Mone Schausp. d. Mittelalt. 2) Fasn. sp. 594, 7. sunder spot Suchenwirt 25, 345. Mar. Himmelf. v. 526 (Mone a. a. O.) Alsfeld. Pass. bei Haupt 3, 500. — Gleichbedeutende Verbindungen: in alle schand. Mone Schausp. d. Mittelalt. 2, 236. v. 1313. in allen haz ebd. 235 v. 1972. 236 v. 1308. Haupt 3, 510. Fasn. sp. 659, 7. in alles leit Mone Sch. d. Ma 2, 253. v. 1742. âne wank Mone altt. Sch. 65. v. 1631. sunder wân Haupt 3, 500. Hagen Gesamtab. 3, 180. Fas-nachtsplele 148, 7.

die Krone trag ich auf meinem Haupt
die hat mir Gott der Son erlaubt,
und hätt sie mir nicht Gott der Son erlaubt,
könt ich sie nicht tragen auf meinem Haupt.
So will ich die junge Frau bitten und fragen
ob sie den alten Joseph auch will rein haben?
Komm rein komm rein, lieber Joseph mein,
laß hören deine Stimme fein. ˙

Joseph.

Holla holla,
wär ich bald zur Thüre rein gefolla![1]
gots pludrament, gots Schwefel und Pech,
gots velkablô![2] das woar 'ne kalde Nacht!
wenn ich nich wär derwacht,
wärn mir die Läuse im Pelz derfrorn.

Maria.

Ach Joseph lieber Joseph mein,[3]
wiege mir das kleine Kindelein.

Joseph.

Kindla wiega, Kindla wiega!
ich koan nich menne Finger biega!
Hunni sausi,[4]
der Kitsche thut der Bauch wih!

---

[1] Komische Eintrittsformel, die auch sonst nachweisbar ist. Ein niederländisches Tafelspiel zum Dreikönigsabend, mitgetheilt von Willems Belgisch Museum 2, 102—106 begint auf diese Weise: Holla ic hadde daer bycans ghevallen.

[2] Veilchenblau.

[3] Lied des Mönchs von Salzburg: Joseph, lieber nefe main, hilf mir wiegn mein kindelein, dasz got muefz dein loner sein in himelreich. Die reine Mait Maria. — Gerne liebe mueme mein, ich hilf dir wiegen dein kindelein, dasz got muesz mein loner sein in himelreich, du reine mait Maria. — Ueber die Einflechtung dieses Liedes in das kirchliche Ritual vgl. S. 49. Zu unsrer Stelle vgl. das gläzische unten mitgetheilte Kristspiel.

[4] Hunni sansi, nunnei sausei: gewönliche „Juwozungen" der Wiegenlieder. Nunnei, Ninnei, Ninne daher die Wiege in der Kindersprache. — Kitsche: Katze.

Alle singen:[1]

Laßt uns das Kindlein wiegen,
das in dem Kripplein thut liegen.
O Jesulein süß o Jesulein süß.

Laßt uns das Kindlein speisen,
Ihm großen Dank erweisen.
O Jesulein süß o Jesulein süß.
Gloria in excelsis Deo.

Der erste Schäfer.

(Die Schäfer liegen wie schlafend auf dem Boden.)

Hurch Bruder, hurch Bruder,
die Engel singa!

Zweiter Schäfer.

Ach schlöf du tummer Kerle!
es sein die Schöfschelln die klinga.

Es wird weiter gesungen:[2]

Ein Kindlein ist uns geborn
Von einer Jungfrau außerkorn,
von einer Jungfrau hübsch und fein,
soll euer Gott und Warung sein.

---

[1] Die beiden Strophen dieses Liedes sind nur Bruchstücke eines bekanten Weihnachtsliedes, vgl. Bone Cantate n. 38 (2. Aufl.) Geistliche Volkslieder. Paderborn 1850. nn. 57—60. Hoffmann und Richter schlesische Volkslieder no. 279. Unsere Verse stimmen am meisten zu no. 59. in den Geistlichen Volksliedern von Paderborn.

[2] Dieses Lied finde ich in den mir zugänglichen Gesangbüchern nicht; mehrere Lieder fangen freilich gleich oder ähnlich an: z. B. Bone Cantate n. 51. Uns ist ein Kindlein heut geboren von einer Jungfrau außerkoren; des freuen sich die Engelein, wie sollten wir nicht frölich sein." (steht auch in dem vollständ. Marburger Gesangbuch zur Uebung der Gottseeligkeit Herrn D. Martin Luthers. Marburg 1693. S. 13.); ferner: Uns ist geborn ein Kindlein von Maria der Jungfrau rein. Wackernagel no. 686. Es ist ein Kindlein uns geborn vor andern außerkorn. Leisentritt fol. 41. Ein Kindlein ist geboren von einer reinen Mait. Wackernagel no. 126. Weiterhin werde ich ein Lied auß Mosburg in Kärnten mittheilen, das ebenfalls verwant ist: Ein Kindlein geboren, ganz schön außerkoren, von einer Jungfrau zart.

Erster Schäfer.

Hurch Bruder, hurch Bruder,
die hoan ins a Kind geboren.

Zweiter Schäfer.

Ach schlôf, du tummer Kerle, schlôf,
die hoan an Latscha verlorn.[1]

Es wird weiter gesungen:

Ihr lieben Hirtlein fürcht euch nicht!
mit großer Freud ich euch bericht:
ein Kindlein ist geborn
von einer Jungfrau außerkorn,
von einer Jungfrau zart und fein,
soll euer Gott und Warung sein.

Die Schäfer rutschen auf den Knien, den Schäferstab in der Hand, biß zu der
Wiege.

Es wird gesungen: [2]

[Komt ihr Hirtlein komt alle zugleich,
nemet Schalmeien und Pfeifen mit euch,]
komt alzumal mit frölichem Schall
nach Bethlehem zum Kindlein in Stall.
Ach ihr Hirtlein steht doch auf,
geht mit mir sogleich hinauß!
ach ihr Hirtlein, thut hurtig gehn
in den Stall nach Bethlehem.

Der erste Schäfer

zu dem Kinde.

Wann de werscht sein derwachsa grûß, [3]
dô kumm ze mir ôn Underlôß,

---

[1] Ein änlicher Witz unten in dem Glazer Spiel.

[2] Vgl. den beßeren und vollständigeren Text bei Hoffmann und Richter
schlesische Volkslieder no. 281., siehe auch Meinert alte teutsche Volkslieder in
der Mundart des Kuhländchens. S. 279, und Haupt Zeitschr. f. d. A. 6, 348.
Das eingeklammerte habe ich auß Hoffmanns Text ergänzt, die zweite Strophe
ist unserer Ueberlieferung eigenthümlich.

[3] Vgl. die Flattacher Verse: Wär fein groß bald! kannst in mein Dienst
stehen ein, wann dazue wirst groß gnue sein. S. 96 f.

dô will ich der gân gesalza Brôt
geschmalza Brôt und Kimmel und Quarg,
dô werschte stark.

zum andern Schäfer:

Bruder, wôs werscht dûm denn gân?

Der zweite Schäfer:

Wârm dô ne Quargschnîte[1]) gân![2]) dô werd a ô ni fîr stark
wîrn.[3])

Kristkind:

Ach heilger Petrus sag mir an,
was die Kinder haben gethan.

Petrus:

Ach heilger Krist, wenn ich dirs soll sagen,
so muß ich über die Kinder klagen.
Wenn ichs eben sagen soll,
die Welt ist böser Kinder voll,
sie thun nichts als schweren und lügen,
die Eltern biß in den Tod betrüben.
Und wenn sie in die Schule gehn,
bleiben sie auf allen Gaßen stehn,
die Bücher thun sie zerreißen
und in die finstern Winkel schmeißen.

Joseph.

Solche Bosheit treiben sie!

Kristkind:

Ei so will ich meine Gab ersparn
und will trotzig zum Himmel farn.[4])

Petrus:

Ach heilger Krist, bis nicht so hart, sondern mild,
nimm die kleinen Kinder zum Ebenbild!

---

[1]) Brotschnitte mit Quarg (weichem weißem Käse) geschmiert.

[2]) Geben.

[3]) Werden.

[4]) Vgl. die niederschlesischen S. 34—40 mitgetheilten Adventreime.

Gib ihnen eine schöne Gab ein groß Geschenk,
damit sie immer an uns gedenkn. [1]

Kristkind:

Nun so will ich mich wider bedenken
Und den Kindern eine Gabe schenken.

Es wird außgetheilt und nach belieben können hierauf Lieder gesungen werden.

Das Abschiedlied ist: [2]

Wir treten auf ein Lilienblatt,
wir wünschen euch alln ein gute Nacht,
wir müßen ja hinte noch weiter marschiern,
ein schön gute Nacht, wir ziehen dahin.

Der Inhalt dieses Schlaupitzer Kristkindelliedes erscheint uns in einem Spiele auß der südlichen Grafschaft
Glaz wider, das in den Mückenhäusern bei Habelschwert
vor zwanzig Jaren noch gespielt wurde, jezt aber warscheinlich schon verschwunden ist. [3] Wir sehen darin eine
Weiterbildung, indem der Wirt hinzukomt, welcher in den
meisten außgebildeteren Weihnachtspielen auftritt, der Vertreter der unbarmherzigen Bethlehemiten, welche das bit-
tende Par, Maria und Joseph, von ihrer Thür wiesen.

---

[1] Vgl. S. 38 das Kolbnitzer Lied.

[2] Auch in dem niederschlesischen Kristkindelliede S. 35 als Abschied, ähnlich dem
glätischen unten folgenden. Das Lied „Ich kumm aus frembden landen her“
bei Uhland alte hoch- und niederdeutsche Volkslieder n. 3. schließt ebenfalls:
„so stand ich auf einem gilgenblat, got geb euch allen eine gute nacht“. Vgl.
ferner das Pfingstlied beim Umzuge des Kudernest in der Gegend von Für-
stenwalde in der Mark (Kuhn und Schwarz norddeutsche Sagen S. 385) „wir
treten auf ein Lilienblatt, wir bitten den Herrn er geb uns wat.“ In einem
Dreikönigsliede in dem Paderborner Gesangbuch von 1616 S. 96. heißt es: wir
schreiben euch auf ein Lilienzweig der liebe Gott geb euch das Himmelreich. —
Wir schreiben euch auf ein Lilienblatt, Gott geb euch eine gute Nacht.

[3] Ich habe es im Sommer 1846 in Glaz auß dem Munde einer alten Magd
aufgezeichnet.

Das Spiel wird durch einen Gutenabendwunsch des Wirts eröffnet; er bespricht sich darauf mit seinem Haushalter über die Bewirtung vornemer Gäste, welche bevorstünden. Da klopft es und Joseph und Maria bitten um Herberge. Der Wirt weist sie ab; Maria und Joseph singen ein Wiegenlied und einen Wechselgesang über ihre Herberge und Fart. Die Verkündigung bei den Hirten und ihre Anbetung folgt, ein Lied schließt sich an. Der Wirt spricht in dem Epilog seine Reue über die Hartherzigkeit auß.

So hätte ich das Spiel in der Zeitschrift für deutsches Alterthum von Moriz Haupt (Bd. 6, S. 341—349) wo ich es bereits mittheilte, ordnen müßen [1]. Ich theile hier also den Text mit, wie er nach meiner jetzigen Ansicht sein muß, und glaube die verbeßerte Widerholung überdieß dadurch gerechtfertigt, daß dieses Glazer Spiel eine bestimmte Stufe in diesen Darstellungen einnimmt, welche zur vollen Erkenntniß der Geschichte des Weihnachtspiels notwendig aufgewiesen werden muß.

Der Wirt
tritt auf in grünen Hosen, einer roten Bortenweste, einen Hut mit Goldborten auf dem Kopfe.

Guten Abend zu wünschen ich bin bereit,
weil jetzo kommt die Adventzeit.
Bei braven Gästen laß ich mich sehn,
drum thut der Haushalter mit mir eingehn.

Der Haushalter
tritt auf, dem Wirte gleich gekleidet biß auf Silberborten statt der Goldborten.

Der Wirt.
Haushalter, ich sag dirs zu jeder Zeit,
die Tafel soll gleich sein bereit.

---

[1] Daß die Szene, worin das Kristkind Joseph und Gabriel auftreten, nicht zu diesem Spiele ursprünglich gehörten, habe ich damals schon erkannt. Sie ist hier ganz weggelaßen.

Haushalter.

Ja ja, mein Herr, es ist ganz recht.
Sie sind mein Herr und ich der Knecht,
wir haben beide Geld und Gut
und tragen beide einen Bortenhut.

Es klopft, der Haushalter sagt seinem Herrn etwas ins Or.

Wirt.

Wie ich von meinem Haushalter vernommen,
so sollen Kaiser und König rein kommen;
so will ich laßen die Tafel bereiten,
weil es geschieht zu späten Zeiten.

Der heil. Joseph
im Pelz, einen Stock in der Hand, singt:

Ein schön guten Abend geb euch Gott,
ich komm herein ganz Abends spôt,
ganz Abends spôt beim Abendschein,
ich komme mit Maria und dem Kindelein.
Ich wolte euch ganz demütig bitten,
weil meine Glieder vor Kälte zittern
und draußen geht ein rauher Wind,
ich wolte bitten, daß ihr mich laßet eintreten mit
Maria und dem Kind.

Haushalter.

Na wart Alter! ich werde erst zu meinem Herrn gehen
(zum Wirt)
Herr, hier ist ein alter Mann,
der will von uns eine Nachtherberg han;
wie ich aber an ihm sehn kann,
ist er ganz ein schlechter Mann.

Wirt.

Was? das wären Poßen!
bleibt ihr draußen auf der Goßen.
Große Herrn und Gavalier,
solche Herrn kern ein bei mir,
denn bei uns gibts gut Wein und Bier.

Joseph.

Ach mein liebster Herr und Freund,
ich wolte bitten, Sie wolten mirs nicht übel deuten,
meine Bitte nicht versagen
und mein Gewär nicht abschlagen:
Um eine Nachtherberge wil ich bitten,
weil meine Glieder thun vor Kälte zittern,
und draußen geht ein rauher Wind,
ich wolte bitten, daß Sie mich laßen eintreten mit
Maria und dem Kind.

Maria

tritt auf in blauem altmodischem Kleide, weißer Schürze und
Haube, mit herabhängendem Schleier. Sie trägt eine Holz- oder
Wachspuppe.

Joseph zu Maria

Ach liebste Maria, tritt herein,
keine Herberg kann ich nicht bringen ein;
weil draußen weht ein rauher Wind,
so wollen wir doch einkeren mit dem lieben Kind.

Maria singt:

Ein schön guten Abend geb euch Gott!
ich komm herein ganz Abends spôt,
ganz Abends spôt beim Abendschein,
und ich trag das neugeborne Kindelein.
Joseph, liebster Joseph mein,
hilf uns wiegen das kleine Kindelein.

Joseph

nimmt das Kind und legt es in eine Wiege

Wie sôl ich denn doas Kindla wiega [1]),?
koan kaum menn krumma Puckal biega.
Drut·drei hei hei,
liebes Kindla schlôf ock [2]) ei.

---

[1] Vgl. S. 106 das Schlauplitzer Spiel.
[2] Ock, nur: mhd. ocker ahd. eckerodo.

8

Alle singen: [1]

1.

Laßt uns das Kindlein wiegen,
das Herz zum Krippelein biegen!
Laßt uns den Geist erfreuen
das Kindlein benedeien:
O Jesulein süß! o Jesulein süß! :|:

2.

Laßt uns dem Kindlein neigen,
ihm Lieb und Dienst erweisen!
Laßt uns doch jubilieren
und geistlich triumphieren:
O Jesulein süß! o Jesulein süß! :|:

3.

Laßt uns dem Kindlein singen,
ihm unser Opfer bringen!
Ihm alle Er erweisen
mit loben und mit preisen!
O Jesulein süß! o Jesulein süß :|:

4.

Laßt uns sein Händel und Füße,
sein feuriges Herzlein grüßen!
Und ihn demütiglich eren
als unsern Gott und Herren!
O Jesulein süß! o Jesulein süß! :|:

5.

Laßt unser Stimm erschallen,
es wird dem Kindel gefallen;
laßt ihm ein Freudlein machen,
das Kindlein wird eins lachen.
O Jesulein süß! o Jesulein süß! :|:

Maria singt:
Joseph, liebster Joseph mein,

[1] Vgl. Hoffmann und Richter Schlesische Volkslieder no. 279. Geistliche Volkslieder (Paderborn 1850) no. 57—60. Bone Cantate (Paderborn 1851) n. 88.

wo werden wir hinte keren ein?
ha ha, ha ha hein,
keren ein.

Joseph singt:
Jungfrau, liebste Jungfrau mein,
ich weiß ein altes Stallelein,
das wird wol unser Herberg sein,
ha ha, ha ha hein,
Herberg sein.

Maria.
Joseph, liebster Joseph mein,
was wird des Kindes Wieglein sein?
ha ha u. s. f.

Joseph.
Jungfrau, liebste Jungfrau mein,
ich weiß ein altes Krippelein,
das wird des Kindleins Wieglein sein.
ha ha u. s. f.

Maria.
Joseph, liebster Joseph mein,
was wird des Kindes Windlein sein?
ha ha u. s. f.

Josef.
Jungfrau, liebste Jungfrau mein,
ich weiß ein altes Hemdelein
das wird des Kindleins Windlein sein,
ha ha u. s. f.

Maria.
Joseph, liebster Joseph mein,
wo werden wir hinte keren ein?
ha ha u. s. f.

Joseph.
Jungfrau, liebste Jungfrau mein,

8 *

im Himmel werden wir keren ein,
ha ha u. s. f.

Maria.

Joseph, liebster Joseph mein,
der Engel wird unser Begleiter sein,
ha ha, ha ha hein,
Begleiter sein.

**Die Hirten liegen auf der Erde und schlafen.
Die Engel singen:**

Gloria, gloria in excelsis deo!
ihr Hirten steht auf und schlafet nicht!
Hört ihr nicht die Engel singen,
wie sie in den Lüften schwingen,
sie singen immer gloria,
gloria in excelsis deo.

Erster Hirt.
Bruder Steffa, hirste nich, woas der Engel soate?

Steffen.
Woas soat a denn?

Erster.
A soate, es wâr a Kind geboarn.

Steffen.
Hm! Kind derfroarn.

Erster.
Hm! du âler Aesel! Kind geboarn.
Hm! dar Engel soate —

Steffen.
Woas? du hest a Strump verloarn?

Erster Hirt singt: [1]

Ich schlöch mich uf di Seite
ich schuckt a bißla nei,
dô soag ich zwê oale Loite,
a herzlich Kind derbei:
Ich duchte bei menn Sinna,
doas Kindla stind mer oa;
wenn ich doas kint gewinna,
ich woagt a Lammla droa.

(Die Hirten pochen wärend des Gesanges mit ihren Stöcken die mit Glöckchen und Maien geziert sind, auf die Erde.)

Steffen.

Jû, ich glöb dersch, ich gib a zwêe.

Dritter.

U, ich gib a dreie.

Erster.

Nu Brûder Steffa, woas mennste denn,
mer mechta dem Kindla êns ditta [2].

Steffen.

U du dumma Socka,
mer wârn duch nich doas Kindla goar derschrocka,
mer wern wul ês singa.

Erster.

Na stimm oa, Oaler, na!

Steffen singt:

Wie ich bei menna Schoafa wacht [3],
und mer der Engel die Botschaft bracht,
hô hâ hô
dô woar ich su frô.

----

[1] Bruchstücke auß dem Weihnachtliede: O Frêda über Frêda! ihr Nappern kummt und hîrt, vgl. Hoffmann und Richter schlesische Volkslieder no. 278. Unser Gesetz ist auß der 5. und 9. Str. des Hoffmannschen Textes genommen.

[2] Tuten, blasen.

[3] Vgl. Geistliche Volkslieder (Paderborn 1850) no. 51. Bone Cantate no. 34 und unten das Vorderaberger Gespiel.

Erster.

Bruder Steffa, mer mechta wul dem Kindla was schenka.

Steffen.

Nu, dô gîn mer wul hîn?

Erster.

Gî dû ock erschta.

Steffen.

t. Nu, guck ock.

Die Hirten treten näher. Sie haben umgekerte Pelze an, Pelzmützen auf und Stricke als Gürtel um den Leib gebunden. Der erste trägt ein Lämmlein, der zweite einen Korb mit Aepfelspalten, der dritte einen Haushan.

Der erste Hirt.

Holla, holla, [1])
wær ich bâle zer Tîre nei gefella.
Ein schön gûden Abend geb euch Gôt,
ich kumm herein ganz Abends spôt.

(zu dem Kinde) singt:

Klênes Kindla, dû, dû, dû,
du leist ja uf am Wischla Strû, Strû, Strû.
Weil ich hoa oa dich geducht,
hoa ich der au woas mite gebrucht.
Dô hoa ich nuch a Lammla
vû ma jesjäriga [2]) Stammla,
doas wil ich der thun schenka,
doaß de thust oa mich gedenka.
Die Liebe is grûß
die Gabe is klein,
ich wollte dich bitten, wenn du willst mit mir zufried-
en sein.

Zweiter.

t Klênes Kindla, dû, dû, dû,
du leist ja uf am Wischla Strû, Strû, Strû, u. s. f.

---

[1]) Vgl. das Schlauplitzer Kristlied. S. 106.
[2]) vorjärig, vgl. meine Dialectforschung S. 141.

Dô hoa ich nuch a poar Spâla
vum jesjäriga Winder erhâla.
Die Liebe u. s. f.

Dritter.

Klênes Kindla u. s. f.
dô hoa ich nuch an Haushoan,
dar fri und spiete krien koan.
Die Liebe u. s. f.

Alle singen.

Laufet ihr Hirten, lauft alle zugleich! [1]
Nemet Schalmeien und Pfeifen mit euch!
Lauft alle zumal mit freudigem Schall
Auf Bethlehem zum Kindlein in Stall!

Wir gehen auf einem glühenden Plan
und wünschen euch alle ein schöne gute Nacht.
Fort hin, fort hin, steht unser Sinn, [2]
wir müßen ja hiute noch weiter marschiern.

Der Weg der ist uns auf Rosen gebaut,
wir wollen uns gehn nach dem Himmel umschaun.
Gelobt sei Jesus Cristus.

(Alle ab bis auf den Wirt.)

Wirt.

Ach Gott, was hab ich mir gedacht,
Daß ich bei spater finstrer Nacht
die Leute habe naußgejagt.

Hätt ich mir das gebildet ein,
daß's Jesus Maria und Joseph solten sein,
hätt ich sie laßen keren ein.

---

[1] Vgl. Hoffmann und Richter Schlesische Volkslieder no. 281. wo nur unsere erste Strophe zu finden ist; die zweite und dritte gehören nicht zu dem Natallede, sondern zu einem Adventzuge. „Der Weg der ist uns auf Rosen gebaut" erinnert an das Lilienblatt, auf das beim Abschiede getreten wird oben S. 110. Die 3. Strophe ist unvollständig.

[2] Vgl. S. 39 die Anmerkung.

Jetzund empfind ich großen Schmerz,
den trag ich unter meinem Herz

.   .   .   .

Nun will ich laufen was ich kann
und will auch meine Müh nicht sparn,
ich will schaun, wenn ich sie könnt treffen an.

Adieu. (ab).

Ehe wir zu den noch außgedenteren Spielen der Weihnachtzeit schreiten, ist der zweite oder wenn man will
dritte Theil derselben als Spiel für sich zu betrachten.
Ueber das kirchliche Rituale des Epiphanienfestes als der
Grundlage haben wir oben schon das nötige mitgetheilt;
wir sahen die Anbetung der drei Weisen auß dem Morgenlande und den Kindermord als glänzende und erschütternde
Momente mit besonderer Neigung behandelt. Gehört doch
diesem Kreiße einer der ältesten Wechselgesänge an, welche
die kirchliche Literatur aufweisen kann, ein Gesang zwisch-
en Maria und den Magiern, gedichtet von Ephraim dem Syrer
(gest. 378)[1], den man wol auch zu den kirchlichen Dram-
en gezogen hat. — Wir haben schon auß der englischen und
französischen Misterienliteratur Dichtungen angeführt, welche hierher gehören. Auch auß der älteren deutschen Poesie
konten wir Spiele aufführen, welche die Anbetung der h. drei
Könige und den Kindermord als Scenen enthalten; einer
der Flattacher Hirtenreime fürte die Magier ebenfalls ein.
Abgesondert ist uns aber dieser Stoff noch nicht entgegen-
getreten und vor dem 17. Jh. ist auß der deutschen Literatur
kein für sich bestehendes Dreikönigsspiel bekant geworden,
obgleich wir der Gründe genug haben, auf ihr älteres vor-

---

[1] Deutsch von Augusti in seinen Denkwürdigkeiten aus der kirchlichen
Archäologie 5, 362—370 (Leipzig 1822).

kommen zu schließen. Diesen älteren mögen die Herodes-
spiele von Johann Claf (1645), von Joh. Ludw. Faber (1675)
und von Joh. Rist (Gottsched 1, 200) fern genug stehen.

Dagegen haben sich im Volke die alten Dreikönigsspiele erhalten; in Schlesien und der Grafschaft Glaz, ebenso im Elsaß werden sie noch gespielt. Eins, das in Reichenbach (Pr. Schlesien) und der Umgegend von herumziehenden
Knaben aufgefürt wird, theile ich hier mit. Es zeigt bereits
den nahen Untergang in scharfen Zügen; auch darin tritt
die Verkümmerung hervor daß der Personen weniger als
nötig sind. Die drei Könige werden durch den einzigen
Morenkönig vertreten, und in einer mir bekannt gewordenen
Vorstellung wurde der Engel und des Herodes Diener Laban durch den Schäfer gegeben. Das Bündel mit den Spiel-
gewändern unter dem Arm, die Laterne in der Hand, ziehen
die Kinder in der Nacht von Dorf zu Dorf, wol ser unänlich
jenen englischen Bischöfen, die am 24. Jänner 1417 zu Kost-
nitz vor dem Rat der Stat, am 31. Jänner vor der Kirchenversamlung in höchster Pracht eine Weihnacht- und Drei-
königsvorstellung gaben, die allerdings eher eine Reihe
lebender Bilder als dramatischer Szenen gewesen zu sein
scheint. [1]

Zu beachten ist der Abschluß dieses R e i c h e n b a c h e r
D r e i k ö n i g s p i e l s mit einer Schäferszene die nicht zu
dem Stück unmittelbar gehört. Sie beweist abermals die
Vorliebe des Volkes für diese Hirtenspiele, welche in allen
Literaturen herußtritt. Die spanischen älteren autos al na-
cimiento sind fast nur Hirtenszenen; in den englischen Mi-

---

[1] Hermann. Corp. act. et decret. N. Constant. concil. t. IV. p. 1009. Die
Frage nach der Sprache der Auffürungen scheint mir daher ganz überflüßig.
Solche Tableaux aus dem Weihnachtcyklus und andern biblischen Geschichten
wurden zu Paris öfter auf den Straßen gestellt, z. B. beim Einzuge König Heinrichs IV. von England, der Könige Ludwig XI. und Karl VI. Sie waren mit
nicht ganz züchtigen Bildern untermischt. Jubinal Mystères 1, XXXIII.

rakelspielen auß Towneley finden wir ebenfalls ein abgesond-
ertes Stück Pasteres betitelt; ich werde weiterhin von süddeutschen Weihnachtkomödien reden, welche nichts als Hirtenspiele sind; und überdieß sehen wir schon in französischen Misterien, sehen wir in fast allen Weihnachtspielen
des 16. Jh. diese Szenen mit Außfürlichkeit behandelt.

Lied.

Wir treten herein on allen Spott,
ein schön guten Abend den geb euch Gott,
ein schön guten Abend, ein fröliche Zeit,
die uns der Herr Kristus hat bereit.

Wir sind gezogen in großer Eil[1])
in dreizehn Tagen vierhundert Meil;
da kamen wir vor Herodes sein Haus,
Herodes schaute zum Fenster herauß.

Herodes sprach mit falschem Sinn:
Ihr lieben drei Weisen wo wolt ihr hin?
„Nach Bethlehem ins jüdische Land,
da sind wir drei Weisen gar wol bekant."

Der Engel spricht:
Ich tret herein mit Schätzen
die Mutter zu ergetzen
mit ihren kleinen Kindelein,
das soll von dem Weltheiland sein.

Gloria in excelsis deo!
(klingelt mit einem Glöckchen.)

---

[1]) In großem Streit — dreißig Tagen — Meilen weit, lautete es in meiner
Quelle; ich habe die Beßerung um so eher unternommen, als es in einem
verwanten Liede auß Kärnten (Liesing, Lesachthal) also heißt: . sie zog-
en dahin in schneller Eil in dreizehn Tagen vierhundert Meil. Dreizehn
Tage ist die legendarische Frist, vgl. Joh. v. Hildesheim von den h. drei Königen cap. 13. Ueber andre Berechnungen R. Hofmann Leben Jesu nach den
Apokryphen S. 126. — Zu unserer zweiten Strophe vgl. das Sternsingerlied auß
Friedlingen in Schwaben (E. Meier Sagen aus Schwaben 471), welches mit seiner
wörtlichen Uereinstimmung beweist, daß wir für alle diese im deutschen Lande
verbreiteten Lieder auf eine gemeinsame Quelle verwiesen werden. Auch das
englische Sternlied ist verwant, Sandys Christmastide p. 172.

Der Morenkönig.

Ich bin der König auß Morenland,[1]
die Sonne hat mich so schwarz gebraut.
Schwarz bin ich, das weiß ich,
König Balthasar heiß ich[2]),
die Schuld ist meiner Kindermagd
daß sie mich nicht rein gewaschen hat.
Pax vobiscum![3]) Friede sei mit euch!
ein schön guten Abend wünsch ich euch,
ein schön guten Abend den Herren und Damen,
ein jeder wirds nemen in Billigkeit. Amen!

König Herodes mit dem Szepter

in rotem Mantel der mit Streifen. Goldpapiers besezt ist, die Krone auf dem
Haupt, das Schwert an der Seite.

König Herodes werd ich genant,[4]
den Szepter trag ich in meiner Hand,
das Schwert an meiner linken Seit,
drum wag ich mit Gott den Streit.
Die Feder ist mein Schwert,[5]) mein Dinte ist das Blut,
damit schreib ich so klug.

Morenkönig.

So klug schreibst du, König Herodes!
Wir bitten dich und fragen nach dem rechten Schein,
wo der neugeborne König der Juden zu finden sei.

König Herodes.

Ich bin König und kein andrer,
ich glaube nicht daß in oder außer der Stat
jemand was anders gehöret hat.

---

[1]) Vgl. den Morenkönig bei dem Pfingstritt in Wurmlingen in Schwaben.
E. Meier Sagen Sitten und Gebräuche aus Schwaben S. 412.

[2]) Von mir ergänzt.

[3]) Meine Quelle hatte: Buxbaum!

[4]) Vgl. den Spruch des Maienfürers in Friedingen an der Donau und Wäsch-
enbauren bei Hohenstaufen. Meier deutsche Sagen Sitten und Gebräuche aus
Schwaben. S. 405. 407, vgl. auch 411.

[5]) Sammt, meine Quelle.

Hallo! mein Diener Laban, zieh herauß dein Schwert,
und ziehe nach Bethlehem
und töte mir die kleinen Knaben
von eins zwei biß drei Jaren.

Diener Laban.

Gut, meine königliche Majestät.
Bei dem ich stehe in Eren Lon und Brot,
muß ich auch bestehen biß in den Tod.
Ich werde hinauß nach Bethlehem ziehn
und töten die kleinen Knaben
von eins zwei biß drei Jaren.

(geht ab.)

Lied. [1])

Wir sind gezogen am Berg hinauf,
der Stern stand stille wol über dem Haus,
der Stern leucht uns ins Haus hinein,
da fanden wir die Mutter mit dem Kindelein.

Joseph der bei der Wiege saß,
der alte Mann bald erfroren was.
Wir thaten unsre Schätze auf,
schenkten ihnen Gold Weihrauch und Myrrhen vollauf.

— — —

Herodes ließ töten viel Kinder mit Graus,
doch bald sind geworden viel Engel darauß —

— — — — — — — —

Diener Laban tritt ein.

Jezt tret ich herein wider in das Haus,
meine Sachen hab ich gerichtet auß,
viel tausend Mann hab ich erschlagen;

---

[1]) Das erzälende Lied tritt an die Stelle der Handlung, welche für diese
kleinen Darstellungen zu umständlich wäre. Leider kann ich diese Strophen
nicht vollständig geben. Ein anderes Lied scheint sich diesem angeschloßen zu
haben; ich habe nur die (verderbten) Verse erfaren können: Jezt schleicht
er wieder auß der Thür, der fromme Paradeis. Gott sei Lob und Preis. Zu den
ersten Versen vgl. diese Stelle des englischen Sternsanges: We all came over
the lofty hill, And there saw we the Stare stand still.

trotz dem, der mir ein Wort will sagen!
Die Kinder schrien zwar jämmerlich,
bei mir war kein erbarmen nich;
es hat mir selber Leid gethan
daß ich ich es hab so arg gemacht.

König Herodes.

Ich sitze in schwerem Anbedacht,
ich weiß nicht daß ich so traurig bin!
meine Traurigkeit mein Herzeleid
ist daß mich die drei Weisen betrogen
und das Kind Jesu auß dem Land gezogen.

Engel.

Viva! viva! Schäfer steh auf und zäle mir deine Schafe!

Schäfer.

in grünen Kniehosen mit rosa Bändern grünen Hosenträgern weißen Strümpfen
und einem Hirtenstab mit Bändern geschmükt.

Als ich vom Berge herab kam, da legte ich mich unter
eine Eiche und schlief. Da kam ein Wolf und nam mir viel
von meinen Schafen. Ich aber nicht zu faul, nam einen Hirtenstab, gab ihm eins über den Rücken daß er zersprang in
hundertfunfzig Stücken. [1]

Schäfer singt: [2]

Ob ich gleich ein Schäfer bin
hab ich doch ein frohen Sinn,
ja ich hab ein solches Leben
das mit lauter Lust umgeben,
wechsle meinen Schäferstab
nicht mit Kron und Szepter ab.

---

[1] Solche Schäfersprüche über Abenteuer mit dem Wolfe müßen zahreich
verhanden sein. Ein andrer auß der Namslauer Gegend ist so: Junge, weas
grinste asi? hót der dár Wulf a Schóf genumn? — „Nû, hót mer dár Wulf a
Schóf genumn" — Wû is a denn hî gelófn? — „Nû, îhr a Barg" — Ihr a
Barg? — „Nû, uadn koan a ja nich durch." — Husta óch gehébt? — „Nû,
hea íchn óch gehébt, poschola (liebkosen) wâr íchn duch nich !" —

[2] Dasselbe Lied mit drei weiteren Strophen bei Hoffmann und Richter
schlesische Volkslieder mit Melodien. Leipzig 1842 no. 266.

Morgens wenn ich früh aufsteh
und zu meiner Herde geh,
treib ich mit vergnügtem Schalle
meine Schäflein auß dem Stalle
auf die grüne Wiese hin
wo ich stets alleine bin.

Meinen Hund das treue Thier
hab ich Tag und Nacht bei mir;
ob ich schlafe oder wache,
so bewacht er meine Schafe,
und vertreibt mir alles Leid
biß zur späten Abendzeit.

(sie gehen ab.)

In diesem Spiele ist das Ende des Herodes nicht weiter erwähnt; in andern aber, welche in Glaz umlaufen, wird er vom Teufel geholt. Trotz vielfachen Bemühungen konte ich kein derartiges Stück erhalten. Herodes wurde überhaupt der Vertreter ungerechter Könige, und so bildete sich in Polen ein eigenthümliches Puppenspiel, das in der Weihnachtzeit in kleinen Kasten (szupki), die von Haus zu Haus geführt werden, gespielt wird. Ich sah eins zu Weihnachten 1850 in Krakau. Der König wird mit fast allen Ständen zusammen gebracht und zeigt sich ungerecht; reiche vorneme Krakowiaken, einfache Goralen (Bergbewoner, Karpatenleute), auch polnische Juden treten auf und erfaren des Königs Tyrannei. Vergebens wirft sich der Jude vor ihm auf die Knie; da tritt der Tod herauß die Sense in der Hand, und der König klappt getroffen zusammen. Hierauf spießt der Teufel den Leichnam auf seine Gabel und schnurrt ab. Die Handlung wird von Strophen begleitet, die nach einer Weise gesungen werden, wie Ayrers Singspiele.

Dreikönigsspiele wie in Schlesien kommen auch in Tirol vor und im Elsaß zu Mülhausen und seiner Umgebung. Die

Spieler sind weiß gekleidete Knaben mit goldpapierenen Kronen, vergoldeten Szeptern und einem großen Stern, den sie auf einer Stange tragen. Stöber in seiner Alsatia auf 1850 (S. 108) sagt nur daß „Sprachweise und Form" ihrer dramatischen Aufführungen an die Meistersinger reiche; die Spiele werden also den schlesischen nicht fern stehen. Gewönlicher als diese dramatischen Darstellungen sind bloße Lieder oder Reimsprüche dieser Knaben; was Stöber a. a. 0. darüber mittheilt, zeigt daß dieselben oft ganz in Bettelverse übergehen. [1] Diese Sitte des Sternsingens ist über das ganze südliche Deutschland verbreitet. In Schwaben ziehen die drei Könige, das sind angepuzte drei Knaben, einer als Morenkönig mit geschwärztem Gesicht, von Weihnachten biß Dreikönigstag herum. Der eine von ihnen trägt den Stern, welcher durch eine Haspel gedreht werden kann. Ihre Lieder sind erzälend gehalten und stimmen zu den schlesischen und kärntnerischen in Anlage wie Außfürung. [2] In Baiern heißen die Zwölfnächte die Gebnächte, von den Gaben warscheinlich, die an die Sternsänger und andere Herumzieher gegeben werden. (Schmeller baier. Wörterbuch 2, 12. 3, 658). In Tirol gehen gewönlich nur drei Knaben in weißen Hemden und Goldpapierkronen herum; der eine und zwar der Morenkönig trägt den Stern. Die Reime verwandeln sich aber öfters in Spiele, in denen Herodes im roten Mantel und der Teufel auftreten. Auch hier ist die Polizei der gefärlichste Feind der Weisen auß dem Morgenlande. [3] In Oberkärnten ziehen außer den Sternsingern, welches die Kirchensänger sind, noch weltliche

---

[1] Diese Sternsngerlieder schließen sämtlich mit der Bitte um eine Gabe und mit dem Dank; selbst das in die Paderborner katholischen geistlichen Gesänge von 1616 aufgenommene Lied hat diesen Schluß.

[2] Proben hat jüngst E. Meier in seinen Sagen Sitten und Gebräuchen aus Schwaben S. 469—71 gegeben. Vgl. auch des Knaben Wunderhorn III. 30. f.

[3] Vgl. Ad. Pichler das Drama des Mittelalters in Tirol S. 8. 9.

Singer herum, die Tölggersinger [1]) (Möllthal): junge Bursche welche drei Tage vor und nach dem Dreikönigsfeste, aber auch in den Adventen, in der Nacht von Haus zu Haus gehn und Hirtenlieder singen. Erhalten sie Gaben an Fleisch und Mel, so wünschen sie alles Glück; bekommen sie nichts, so erfolgen Verwünschungen; namentlich ist dieser Reim gebraucht:

> Mir hau mer wol gsungen,
> und hamp uns nix göben.
> Hiez loas mer das Joar
> mit Bauchweh auslöben.

Die Tölggersinger geben sich nicht zu erkennen, sie bleiben vor den Häusern stehn. [2])

Eines dieser Lieder will ich bald hier mittheilen. Es ist auß Liesing im Lesachthale (Seitenthal des oberen Geilthals), wird aber mit geringen Abweichungen auch im Flattacher Kirchspiel im Möllthal gesungen.

> Ich lag in einer Nacht und schluf, [3])
> da klang in mir der Davids Ruf,
> wie wir den heilgen drei Köngen solln singen und
>   reimen;
> so kam uns ein neues Lied,
> sie liegen zu Köllen am Rheine.

> Der Tag der reißt wol durch den Thron;
> wir singen den ersamen Hauswirt an
> samt seiner geliebten Hausfrauen.

---

[1]) Was bedeutet das Wort? der kärntische Dialect scheint es sonst nicht zu kennen.

[2]) Vgl. W. Wackernagei deutsche Literaturgeschichte §. 75. Anm. 9.

[3]) Flattach: So kommen wir mit Freuden an,
> wir wünschen euch allen ein glückselig neues Jar,
> darzu eine frölliche Zeiten,
> wie sie Gott selber vom Himmel uns gelt
> zum Trost uns armen Leuten.

Gott woll ihnem gewen ein beständigen Gsund
und auch ein langes Lewen.

Maria hat geboren ein Kindlein one Mann,
den Himmel und Erde mit Freuden aufnam,
das Paradeis wird aufgeschloßen.
Gott hat sein Kreuz wol selber getragen,
sein Blut für uns vergoßen.

Und seit uns das Kindlein geboren solt sein,
den heilgen drei Königen kam ein neuer Schein
von einem geliechten Sterren.
Der heilge Geist gabs in ihren Sinn,
sie namen Gold Weihrauch und Myrrhen.

König Kaspar zog auß Morgenland, [1]
König Walthauser zog auß Griochenland,
Melchior auß Oesterreichen;
sie folgen dem Sterren gar fleißig nach
der ihnen die Weg thut weisen.

Sie zogen dahin in schneller Eil
in dreizehn Tagen vierhundert Meil [2],
sie zogen in Gottes Genaden
— — — — —
— — — — — [3]

---

[1] Ueber Namen Heimat und Stand der drei Könige oder Weisen herschten bekanntlich ser verschiedene Angaben: vgl. Herm. Crombaechi primitiarum gentium seu historiæ trium regum Magorum tomi tres. Colon. Agr. 1654. R. Hofmann das Leben Jesu nach den Apokryphen S. 126—128. In der Legende v. d. h. drei Königen des Johann von Hildesheim sind die drei Könige auß Indien und zwar Melchior auß Nubien (dem ersten Indien), Balthasar auß Godolia, Caspar auß Tharsis; in dem Mastrichter Osterspiel (Haupt Zeitschr. 2, 316) werden Arabien Tharsis und Chaldäa als ihre Reiche angegeben; in einem altenglischen Weihnachtspiel (Mariott a collection of english miracleplays p. 82) ist Jesper König von Tawrus, Balthasar von Arraby, Melchor von Aginare; in dem französischen Geu des trois roys (Jubinal mystères inédits du XV. siècle II. 79—136) heißt Melchior de Sexile, Baltazar de Arable, Jasper roy emperable one Land.

[2] Vgl. oben S. 122. das Reichenbacher Dreikönigsspiel.

[3] Zwei Verse feien; in dem Flattacher Liede felt die ganze Strophe.

9

Und da sie hin gegen Jerusalem kam,
ein hoher Berg vor ihnen aufstand,
der Stern wolt ihnen entweichen.
Ein König wol zu dem andern sprach:
heunt müßen wir hier verbleiben.

Sie kamen vor König Herodes geritt,
Herodes empfieng sie auß tugendreicher Sitt:
Seid mir Gott willkomen ihr drei Herren!
eur Namen die seind mir all unbekant,
wo wolt ihr euch hinkeren?

König Kaspar sprach wol außerkorn:
uns ist ein König der Juden geborn,
den thuent uns die Engelein preisen.
Wir haben verlorn den geliechten Stern,
der uns die Wege that weisen.

Herodes der sprach auß falscher Begier:
Und findt ihr das Kindlein, komts wider zu mir!
das thuets, ihr lieben drei Herren!
hab des Silbers und roten Goldes so viel,
damit ich das Kindlein könt eren.

Sie saßen wol auf und ritten dahin,
der schöne liechte Stern kam widerum zu ihn
und fürt sie auf die rechte Straße.
Er fürt sie gen Wethlachem die werte Stat,
da Maria beim Krippelein saße.

Sie stiegen wol awe und giengen hinein,
sie grüßten Maria und das liebe Kindelein:
Seids ihr die Mutter des Herren?
so nemets das Opfer auf ein Ilgenblatt,
wir schenken Gold Weihrauch und Myrrhen.

Also hat Maria das Opfer empfang
von den heilgen drei Köngen auß fremdem Land.
Wie sie von ihnen thuent scheiden,

die Prophezeiung war ganz und gar erfüllt;
sie zogen in Gottes Geleite.

Sie wurden wol durch ein Engel ermant,
sie solten nimmer ziehn durch Herodes Land,
solten ziehen ein andere Straßen,
ein andere Straßen wol widerum heim,
Gott würde sie nimmer verlaßen.

Hiez bitmer um die Gab, dann wermer abtanken.

(Die Sänger werden bewirtet und bekommen beim Abschiede ein bestimtes
Maß Getreide; sie singen zum Schluß:)

Man hat uns ein erbar Leinam (?) gewen, [1]
Gott laß euch das Jar mit Freuden auslewen
jezt und zu allen Zeiten.
Gott gew euch allen ein glücklich neues Jar
der Stern muß uns weiter leuchten.

Schön dank ihr lieben Leut,
euch alzeit Gott begleit,
der Himmel belonts euch ewig.
Das kleine Kindelein
wird euch schon gnädig sein,
aber bewart das Herzelein rein.

Was das mittlere Deutschland betrifft, so besteht das
Sternsingen noch in Thüringen, wenigstens in der Umgegend von Erfurt. [2] In Sömmerda singen die Sternsing-
er also:

[1] Das Paderborner Lied in dem Gesangbuche von 1616: Weil ihr uns eine
Gab gegeben, So laß euch das Kindlein lange leben, In Frieden Freuden immer-
dar, Das wünschen wir euch zum neuen Jahr. Wir schreiben euch auf ein Lilienzweig, Der liebe Gott geb euch das Himelreich. Wir haben gesungen in eurem
Haus, All Unglücke far daraus! Wir schreiben auf ein Lilienblatt, Gott geb
euch all eine gute Nacht.

[2] Eine ausführliche Beschreibung des Sterndrehens wie es im vorigen Jarhundert noch in Thüringen bestand, mit dem dabei gesungenen Liede, dessen

9 *

Die heiligen drei Könige mit ihrem Stern
Sie suchten den Herrn, sie hätten ihn gern;
Sie kamen vor Herodes Haus,
Herodes sprach zum Fenster heraus:

Ihr lieben drei Weisen, komt rein zu mir,
ich will euch geben Wein und Bier,
ich will euch geben Heu und Streu,
auch solt ihr haben die Zerung frei.

„Ach nein, ach nein, wir müßen fort,
wir haben ein kleines Kindlein dort,
ein kleines Kind, ein großen Gott,
der alle Ding erschaffen hat.“

Die Verse dienen zur ferneren Bestätigung der An-
name, daß ein gemeinsames Lied zu Grunde liegt,[1] das
als Dreikönigslied warscheinlich von dem Volke in der
Kirche gesungen wurde und von der Kirche sanctioniert war.

In den Niederlanden fanden zum Dreikönigstage diese
Umzüge auch statt; ein Lied, das dabei gesungen wurde,
theilt H. Hoffmann Horæ belgicæ II., 69 mit. Farende Schau-
spieler giengen dort ferner am Dreikönigsabende von Haus zu

Bruchstücke nur die hier mitgetheilten Strophen sind, findet sich in dem Journal von
und für Deutschland 1789, I—VI. St. 156—158, darauß bei H. Hoffmann Horæ belgicæ 2, 71—73. Drei als Könige verkleidete Knaben giengen herum, der Morenkönig fürte den Stern, der auß einer Stange und einem darauf befestigten Brete
bestand. Auf demselben war ein Schloß, auß dem Herodes heraufsah, mit braun-
rotem Gesicht und schwarzer Perücke. Zur einen Seite des Schloßes traten die
drei Könige auß einer Laube so bald es das Lied verlangte; auf der andern Seite
befand sich die Krippe. Die Figuren waren beweglich und machten zu dem erzälenden Liede die nötigen Darstellungen.

[1] Vgl. Meier Sagen aus Schwaben S. 471 und oben S. 122. 124. das Reichenbacher
Lied. — Dieser gemeinsamen Quelle ser nahe zu stehn scheint das Dreikönigslied, das
in einer Klosterneuburger Handschrift des 16. Jh. (sign. n. 1228) sich befindet
„Sym! Got so woln wir loben und ern, die heiligen drei kunig mit irem stern!
(von Mone schon mitgetheilt in seinem Anzeiger 1839. S. 353. f.), ferner das
Lied: die heiligen drei Könige mit ihrem Stern, die kamen her aus Morgenland
fern (Catholische geistliche Gesänge. Paderborn 1616. S. 93) und das Lied bei
Docen Miscellaneen 1, 276—278. Vgl. das englische Sternlied bei Sandys Christmastide 172.

Haus und fürten Tafelspiele auf, sogenannt von der Tafel auf der sie gespielt wurden. Die h. drei Könige scheinen früh darauß entschwunden zu sein; dafür ist der König des Tages, der Bonenkönig, des Stückes Mittelpunkt. Willems hat im belgischen Museum (Band 2, S. 102—106) ein solches Tafelspiel mitgetheilt, das von zweien gesprochen wurde. Der König wird darin begrüßt und ihm eine allegorische Krone mit fünf Zacken übergeben. Die Sitte an diesem Tage einen König durch freien Beschluß [1] oder durch das Loß, zumal durch eine in den Kuchen gebackene Bone zu erwälen, ist schon im 13. Jarh. in Frankreich nachweisbar, wo die Bonenwal ihre Heimat zu haben scheint. — In Dänemark hat der Dreikönigsumgang ebenfalls bestanden. [2] In England und Schweden besteht er noch.

Gehen wir nun zu den volksmäßigen Weihnachtspielen zurück. Wir hatten auf der einen Seite die Ankunft der h. Familie in Betlehem, ihr vergebliches anklopfen bei dem Wirt, die Verkündigung bei den Hirten und die Anbetung durch dieselben. Auf der andern Seite fanden wir die Anbetung der drei Weisen auß dem Morgenlande. Mit Vereinigung beider Theile stellt sich uns der ganze Weihnachtcyklus dar, wie er in der älteren Literatur behandelt wurde.

Ein solches geistliches „Gespiel" kann ich im folgenden auß der oberen Steiermark, auß der Gegend von Vordernberg, mittheilen. Daß es dort oder wenigstens in dem österreichischen Alpenlande entstanden ist, beweist die Sprache. [3] Es liegt mir in einer handschriftlichen Auf-

---

[1] Sartori Neuste Reise durch Oesterreich etc. (Wien 1811) 2, 346 f. erzält daß man in Kärnten zum 6. Jan. in den meisten Häusern einen König wält, dem eine Tannenzweigkrone aufgesezt wird.

[2] Das Lied bei Nyerup Udvalgte danske Viser 1, 278—282.

[3] o: a. Reime: wont: bekannt, Gott: Gnad, Sohn: Mann, an: davon (dasan geschrieben). — schan schon, gras groß. au und ai : å — dawäi: knäi, altän: thän (thun). ei : eu — freulich, Heuland, heuter, gewenedeut —

134

zeichnung vor, welche auß dem Anfange dieses Jarhunderts
sein mag. Die Schriftzüge sind höchst ungelenk und als
ungelenker Schreiber zeigt sich der Urheber der Handschrift überall. Dazu denke man sich daß der Mann, welcher
in der Mundart zu denken und sprechen gewönt war, nach
einer Handschrift schrib, welche auß dem Gedächtniss
aufgezeichnet war (dieß läßt sich schließen) und daß er
mit prüfendem Verstand nicht alzu freigebig bedacht gewesen; und man wird glauben daß eine möglichst haltbare
Herstellung des Textes oft nicht leicht war. Die vorlieg-
ende Handschrift fürt auf eine ältere auß den vierziger
Jaren des achtzehnten Jh. zurück, wie v. 17. des Prologs
beweist; die Zal 174 die hier stand, habe ich one Bedenken
und ich hoffe mit Recht in 1740 verwandelt. Das Spiel halte
ich für ein Erzeugnifs des 15. oder 16. Jarhunderts seinem
Entwurfe und dem grösten Theile der Faßung nach.

Gegenwärtig scheint das Spiel nicht mer aufgefürt zu
werden.

Ein geistliches Gespiel

auß Obersteiermark, Gegend von Vordernberg.

Wirt macht den Anfang, gehet ein und spricht.

Wünsch euch von dem neugebornen Kindelein[1])
dem Herrn und der Frau und dem Hausgesind zugleich

------

b : p — potschaft, geporn. b : w — gewenedent, Herwirg. ß : s — verschlos-
en. groser. — häufig d für t.

1) Glückwunsch oder segnende Begrüßung am Anfange der alten Prologe
ist selbstverständlich und fast algemein. Mer darüber in meinem künftig er-
scheinenden Buche über das deutsche Schauspiel. Hier genüge es an einige
Schauspiele des H. Sachs zu erinnern; er begint den Prolog zu seinen un-
gleichen Kindern Eve also: Heyl vnd genad von Gott dem Herrn Sey all den
so von nah vnd ferren Versamlet seind an dieses ort Zu hören da von wort zu
wort Ein Komedl vnd lieblich gedicht. — Der Prolog zu der Tragödie von der
Schepfung: Der göttlich himelische segen Sey mit euch yezt vnd allewegen Ihr

Glück und Heil in das Haus herein
und allen die hier versammelt sein
zu dieser heiligen Weihnachtzeit,
die uns gibt Gelegenheit
ein kurzes Gspiel zu fangen an,
ist glaubbar[1]) und nicht gar zu lang,
von Kristi des Herrn geburtlichem[2]) Tag.
Es wird zu seinem Lob und Er gemacht,
damit man in die Gedächtnuss für
seine Menschwerdung hier,
die euch von neuem nemts zu Mut.
Wie er ist wares Fleisch und Blut
auß würken Gotts des heilgen Geist,
wie solches dann die Geschrift uns weist
von der Zeit vor 1740[3]) Jar,
wie da der Weltheiland geboren war,
wie es sich sellmals[4]) hat zugetragen,
wird man alda gar kürzlich sagen.[5])
Nun merkts und nemts euch wol in Acht,
eins und das andre wol betracht!
kurz zu sagen in der Summ,
eim jeden es zu Nutzen kumm.

Wirt gehet ab.

---

ausserwehlten Christen Lewt Die jr hie seydt versamlet hewt. — Auch in dem
Fasnachtspiele wird dieser gute Brauch festgehalten, z. B. Gott grüß den wirt
zu aller frist, und alles das euch lieb ist, dem sol Gott geben heil und seld!
Fasnachtspiele 114, 4—6.

[1]) H. lebbar.

[2]) H. gebiehrender; über geburtlich Benecke-Müller mittelhochdeutsch. Wörterbuch 1, 155ᵃ

[3]) H. 174.

[4]) sellmals, damals. vgl. Schmeller baierisches Wörterb. 3, 232 und meine
Schrift Ueber deutsche Dialectforschung etc. Wien 1853 S. 142.

[5]) Oben v. 8. hieß es „ist nicht gar zu lang"; diese Zusicherung der Kürze begegnet öfter in dem alten Schauspiel; so heißt es in dem Fasnachtspiel vom
Arzt und kranken Bauer (n. 6. Fasnachtspiele des 15. Jh. von A. Keller) „das
sie diesem werk wollen zu schauen und sich des nit verdrießen laßen, dann es
ist kurz auß der maßen."

Wird ein Gesang[1]) gesungen.[2])

In Galilea ein Jungfrau wont[3])
von großen Qualitäten,
zu Nazareth, ganz wol bekant,[4])
von hohen Dignitäten.[5])
Regalisch[6]) war sie anzusehn.[7])
Von Gott der Engel Gabriel
gesant zur Jungfrau reiset;[8])
er sprach: Maria sei gegrüßt!
von Gott bist worden außerkiest,
vom Engel hoch gepreiset.

Maria schrak ob diesem Gruß;
gedacht, was soll ich werden?
soll mir ein Engel falln zu Fuß?
bin doch auß Staub und Erden.
Ich kann mir niemals bilden ein,

---

[1]) Daß nach dem Prolog zur Eröffnung und weiteren Einleitung des eigentlichen Spiels (wozu sonst auch das Argument gesprochen wird) ein Lied gesungen wird, findet sich in unsern ältern Schauspiele öfters, z. B. in J. Ruffs Adam und Eva, in B. Waldis verlornem Sone. Das unten mitgetheilte Paradeisspiel wird umgekert mit einem Liede eröfnet, dem der Prolog folgt an welchen sich noch ein Lied anschließt. Ein Osterspiel des 14. Jarh. (Mone Schauspiele des Mittelalters 1, 72—128) begint one Prolog mit einem Gesange; ebenso das oben S. 122 mitgetheilte Reichenbacher Dreikönigsspiel.

[2]) Dieses Lied gibt die Hs. in großer Verwirrung. Die Strophen sind darin ungleich an Verszal und im Abgesang verschieden in der Reimstellung. Die Warnemung daß das Lied ursprünglich nach der Weise „der Tag der ist so freudenreich" gedichtet sei, half der Herstellung. Ich setze das Lied in das 15. Jh.; biß jezt konte ich keine weitere Spur von ihm entdecken.

[3]) wan Hs.

[4]) Ganz wol bekánt, Apposition zu Nazareth, vgl. Philipps Marienleben v. 26. Goth. hs. in einer stat diu was genant Nazareth vil wol bekant.

[5]) Qualitäten Hs.

[6]) Hunc regalis virgo mater — Hymn. Lumen inclytum refulget.

[7]) Regalischweiß in a. Hs.

[8]) Die Hs. fügt zwei Verse ein: vor derselbige nieder fiel, sein ehr von sich zu verweisen.

wie die Sach soll beschaffen sein,[1])
es will mich Furcht ankommen.
Der Engel zu Maria sprach,
er sagt: das ist ein göttlich Sach,
Gott hats ihm vorgenommen.

Die Singer gehen ab.

Gott der Vater gehet ein und spricht also:

Gott der Vater muß einmal[2])
sich erbarmen in des Himmels Sal.
Ich kann nicht länger hören an
das Geschrei meiner armen Unterthan,
so daß noch heut muß auf die Welt
mein liebster Son außerwält.
Mein Son will ich schicken auf die Erd,
der das menschlich Geschlecht errett
von Tod von Höll von aller Sünd.
Alles mein Volk wider Gnaden find
auf Erden bei mir vom Himmelreich.
Darum wills mich erbarmen gleich,

[1]) Von hier die Hs.: mach mir so Groß beschwerden, der Engel zu Maria
sprach, las dir kein forcht ankommen, er sagt das ist ein Göttliche sach, Gott hat
las vorgenohmen.

[2]) Unser Spiel gibt hier die dogmatische Begründung der Geburt Christi als
die Erlösung des in die Sünde gefallenen und verdamten Menschengeschlechtes.
In einem deutschen Weihnachtspiele des 14. Jh. (Mone Schausp. des Mittelalt.
1, 143—181) sind die Klagen, welche Gott zu der Erlösung bewegen, dramatisch
eingefärt, indem die Altväter und Propheten das Spiel eröffnen; in dem altenglischen Kristspiele der Coventryreihe tritt Jesaias mit solcher Rede auf; in
beiden folgt unmittelbar die Verkündigung. Auch J. Bales Gods promises (Mar-
lett 223—257) gehören hieher. In der französ. Nativité de N. S. Jesuchrist
(Jubinal Mystères II, 46) schreien Isaias und Daniel zu Gott, worauf die Teufel
Belgibus und Bellal sie mer zu peinigen beschließen, um so mer als ihnen Erlösung
nahe sei. Gott aber von dem Schreien der Propheten gerürt, sendet Gabriel
nach Nazareth. Kirchengesänge namentlich der Adventzeit stellen begreiflich
diese Gedanken oft dar; es mag hier erinnert werden an das alte Lied Auß
hertem wee klagt menschlichs geschlecht (Wackernagel Kirchenlied n. 181ᵃ),
an den Adventgesang „Durch den ungehorsam unsers Vaters Adam (Leisentrit
Fol. 17) und an Luthers „Nun freut euch lieben Christen gmein". — Vgl.
auch den Prolog zu Edelpöcks Weihnachtscomödie.

weilen es bitt also hoch;
es erbarmt mich dahero noch.
Obwol der Vater Adam sich
vergriffen ser hat wider mich,
will ich doch nicht die Kinder sein
es laßen entgelten algemein;
sondern als Vater mild begnaden,
kein solche Straf nit mer aufladen.
Ich will sehen zu der Sachen,
der Erlösung einen Anfang machen.
Nach Galiläa will ich senden
mein Engel Gabriel der Enden
zu Maria der Jungfrau rein,
verkünden ihr den Willen mein.
Denn sie soll tragen mein liebsten Son
in ihrem Leib rein one Mann.

Gott der Vater gehet ab.

Maria gehet in den Tempel[1]) und spricht:
Auß Grund des Herzen mein
wölt ich kennen die Jungfrau rein,

---

[1]) Ueber die Umstände der Verkündigung, wie apokryphische Evangelien und spätere Kirchenschriftsteller sie außführten vgl. R. Hoffmann das Leben Jesu nach den Apokryphen. Leipzig 1851. §. 11. Abweichend von den sonstigen Berichten verlegt unser Spiel die Scene in den Tempel. Dazu daß Maria grade die Ankunft des Messias erwägt, stimmt die Angabe des Barradius comment. I. 7, 7 daß die Jungfrau die Weißagung Jesaiæ bedachte. Das ist auch in das mystère de la Conception passion et résurrection de N. S. (Parfait histoire du théâtre françois. Amsterd. 1735. 1, 87) aufgenommen. In den Vorauer Gedichten 230, 5—7 (Diemer) heißt es: si bete umbe daz heil der werlte; bei Otfried I. 5, 9—12. giang er (Gabriel) in thia palinza, fand sia drûrênta, mit psaltern in henti, then sang sie uns in enti, wâherô duachd werk wirkentu, diurerô garnô, wozu Wernhers Maria (Fundgruben II. 177) und die Kindheit Jesu (Hahn Gedichte des 12. und 13. Jahrh. 69ᵇ) stimmen. Ueber das Gewebe Hofmann a. a. O. 66. Eine mystische Abhandlung von Johann von Sterngaßen über das waz unser frowe têti dô der engel zuo ir kam, gab Pfeifer herauß bei Haupt Zeitschr. f. deutsch. Alterth. 8, 237 ff.

Vgl. auch das Lied Heinrichs von Laufenberg: Es saß ein edle maget schon. Wackernagel Kirchenlied no. 750. — Bei der Fronleichnamsprocession von York 1415 war in der Gruppe welche die Verkündigung enthielt, als erste Abtheilung Maria und ein Schriftgelehrter welche die Weißagungen über die Geburt des Messias außlegen. Marriott miracleplays XVIII.

die tragen soll in ihrem Leib
und wird gebären mit großer Freud
den Seligmacher one Schmerzen,
den sie trägt unter ihrem Herzen.
O höchster Gott, hätt ich die Gnad
zu jeder Zeit ja fruh und spat,
daß ich kunt soviel würdig sein
zu sehen jenes Jungfräulein.

Engel Gabriel tritt zu Maria und singt:[1]
Ave Maria jungfräuliche Zier,
Du bist voller Gnaden, der Herr ist mit dir;
ein ganz neue Botschaft ein unerhörtes Ding
von der himlischen Hofstat ich Gabriel bring.

Maria singt:
Ach Gott, was sollen die Wort immer sein?
wer will zu mir kommen ins Zimmer hinein?
die Thür ist versperrt,[2] die Fenster sind zue;
wer ist der mich stört in der nächtlichen Rue.

Engel Gabriel singt:
Nicht fürcht dich Maria, es geschicht dir kein Leid,
ich bin nur ein Engel, verkünd dir groß Freud;
du solst empfangen und tragen ein Son,
den die Menschen verlangen viel tausend Jar schon.

---

[1] In dem alten Schauspiel ist es nicht selten daß die Handlung zuerst in einem Liede vor sich geht (lateinisch oder deutsch) worauf die gesprächsweise Darstellung folgt.

Die Worte des Dialogs in unserm Spiele schließen sich ziemlich treu an den biblischen Text und haben darum in dem gesamten mittelalterlichen Weihnachtdrama entsprechende Stellen. Vgl. Mone Schausp. des Mittelalt. 1, 154. f. Haupt Zeitschr. f. d. A. 2, 310. f. Marriott english miracleplays 60. Jubinal mystères inedits II. 48. f. (Parfait) histoire du théâtre franç. 1, 104. f.

Auß der Grafschaft Glaz hat Hoffmann v. Fallersleben in den Schlesischen Volksliedern (Leipzig 1842) no. 277 dieses Lied, und zwar um drei Strophen länger, mitgetheilt.

Vgl. auch Bono Cantate n. 15: Ave Maria gratia plena, so grüste der Engel die Jungfrau Maria.

[2] Hs. verschlosen. Der Binnenreim verlangt die Beßerung, auch bei Hoffmann schles. Volksl. S. 329 steht verschloßen.

Maria singt:

Wie kann das geschehen? erkenn ja kein Mann;
wolt lieber vergehen als tragen ein Son.
Hab ich doch geschworen mein Jungfrauschaft Gott,
bin dazu geboren, verbleibs biß in Tod.

Gabriel spricht:

Sei gegrüßt ave Maria zart,
des heilgen Geistes voll an dem Ort.
Unter allen Weibern bist gebenedeit,
wie auch die Frucht in deinem Leib.

Maria:

Woher solt ich gegrüßet sein?
was zeigt das an, o Jüngling mein?

Engel Gabriel:

O Maria nicht fürcht dich vor mir![1]
der Engel Gabriel komt zu dir,
geschikt vom allerhöchsten Gott,
weil du bei ihm hast funden Gnad.
Gesegnet[2] bist du o Jungfrau wol!
auß deinem Leib entsprießen soll
das göttliche Wort in einem Son,
den wirst du nennen Jesum schon.
Der wird groß regieren im Himmel und Erden,
des Höchsten Son genennet werden;
dem wird Gott geben das andere Reich
wie auch des Vaters Gewalt zugleich,
der wird füren das Regiment[3]
im Hause Jakob one End.

Maria:

Engel sag, wie das geschehen kann,
weil ich ja kenne keinen Mann?

---

[1] Dich vor mir. felt der H.
[2] Endfremd b. dm. H.
[3] Der wird Regieren und die thren.

Wie kunt so viel möglich sein
daß ich solt tragen ein Kindelein?

Engel Gabriel:
Maria, wie keusche Rosen zart![1]
der heilige Geist dich überschatt
mit seiner Tauf und göttlichen Kraft;
bleibt dir noch dann dein Jungfrauschaft.
Das göttliche Wort bei dir allein
wirklich ist gepflanzet ein.

Maria:
Engel wie soll es denn sein,
daß Gott will wonen im Herzen mein?
bin doch sein arme Magd gering[2],
unmöglich schätz ich solche Ding.

Engel Gabriel:
O Jungfrau! auf der ganzen Welt
bist du allein die Gott gefällt;
von allen Jungfraun außerkoren
bist du allein dazu geboren.

Maria:
Wenn es denn also mueß sein,
so gib ich mich ganz willig drein.
Ich bin ein Dienerin des Herrn;
mir geschech nach seinem Begern.[3]

Engel Gabriel:
O Jungfrau sei gelobt und benedeit,
ich muß heim tragen diese Freud.
Alle Engel im Himmel oben
werden dich eren preisen und loben.

Der Engel Gabriel geht ab.

[1] Ueber die Vergleichung der h. Jungfrau mit der Rose W. Grimm goldne Schmiede XXXVII. XLII.

[2] Magerin. H.

[3] Deinem Wort und B.

Maria:

Ich mueß mich machen auf die Straß,
anzeigen meinen Freunden das; [1]
übers Gebirg zu Elisabeth,
die meiner längst verlanget het.

Maria geht ab.

Es wird ein Gesang gesungen. [2]

O edle liebreiche erwünschete [3] Nacht,
die uns zu dieser Gedächtnuſs hat bracht,
die uns vorstellet [4] wie Joseph der Mann
mit der Jungfrau Maria [5] um Herberg klopft an.

Er [6] bitt so inständig: „mein herzliebster Freund,
mich und mein Gemahlin beherberget heunt,
weil wir ein so weiten Weg her sind marschiert, [7]
und sie auch groß traget, wie ihr seht und spürt.“

„Du solst dich selbst schämen du treuloser Mann,
ein [8] Weib mit zu nemen! warum hast das than?
Es muß auch nichts anders als [9] Eifersucht sein,
weil du ihr nicht trauest zu Hause allein.“

Seht Joseph den frommen [10] aufrichtigen Mann,
dem von seinen Freunden der Schimpf [11] angethan,

---

[1] Die regelrechte Folge des Weihnachtspiels, das seine epische Grundlage allenthalben verrät. Auf die Verkündigung folgt die Heimsuchung der Elisabeth.

[2] Dieses Lied fand ich auch unter den Weihnachtliedern der Pfarre Mosburg bei Klagenfurt in Kärnten. Die Abweichungen bezeichne ich mit M.

[3] o seltsame M.

[4] Gleich uns thut vorstellen daß. M. in der Vorderab. Hs. wie er uns v. der J.

[5] Seiner Gemahlin M.

[6] Ich. M.

[7] Dann wir schon so ein weiten Weg her sein gereist, inständig euch bitte die Lieb uns erweist. M.

[8] Das. M.

[9] Was anders ein. M.

[10] Der feine M.

[11] Was ihm von sein Fr. für Spott. M.

er litt nur geduldig [1]) und klaget sein Not
mit weinenden Augen dem ewigen Gott.

Maria als [2]) Jungfrau und Mutter genannt,
da sie wolt gebären kein Herberge fand [3]);
von Haus zu Haus bittet um Herberg im Stall,
konnt doch nichts erhalten, ward geschimpft überall [4]).

Getreuer Hausvater, betracht das hinfür!
so oft bei deim Garten ein armes [5]) geht für,
wo nicht auch [6]) Maria in menschlicher Gstalt
mit ihrem Kind Jesu um Herberg anhalt.

Die Singer gehen ab [7]).

Wirt gehet ein und spricht also:
Ich heiß Hans Christoph Seltenreich [8]),
es kann nit allemal sein alls gleich;

[1]) Er thäts doch gedulden. M.

[2]) Die. M.

[3]) Als s. solt g. k. H. bekam. M.

[4]) Bittet um H. in der Stadt, könnt nirgends erhalten, wird gfeindet überall. M.

[5]) Wie öfters bei d. Hause ein armer. M.

[6]) Wer weiß ob nicht. M.

[7]) Die Zwischenacte und Zwischenszenen werden namentlich in Spielen des
15. 16. Jarh. mit Gesang oder Musik außgefüllt. Vgl. das Frankfurter Pafsionsspiel (Fichard Archiv Bd. 3) die eerste blijfcap van Maria (Willems belgish
museum IX.) Ruffs Adam und Eva, Etter Heini; weiter unten das Paradeisspiel.

[8]) Der bedeutungsvolle Name Seltenreich findet sich in alten Dichtungen
öfters gebraucht. In einem Gedichte des Tanhauser heißt es: Unrät und hér
Schaffeniht die koment mir vil dráte und einer heizet Seltenreich, der mich
vil wol erkennet; der Zadel und der Zwivel sint mín stætez ingeslnde, hér
Schade und ouch hér Unbereit ich dicke bi mir vinde. Minnesinger Hagen 2, 94⁰.
Ein Hans Sältenrich tritt auf in dem Miles Christianus, Mone Schausp. d.
Mittelalt. 2, 416, ein Willpold Seltenreick in dem Gespräch von der Mefs, Gott-
sched nötiger Vorrat 1, 83, ein Seltenreich mit seinem Genoßen Unfleiß in
einem Fasnachtspiel des Hans Probst. Gottsched 1, 36.
Ein Seltenreuch in einem Fasnachtspiele Niklas Manuels, Außg. von
Grüneisen S. 459, eine Frau Seltenrein in einem Gedichte der Wiener Handschr.

doch hoff ich mir, zu dieser Zeit
da wird mein Beutel werden erfreut.
Jezt ist die Kirchfart auch nit ferr
nach Bethlehem von weitem her;
es kommen reiche Kirchfarter herauf
in unterschiedlichem großem Hauf.
Ich will noch erst recht reden [1] lernen
und sie werden bei mir einkeren:
dessen werd ich mich gar nit schämen
und von ihnen wacker Geld einnemen.
Kumt dann ein armer drauf,
so behalt ihn und schenk ihm die Zerung auch;
kumt er dann zu andern Herrn,
wird er noch mein Lob vermern:
Ich sei ein erlicher frommer Mann,
bei welchem man leicht zeren kann,
auf den sich arm und reich verlaßen
wenn sie reisen diese Straßen.

—   —   —   — [2]

fragen sie dann um mein Haus:
Gib her guet Eßen und besten Wein!
da laßen sie mich nit Seltenreich sein.
Fragen sie dann um die Schuld,
sag ich mit Demut und Geduld:
Es ist ein kleine Schuld ihr Herrn,
von einem thu ich nit mer begern
als nur in Summa zwelf Schilling;

---

no. 2885 (Hoffmann Verzeichn. S. 94) ein Schreiber Zeldentljt nemt sich am Ende eines Gebetbuches Maximilians I. (Hoffmann Wiener Handschrift S. 320), Seltennächtern Uhland Volksl. S. 576. Seiten lär ebd. 610: Fasnachtspiele 858, 23. Selten frid Murner Schelmenzunft. 1513. d. ilj. rw.

    Zu solchen bedeutungsvollen Namen neigt sich namentlich die Poesie des 15. 16. Jarh. und die Dramen der Zeit bieten darum deren nicht wenig. Vergl. allein das Gespräck Nikl. Manuels von der sterbenden Meß. Sie kamen aber in dem Leben wirklich vor, wovon unter andern das Verzeichniß von Wiener Namen des 14—16. Jarh. Belege gibt bei Schlager Wiener Skizzen des Mittelalters. Wien 1846. S. 462—467. Und noch heute ist Oberdeutschland an ihnen reich.

  [1] Raden H.

  [2] Feit ein Vers, etwa: Kommen die reichen Herren herauß.

wanns gleich nit habts [1]), so viel thuts bringen,
und alls was ich beim armen verlier,
zalt der reiche schon dafür.

Joseph und Maria mit dem Kinde [2]) klopfen an die Thür:

Wirt spricht: herein!

Joseph.
Grüß euch Gott, mein lieber Herr.

Wirt.
Gott dank dir Vater! Woher so ferr
mit deiner Frau und kleinem Kind?

Joseph.
Ich schaue daß ich Herberg find.

---

[1]) Halbs. Hs.

[2]) Unser Spiel so wie einige andere setzen abweichend von den sonstigen
Berichten die Geburt des Heilands hier schon voraus.

Auß der Angabe der Evangelien daß in Bethlehem keine Herberg zu find-
en war, haben merere Weihnachtsdramen eine Szene gebildet, wie Maria und
Joseph um Herberge bitten und abgewiesen werden. In unserm Spiele zeigt sich
der Wirt gutmütig, aber er wagt vor seinem bösen Weibe den armen keinen
Platz im Hause einzuräumen, schließlich gewärt er ihnen aber den Stall. In
Edelpöks Weihnachtskomödie ist der Wirt hart, und die Wirtin wagt vor ihm
nichts. Die Magd gibt ihnen aber ein Plätzchen im Stall. Auch in dem mystere
de la nativité bei Jubinal II. 59. f. ist die Frau barmherzig, ja sie steht der h.
Jungfrau bei der Entbindung bei, ebd. 67, f. In dem mystere de la conception
passion et resurrection de N. S. (Parfait histoire du théatre franç. 1, 112) ist
der Wirt Joas zwar rauh gegen die bittenden, erlaubt ihnen aber zuletzt sich in
einen halb offenen Raum zu legen.

Wie tief die Vorstellung des harten Wirtes, den auch das Glazer Kristkindelspiel und andere, die ich noch anfüren werde, darstellten, in das Gefül
des Volkes eingedrungen war, beweist eine Strophe des alten Weihnachtliedes
„Es kam ein Engel hell und klar:"

> Der wirt solt haben keine Rast,
> denn du bist ja der höchste gast,
> er solt dir reumen stub vnd saal
> mit seinen gesten allzumal.

In der Lutherschen Bearbeitung des Liedes felt diese Strophe. — Auch das
unten mitgetheilte Mosburger Lied „Da das Gebot ward angestellt" fürt die
harten Wirte Bethlehems ein.

10

Wirt.

Von wannen komst du Vater mein,
daß du so spat ziehest herein?

Joseph.

Von Nazareth auf Bethlehem
sind wir zur Nacht spät kommen hin;
da hat mein Weib ein Kind geborn,
das Jesus ist genennet worn.

Wirt.

Mein Vater, mein Haus ist schon voll
von hohen Herrn und Gästen wol.
Wenn nur ein Ort vorhanden wär!
Ich glaub es ist kein Winkel ler.

Maria.

O lieber Herr, seht an mein Kleid
naß von des Regens Ungestümekeit [1];
kein trockner Faden ist an mir,
mein Kindlein auch erfroren schier.

Joseph.

Ich bin ein alter schwacher Mann,
vor Alter nicht mer gehen kann.

Wirt.

Wie heißt mein Vater, wie ist dein Nam?

Joseph.

Joseph, ein armer Zimmermann;
mein Weib Maria, ist ein jung Lamm,
(ihr Son Jesus, von Davids Stamm) [2]
sind arme Waislein [3] alle drei,
kein Geld kein Brot wir haben frei.

---

[1] Von Regen naß und gestimkeit. H.

[2] Der eingeklammerte Vers ist von mir ergänzt; theils der feiende Reim theils die Hinweisung auf die Dreiheit der Geselschaft schienen mir den Vers zu fordern.

[3] Wasla. H.

Maria.

Erbarmet euch mein lieber Herr,
es ist schon spat, wir komm von ferr.
Wie brennt so stark der scharfe Wind [1]),
vor Frost schier starb mein liebes Kind.

Wirt.

Mein Frau thut mich recht erbarmen;
wolte gerne helfen denen armen:
ich hab aber eine böse Frau,
darum ich mich vor ihr nicht trau.

Joseph.

O mein Herr, redet uns das Wort,
daß sie uns heunt nicht jaget fort.

Maria.

Sie wird doch nicht wie Eisen sein,
wenn sie anschaut mein Kindelein,
wie es an seinem zarten Leib
erzittert; (sie ist doch ein Weib! [2])

Wirt.

Mir ist ser leid um das liebe Kind,
daß es muß sein in Schne und Wind.
Meine Frau will ich bitten für enk [3])
daß sie das kleine Kind bedenk.

Joseph.

Gott wird euchs hundert tausend Mal
vergelten in des Himmels Sal.

Wirt.

Freilich, Vater, sorgt nit viel,
das best dabei ich reden will;

---

[1]) Und auch ver, starker wie brend d. st. W. — Erkältete Glieder brennen oder feuern, daher brennt die Kälte selbst, vgl. meine Handschrift von süddeutschen Weihnachtskomödien fol. 6 wie thuet die költ heut brennen.

[2]) Das eingeklammerte ist von mir ergänzt; die Hs. widerholt nach erzit-
ert den vorangehenden Vers.

[3]) Alte Dualform des 2. Personalpronomens; vgl. oben. S. 80.

10 *

ich mein es zu erreichen wol.
Der Narrenkopf [1]) ist dir ganz toll.

Wirtin gehet ein und spricht: [2])
Seltenreich, Seltenreich, Seltenreich!

Wirt.
Wer ist, der mir so schreien thut?

Wirtin.
So so mein saubers Bürschel? gut!
wenn ich mein, du bist zu Haus,
laufst alle Gaßen und Winkel auß.
Was hast du mit den Leuten zu schaffen?
was hast du für ein Maul zu machen?

Wirt.
Mein Weib, sie bitten um Herberg heunt;
sie sind fürwar auch gute Freund.
Das ist ein armer Zimmermann,
vor Alter nicht mer gehen kann;
das ist sein Frau mit einem Kind.
Behalt sie heunt bei unserm Gsind!

Wirtin.
Wer seid ihr denn? habt ihr auch Geld,
so ist die Herberg schon bestellt.

Joseph.
Mein Frau, wir haben kein Pfenning nit.

Wirt.
So gehts nur fort, laßts mich mit Fried;
solche Gäst kann ich allzeit haben,
darf sie gar nit viel einladen.

---

[1]) Narrenkopf, auch sonst nachweisbare Schelte, z. B. in dem Züricher Neujarsspiel bei Kottinger Etter Heini Quedlinb. 1847. S. 24.

[2]) Das Spiel nimmt hier als komische Szene einen ehelichen Zank auf, ganz im Sinne des alten Schauspiels.

Maria.

O Frau so laßts euch doch erbarmen,
nur heunt gebts Herberge uns armen.
Drauß ists ser kalt und tiefer Schne,
mein Kindlein möcht erfrieren mir [1]).

Wirt.

Mein! [2]) ich selber für sie bitt;
Laß du sie heunt allda mit Fried.

Wirtin.

Mein! du hast dirs [3]) angelegt
daß du das Armut [4]) also pflegst.
Schau behalts, wenn du hast Herz;
mit dir treib ich gar keinen Scherz.

Maria.

O Frau bedenkt, es ist schon spat!
wo solt ich mit dem Kindlein fort?
ser häl [5]) und finster ist es drauß,
vergunnet uns doch heunt das Haus.

Wirtin.

Mein Frau, wärst ehnder gstanden auf
und mit deim Kind beßer gangen drauf!
Du bist so jung, willst sein so faul!
o schweig nur still und halt das Maul;
thäts all beid aufs Knie niederfaln,
so thät ich enk noch nit behaln [6]).

Wirt.

Mein, mein! was ists um eine Nacht?
wir wolln sie gehalten [7]) one Verdacht [8]).

---

[1]) Mehr. H.

[2]) Ueber diese Betheuerungspartikel Schmeller 2, 592.

[3]) Irs H. — über anlegen vgl. Grimm Wörterb. 1, 395 — 399. Du läßt dir
es angelegen sein die Armut zu pflegen, zu bewirten.

[4]) Alte H.

[5]) Hell H. — häl, glatt schlüpfrig. Schmeller 2, 166.

[6]) Behalten H.

[7]) Kalta H.

[8]) One langes besinnen.

Wir könnens bein reichen wieder einbringen,
die müßen nach meiner Pfeifen singen.

Wirtin.

Na, na, Mann, schau! das thu [1] ich nit;
halt du dein Maul, laß mich mit Fried.
Thu dafür auf die Gäste schauen
daheim im Haus bei Herrn und Frauen.

Joseph.

O Frau, bedenkts doch, habts Erbarmen [2]),
nur heunt gebts Herberge uns armen,
den kleinsten Winkel in dem Haus!
Wir nemen vorlieb, treibts uns nit auß.

Wirtin.

Das kann nit sein, mein alter Mann,
weil mein Haus angefüllet schon.
Suchts euren Weg nur weiter fort,
in meinem Haus habt ihr kein Ort.

Maria.

O steinenes Herz! mein Kind schau an,
wie blöd und schwach mein lieber Son!
vor Kälten auß sein Äugelein
fließen herab die Zäherlein.

Wirt.

Mein alte, laß es doch geschehn,
laß sie in die warme Stuben gehn!
'S ist doch ein zartes Kindelein,
schön von Gsicht, schlecht von Windelein.

Joseph.

Mein Frau, ich bitt von Grund des Herzen,
schauts wie mein Weib leit große Schmerzen.

Wirtin.

Ich laß mich heunt nit überreden,
bei mir das bitten ist vergeben.

---

[1] Dui H.
[2] Gedenk doch den armen H.

160

Gehts fort, von enk hab ich kein Nutz!
und dir Mann biet [1]) ich es zum Trutz:
willst du sie heunt laßen ein,
solst du vor mir nit sicher sein.
Ich muß jezt gehn zur Kuchel sehn
und du schau, wies mit den Gästen thut stehn.

Wirtin gehet ab.

Maria.

Ach weh, mein Schatz, mein liebes Kind,
must also bleiben heunt im Wind.
O goldnes Herz, wie bist veracht!

Joseph.

O mein Maria, es wird schon Nacht.
Mein Herr, weils anders nit kann sein,
laßt uns doch in den Stall hinein.

Wirt.

Das will ich enk abschlagen nit;
gehts hin in Gottes Nam und Fried.
Zu meiner Wirtschaft muß ich schaun,
es sind kommen viel Herrn und Fraun.

Wirt gehet ab.

Joseph.

Mein Maria, weils anderst nit kann sein,
so müßen wir in Stall hinein.

Maria.

So seis, mein Joseph! es gilt mir gleich;
Gott wirds lonen dem Seitenreich.
Schlag auf ein kleines Feuerlein [1]),
und mach dem Kind ein Kochelein [2]).

---

[1]) In dem mystère de la nativité (Jubinal mystères H. 61) geht Joseph um Feuer zu holen in die Schmiede, bei Edelpöck v. 437 holt er mit komischem Ungeschick ein Liecht. Vgl. auch Marriott collection of engl. miracleplays. 68. Auf Bildern von der Geburt Kristi findet sich die Breipfanne, z. B. in einer Biblia pauperum zu Gotha. Jakobs Ukert Beiträge 1, 87.

Auch bei Edelpöck 401 kocht Joseph ein Mus. Vgl. ferner das Weihnachtslied des Johann Matuesius: O Jesu liebes Herlein mein, in dessen lezter Strophe es heißt: Joseph kocht ein Müselein, Maria streichts Jrem Sönlein ein, das küßt wermet ein Engelein und singet fein. (Wackernagel Kirchenlied S. 392).

[2]) Koch, Brei. Vgl. Schmeller 2, 273.

Joseph.

Ja ja Maria, wol alsbald.
Husch husch, wie ist mir so bitter kalt!
Wir haben gar wenig Mel und Grieß.
Wenn uns doch Gott nit [1]) gar verließ!

Maria.

Ich sorg mich nicht, o Joseph mein;
ich hoff Gott wirds mir schicken ein.

Joseph kert den Koch um und spricht:
Mein Maria, bin denn gar nichts wert?
han dem Kind sein Koch unkert.

Maria.

O mein Joseph bist gar so grob,
jezt hat mein Kind noch keinen Koch.

Joseph.

Nimm hin, gib ihm das Müeselein;
ich glaub das Kind wird hungrig sein.

Maria.

Ich mein, es schlafe schon mein Kind,
ich will ihms Bettlein machen gschwind;
ich selbst will machen mich zur Rue,
vor Mattigkeit gehn meine Augen zue.

Joseph.

O mein Maria, schlafe du,
ich will dem Kindlein singen zu
damits ganz sanftig schlafet ein:
schlaf ein, schlaf ein, mein liebes Jesulein.

Wird ein Gesang gesungen:

Hirten laßt geschwind uns gehen
zu der schönen Davidstat,
um das Wort sehn zu geschehen,
wie der Herr gezeiget hat.

---

[1]) Niehmals H.

Freud die Engel thun verkünden
uns wie auch der ganzen Welt.
Hier das Kind wir werden finden,
hat des Engels Wort gemeldt.

Laßt uns zu dem [1]) Weg bequemen,
folgen nach des Engels Wort
und ein Opfer mit uns nemen.
Herr wir kommen nach dem Wort!

Ich ein Lämlein, Kindleins Mutter
will ichs geben, zwar nur klein;
du nimst Heu und Stroh zum Futter
für das Ochs und Eselein.

Drei Hirten gehen ein [2]).

Veitl spricht:

Ich lig jezt Tag und Nacht in Sorgen
daß mir möcht heunt oder morgen
das Ungeziefer ein Schaden thain [3])
wol unter meiner Herd allain,
Ich kann vor Frost nit schlafen gar,
es steigt mir auf vom Kopf das Har.
Es hat mir ja der Wolf auch fert [4])
drei gute Schaf nieder gemerrt [5]);
aber anheunt werd ich schiecher [6]) sein.
Und weil beisammen ist all das mein,
will ich mich ein wenig zur Ruh begeben
und mich gleich hier schlafen legen.

---

[1]) Doch den. H.

[2]) Die Hirtenszene ist one Verhältniß zu dem Umfange des Stückes ser ausführlich behandelt. Vgl. was zu dem Reichenbacher Dreikönigspiel über diese Theile der Weihnachtskomödie S. 121. f. bemerkt wurde. Ueber Einzelheiten vergl. die Anmerkung zu Edelpöck v. 543.

[3]) Thaan-thun im bair. österr. Dialect durchgängig vgl. Schmeller 1, 419. Hier in besonderer Mundart thain, wie weiter unten, was zu vgl.

[4]) Fert, voriges Jar.

[5]) Gemert H. — merren in Unordnung bringen, verderben; anfmerren ein Wild, es aufjagen; niedermerren also niederjagen. Vgl. Schmell. 2, 611.

[6]) Schiech, scheu, furchtsam; hier vorsichtig.

Gregor spricht:
Ich han sonst nit geschlafen viel,
ich möcht jezt schier ruhen still.
In grösten Sorgen auf freier Weid
lig ich bei Winters und Sommers Zeit;
in grösten Sorgen hab ich gewacht
in Wind und Schne bei Tag und Nacht,
in gröstem Kummer und schwerer Not.
Es möcht sich schier erbarmen Gott!
in Hitz und Kälte und Schwitzerein
hab ich vollbracht alle Arbeit mein;
mit gröster Müh auf weitem [1]) Feld
dien ich mein Brot um wenig Geld.
Ferten hab ich lange Zeit
viel Vieh gehalten auf freier Weid.
Jezt will ich mich geben in die Ruh,
will schlafen biß am morgen fruh;
kunt es nimmer länger verbringen,
möchten mein Kräfte bald zerrinnen.

Jedl [2]) spricht:
Es komt mir soltsam für die Zeit;
daß die Hunde [3]) heuln, etwas bedeut.
Sie haben sonst nie gebellt [4]) und schlafen.
Zu dem daß sie heunt hatten viel zu schaffen,
da wär es kein Wunder nit
daß sie heunt gäben Fried.

Wir ligen in Hunger Durst und Kält,
wenn gleich der große Schne einfällt.
Dabei müßen wir haben Acht
bei Tag und Nacht und Mitternacht,
ob nit der Wolf die Herd zertrennt,
der Schaf eins nimt und fort mit rennt [5]).

[1]) Auch bey den. H.
[2]) Jodokus.
[3]) Felt der Hs.
[4]) Gebeth.
[5]) Die Schof eins hienim herum Renth. H.

Dabei müßen wir leiden Not,
verlieren unser Stücklein Brot.
Aber heunt ist alles gut bewacht.
Mein Kopf jezt auch zu schlafen tracht;
ich will ein wenig pfeifen auch,
damit sie schlafen sanftig drauf.

    Jodl sizt nieder und singt: [1]
Da setz ich mich nieder wol auf den Stock,
da flick ich mein Hosen, da flick ich mein Rock.
Wo han ich denn die Nadl, wo han ich das Knäl [2]?
Jezt wie ich geh flicken, jezt han ichs nit dawäl [3].
    (spricht:)
Es geht schon in die tiefe Nacht,
Ich han mir heunt schon gnug gemacht.
In Gottes Namen schlaf ich dahin [4],

Gregor mit deim Plodergsaß, [5]
daß du mir gar kein Ort nit laßt!

    Engel Gabriel
tritt zu den Hirten, er singt das Gloria und spricht:
Gloria in excelsis deo!
Auf auf ihr Hirten frei!
erschrecket nicht vor mir all drei.
Ich komm vom Himmel hoch herab [6],
ein neue Mär zu verkünden hab.
Erwacht von eurem Schlaf nur bald,
steht auf und euch nicht lang aufhalt.
Der höchste Gott ist euch geborn [7],

---

[1] In den Hirtenspielen in Steiermark und Kärnten ist das Flicken der Kleider eine häufige Zuthat. Es ist dem wirklichen Hirtenleben entlehnt.

[2] Knäul.

[3] Derweil, die Weil.

[4] Der entsprechende Reimvers fehlt der H.; etwa „und leg mich zu den andern hin“.

[5] Breites Gesäß in Pluderhosen.

[6] Vgl. Vom Himmel hoch da komm ich her etc.

[7] Evangelizo vobis gandium magnum quod erit omni populo, quia natus

der Seligmacher außerkorn,
in kaltem Stall bei Mitternacht
zu Bethlehem dort in der Stat.
Geht hin, sucht heim das Kindelein
gewickelt ein in Windelein;
ein Krippe ist sein Wiegen schlecht,
dabei sein Mutter Maria steht,
dazu gar ein greisalter Mann,
ein Ochs ein Esel dabei stan.
Geht hin in d' Stat auf meine Wort,
auf Bethlehem bald ziehet fort.
Gewißlich wert ihr finden dorten
das ewige Wort Fleisch geworden.

Der Engel geht ab.

Wird ein Gesang gesungen:

Auf auf ihr Hirten, anheunt erwacht!
hört musizieren, nemts wol in Acht.
Ein neue Musik [bei eurer Herd][1]
ihr habt sie niemals gehört.

Auf auf ihr Hirten jubelieret heut,
vor Freuden vergeßet alles Leid,
weil Vergnügen und neues Leben
euch heut wird gegeben.

Auf auf ihr Hirten musizieret heunt,
hört wie dort ein kleiner Bue weint:
niemand dekt ihn zu, eu eu hu hu!
ihr Hirten schafft ihm Ruh.

---

nobis hodie salvator mundi in civitate David, et hoc vobis signum: invenietis
infantem pannis involutum et positum in praesepio in medio duum animalium.
Magorum adoratio von Orleans. Wright early mysteries p. 23.

[1] Das eingeklammerte ist von mir ergänzt; das Lied gehört zu den ver-
derbtesten Theilen der Hs. Meine Herstellung stützt sich natürlich auf die durch-
einandergeworfenen Stücke der Ueberlieferung.

Veitl steht auf und spricht:
In meim Sinn han ich singen gehört
ganz sanft bei meiner Folenherd.
Hir Gregor hir! laß sagen dir:[1]
Wolf hats Lamperl erbißen!

Gregor steht auf und spricht:
Mein Gespann! was ist dir überfaren?

Veitl.
Mein, du! ich will dir was sagen!
ein Engel hat durch sein Gesang
ein neue Mær uns zeiget an.
Hast dus nit auch gehœrt hiezand?

Gregor:
Nâmla wol[2], mein Gspann! in dieser Stund.
Wir müßen den Jodl halt auch gehn fragen,
schaun was er wird sagen.
Hir Jodl hir, laß sagen![3]
Hast du nit auch die Stimm vernomen,
daß Gott zu uns auf die Erd sei komen?

Jodl steht auf und spricht:
Ja, mein Gregor, ich hab fürwar
in meinem Schlaf es gnomen war,
daß der Weltheiland sei geborn
von einer Jungfrau außerkorn
in kaltem Stall bei Mitternacht
zu Bethlehem dort in der Stat.

Veitl spricht:
Thâma[4] a môl oaus singa.

---

[1] Aenliche Witze in den Schäferscenen des Schlaupitzer und des Glazer
Kristkindelspieles. S. 108. 116

[2] Freilich, Versicherung die dem bairisch-österreich. Dialect geläufig ist.
Vgl. Schmeller 2, 692

[3] Ueber diese Einleitungsformel Schmeller 3, 206.

[4] Dama = than wir.

Gregor spricht:
Wo thuets brinna?

Veitl spricht:
Singa hamme gsoagt.

Jodl spricht:
Mag à nit allewoal springa.

Veitl spricht:
Singa hamme gsoagt.

Gregor spricht:
Schaf halten, wär da wol noch toll;
mag sie haben, wer da woll!
So richt wir uns, dem Heiland zu singen. [1]

Die Hirten singen ein Gesang:
Als ich bei meinen Schafen wacht, [2]
hat uns der Engel die Botschaft bracht.
Des sein wir fro fro fro fro,
benedicamus domino.

Er hat gesagt, er läg im Stall
und sei geboren für uns Sünder all.
Des sein wir fro fro fro fro,
benedicamus domino.

Er hat gsagt, er wär gar klein,
in Windlein sei er gewickelt ein.
Des sein wir fro fro fro fro,
benedicamus domino.

Veitl spricht:
Er hat gesagt er wär gar klein,
in Windlein sei er gewickelt ein,
sein Wiege ist ein Krippe schlecht,
dabei sein Mutter Maria steht,

---

[1] So nicht mir mein heylant Singen. H.
[2] Vgl. Bone Cantate (Paderborn 1851) no. 34. Geistliche Volkslieder. (Paderb. 1850) n. 51. und oben S. 117 das Glazer Kristkindelspiel.

dazu gar ein greisalter Mann,
ein Ochs und Esel auch dabei stan.

Gregor spricht:

Ja ja die Sache ist wol war,
wie uns der Engel verkündet die Mar.
Wir müßen uns machen auf und davon,
unsern Heiland und Gott all beten an.

Jodl spricht:

Freilich, Gregor, du sagst recht,
wir müßen folgen dem Engel gerecht
und anbeten das kleine Kind,
das uns erlöst hat von der Sünd.
Wir wolln auch sehen zu den Dingen
und gehen unser Opfer bringen.

Veitl spricht:

Wir müßen freilich ihm was schenken,
das Kind wird sein Lebtag drauf denken.
Wenn ich nur etwas hätt für ihn!

Gregor spricht:

Ja das ligt mir halt auch im Sinn.
Ich hab bei mir ein kleines Lamm,
ich habs vor etlich Wochen bekomm;
das will ich opfern unserm Gott
in meiner Armut und grösten Not.

Veitl spricht:

Ha du Gregor, bitt recht schön,
laß mich dein Lampl melken gehn.
Hätt auch gern ein Milch fürs Kindel.

Gregor spricht:

Meinthalben, 's thut halt gar grob schlagen.

Veitl spricht:

Jodl thut schon ein wenig haben.

Die Hirten melken das Lamm, Jodl spricht:
Ich han mein einzig[1]) Hendl gschlacht;
das will ich schenken dem alten Mann,
er wirds für gut ja nemen an.

Veitl spricht:

Ich han in meinem Fläschlein da
ein wenig Milch,' des bin ich fro:
schenken will ichs des Kindes Mutter,
Heu und Stroh dem Vieh zum Futter.

Gregor spricht:

So ziehn wir halt aufs Engels Wort
in Gottes Namen auf Bethlehem fort.

Jodl spricht:

Ich bin schon gricht zum fortgehn,
heunt ist der Weg ganz guet und schön.

Veitl spricht:

Wie ist nit heunt so liecht die Nacht,
gleich als schien der helle Tag [2]).

Jodl spricht:

Wie dünkt mich heunt liecht die Nacht!
den meisten Theil hab ich gewacht.
Jezt thu ich gleich drauf denken
was ich dem Kind hätt sollen [3]) schenken:
Ich hab daheim fürwar ein Pfeit [4]),
ich habs vergeßen, es ist mir leid;
ist alls mit roter Seiden außknüpft,
allerhand Vögel darauf gesteppt.
Ich hoff weil ich nichts beßers hab,
sie werden verlieb nemen mit dieser Gab.

---

[1]) a nazlß hentl gschlecht dazu H. — Hendl Hünlein.
[2]) Die Hs. fügt die beiden Verse: So ziehn wir halt — fort, hinzu.
[3]) Kind solt sch.
[4]) Hemd, Kleid überhaupt. Schmeller 1, 325. Meine deutschen Frauen in dem Mittelalter (Wien 1851) S. 408.

Gregor spricht:
Geh a mal fragen! schau wo du nix magst erfragen.

Veitl spricht zu Joseph:
Grüß dich Gott, du alter Vater mein,
weist du nit, wo der Welt Heiland solt geboren
sein?

Joseph spricht:
Dank euch Gott, ihr solts willkommen sein!
gehts nur in den Stall hinein,
da werdets finden im Krippelein.

Veitl spricht:
O lieber Gott wol frei!
das schöne Kind liegt so arm hier,
es möchte ja erfrieren schier.
Wir möchten wol voll Freuden springen,
ich muß mein Gspann auch einbringen;
s ist war, wie wir träumt han all drei.

Hirten knien nieder, sprechen all drei zugleich:
O liebes Kindlein bloß und arm,
das du dich unser hast erbarmt,
das du auf die Welt gboren bist,
erlöse uns Herr Jesu Christ.

Nimm hin, o liebes Jesulein,
unser Geschenk, es ist ganz klein,
und alles was wir dir verern,
Gott Vater und Son und unserm Herrn.

Maria spricht:
Habt Dank für diese Gabe klein,
mein Kind wird der Vergelter sein.

Gregor spricht:
Wir wolln dem Kind wol auch danksagen,
weil uns der Engel her hat geraten

11

und es uns zu wißen thain,
daß es für uns arme gsinnt allain. [1]

Hirten sprechen alle drei:
Wir danken dir o liebes Kind,
daß uns der Engel hat verkündt,
daß du seist auf die Welt geborn
als unser Heiland außerkorn.
Gelobt sei du und die Mutter dein
wie auch der alte Vater mein.

Jodl spricht:
Wir haben das Kind schon angebett
und bracht mit uns ein Opfer schlecht.
Wir woln wider ziehn heim zu Land,
die Mær verkünden allensamt.

Veitl spricht:
So wollen wir uns machen auf
und widerum gehn zu unserm Haus.
Wir wolln sehn zu unserm Vieh und Schaf,
ob noch alls in guter Ruhe schlaf.

Gregor spricht:
Gehabts enk wol mitsamt dem Kind,
wir müßen heim zu unserm Gesind.
Die Gab laßts enk verschmähen nit.

Maria spricht:
Gott woll euch behüten mit Fried,
daß ihr mit Glück werdt ziehen heim.

Die Hirten singen ein Gesang:
Herr und Gott das ist ein Sach, [2]
unter eim so schlechten Dach

---

[1] Uas es zu wiesen dein für uns arme Hirten gsinnt allein, Hs. — In der vierten Komödie meiner Handschrift bairischer Weihnachtspiele auß dem Anfang des 17. Jh. komt derselbe Reim vor (Bl. 100).

[2] Diese Strophe als Anfang eines fünfstrophigen Liedas, das in einem fliegenden Blatte gedrukt ist: Vier schöne neue Weihnacht Lieder. Das erste: Still

finden wir solch Wunderding,
sehn wir ligen das kleine Kind.
O Schazerl mein, laß mich dein sein!
wolt, ich kunt dich mit mir tragen
daß ich dich recht lieb kunt haben.

Sei gegrüßt zu tausend Mal,
dir zu deinen Füßen fall,
bring ein Lämlein von der Herd,
laß es dir sein lieb und wert
—   —   —   —   —[1]

nim du es zu Gnaden an,
sonst ich dir nichts geben kann.

Viel tausend Dank sei dir erstatt,
weil du uns erzeigst ein Gnad,
bist vom hohen Himmel komm
und unsre Sünd hast weggenomm
—   —   —   —   —[1]

theil uns deinen Segen mit,
:|: dieses wär halt unsre Bitt. :|:

Jodl spricht:
Laßt uns halt enk befolen sein.

Joseph spricht:
Der Segen Gottes steh euch bei,
bewar euch Hirten alle drei.

Hirten sprechen alle drei:
Wir loben dich o zartes Kind,
verzeih uns alle unsre Sünd.
Wir preisen dich mit unserm Gsang
hinauß die ganze Wochen lang.

Hirten gehen ab.

o Erden, still o Himmel etc. das zweite: Botz hundert liebä Bue, loß mir etc.
das dritte: Auf auf o schönste Schäferin etc. das vierte: Herr und Gott ist das
ä Sach, unter eim so schlechten Dach etc. Holzschnitt: die h. Familie. Gedruckt
in diesem Jahr. 4. Bll. 8°

[1] Vielleicht ist hier der Vers „o Schazerl mein, laß mich dein sein" zu
widerholen; dasselbe gilt von Str. 3.

11 *

Maria spricht:
Zur Ruhe will ich mich begeben.

Joseph spricht:
Ja mein Maria, ich auch daneben;
Gott woll uns laßen die Nacht außleben.[1]

Engel Gabriel geht zu dem h. Joseph und spricht:[2]
Steh auf, steh auf, o Joseph gschwind,
flieh in Egypten mit dem Kind.
Herodes will das Kind han tot!
eil, steh auf, das schaffet Gott.
Ich Engel Gabriel zeig dieß an,
eil, steh auf und flieh davon!

Engel Gabriel gehet ab.

Joseph.
Auf auf mein Maria in aller Eil,
es läßet uns hier nicht mer Weil.

Maria.
Warum mein Joseph gar so gschwind?

Joseph.
Herodes stellt nach deinem Kind,
hat mir der Engel im Schlaf andeut;
wir sollen in Egypten noch heut.

Maria.
Das ist ein Elend um das ander.

Joseph
O mein Maria, wir müßen wandern,[3]

---

[1] Die Anbetung der Könige und ihr zusammentreffen mit Herodes felt unserm Stücke. Daß diese Szenen darin vorhanden waren, beweisen die unten folgenden Auftritte von dem Boten und dem Kindermorde.

[2] Vgl. Kindheit Jesu 961. f. (Mone Schausp. d. Ma. 1.) Lichtmeßspiel bei Pichler Drama des Mittelalt. in Tirol S. 109. Edelpöck v. 1821. Marriott collection of miracleplays p. 85. 207. Jubinal mystères II. 125.

[3] Mit einander. H.

steh auf und nimm das kleine Kind,
ich will den Esel bereiten geschwind.

* **Maria.**

Ach Gott wie wird es uns noch gan?
o Schatz was heben wir mit dir an?

Joseph spricht:
Wir ziehen, wies Gott hat gesant,
mit unserm Kind ins Morenland.

Maria.

O lieber Joseph sei mir treu,
steh mir und meinem Kindlein bei!
Gott wirds belonen gwifslich dir,
bleib du nur alle Zeit bei mir.

Joseph.

Treulich herzliebste Maria mein,[1]
der Diener will ich ewig bleiben dein;
so ist es ja die Freude mein
daß ich dien dir und dem Jesulein.
Und du Maria Jungfrau rein,
laß mich dir befolen sein.

Maria und Joseph gehen ab.

Der Bot gehet ein und spricht:[2]
Ein guten Tag ihr großen Herrn,
ich bin der Bot und kum von fern,

---

[1] Es ist zu beachten daß unser Spiel hier bei den lezten Worten Josephs,
wo die h. Familie abgeht, die alte Anhäufung des gleichen Reims bietet, welche
die Poesie des 12. 13. Jh. namentlich bei Abschnitten vielfach zeigt. Vgl. ausß-
fürliche Nachweisung bei Wilh. Grimm Zur Geschichte des Reimes (Berlin 1852).
Abschn. XIII. — Vgl. auch Fasnachtspiele 161, 1—4. Bei H. Sachs findet sich
entsprechendes, z. B. in der Tragödie von der Schepfung am Ende der Acte
drei gleiche Reime, ebenso in der Ester, im Tobias, Concretus, Griselda, Pallas
und Venus; bei J. Ayrer drei gleiche Schlußreime in der Belagerung Albæ, im
Julius Rodivivus, Otnit, im Fasnachtspiel von den Landsknechten. Auch am
Schluße des Paradeisspieles drei gleiche Reime. vgl. unten.

[2] Was der Bote will, ist auß unserm Spiel, das hier Lücken zu haben
scheint, nicht klar. Er ist fremd und will zu Herodes. Aufschluß gibt das franz.

ich kum daher auß fremdem Land,
dahier ist mir's ganz unbekant.
Da frag ich nach Herodis Pallast,
wo er sein Wonung hat und Rast;
begegnet mir aber ein alter Greis,
will ihn fragen wo er nichts weiß.

Ein alter Mann gehet ein.

Der Bote spricht:
Du alter, wo muß ich hingehn?
wo ligt die Stat ¹) Jerusalem?

Der Alte:
Halt auch nit weit von Bethlehem.

Der Bote:
Wo ligt Bethlehem?

Der Alte:
Wie hast gsagt? ich hab dich nit verstanden!

Der Bote:
Wo ligt aber Bethlehem?

Der Alte:
Halt auch nit weit von Jerusalem.

Der Bote:
Wo sind diese Stät albeid?

Der Alte:
Halt auch die ein von der andern nit weit.

Der Bote:
Ei du alter Greis,
sag ich schwarz so sagst du weiß!

 Geu des trois Roys (Jubinal mystères II. 79. ff.) wo der Bote Trotemenu zu
Herodes geht, um durch die Anzeige der drei Könige Geld in seinen leren
Beutel zu bokommen. In allen andern außgeführteren Weihnacht- und Drei-
königspielen treten auch ein oder merere Boten oder Trabanten auf, allein es
sind Diener des Herodes.

¹) Die Stat, felt d. H.

ich will mich dein nicht länger betragen [1]),
ich will noch weiter Herodes nachfragen.

Bote und der Alte gehen ab.

Herodes gehet ein und spricht also:
Ach leider Gott, bin ich betrogen!
es hant mir die Männer vorgelogen.
Ist doch verwichen mancher Tag
daß ich sie wider erwartet hab,
daß sie in Eil solten zu mir komen.
Sie haben ein andern Weg genomen.
Wenn ich nur wist wo ist dieses Kind
oder wo ich es mit den meinigen find.
Ich will es mit großer Gewalt
abnemen [2]) in meinem Königreich bald;
es muß viel anderst sein gewagt! [3])
ich will sie eh laßen erwürgen
und alle Knäblein in Juda umbringen,
ich will sie schrecklich laßen ermorden
damit ich erlöst werd von solchen Sorgen.
Ihr Knecht!

Drei Knecht gehen ein.

Damit euch allen befolen sei,
daß ihr im Land herum geht frei,
umbringet die Knäblein überall
zu minderst der andern Jareszal.
Laßt euch bestechen mit keinen Gaben,
anderst es kostet eur Leben, thu euchs sagen.
Tötet die Knäblein im Land allzugleich,
es sei gleich arm oder reich.

Königin kniet nieder und spricht: [4])
Gnädiger Herr, gedenkt doch der Barmherzigkeit.
Warlich es würd euch herzlich thun leid,

---

[1]) Ich wiell mit dir nicht lenger verdragen. — betragen mhd. betrâgen gewönlich unpersönl. konstruirt mich betr. (d. i. verdrießt langweilt) eines dinges. Vgl. Schmeller 1, 485. Der Bote sagt also: ich will mich nicht länger mit dir langweilen.

[2]) Abmerken, gewar werden. Schmeller 2, 694. Grimm Wörterb. 1, 80.

[3]) Erbagt Hs. der Reimvers felt.

[4]) Auffallend muß sein, Herodes Frau, welche doch Johannis des Täufers

wenn vergößen würd so viel unschuldigs Blut.
Gütiger Herr, gedenket was ihr thut!

Herodes:

Pack dich hindan, du besunderes Weib!
Merkst du nicht die Ungelegenheit?
wann [1]) uns genommen wird das Regiment,
wenn ich König nicht bald vorwend [2]).
Wilst du mich noch erst regieren?
das solt keiner Königin gebüren!
Ihr Knecht, ihr habt vernommen wol
was ein jedweder thuen soll;
da habt ihr das königliche Mandat
wies euer König befolen hat;
publicierts an allen Orten und Enden,
ein jeder bei Straf soll sich dran wenden.

Knecht liest auß einem Brief und spricht:
Ihr königliche Majestät befolen hat
uns so ein ernstliches Mandat,
daß wir umbringen alle Knäbelein
die zu minderst der andern Jarzal sein.
Da soll nicht helfen [3]) Gut und Geld,
Ihrer Majestät es also gefält.
Wer diesem Gebot wird widerstreben,
den soll es kosten sein Leib und Leben.

Der andere Knecht spricht:
Eure Majestät woll mir gnädig verzeihn,
die Knäblein wolt von dieser Mordthat befrein [4]).

Ermordung verschuldete, hier in der schönen Rolle der Fürbitterin zu treffen.
Es solte aber überhaupt das Frauen- und Mutterherz dem Tyrannen gegenüber
gestellt werden und so wurde der Königin ihre Vergangenheit erlaßen und sie
mit dem Amte der Milde betraut.

[1]) Wan. H. wann: denn, weil.

[2]) Und ich den ich will nicht balt verwend. H.

[3]) Die werd sohin H.

[4]) Bei Edelpöck hat der Trabant Schmol die Rolle des mitleidigen; auch in
dem Weihnachtspiel von Coventry ist der eine Soldat weichherzig (Marriott
miracleplays 84).

Darauß wird entstehn ja kein Gefar;
solches Eur Majestät ich bitt fürwar.

Dritter Knecht spricht:
Du Böswicht, wilst du dem König widerstreben,
so solls dir kosten dein Leib und Leben.
Ists nicht beßer wenn die Kinder sterben,
als wenn wir solten samt ihnen verderben?

Herodes spricht:
Dieser Mensch soll des Todes schuldig sein,
nemt ihn und stekt ihn ins Gefängnifs hinein.

Die drei Knecht gehen ab.

Die Knechte gehen ein. Der erste spricht also: [1])
Anbei sehen Eure königliche Majestat,
daß ich nachkommen bin diesem Mandat,
da ich zweitausend Köpf mit gbracht hab,
so ich mit eigner Hand umgebracht hab.

Der andere Knecht:
Sechstausend ich in einer Summ
kleiner Kinder gebracht hab um.

Der dritte Knecht: [2])
Achttausend ungefär ist mein Zal
das ich ermordet hab überall.
Hat mich oft manche Mutter gebeten,
ich hab sie selbst mit Füßen getreten.
Eure Majestät sei wol gemut,
vergoßen ist der Kindlein Blut.

Herodes spricht:
Nun wolan! hindan ist alle Gefar,
die wegen des Kinds entstanden war,
und alle Sorgen sind von mir genomen,
deswegen solt ihr ein Trinkgeld bekomen.

---

[1]) Eine Lücke ist hier vielleicht nicht anzunemen; der Kindermord wird
dem König erzält. Die unmittelbare Folge durch die Zeit getrenter Begebenheiten ist dem alten Schauspiele eigenthümlich.

[2]) Das Schiksal des mitleidigen Knechtes ist vergeßen und drei treten auf
wie früher.

Knecht.

Ich bedank mich Eure Majestät für das Trinkgeld.
Jezt kann ich schon widerum weiter gehn.
Han wir etwa um meres zu handeln?
behüt dich Gott, du schwarzbartigs Mandel!

Herodes spricht:

Ich hab die Sach nicht recht vernomen,
ich wolt dem Gebot mit Lust nachkomen [1]).

Herodes gehet ab.

Wirt gehet ein und spricht also: [2])
Ich hoff, ihr hant all verstanden klar
wie der Weltheiland geboren war;
das geben uns die Bücher ein
sowol in der deutsch als in latein.
So laßt euch das Gespiel gefallen,
Gott gebts das Lob vor allen,
wie auch dem kleinen Jesulein,
und der werten Mutter sein;
dem heilgen Joseph auch dabei
die gröste Er und Glorie sei.
Hab einer ein Mifsfallen dran,
der woll uns nichts für ungut han.
Die das Gespiel haben vorgestellt
allda bei uns auf dieser Welt,
den wird Gott geben Lob Er und Preis,
Gott der Vater Son und heiliger Geist.

[1]) Weit beßer ist in dem Spiele aaß Coventry unmittelbar an die Rückker der Knechte die Botschaft angereiht daß das h. Kind nach Egypten entkommen, worauf Herodes dorthin aufbricht, Marriott s. a. O. 87. In der Kindheit Jesu (Mone Schausp. d. Ma. 1, 172) macht der Bote, welcher jene Kunde bringt, über Herodes seinen bittern Witz, änlich dem Knechte unsers Spiels.

[2]) Der Epilog welcher von dem Wirt, der auch den Prolog sprach, gehalten wird, ist ganz in der Weise der Schlußreden des 15. 16. Jh.: die kurze Angabe des Inhalts, die Bitte um Nachsicht, die Aufforderung zu frommem Lobe und was meines wißens grade nicht häufig, der fromme Wunsch für die Spieler. Der Wirt ist der Seitenreich; die Vorrede und Schlußrede wurde schon im Drama des 15. Jh. öfters Personen des Spiels übertragen. Auch in dem Glazer Kristkindelspiele beginnt und endet der Wirt die Auffürung.

In der Handschrift folgt noch ein Lied von fünf und zwanzig Gesetzen, das warscheinlich nach dem Schluße des Spiels gesungen wurde, dem Verlaufe des alten geistlichen Dramas gemäß. Die ersten Strophen lauten:

> Ach was wird doch süßer gfunden
> in der Kristen ihrem Mund,
> als wenn sie zu vielen Stunden
> sprechen auß dem Herzengrund
> Jesu Maria Joseph nennen.
> Ja da kann man gleich erkennen
> daß sie lieben die allein.
> Was kann glückseliger sein?

> Diese heiligsten Personen
> haben viel und lange Jar
> in der Kälten Hitz und Sonnen
> außgestanden viel Gefar,
> Hunger, Durst, große Beschwerden,
> wie ihr werdt mit Wunder hören,
> auf der egyptischen Reis.
> Merket auf mit großem Fleiß!

Nach den bekanten apokryphen Quellen werden nunmer diese Wunder erzält. Das fünf und zwanzigste und beste Gesetz lautet:

> Da könt ihr mit Augen sehen
> von Jesu Maria und Joseph,
> was auf ihrer Reis geschehen.
> Wenn dich dann ein Not antreff,
> such zu diesen dein Vertrauen,
> thu um niemand anders schauen.
> Hast du die zu Freunden fort,
> bist du selig hier und dort.

Das wäre ein Weihnachtspiel des 16. Jarh., das sich biß heute im Volke erhalten hat [1]), ein redender Zeuge von der großen Zal der geistlichen Spiele, welche damals das ganze deutsche Land, den Norden wie den Süden, durchdrangen und denen die Kirchenbewegung nicht hinderlich wurde. Denn wir kennen die Aeußerungen M. Luthers, der für alles volksthümliche ein lebhaftes Gefül in sich trug, über diese „guten ernsten tapfern Tragödien" und die „freien lieblichen gottseligen Komödien" die auß der heil. Schrift gezogen werden, und wißen wie sich die protestantischen Pfarrer und Schullerer des geistlichen Dramas bemächtigten. In den katholischen Landschaften aber wirkte die alte Tradition fort ; andrerseits suchte die katholische Geistlichkeit, besonders die Jesuiten, den reformatorischen Dramen konservative entgegenzustellen [2]). Das sechszehnte Jarhundert hat demgemäß einen reichen Schatz geistlicher Schauspiele aufgehäuft, von dem uns freilich nicht allzuviel geblieben ist. Den Ursachen der Vernichtung nachzugehen ist lerreich; bei der liberal religiösen Richtung, welche auch in diese Dramen schon in dem 15. Jarh., ganz besonders aber in den ersten Jarzehnten des 16. Jarh. drang, fielen sie in Oesterreich (und wol auch in Baiern) der streng gehandhabten Censur zum Opfer, die alle sectirerischen Bücher verfolgte und auf ihren bloßen Besitz die Todesstrafe sezte [3]). Von den „Landfarern,

---

[1]) Es ist zu bemerken daß diese Hirten- oder Kristkindelspiele, welche die ganze Geschichte der Geburt Jesu darstellen, und in denen Maria auftritt, in Steier und Kärnten wenn nicht bereits außgestorben, so doch im außsterben sind. Im Anfang dieses Jarhunderts waren sie noch in vollem Leben; Sartori (Neueste Reise durch Oesterreich ob und unter der Eans Salzburg Berchtesgaden Kärnten und Steiermark. Wien 1811. 2, 330) beschreibt eines, das er in Kärnten sah.

[2]) vgl. im algemeinen Gervinus Geschichte der poetischen Nationallit erater der Deutschen. Bd. 3, 89. 3 Aufl.

[3]) Dekret K. Ferdinands vom 25. Juli 1528. vgl. Schlager Wiener Skizzen aus dem Mittelalter 1839. S. 209.

Singern und Reimsprechern" mündlich verbreitet, erlitten
sie in Oesterreich einen neuen harten Schlag durch die
Abschaffung derselben mittelst K. Ferdinands Reformation
der Polizei von 1542 und 1552. Vieles kam gar nicht zum
Druck und gieng verloren wenn es nicht im Volke fortlebte,
wie das meiste das dieses Buch bietet. Andres in Handschriften oder in Drucken niedergelegte wurde höchst selt-
en oder verbarg sich biß jezt den Augen, welche diese
Sachen zu schätzen wißen.

Was mir von Weihnachtspielen bekant wurde, will ich
hier zusammen stellen. Zuverläßig wird es auß den Schätz-
en großer Bibliotheken, namentlich der königl. Bibliothek
zu Berlin, um manches Stück vervollständigt werden können.

K n u s t Schauspiel von der Geburt Christi. 1540 zu
Berlin aufgefürt, 1541 daselbst gedrukt. In der Universitätsbibliothek zu Göttingen befindlich; von Dr. Friedländer
in Berlin zur Heraußgabe vorbereitet.

J. R u f f ein geistlich Spiel von der geburt und em-
pfängnifs Christi. Zürich 1552.

H. S a c h s Comödie mit 24 Personen, die Empfangnufs
und Geburt Johannis und Christi, und hat neun Actus.

Z i e g l e r Hieronymus, Infanticidium (zugleich mit der
parabola Christi de decem Virginibus in drama com. trag.
red. Antverp. 1556).

B e n e d i c t E d e l p ö c k Comedi von der freudenreich-
n Geburt Jesu Christi. 1568. Handschrift in der k. k. Hofbibliothek zu Wien; von mir in diesem Buche heraußgegeben.

Ein gar schön herrlich new Trostspiel, noch niemals
in Druck kommen. Von der Geburt Christi und Herodis Blut-
undes als dieser letzten Zeit fürbilde, mit allem fleis ge-
tellt durch Christophorum L a s i u m weyland Pfarrherrn zu

Spandaw, daselbst gespielt. Frankfurt a. d. O. 1586. Gottsched Nöt. Vorrat 1,122.

Georg P o n d o (Domküster zu Berlin) Eine kurtze Comödien von der Geburt des Herrn Christi. Von den Prinzen und Prinzefsinnen des Churfürstlichen Hofes im Jar 1589 in Berlin aufgefürt. Heraußgegeben von G. Friedländer. Berlin Trautwein 1839.

Ein geystlich Spyl von der empfangknufs und gepurt Jesu Christi, auch dem welches sich vor bey und nach der gepurt verloffen hat, durch Jacob F ü n c k e l n. Zürich 1595. Gottsched 1,139.

Ein schön Christlich Action von der Geburt und Offenbarung unsers Herrn und Heylands Jhesu Christi, wie er zu Bethlehem im Stall geboren, den Hirten und Weysen offenbaret, auch zu Jerusalem im Tempel durchs Eiveropffer bewähret worden, daß Maria noch eine reine Jungfraw und ihr Sohn Jhesus der Mefsias sey, der rechte versprochene Weibes Samen, defshalben er auch im Jüdischen Rath der Eltesten zum Hohenpriester gewehlet worden. Sampt eingesprengten Lehren Trost und nothwendiger erinnerung allen Christlichen Hausvetern sehr nützlich und kurtzweilig mit zu lesen gestellet und in deutsche Reime gefafset durch M. Joh. Cunonem, Diacon. zu Calbe an der Sale. Jm J. 1595 (1598 widergedrukt) Gottsched 1,140.

Von den Weysen aus Morgenland, in: Comedien mit Fleiß von neuem durchsehen und männiglich zu gut in Druck verfertiget durch M. Georg. M a u r i c i u m den Eltern. 1607. Gottsched 1,162.

Geistliche Comedie vom hertzlieben Jesulein und defsen geburth, auß dem Weynacht-Gesang Vom Himmel hoch da komm ich her etc. in V. Actus abgetheilt gleichfalls auch in die zehen Predigten. Item das „Ein Kindelein so löbelich etc."

in einer Predigt erklärt durch M. Martin Hammern. Leipzig 1608. Gottsched 1,164.

Bona nova seu deliciæ Christi natalitiæ d.i. Weynachtfreud und gute newe mehre von dem kündtlich großen und göttlichen Geheimnüß des geoffenbarten Sohnes Gottes im Fleische etc. Aus warem Evangelischen Grunde und Englischem Munde in fünff Actus comicos, darinnen allerley theologische philosophische historische und Astronomische Sachen unterschiedlich getractiret und gehandelt werden, sampt etlichen lateinischen Genethliacis und meditationibus, mit Fleiße colligiret durch Joannem Segerum, Gryph. Pom. d. h. Schr. und freyen Künste Studiosum und gkr. Keyserl. Poeten. Greiffswalde 1613. Gottsched 1,171.

In den Anfang des 17. Jarhunderts gehören auch vier Weihnachtfpiele eines bairischen Dichters, welche sich in einer mir gehörigen Handschrift befinden [1]).

Das Titelblatt enthält eine Widmung an Jesus Christus, auf den alle kaiserlichen Titel übertragen werden; dann folgt der Prologus:

> Ein gwonheit ist zur Jahresfrist
> daß iezundt celebrire
> vnnd dieser Zeit die Christenheit
> den Christag renovire.

> Franciskus defs ein Zeug mir ist
> die hoch seraphisch Sonnen,
> der richtet auch ein Kripplein auf,
> nur mit stummen Persohnen etc. etc.

> Ach frommer Christ der du hie bist,
> laß dir kein Zeit verdrüeßen,
> hab für mein Zill ein Hirtenspill,
> ich hoff, es soll ersprießen. etc. etc.

---

[1]) Die Hs. zält 127 Bll. 4° Papier. Ich kaufte sie 1852 von dem Antiquar J. A. Stargardt in Berlin.

.Den ersten Act eröffnet der Xenophon (Wirt); er spricht von der Ueberfüllung der Stat durch Augusts Gebot. B. Virgo und S. S. Joseph treten singend ein; der Wirt spricht: „waß khombt da für ein Kistlergesindt, bei mir es gewiß kain stall mehr findt." Die Unterredung von den heiligen Personen gefürt, schließt damit daß der harte Wirt fortlauft (rumpit), und jene singen: So sey es denn, weils nit sein kann, weil ie all bitt verlohren; vielleucht hat Gott in lester noth unß noch ein hütlein bschoren. — Der zweite Act zeigt die tres pastores Haußer Gergl Liendl. Haußer senior beginnt: „Boz sieben Elecordi (!) fchennt! wie thuet die költ heut brennen, ich main es werd mir fueß und hendt, ja gar den Gründt abbrennen. Nichts hilfft darfür und wann ich schon noch sieben kütl trüege und hete zehen hosen an, dannoch die költ durchschlüege. Ich denckhe kaum ein solche Zeit und hab ein zimblichs ölter, ich glaub ie lenger die Welt steit, es werd nur allweil költer." Gergl deutet diese Kälte auf die Ankunft des Mefsias; wärend sie darüber sprechen, komt Liendl hinzu und verkündet seinen Traum: „Ich wilß halt waidlich sagen rauß und will auch nit lang saumen: mir hat halt lieblich überauß von dem Mefsias traumen, alß wann er wär geboren heunt und läg in einer krippen dort draußen in der wilden peunt in unsrer nachbarn hüten, wo sye allzeit ihr roß und kue ja all ihr vieh einstallen, wann an den winter thuet zu früe der schnee mit gewalt einfallen." Liendl findet indefsen mit seinem Traume wenig Glauben; da sie nicht schlafen wollen, beschließen sie zu singen. Das erste Lied (Cantilena de laude pastorum) beginnt also: „Last uns singen von den hirten, waß sye gnießen für große würden" und geht die Hirten des alten Testaments durch (vierzehn Verse). Das Lied schließt so:

Auf Erdt ist kein beßers leben
alß Gott hat den Hirten geben.

Wann sye ligen bei den Schaffen,
derffen sye biß siehen schluffen.

Wann sye aufstehn an dem Morgen
treiben sye auß ohn alle sorgen;
Wann die sonn dann hoch gestigen,
mueß das Vieh im schatten ligen.

Wann das Vieh thuet umbher grasen,
ruhen sie auf grüenem wasen.
wann die Sonn geht wider zgnaden,
treiben sie ein ohn allen schaden.

Auf Erdt ist kein beßers leben
alß Gott hat den Hirten geben.

Dem Liendl ist der Gesang „zfrech“, ihm ist die Andacht
ankommen. Er spricht:

Ich kan ein gsang daß ist nit schlecht,
war schad wanß blib verschwigen;
der Vatter Hainzel hats erdicht:
main! laßts michs nacher singen.
Er khundt es wol und hat offt gicht
daß im waldt thet erkhlingen.

Dieser „Gesang“ ist der Mittheilung wert.

O Himmelreich, o Sternenfeldt [2])
die dürren Erden lab,
mit Himelsthau erfüll die welt
und güeß das Heyl herab.

Und du o schöner wolkhen flug,
du lüechter waßerbach,
regne den grechten ohn verzug,
eh daß die welt verzag.

---

[2]) Vgl. Jes. 45, 8. Rorate coeli desuper et nubes pluant justum, aperiatur
terra et germinet salvatorem.

12

Du Erdenreich und Pluemenkreiß,
du Mueter aller frücht,
bring für den wahren Ehrenbreiß,
der Menschen zuversicht.

Die schene bluem auß Davids Stamb,
den waren Hyacinth
gib vnß, o Gott, daß Opferlamb,
daß hinnimbt alle sindt.

Ihr wälder grüen, ir Perg und thall
und waß der himel tregt,
hat sich der unß erlöst einmahl
villeicht bei euch verstöckht?

Du Meer, ihr Flüß und Pronnenquell,
ligt mit in dem abgrundt
der Edle Schaz Emanuel?
ach macht es der welt khundt.

Himel und Erdt, helffts baid zusamb
sambt aller Creatur,
damit doch käm daß göttlich Lamb
und heylle die Natur.

Liendl geht hierauf ab, die beiden andern legen sich
schlafen und der Engel erscheint. Die Hirten beschließen
nach Bethlehem zu gehen (Ende des 3. Acts).

Den vierten Act eröffnet ein Dankgebet der h. Jungfrau
zu Gott und ihre Andacht vor dem Kinde folgt. Ein fünfstroph-
iger Korgesang schließt sich an, deßen erstes Gesetz
dieses ist:

O Jesulein zart
dein kripplein ist hart,
o Jesulein zart

wie liegst du so hart.

Schlaff Kindlein, due deine eigelein zue,
schlaff und gib unß die ewige Rhue
o Jesulein zart.

Darauf folgt die Anbetung der Hirten; sie opfern „ein sückl mel, ein wenig brot, darzue ein girsten stopfer." Hauser verert der Mutter ein Lamm. Dann singen sie einen Wechselgesang auf Jesus und Maria. Der Anfang ist dieser:

Wer dich liebt Jesulein,
fürchtet kein gfahr noch pein,
und soltens tausend sein,
gibt er sich willig drein,
wird nie betriebt.

Der liebt die Muetter sein,
die zarte Jungfrau rein,
förchtet kein höllen gstalt,
erschrickht ob keinem gwaldt,
wol dem ders liebt.

So geht es durch zwelf Strophen. Darauf segnet Maria die Hirten und dankt ihnen:

Geht hin in fried und förchtet Gott,
thuet from und friedlich leben,
so gibt er euch gwifs nach dem Todt
daß Heyl und ewig Leben.

Pastores: Amen; abeunt·

Das zweite Spiel (Bl. 30—75 der Handschrift) wird durch die Sele, Anima, eröfnet.

Wie lang hab ich o Jesu mein
begehret dich zu findten,
mit meinem Arm im Kripelein
dich Kindlein umb zu windten,
wann ich gedenckh wie du im stall

12 *

für mich zum Menschen worden,
damit ich wegen Adams fall
einkhäm zur engen Porten u. s. f.

Der Engel ruft ihr zu, das Verlangen nach Jesu solle
gestillt werden; eine Tugendschule solle ihr der Stall werd-
en. „Es ist nit gnueg nur oben hin Christi geburt be-
denckhen, es mueß dir gehn zu Herz und Sin, in d'Lieb thue
dich versennckhen." Das erste was sie zu merken habe, sei
wie Gott Herberge suche; die Scene schließt sich an, wie
Maria und Joseph von dem hartherzigen civis abgewiesen
werden. Der Engel fürt dieß der Anima zu Gemüte und sie
geht in sich. Der Engel verweist sie auf die Hirten, wie diese
von Gott begnadet werden und bereitwillig mit Schenkungen
kommen. Die Verkündigung und der schnelle Aufbruch von
Samuel, Isael, Ioel zum Stall; die Betrachtung der Sele darüber; die Andacht der h. Jungfrau vor dem Kinde.

O Jesse bluem, erwünschtes gschoß,
gebenedeiter Regen!
entsprungen bist auß meiner Schoß,
gib mir den ersten Segen! (osculat infantem)
O Ewigs liecht, o Vatters glanz,
hats dir also gefallen,
daß du verliebest in uns ganz,
wollest unser schuldt bezallen u. s. f.

Ein Kor der Engel schließt sich an, an welche die h.
Jungfrau ihr Lied anknüpft. Die Sele drükt darauf, vom Engel dazu gemant, ihren Dank auß, der mit dem Außbruch
der Reue gemischt ist. So sagt sie unter andern:

Mein herzigs Kindt, mein großer Gott,
ich hab dich bracht in diese not;
mein hoffart hat so vil vermögt,
daß sie dich in daß Hey gesteckht;
weil ich so haiggl und so hart,
hab ich dir gmacht dein Peth so hart;

daß dich die scharpfe kelten schneit,
hat dir mein kaltes Herz bereit u. s. f.

Die Hirten treten nun anbetend auf, entzükt und überrascht vom Glanze des Kindes. Sie geben ihre bescheidenen
Gaben: einen Pischl woll, Öpfel rot, ein säkhel mel, und
stimmen vor ihrem Abschied das Lied an:

Die Füeßlein glatt wie Marmelstein,
rund schen alß wie das helffenpein,
die wolckhen thuen sie tragen;
den sündern eilt das kindlein nach,
die liebe ist sein wagen. (Acht Strophen)

Die Sele spricht hierauf ihre Freude und ihren Dank in
langer Rede auß, die auch gesungen werden kann.

Eine neue Hirtenscene hebt an. Abel singt:

Lust über lust, in vnserm veldt
ist alles voller Freuden,
es hupfen thäller perg und wöldt;
wie gehrn thue ich iezt weiden.

Die Äckher seind mit blumen zier
dem früling gleich besezet,
der rosen Purpur glanzt herfür,
ist alles frisch ergözet.

Reichlich der süesse hönigsafft
schwizt auß der hollen Aichen,
daß würckhet kein natürlich krafft,
mueß sein ein himlisch zeichen.

Der himel voller geigen henckht,
ist alles voller pfeiffen,
nichts ist daß heut die Hirten krenkht,
kann d'Ursach nit begreiffen.

Elda, Abels Weib, sagt was die Ursach sei. Drei der
Hirten seien in Bethlehem gewesen; seitdem geben sie gar
seltsame Fragen auf, welche selbst der alte Assaph, aller Hirt-
en Vater, nicht erraten könne. Abel freut sich darüber, denn
seit Jugend habe er Lust zu „ghaimben sachen." Elda hat
ein Kränzlein von Rosmarin gebunden, „guet silberpfenning
hengen dran, gar hüpsch darein gepunden," dieß wolle sie
dem geben, welcher das meiste ersinnen werde. Unterdeſsen
singen sie ein Lied von David und Goliath. Aſsaph, Samuel,
Isael und Joel kommen dann und ein Wettstreit begint mit Rät-
seln, welche auf Jesus sich beziehen. Als Beispiel diene die
erste Aufgabe Aſsaphs. Er sagt:

> Es wuchs ein blüemel auf dem felt,
> war nit gezeinet ein;
> deßgleichen findt mans nit auf der welt,
> daß köndte schenner sein.
> Sein Stam gehn himel reckht den kopf,
> noch hiz noch költ jm schaden,
> steht grad in der hech on allen knopf.
> Wer kan die frag errathen?

Samuel antwortet:

> Daß blüemel ist der wahre Gott,
> so unser fleisch angnomen,
> steht miten im feldt; wer leidet noth,
> kan leichtlich zu jm komen.
> Der grade Stam sein Muetter werth,
> ein junckfrau auserkoren;
> nichts schener wuechs auf dieser Erdt,
> von Jeſse gschlecht geboren u. s. w.

Der Siegeskranz wird dem Joel zuerkant, der ihn jedoch
dem heil. Kinde zu bringen beschließt, wohin die andern
folgen. Abel und Elda singen, ehe auch sie zu der Krippe
eilen, ein Lied auf David in 32 Strophen, deſsen Anfang also
lautet:

Kombt hirtenpueben laufft!
mit eim gar starckhen gsöllen
hat David wider graufft.

Schaut diser strobelkopf
hat erst ein faistes lämblein
gehabt in seinem khropf u. s. w.

Das dritte Spiel (Bll.76—95) begint mit einer Rede
des Wirts über die Ueberfüllung Bethlehems mit fremden,
und wie höchstens noch ein reicher bei ihm unterkomme.
Maria und Joseph werden demgemäß abgewiesen, ihnen jedoch vom Wirt gesagt: „dort vor dem thor, volgt nur dem
gspor, werth jr ein hitlein sehen; da khündt jr halt, wannß
euch gfallt, vor dem wetter understehen." In der zweiten
Scene singt Hänsl ein Lied von Joseph „dem herzigen Sepperlein", Jakobs Son. „Die brüeder waren im loden kleid, wie
d'scheffer pflegen auf der weid; dem Sepperlein klueg war
diß nit gnueg, ein röckhlein mit plüemlein daß Sepperl trueg."
Mit dem Jäckl singt Hänsl drauf ein Hirtenlied, womit sie
die Schafe zur Tränke füren. Hauser komt hinzu und er
stimt auch sein Lied an:

Lustige Hirten, freydige Knaben,
so guetten lust zum singen haben,
eia wolan! nun laßt uns singen
gueter dingen hurtig springen.
David ein tapfrer Hirtenjung,
David erfreydt uns Herz und Zung.

Jäckl findet jedoch das Lied zu „frech". Darob erzürnt
Hauser und ruft: „daß dich d'mauß beißt unds kälbl stöch, wolts
du mir daß gsängl verwehrn?" Jäckl wünscht ein Lied von
Adams Fall und Hauser verspricht es mit ihm zu singen. Sie
gehen ab. Fünfte Scene: ein bethlehemitischer Bürger, war-

scheinlich der Hospes der ersten Scene; er rümt sich den
Zimmermann von Nazareth abgewiesen zu haben. Sechste
und siebente Scene: der Engel und die Hirten; achte Scene:
Josephs Klage über die hartherzigen Menschen, die das Kind
in den Stall gewiesen; zulezt die Anbetung der Hirten.

Viertes Spiel. (Bll. 96—112) Die erste Scene ist dieselbe wie im dritten Spiel. Dann treten Hauser und Hänsel
auf. Hauser preist seinen Zotl, seinen Hund: „wann sich gar
zhinderst im felt, gläb mir, ä grillerl rieret, er gäb kain fridt."
Er erzält darauf wie er in eigner Person als Hund bellend
die Wölfe verscheuche. Da kommt der Engel und singt Gloria. Hauser und Hänsel wollen in den Stall, als Kaspar und
Lenzl dazukommen, welche ihnen die Vorzeichen mittheilen,
die sie wegen der Geburt des Mefsias hatten. Lenzl holt ein
Lamm zum Opfer und die andern singen unterdefsen das
Lied „Lustige Hirten, freydige Knaben" auß dem dritten
Spiel. Der übrige Verlauf ist kürzer als in den andern Komö-
dien gehalten. [3])

Daß diese vier Spiele von ein und demselben Dichter
sind, ergibt sich auß der Benutzung derselben Außdrücke,
Wendungen, ja derselben Lieder und Scenen. Schon durch
den Prolog, welcher für alle vier gilt, werden sie als zusammen gehörig bezeichnet. Der Dichter scheint ein Geistlicher,
vielleicht ein Mönch; demnach sind auch die Ueberschriften
und scenischen Anweisungen lateinisch. Vielleicht wurden
die Komödien zur Aufführung in einer Klosterschule geschrieb-
en. Der Name des Verfaßers ist mir verborgen; möglich
daß er selbst jener Vater Heinzel ist, der als Dichter des
Liedes „O Himmelreich o Sternenfeld" genannt wird. Die

---

[3]) In der Handschr. folgen Bl. 114—117: des Paurn mündliche Provocation
für seinen Pfleger wider deß Gerichtschreibers gegebenen Abschidt Bl. 117—119
Titl von einem schreiner. Bl. 119—124 ein lustigs Paurn gspräch, daßelbe 118
rw.—129 mit vertheilten Rollen.

Heimat der Komödien scheint Baiern, der Dialect spricht
dafür; in dem Bauerngespräch, welches zwar schwerlich
vom selben Verfaßer, aber doch in selber Mundart ist, wird
Landshut (Lanzet) als Marktort genannt. Der Dichter war
ein volksthümlicher Mann, bekannt mit des Volkes Scherzen
und seinem ganzen Sinne; darum sind auch die Schäferscenen besonders außgebildet. Seine dichterische Begabung
war keine ser große, sie ist aber auch nicht ganz gering an-
zuschlagen; an einzelnen Stellen bricht ein warmer Erguß
poetischen Gefüles hervor. In den lyrischen Theilen offen-
bart sich auch nicht kleine Gewalt über die Sprache, durch
die Bekanntschaft mit dem Volksliede einerseits, andererseits durch die lateinische geistliche Poesie gefördert. Darin
und in der mystisch-spielenden Weise, welche zumal in der
zweiten Komödie hervortrit, zeigt sich deutliche Verwantschaft mit der Art Friedrichs von Spee, deßen christnächt-
liche Eclogen hier namentlich in Betracht zu ziehen sind.
Und von dieser Seite her empfangen diese vier baierischen
Weihnachtkomödien eine literaturgeschichtliche Bedeutung,
welche sie nach ihrem absoluten Werte nicht zu beanspruch-
en hätten. Sie gehören in die Kette der vor- und außer-
opitzeschen Literatur des 17. Jh., die namentlich auß süddeutschen Gliedern besteht, und deren genauere Erkenntnifs
uns noch abgeht.

Ich fare mit der Aufzälung der übrigen mir bekannten
Weihnachtspiele des 17. Jh. fort.

A. Gryphius der Kindermörder Herodes, 1634 gedrukt; biß jezt nicht aufgefunden: Aug. Kahlert Schlesiens
Antheil an deutscher Poesie (Breslau 1835) S. 52.

M. Chr. Keimanni der neugebohrno Jesus, den Hirten
und Weisen offenbahret. Görlitz, 1646. Gottsched 1,199.

Johann Klaj Freudengedichte der seligmachenden Geburt Jesu Christi zu Ehren gesungen. Nürnberg 1651. (Darin ein Singspiel in drei Aufzügen.) Gottsched 1,204. Tittmann die Nürnberger Dichterschule S. 174.

Joh. Klaj Herodes der Kindermörder, nach Art eines Trauerspieles ausgebildet. Nürnberg 1645. Gottsched 1,197. Tittmann die Nürnberger Dichterschule S. 171. ff. Nach Dan. Heinsius Herodes infanticida. Lugd. Batav. 1632.

? Joh. Rist Herodes ... Gottsched 1,200.

Ein holdseliges und ganz liebliches Gespräch von der heil. Christfarth, wie sich der fromme heil. Christ mit seinen lieben Ertz-Engeln und andern Heiligen gegen jetzt künfftigen HeilgenChrist-Abend auf seinem himmlischen Kammer-Wagen und güldenen Schlitten herumb zu fahren gefaßt macht etc. Jena 1666.

´ Dedekind neue geistliche Schauspiele bekwemet zur Musik und 1670 zum erstenmale, 1676 aber zum andern male gedruckt. Darin: Himmel auff Erden, das ist Gott als Mänsch ein Freuden Spile der gebuhrt Christi vorgestället. 2. Stern aus Jakob und Kinder Mörder Herodes, verfaßet in ein singendes Trauer-Spiel. Gottsched 1,229.

Herodes der Kindermörder in einem Singspiele vorgestellet von Joh. Ludwig Fabern. Nürnberg 1675. Gottsched 2,257.

Die Geburt Christi. Hamburg 1681 (Oper) Gottsched 1,245. Devrient Gesch. der Schauspielkunst. 1,276.

Der in Fleisch und Blut geoffenbarte Sohn Gottes Christus Jesus, in einem madrigalischen Dramate nach Anleitung heil. göttlicher Schrift vorgestellet, beneben des Erzvaters Jacobs Todes Gedancken. Gesprächsweise entworfen, M. Joh. Jakobi. Zwickau 1708. Gottsched 1,280. [*])

---

*) Unter den Haupt- und Statsactionen des angehenden 18. Jarh. wurde auch der bethlehemitische Kindermord behandelt.

Oben wurde der Komödie von der freudenreichen Geburt Jesu Christi durch B e n e d i c t E d e l p ö c k gedacht. Dieselbe ist meines wißens nur durch J. E. Schlager bekant, welcher ihrer in seinen Wiener Skizzen auß dem Mittelalter, Neue Folge 1839. Wien. S. 215 erwähnte und ebendaselbst S. 303—310 die Widmung und kleine Proben abdrucken ließ. Bei der nicht ungewanten Handhabung von Sprache und Vers, bei den gelegentlichen Beiträgen zur Sittengeschichte der Zeit, hauptsächlich aber weil, wie die Sachen stehen, jedes Scherflein zur weitern Kentnifs der dramatischen Literatur des 16. Jh. willkommen sein muß, glaube ich die volständige Mittheilung dieser Weihnachtkomödie gerechtfertigt.

Ueber die Lebensverhältnifse Edelpöcks kann ich nur folgendes sagen. Er stand 1568 als Trabant in den Diensten des Erzherzogs Ferdinand von Tirol und widmete diesem seine Komödie. Erzherzog Ferdinand, Son K. Ferdinands I., Gemahl der schönen und geistreichen Philippine Welser von Augsburg, gehörte zu den geistig regsten Fürsten seiner Zeit. Er fürte nicht bloß das Schwert und die Jägerbüchse gern, sondern zeigte auch für Wißenschaft und Kunst lebendige Theilnahme. Glänzendes Zeugnifs davon gibt biß zum heutigen Tage die Samlung von Handschriften, Büchern, Gemälden, Bildwerken, geschnittenen Steinen, allerlei kunstreichem Gerät und schönen Waffen, die Erzherzog Ferdinand auf Ambras, dem Schloße seiner Philippine, anlegte und die jezt in Wien aufbewart wird. [5]) Wir wißen daß er außgezeichnete Künstler und Gelerte an seinem Hof versammelte und erhalten durch unsern Edelpöck und durch Georg Lucz, einen andern Trabanten, welcher dem Erzherzog die H. Sachsische Tragödie von den sechs Kämpfern zu Rom als s e i n Werk widmete, [6]) den Beweis, daß er neben den

---

[5]) Alois Primißer die k. k. Ambraser Sammlung. Wien 1819.
[6]) Schlager Wiener Skizzen. 1839. 212. f. 409.

gelerten Gesprächen eines Agricola, Schrenk, Coslander u. a. die bescheidene deutsche dramatische Muse nicht ganz bei Seite stieß. Es war eine Huldigung, welche Edelpöck der Trabant seinem Gebieter brachte; aber bleibende Frucht scheint sie ihm nicht getragen zu haben. Er mochte die Komödie mit der besonderen Absicht geschrieben haben, den mancherlei Anklagen und Verläumdungen seiner Mitbedienten entgegenzuarbeiten; wir dürfen mit Bestimtheit die Klagen des Trabanten Schmol über die Fuchsſchwenzer und Finanzer, welche die treuen und erlichen Diener verdrängen, als die eigensten Ergüße des Dichters bezeichnen. Allein der Versuch gelang nicht; wenig Jare später, im J. 1574, erscheint Edelpöck als Pritschenmeister, dem K. Maximilian II. „in erwegung seiner armueth aus gnaden 30 fl." geben läßt, [1] und im selben Jare hat er eine Beschreibung des Schießens zu Zwickau gemacht. (Gervinus Gesch. der poet. Nationalliterat. 3, 133. 3. Aufl.) So hat er das farende Gewerbe wider ergriffen, dem er schon vor seinem Trabantendienste obgelegen zu haben scheint; er sagt wenigstens in der Widmung, er habe die Zeit seines Lebens „ein sonderliche lieb und neigung teutsche comedien oder andere spil in reimen zu verfaßen gehabt und derselbigen auch nit wenig helfen agiren." Das Gewerbe närte aber kümmerlich; welsche Springer wurden beßer bezalt als die armen Väter der lamen deutschen Komedien und die Pritschenmeister, diese Gelegenheitspoeten von Profeſsion, fürten ein gar armseliges Leben an den Thoren der Fürstenhöfe und, auf den bürgerlichen Festen, wo sie halb Ceremonienmeister halb Hanswurste waren. Benedict Edelpöck scheint ein langes Elend gelebt zu haben; 1602 wird seiner in einem Hofkaſsenbuch K. Rudolphs II. gedacht, der dem „alten Pri-

---

[1] Sitzungsberichte der k. Akademie der Wißenschaften. Bd. 6. S. 167. Mittheilung von Schlager.

tschenmeister 35 fl. und später noch 4 fl." verabreichen läßt.
Wir wollen ihm wünschen daß dieß die lezte Gabe war, welche
er empfieng.

Die Handschrift von Edelpöcks Weihnachtskomödie befindet sich in der k. k. Hofbibliothek zu Wien, bezeichnet
Codex Vindob. olim philologicus CXXII. jezt neue Nummer
10, 180. Die Schreibweise ist die gewönliche des 16. Jh.
mit den Abänderungen, welche die österreichische Mundart
bedingt. Das Spiel buchstäblich abdrucken zu laßen, konte
ich mich nicht entschließen; einmal war nichts neues dabei
zu lernen für sprachkundige Leser, zumal die Eigenthüm-
lichkeiten der Sprache auch so bleiben musten; Leser aber,
welche das Stück nur lesen wollen, müsten durch die Häuf-
ungen der Konsonanten und den sonstigen Schreibunrat der
Zeit abgeschrekt werden. Ich habe daher eine einfachere
Schreibung durchgefürt, nach ungefär denselben Grund-
sätzen, welche wir schon in guten Drucken des 16. Jh. bemerken können und die neulich L. Uhland in seinen alten
hoch- und niederdeutschen Volksliedern befolgt hat.

Das wichtigste auß der Schreibweise der Handschrift
will ich hier als kleinen Beitrag zur Geschichte unserer älteren Orthographie zusammenstellen.

e wird in der Handschrift für mittelhochdeutsch e und ë;
auch für æ und œ gebraucht: [1] wer 238. 371. bedecht 237
mehr (mære) 2249 — schen 2682. hern 983. 1455. erlesn
liberare 1449. — Zuweilen erscheint ä für e ë und æ: stäts
707. schämbst: nämbst 1112. — Für e und ë wird häufig nach
der Mundart ö geschrieben, [2] one daß indeßen eine Durch-
fürung auch nur versucht würde.

---

[1] Vgl. auch Koberstein über die Sprache des österreichischen Dichters Peter
Suchenwirth 1. Abtheil. Naumburg 1828. S. 23.

[2] Grimm Grammatik 1², 155. meine Dialectforschung S. 53. f.

Für mhd. ei erscheint nach österreichischer Mundart ai, für î dagegen ei; einzelne Schwankungen kommen vor. Statt ai wird zuweilen ay, statt ei öfter ey geschrieben; beide, ei und ey, kommen auch für eu vor: scheichen 970. hey: trew 210. ney: poſserey 1071. freyen 435. 872. — Dieser Verdünnung der tiefen Laute gemäß findet sich auch i für ü: zinden 441. sind (sünde) 708. kinig 912 u. o. dickh tücke 1364. — ie für üe: grieß 1236 wietn 2320 briefn 2722.

i hat sich öfter gegen die Brechung in ie gewert: gschriben 2556. erschinen 1543. verschwign 363. wier: refier 1057. Ebenso erscheint langes i (mhd. ei) one das Denungs-e: erschin 219. 976. stig 1000.

ie hat si ch meistens an seinen organischen Stellen bewart

y erscheint in dem Worte ie und seinen Zusammensetzungen: yeder, yez u. a. durchgängig; inlautend in: wyrt, nynder, nymer, nyder, nym; außlautend in sy (ea. eam. ii. eos)

v für anlautendes u durchgängig, w für u in Diphthongen.

ue für uo und üe: thue, muet, guet, muetter, gnueg, mueß, suechen, puesn.

üe für üe (uo): bhüet, khüestal, müeselein, trüebsal, müeſsen.

Doppelung der Vocale in: saal 73. schnee: wee ·125. gee 151. 183. steen, geen, eewig 719. 1704. seel 1696. heer 821.

Denung durch h wird oft gebraucht, allein dieselben Worte stehen auch one h. Beispiele für h: wahr: jar 26. lehr: mer 39. ehr: mehr 1116. sehr: lehr 306. ehrn: gwehrn 2256. lohn 1102.

th in thal 74. gethan 371. leuth 257. peth 370. mith 777.

Häufig tritt h an k (inlautend außlautend ck): khumen und seine Formen (daneben mit bloßem k), khünn 318 (kindt könnt 405) khümert 353 khüestal 200. lenckhen: bedenckhn

224. nackhet 488. gewickhlt 623. merckht 625. langkh 399. dannckh 400. volckh 235. hinwegkh 2643 u. a.

Jh : Jhesu 471 und durchgängig; jhamer 271, danebeu jamer 208.

Die Verdoppelung der Konsonanten findet sich namentlich bei den Liquiden häufig, jedoch one durchgefürt zu sein: heillig 230. ellendiglich 239. gstallt 299. abgestolln. vnverboln 243. wol: soll 1055. tall: all 549. - vund häufig, anngst 123. glannz. gannz 960. trabanndt 2246. dennckht 327. annzubetten 953. dennckt 327. dienner 1074. — Für mm und rr habe ich keine Beispiele angemerkt, im Gegentheil finden sich häufige Belege der einfachen Konsonanz: jamer 208. vernumen : komen: 111. khumen: sumen 324. khümert 353. himelstron 835. jmer 888. schart 326. herscher 707.

tt häufig, noch häufiger dt, ebenfalls one zur Regel zu werden: todt: not 108. baldt: kalt 120. verschneidt: weit 127. laidt: obrigkait 150. Davidt: nit 225. windt 204 (wind.280) u. a.

ff nach Längen und Kürzen, mit und one Konsonantenverbindung: schlaffen: straffen 242. schaffn ovibus, schaffn creare agere 545. laufft. schrifft, offt. u. a.

s, ſs, ß sind gründlich unter einander vermischt. Oft steht ß noch an seiner echteu Stelle: ploß: schoß 95. dieß 97 und oft, biß 169, auß 186 und oft, mueß 271, maß: vergaß 288, fleiß 382, schwaiß 158, weiß 529, spieß 2035, großen 1050. — daß ut quod wird durchgängig das geschrieben. — sß in Fasß 98. strasß 916. — Der Mundart gemäß tritt nach Längen häufig s für ß ein.

b schließt sich außlautend und inlautend häufig der Labialliquida an: vmb, darumb, krumb, frumb, kumb, namb (2643), haimblich 196, zimblich 175, verschimblt 353, schämbst: nämbst 1112. — Die media für tenuis u. a. in briefen prüfen 2722. vgl. meine Dialectforschung S. 72. — Tenuis für media ist im Anlaut wie vorauszusehen fast Regel:

pan 127. part 1212. pauch 265. pald 379. pachn 1770.
pefsers 397. petler 137. petten 915. peth 360. peil 131.
peutel 213. punden 482. pue 1176. pues 1637. pliz 600.
plasn 446. plödigkait 655. ploß 95. prinn 447. prust 495.
Vgl. Koberstein über die Sprache Suchenwirts 1,30. f. meine
Dialectforschung 71. [1])
   d für t anlautend: dickh tücke 1364. dot 2255. danzl
Tänzchen 738. drehn Thränen 2336. drinkl 2402. drab 2415.
— vgl. Koberstein a. a. O. 32 f.
   t im Anlaute nur außnamsweise für d: tringt 158. troen
276; im Außlaute ist es gewönlich geblieben: seit estis
941. gelt 851. golt 1029. wirt 489. 1054. 1058.

Der Vers Edelpöcks ist der gewönliche Reimvers der
Zeit, der auf dem alten erzälenden Verse von vier Hebungen
ruht, Er ist im ganzen genommen nicht ungeschikt behandelt
und meist hat der Dichter die Notwendigkeit eines regel-
mäßigen Wechsels von Hebung und Senkung gefült, als das
einzige Mittel der Gesetzlosigkeit zu entgehn. Es felt aber
auch nicht an Versen, welche bloß nach der Silbenzal gebaut sind und dennoch, wie die Reime öfter beweisen, jambisch
betont werden müßen. Einige Beispiele mögen genügen:
   Gott dank euch mein liebér vatér (: ehr) 388. und wist
daß ich haiß Walthausér 973. zu lob und ehr diesém küníg': stig
1001 hast guet bsoldúng und anders mer 1114. und thuen uns
só freundlích hier fragen 1119. daß in gemain allé hofleut 1138.
   In den Reimen verrät sich wie begreiflich ser oft die
Mundart Edelpöcks. Einzelnes bemerkenswertes werden die
Anmerkungen andeuten, die ich, beiläufig gesagt, weniger
für die Fachgenoßen als für andere theilnemende beigab.

---

[1]) Es mag hier angemerkt werden, daß dieses p, welches in den oberdeutschen Schriften für gemeinhd. b Regel ist, nicht mit dem scharfen aspirirten
Laute des nord- und mitteldeutschen p außzusprechen ist; sondern daß es dem reinen
Tenuislautversinlicht, indem b in seiner weichen Außsprache dem w sich aufs engste
nähert.

Benedict Edelpöck
Comedie von der freudenreichen geburt
Jesu Christi.

Dem durchleuchtigisten hochgebornen fürsten und herrn herrn
Ferdinand Erzherzogen zu Österreich etc. Graven zu
Tyrol etc.

Durchleuchtigister hochgeborner Erzherzog, genedig-
ister Fürst und herr! Nachdem ich der zeit meines lebens
ein sonderliche lieb und neigung teutsche comedien oder
andere spil in reimen zu verfaßen gehabt, uud derselbigen
auch nit wenig helfen agiern und noch freud und lust darzue
hab; darumb ich mich dann dise schlechte und ainfeltige,
iedoch hailige comedien zu machen underwunden, der
tröstlichen hofnung, wann sie mit personen, so darzue geschickt und taugenlich, gehalten solte werden, so wurde
maniges frumes und cristenlichs herz, so sie mit ainem recht-
en und götlichen aifer anhören und betrachten thet, nit
ain klainen trost darauß schöpfen und empfinden, insonder-
hait aber die jugend, so zu disen lezten und bösen zeiten
zu allerlai sünd laster und boshait geneigt werden, hierin
als in ainen spiegl iren mängel und teuflische neigung zu
allem ubel erkennen; daneben auch die alten iren groben
unfleiß die jugend und unerzognen zu strafen und zu dem
gueten zu raizen treiben und vermanen, zu betrachten haben.
Zu dem so wird auch der gemain mann durch soliche für-
pildung zu rechter erkantnus der hailigen schrift gezogen;
dann ja vil heftiger in die herzen und gemüeter der
ainfeltigen laien sich ainbildet das, so man augenscheind-
lich fürpildet, denn das man allain höret. Dieweil dann vil
historien der hailigen schrift spilweis von etlichen pritsch-
enmaistern gestellet worden, hab ich mich auch underwund-
en, von der freudenreichen geburt unsers ainigen trosts

13

und hailands Jesu Christi dise schlechte und ainfeltige comedien nach meinen besten vermögen zu stellen und außgeen laßen. Dise aber meine arbait hat mich für guet angesehen Euer Fürstlichen Durchleuchtigkait als meinem gnedigisten fürsten uud herren zu dediciren und zuzuschreiben, damit ich meiner gegen E. Fl. Dt. dankperkait und schuldigen pflicht ain anzaigung gebe.

Bitt E. Fl. Dt. wellen solichen meinen gueten willen genediglich erkennen und dise meine ainfeltige arbait auß gnaden annemen. Wüntsche hiemit von ganzen herzen, damit das neugeborene kindlein, unser ainiger erlöser und hailand, E. Fl. Dt. sambt dem ganzen hochlöblichisten Haus zu Österreich vor allem ubel und widerwertigkait zu lob und eren seines hailigen namens und zu wolfart und beschützung der undertanen nach seiner unaußsprechlichen barmbherzigkait genediglichen behüeten wolle.

Fürstlicher Durchlaucht

underthenigister
gehorsamister
Benedict Edl Pöckh
Trabant.

Zue dem leser [1].

Frumer leser, wes würd und stand
ain ieder mag werden genant,
er sei gleich großer wiz und sinn,
arm oder reich, so bitt ich in:

5   wenn er diß spil wird uberlesen,

---

[1] Eine gereimte Vorrede an den Leser ist auch dem Etter Heini auß Schweizerland voraußgeschikt (Außgabe von Kottinger S. 27 — 30); Burkard Waldis gab seinem verlornen Son ein akrostichisches Gedicht tö dem leser mit; welchem die prosaische Vorrede folgt; vor dem Akolast des Georg Binder (nach Wilh. Gnapheus Acolastus gedichtet) findet sich nur ein prosalsches Vorwort an den Leser (Zürich im Mertzen deß 1535. Jars unterzeichnet; das Titelblatt hat one Ortsangabe die Zal 1536).

das ich hab gmacht in kainem bösen,
und etwas wirt darinnen spürn
das nit wär gmacht nach seinem hirn,
derselb, bitt ich, wöll mit geduld
ain wenig hören mein unschuld,　　　　　　　　10
die ich auß diemut hier furwend
und kainen andern damit schend.
Es ist nit an [1] und waiß es wol
daß nit ist gmacht wies wol sein sol,
die reimen auch nit all formiert　　　　　　　15
wie sich der zier nach het gepürt;
dann ich ain schlechter reimer bin,
der nit aim ieden nach sein sin
und hochem gaist alls machen kan.
Es geet oft manchen glerten nit an　　　　　20
daß er aim ieden gfallen mag;
will gschweigen ich, so kaum ain tag
in schriften hab darauf gstudiert,
zuvor auch wenig transferiert;
so kan ich nit ains ieden sprach.　　　　　　25
Darumb so thue ain wenig gmach;
findest du was so dir misfelt,
seis dir von mir haimgestelt
daß du es beßern wölst mit züchtn
und dein gedanken dahin richtn　　　　　　30
daß es nit gschech auß neid und haß,
sondern in sachen halte maß.
Dann beßer machen geet wol hin,
verachten bringt ain schlechten gwin.
Bist du der sachen baß gelert,　　　　　　　35
von mir ist es dir ungewert.
Ich bitt allain, veracht mich nit,
wie iez bei vilen ist der sit.
So du vil waist, ist es dein er,
verachten hilft dich nimermer.　　　　　　　40
Darumb bitt ich dich noch ainmal,

---

[1] Es ist nichts dran; das Gedicht ist wertlos (Grimm Wörterbuch 1, 459)
und weiß ich es wol, daß nichts ist gemacht wie es sein soll.

13 *

wölst mich nit schelten in dem fal
daß ich in silben hab geirt [1])
und die reimen nit wol gfürt.
45   Mein sprach ist grob und schlechter art;
darumb die silben also hart
zusammen möchten sein gebracht
und nit nach rechter weis gemacht.
Wil mich forthin durch Gottes gnad,
50   der mir sel leib gegeben hat,
befleißen daß ichs beßern kan;
die weil nim das im besten an.

Die Personen dises spils.

Die Vorrede.	Koschel }	der dreier künig
Joseph.	Veitl }	knecht.
Maria.	Emring }	
Wirt.	Herodes.	
Wirtin.	Ischem }	
Magt.	Schmel }	Trabanten
Johel }	Jefufs }	vier.
Schehel }	Jachel }	
Schimel } vier hirten.	Aman }	
Fosel }	Alachan }	hohe priester.
Jachel, der hirten herr.	Rachel }	
Vier engel.	Sara }	vier weiber mit
Caspar }	Agar }	den unschuldigen
Melchior } die drei weisen	Lisa }	kindlein.
Balthasar } oder künig.	Beschluß.	

Prologus.

Got dem Vater zu lob und er,
auch seinem son darzue noch mer,
dem hailigen gaist auch gar schon,
(ain götlich wesn und drei person)

---

[1]) Der Reim ist mundartlich rein, da geirrt und ähnliche Worte (wirt, hirt)
gedent gesprochen werden. vgl. auch gfürt: wirt v. 15. spürn: hirn oben v. 7.

mit diser hilf sein wir herkomen 5
und haben uns so fürgenomen
ain spil zu halten für junge leut
zu diser frölichen weihnachtzeit
von dem geburtstag Jhesu Krist,
auf daß der arme lai auch wist 10
wie er sich darzue schicken sol.
Man find so unverständig wol,
ob sie schon predigt haben ghört,
noch [1]) ist ir herz so ganz verkert,
daß man bei in ser wenig spürt, 15
dardurch die ler bezeuget wirt.
Der gloub niemant zu herzen gat;
wer ist der in ziert mit der that?
die eltern kein frucht von in gehn,
das sicht man an der kinder lebn; [2]) 20
ja wie die alten sein gestalt
das spürt man an der jugent pald,
wie man den paum kent an der frucht.
Also ist manger eltern zucht,
diß ist gewifelich gar zu war: 25
manger knab hat auf im vil jar.
der nit das Vaterunser kan,
vermaint auch, es gee in nichts an;
das bet füll im den magen nit [3]),
Got werd wol machen ou sein bitt. 30
Aber im pret und kartenspil,
da kan er laider gar zue vil;

---

[1]) Noch - dennoch, wie auch mhd.

[2]) Solche-Klagen begegnen uns in jener Zeit genug. Ich füre nur an den Etter Heini (herausgeg. von H. M. Kottinger Quedlinb. 1847) und Nicl. Manuels Klagred der armen Götzen. (Ausg. von Grüneisen Stuttg. 1837. S. 443. 447. f.) Vgl. auch den Beschluß unseres Spiels und den Abschnitt von ler der kind in Seb. Brants Narrenschiff (Strobel S. 97 — 100).

[3]) Hans Sachs ungleiche Kinder Eve, 4. Act. Dathan der aufrurisch spricht: Solch disputieren mich nicht anficht. Heit ich darfür Würffel und Karten Der wolt ich fleißiger außwarten. Oder zu spiln in dem Pret, Wer lieber mir denn das Gebet, Da mir etwan gerieth ein schantz. — Das bet ahd. daz bet mhd. daz bit Gebet, auch schweizr. das bett Ett. Heini 2470.

wanns flueohen schwern und saufen gilt,
do schlecht er auf sein helm und schilt;
35 diß ist auf erd sein höchstes guet,
biß er sein väterlich erb verthuet.
Diß sein die frücht darmit man ert
zu unser zeit den glauben wert;
also ins werck bringt man die ler.
·40 Wölt ir zue hörn, ich sags euch mer
wie Got so schmechlich und sein wort
gehalten wirt an mangem ort,
wie das gebet ganz thuet erkalten.
Man thuet iez finden vil der alten
45 die selb des glaubns nit sein bericht,
des Herrn-gebot gilt in auch nicht; [1]
wie solten sie dann ire kint
lern das bet, welches in zerrint? [2]
Fragt ainer umb die zwelf artikel,
50 da ist weder Hänsl noch Kätl,
die von dem glauben wisten bricht:
ich kan in nit; ein ieder spricht.
Die schuld daran, o frumer christ,
vater und mueter selber ist;
55 der vater sies nit gleret hat,
villeicht auch in nit recht verstat;
die mueter war dem sun zue lind.
Darumb man jung und alt iez find,
die nit wißen was doch bedeut
60 daß man so ordentlich helt die zeit;
so doch solches sol sein bewist
eim ieden der getaufet ist.
Also helt man zum neuen jar
Jesu Christi geburt so klar
65 mit großer feir und höchster freud
in weiter welt der christenhait;

---

[1] Auf dem Landtag von Crain 1566 ward unter den Beschwerden von der Landschaft aufgefürt, daß viele erwachsene zu finden seien, welche weder das Vaterunser, noch die Zehengebote könten. Hurter Ferdinand II. 1, 97.

[2] Daß ihnen abgeht, vgl. Schmeller b. W. 3, 104 f.

man list, man singt, lobt Gottes sen,
der komen ist von himels tron
in unser armes flaisch und pluet,
daß er uns brecht das ewig guet.   70
O wie groß ist in ewikait
Gottes des vaters güetikait,
daß er sein son vom höchsten sal
zue uns sendt in diß jamertal,
und leßt in werden arm geborn   75
von ainer jungfrau außerkorn;
welche geburt zu dieser zeit
helt und begeet die christenhait
mit höchster freud und singt zugleich
Ein kindelein so lobeleich   80
behuet uns vor der hellen [1]).
Ja wir wern in großen quellen [2]),
wann uns Got nit het gschenkt sein son,
der für uns arme hat gnueg than
und an sich gnomen flaisch und pain,   85
auf daß er helfe seiner gmain,
die in des teufels panden lag
so lange jar und mangen tag.
Darumb seit still, hört fleißig zue,
gebt euch ain klaine weil zur rue,   90
auf daß ir hört, wie Christus sei
so arm geborn in stro und heu
zu diser kalten weihnachtzeit;
wie er danu in aim kriplein leit
ain klaines kind nacket und ploß ·   95
auf seiner mueter rainer schoß.
Zue unserm hail diß gschechen ist,

---

[1]) „Ein Kindlein“ ist der Anfang und „behuet uns vor der Helle“ der
Schluß der zweiten Strophe des Liedes „der Tag der ist so freudenreich“.

[2]) Die quel (seel) 1695; ahd. diu quell. Vom 15. — 17. Jh. bei oberdeutschen und schlesischen Dichtern öfter erscheinend. Die Quantität scheint
schwankend; Edelpöck braucht quel v. 82 kurz, v. 1695 lang; Muskatblüt
reimt es 6, 89. 15, 50 (Groote) auf Emanuêl, 7, 93. 8, 403. 11, 56 auf sêl;
dagegen 3, 46 auf fel; Oswald von Wolkenstein hat die echte kürze bewart,
er reimt quel auf kel, hel, fel, gel, mel u. 30, 15—20. Anßg. von B. Weber.

solches faß zne herzen, o frumer christ.
Durch die geburt ist uns das leben
100 vom vater in dem son gegeben;
ja in den son wirt hin gelegt
des vaters zoren, so er tregt
wegen der sünd und mißetat,
so Christus uns nachglaßen hat.
105 Ja durch diß neugeborne kind,
das man iez in der krippen find,
wern wir erlöst auß aller not,
von teufel sünd hell und vom tot,
des wir im danken alle samen.
110 Mit mir von herzen sprechet Amen!

Der erst Actus.

Maria und Joseph treten ein und Joseph spricht:
Maria, ich hab vernumen
wie daß sei ein bevelch kumen [1]),
so mir nit wenig trauern bringt.
Kaiser Augustus darauf dringt [2]),
115 und ernstlichen bevelch hat than
daß ieder in sein stat sol gan;
und dises sol sich kainer maßen [3]),
sol ziehen und sich schezen laßen;
das sol geschechen nun gar bald.
120 Ach lieber Got wie ists so kalt!
Daß mans sogleich auf dise zeit
hat angestelt! — Wir armen leut

---

[1]) Die Formen genumen genomen, komen kumen wechseln in der Hs., z. B.
khumen : genumen 861. vernomen : komen 1460. Die Außsprache ist dem u
geneigt.

[2]) In dem französ. mystère de la nativité (Jubinal mystères II. 58) tritt
der Bote (mesagier) mit der Verkündigung des Befels des Kaisers auf, nachdem vorher seine Anwerbung durch den Kaiser dargestelt ist.

[3]) Sich eines dinges maßen wie mhd., enthalten entschlagen vgl. Schmeller
b. W. 2, 626. — Fasnachtspiele 255, 29. so soll er sich seines weingelns maßen.
ebd. 264, 18 so wolt ich alles des mich maßen, damit man aller woräft gefüllt.

vil angst und not zu leiden habn.
Ach Got, warmit mueß ich dich labn,
wann dir wirt auf der raise wee?   125
Mein Got, wie ist so tief der schnee!
Der weg ist bös, die pan verschneit,
wie kumen wir hindurch so weit?
han wenig gelt, soln schazung gebn!
Fürwar mich schier verdreußt zu lebn;   130
bin müed von meinem zimerpeil,
sol darzue geen so vil der meil!
bin ain alt man, dem raisn mifsfelt.
Noch wil der kaiser habn gelt;
ich waiß nit wie ichs sol machn!   135
Maria, wie thuen wir den sachn,
auf daß wir nit komen in spet?

Maria:

Joseph, vertrau dem lieben Got!
der wirt es alles machen fein
nach seinem willen, wies sol sein;   140
als mir sein engel zue hat gsagt,
do er kam zu mir armen magt
und sprach: Maria fürcht dir nit!
Derhalbn, Joseph, ich dich bit,
laß uns gelauben diesem wort;   145
Got wirt uns treulich helfen fort
und wirt uns allen gnueg beschern,
so wir im volgn willig und gern,
und sein gehorsam der obrikait;
thet wir solchs nit, wer es Got lait.   150
Darumb gee fort und sei gedultig,
gib dem kaiser was wir sein schuldig,
dann Got sollichn bevelch selbst gab,
der obrikait nichts zbrechen [1]) ab.
Dieweils Got selbst geboten hat,   155

---

[1]) Diese Verlenungen von zu sind häufig: lang zhof lang zbell 1136, zdanken 417. ztod 2145. zvil 2451. vgl. selbst zhauen 2052. auß zuhauen = zerhauen.

so saum dich nit, dann es wirt spat,
daß wir volbringen dise rais.

Joseph.

Es ist so kalt, doch tringt der schwaiß
von meinem kopf und anß der stirn.
160 Maria, ich thue dich fort fürn;
hast schweren leib, bist nit gering; [1])
Got waiß, wie ich dich wider haimbbring.
Nun so geen wir in Gottes namen!

Maria.

Und der behüet uns alle, amen!
Hie giengen sie fort, Joseph vornen an, Maria nach, hebt
an zu beten gegen Got.
165 O reicher Got im himelsfal,
bhüet uns vor ubel all zumal.
Nim uns, o Herr, in deine pfleg,
bewar uns heut auf weg und steg,
ja disen tag biß auf die nacht,
170 biß wir die raise han verbracht
und nach bevelch der obrikait
uns schezen laßen alberait,
welchs dann dir auch ist angenem.

Josephus.

Maria, dort leit Bethlehem,
175 wiewol es ist noch zimblich weit.
Es wern [2]) auch dort sein vil der leut,
daß zu besorgen ist, ob wir
mögen herberg han in der refier [3]).

---

[1]) Gering, ring : leicht. In dieser alten Bedeutung noch heute in der bairisch-österreich. Mundart nachzuweisen.

[2]) Diese mundartlichen Formen wern, worn = werden, worden kommen bei Edelpöck (und auch bei andern Dichtern des 15.—17. Jarh.) selbst im Reime vor, z. B. wern : ern (werden : erden) 216. wer(d) : her 379. weern : wern (werden) 1150. wern : fern 1402. wern : begern 2222.

[3]) Revier die, Bezirk Gegend, bei den Schriftstellern des 16.—17. Jh. häufig gebraucht; noch heute in Oberdeutschland in weiterer als forstlicher Bedeutung verwant. — Vgl. Schmeller b. W. 3, 172.

Die stat ist klein, der leut sein vil,
sein vertl ein ieder haben wil,   180
darumb wirt es sein gar zu vol.

Maria:
Ey, Got wirt uns versehen wol.
Ich bitt, gee fort und dich nit saum,
wir wollen etwo finden raum.

Indem geen sie dem wirtshaus zue und der wirt redt und die
wirtin sein im haus. Joseph bitt um herberg und spricht:
Herr wirt, got geb euch glück ins haus!   185

Der wirt redet zornig:
Ei lieber, heb dich nur hinauß!
darf euer nit, ir petler gsem,[1]
ich glaub, daß mir das haus vol kem.
Gee flugs und thue pald hinaußtretn!
ich hab wol leut in gulden ketto.   190
Troll dich! hörst nit was ich dir sag?
gee fort, und hab dir alle plag![2]
hörst weib, nimbst du den petler ein,
so sol der schlag dein aigen sein!

Maria hebt auch an und bitt die wirtin sprechend:
Mein frau, secht unser elend an,   195
bhalt uns haimlich vor euerm man!
Durch Gottes willen ich euch bitt,
versagt uns heut die herberg nit.
Umb Gottes willen noch einmal,
bhalt uns nur in dem küestal,   200
wir wöllen uns darein betragen.[3]

---

[1] Betlersamen, Betlerpak.
[2] Gewönliche Verwünschung, Anwünschung aller Krankheiten, die oft be-
zeichnet werden.
[3] wollen uns damit begnügen; gewönlicher sich eines dinges betragen;
z. B. Fasnachtspiele 70, 26. ich wolt mich ir gleich wol betragen. ebd. 375, 19
solch pletzwerks muß ich mich betragen. Ayrer opus theatr. 2, 127 wir wollen
uns betragen der spiler gotslestrer etc.

Die wirtin.

Ja ja, daß mich mein man sol schlagen!
Lauft hin, ich kan euer nit pflegen,
ligt gleich im wind schnee oder regen!

Josephus.

205 Ach lieber Got, es ist ser spat,
darzue kain herberg in der stat
wir armen leut mögen erbittn;
haißt das nit not und jamer glittn?
Wo bleibst du nun menschliche treu,
210 so man versaget stroh und heu,
darauf wir möchten ruhen heut?
Trollt euch! der wirt und wirtin schreit.
Wer nit gelts gnueg hat in dem peutl,
des sachen sein lurtsch[1]) ganz und eitl.
215 Mein Got, was wil doch darauß wern,
daß kain erbarmung ist auf ern![2])
Wir armen leut haben vil mengel;
ja decht ich nit an Gottes engel,
der mir erschin in meinem traum,
220 so würd ich mich erhalten kaum.
Ich ließ es alles ligen und steen,
möcht ich nit laufen, so wolt ich geen.
So mueß ich mein herz anderst lenken,
Got meines Herren wort bedenken,
225 der sagt: Joseph, du son David,
sei nur getröst und fürcht dir nit;
dann das in ir empfangen ist,
das ist der ganzen schrift bewist,
wie auch der prophet deutlich weist.
230 Es ist von Got und hailigem gaist,
daß sie gebern wirt Gottes sun,
des nam sol haißen Jesus nun,

---

[1]) lurtsch, lurz, ein Spielerausdruck gleich matt und labet, vgl. Schmeller 2,
491; verwant dem mhd. lurzen lürzen ≈ zaudern stottern, dem bair. fränkischen
lurz links. vgl. Grimm Gesch. d. deutsch. Sprache S. 991.
[2]) Vgl. zu v. 176.

das ist ain seligmacher wert,
der komen sol auf dise ert,
auf daß er sein volk selig mach.   235
Diß ist fürwar ain große sach;
ja wenn ich solches nit bedecht,
ich lief davon, wers gleich nit recht;
so ganz ellendiglich bin ich.

Maria.

Mein Joseph, nit bekumer dich!   240
es wirt, ob Got wil, beßer werden.
Du waist wies zuegeet iez auf erden.
Zu Got wir setzen alle ding;
wanns im gfellt, so macht ers ring. [1)]
Derhalben hab kain schweren muet.   245

Josephus.

Maria, dein herz ist vast guet
und dein bestendikait mich tröst;
sonst du mich gwifs verloren hest.
Ich bin deins gmüets im herzen fro;
kumb, wir woln sehen umb ain stro   250
und die nacht schlafen für der thür.
Wann dann die leut wern geen für,
vielleicht sie ain erbarmung habn
und uns mit ainer stuben labn.
Gee, laß uns suchen stro und heu,   255
daß wirs bei zeit bringen herbei.

Hie geet Joseph und Maria davon.

Da kumbt des wirts magt, sicht sich umb und spricht:

Magt:

O Got, wo sein die armen leut,
die so ellendiglich der zeit
von meinem herrn unbesint
sein abgewisen worden gschwint,   260
der in herberg hat versagt.

[1)] Leicht. vgl. zu 161.

Ich thet es nit, bin nur ein magt.
Ach lieber Got, ein alter man!
solt doch seiner jar verschonet han;
265 auch hat die frau ein großen pauch.
Es ist aber meins herrn brauch,
daß er allzeit die armen leut
verachtet und in gar nichts geit,[1]
stoßts ab die stieg, schlechts für die thür.
270 Ach Got, sie thuen erbarmen mir.
Wie oft mueß ich den jamer sehn
und thuet im jar vielmal geschehn,
so doch vil verbleibt der speis
von fisch fleisch vögel mandl und reis;
275 die hebt er auf und thuets versperrn.
Er thuets uns auch mit troen wern
daß wir den armen nichts soln gebn.
O wie füert er ain so gottlos lebn;
ja wer nur schier mein jarzeit auß!
280 es gschicht doch nicht götlichs im haus;
ain sünd sich uber die ander mert,
das hausgsind hats vom maister glert,[2]
thuet was er schafft, fragt wenig drumb
ob es sei recht schlecht oder krumb.
285 Das noch mer ist, hets schier vergeßen:
wann oft die leut beim wein sein gseßen,
hieß er mich bringen falsche maß,
wiewol ich sollichs mit fleiß vergaß;
dann ich het gern iederman
290 umb seinen pfenning recht gethan.
Es sein auch nit vil stund verlaufen,
do mich mein herr hieß kreide kaufn
und sprach, ich solt sie sparen nit,
solt schreiben nach dem alten sit
295 und ain kreuz für ain strichlein machn.
Ich mueß gleich selbst der schalkhait lachn;

---

[1] geit, mhd. git, gibt; andre Reimstellen erfreut: geit 806. zeit: geit 432.
[2] leren für lernen, im 15. und 16. Jh., wenigstens in oberdeutschen Schriften, algemein.

hieß mich auch an die wand falsch schreiben.
Ehe ich das thue, wil kain stund bleibn.
In sollicher gstalt geets in dem haus
und bei dem wirt, so nit aine laus   300
ja nit ains klainen flochs ist wert;
mich wundert daß in tregt die ert.
Er hat zu zeiten guete wein,
wann ers ließ bleiben wie sie sein,
tauft sie mit waßer nit so ser;   305
es ist aber zu spat die ler,
er ist im geiz ersoffen gar,
daß er nimbt kaine warnung gwar.
Er maint daß wir all Walhen[1] sein,
die mit waßer mischen den wein.   310
Noch ains bringt im ain schlechten preis:
man mueß die aufgehebte speis
gewermbt geben auf den tisch,
es sei von flaisch vögl oder fisch;
laßt ims als dreifach wol bezaln,   315
obgleich Got dran hat kain gfalln.
Ja wenn er hat vil große herrn,
ich main er künn in d' rucken schern,[2]
daß in die augen uberlaufn,
und sagt, er mueß als theuer kaufn,   320
er schwert bei Got und seinem leib;
desgleich auch thuet sein fromes weib.
Daß ichs beschleuß in ainer summen:
es tuet kains in die kirchen kumen,
dergleichen auch das hausgesind;   325
schaut wie er dahaimb scharrt und schind,
denkt nit an Got, noch an sein er.
Ich west noch vil zu sagen mer,
es wil mir aber nit gebürn
daß ich hausmaid und arme diern   330
von allem auß dem haus sol klaffn;[3]

---

[1] Welsche, Italiener.
[2] Ist zu lesen: er künn sie trucken scheren? vgl. zu v. 1374.
[3] schwazzen, plaudern; Klaffer: Schwäzzer, Klatscher, Angeber. — Der

ich hab wol ander ding zu schaffn.
Das ich euch iezt thet zaigen an,
hab ich nit mögen underlan,
335 darumb daß mein herr und die frau
so unbarmherzig und so gnau
gegen den armen leuten sein;
das schmerzt mich in dem herzen mein.
O wist ich die frau und den altn!
340 ich hab ein wenig brot behaltn;
mein herr und frau die sein schon schlafen,
wann sie das wistn, sie thetn mich strafen
und sprechen, ich hets abgestoln
das ich bekenn ganz unverholn
345 und hoff, Got werd mirs in dem lebn,
so ich sein stünd hab, ganz vergebn.
Dann er den armen früe und spat
zu helfen uns bevolchen hat,
und gleichwie waßer feuer lescht,
350 also almuesen die sünd hinwescht.
Diß macht daß ich zur diebin ward.
Es wirt doch oft umbsunst gespart,
daß es erschimbelt in den kasten,
so doch die armen müeßen fasten;
355 möchten von sollichen stücklein klain,
so aufghebt werden, gsettigt sein.
Ey, wo sein hin die armen leut?
mir thuet so wee ir ellenthait,
mich kümert ser ir großer jamer.
360 Het ich ain pet, darzue ain kamer,
ich wolt sie legen gern darein.
So kan es warlich nit gesein,
ich mueß selbs in der stuben lign.
So blibs vom gsind auch nit verschwign:
365 dann man find der fuchsschwenzer vil,
die manigs angeben in der still

Begriff des falschen und lügenhaften ligt in dem Worte. Dem kleffischen glaub
nit seiner treu, sagt Salomon Fasnachtsp. 527, 4. falsch und kleffisch Fasnsp.
524, 25.

und liegen dreimal mer dazue;
drumb schau ain ieder was er thue.
Thet man mich vor meim herrn verklagn,
er wurd uns zu dem haus außschlagn.　　　370
Umb mich wer es ain schlechts gethan,
mich reuet nur der arme man,
darzue die frau so schwanger ist.
Poz gluet! was stee ich hie aufm mist?
sol geen zum ochsen esel und viech,　　　375
weil d' kerzen wert und ich noch gaich;
so ligt des mists auch vil im stal.
Ich wil mich furdern da zumal,
wil eiln daß ich bald fertig wer.
Sieh dort geen gleich die armen her;　　　380
wil alhie wartn und in das gebn,
auch sondern fleiß haben darnebn,
daß ichs mit mir in stall thue fuern,
auf daß sie beide nit erfriern.
Wie mich bedunkt, die kelt thuet wee;　　　385
drinn ists ja wermer dann im schnee.

Hie kommen Joseph und Maria. Joseph trägt ein wenig stroh,
hebt an und grüeßt die magt.

Joseph:
Got geb dir glück und bhüet dein er!

Magt:
Got dank euch, mein lieber vater.

Joseph:
O tochter schau an unser not!

Magt:
Mein vater, da habt ir ain brot,　　　390
es ist wol wenig und nit vil.
O lieben leut, seit nur gar still,
daß mein herr und frau nit erwacht;
wil sehen daß ich euch die nacht
behalten kan in diesem fal;　　　395

14

ir müeßt verguet nemn in dem stal.
Ob ich euch gern was peßers thet,
so hat mein herr versperrt die pet;
derhalbn geet her und machts nit lank.

Maria:

400 Mein jungfrau, des habt imer dank.
Got wirt euch fur die guettat gebn
hie gnad und dort das ewig lebn.

Hie geen sie mit der magt in stal, und die magt
spricht:

Ir armen leut kumt hieher do!
sechts, es ist wenig heu und stro.
405 Behelft euch hie gleich wie ir künt.
Es ist die erden ja nit lind,
iedoch das stro und auch das heu
eur ober und unter petgewand sei.
Bewart euch vor dem froste wol,
410 dann heut ain kalte nacht sein sol,
das glaubt mir bei meinen ern;
der himel steet vol liechter stern;
so gfreurt es hart daß es gleich kracht.
Bewar euch Got, ein guete nacht!

Maria:

415 Derselbig hab euch auch in acht.
Joseph, es ist Got grecht und frumb,
im zdanken sein wir schuldig drumb,
der uns durch sein götliche gnad
ain herberg noch bescheret hat,
420 und daß im hauß die frume mait
für uns hat tragen so groß lait
und uns geholfen do herein.
Got der wirt ir bloner sein,
den ich wil bitten früe und spat
425 daß er ir für diese wolthat
zeitliche narung hie wöll gebn
und nach disem das ewig lebn.

Joseph:
Der bitt wöll Got nit widerstrebn.

End des ersten Actus.

Der ander Actus.

Maria:

Hör Joseph, du getreuer man,
was ich dir iezt thue zeigen an.   430
Es ist vorhanden schon die zeit,
daß Got sein werk an tag geit,
dardurch all menschen wern getröst,
von sünden tod teufl und höll erlöst;
des freun wir uns, daß es geschickt.   435
Mein Joseph, gee bald und bring ein liecht.[1]

Indem geet Joseph dahin und will ain liecht bringen,
Maria wickelt das kind in windeln und legts in die krippen
und Joseph spricht in dem geen:

O lieber Got, was sol ich machn?
ich kan gar nicht zu sollichen sachn,
wie man dem und disem thuet.
Ach fund ich nur ain wenig gluet,   440
daß ich ain liecht thet zünden bald!
Ach Got wie ists so grausam kalt,
das pfind ich an mein henden wol,
die mir erschwarzen wie ein kol.
Es schwizt mir auch vor kelt die nasn;   445
künt ich doch pald ain feur aufplasn!

Indem plast er ain dreimal, und es wil nit pald brinnen. So
spricht Joseph:

Nun prinn, in Gottes namen prinn,
dann ich soll eilent wider hin.

---

[1] Auch in dem englischen Spiel (Marriott miracleplays 66) und in dem
französischen bei Jubinal mystères II. 61 holt Joseph Feuer. Unterdessen schikt
Gott auch dem franz. mystère (Jubinal II. 62) der h. Jungfrau durch Gabriel
und Michael brennende Kerzen. Ueber die apokryphischen Berichts von dem
wunderbaren Glanze, der die Höle erfüllte, R. Hofmann Leben Jesu S. 100. f.

14*

Do er hat anzünt, kert er sich umb, lauft fort; so erlischt im
das liecht; da fert er mit der hand in kopf und spricht:

Bhüet Got, bhüet Got, ists nit ain schand?
450   das liecht mir ablischt in der hand.
Es ist aber der alten sit,
wer eilen thuet, wird gfürdert nit.
Also mir auch iezund geschicht;
wil laufen gschwind, so lischt das liecht.

Hie zündet er widerumb an, kert sich wider umb und lauft, und
wann er schier hinzue kumbt, so schneuzt er im über das liecht
und lescht wider auß und spricht:

455   Ey ey ey, was hab ich unglück!
ach lieber Got, dein hilf mir schick.
Pfuy dich aller rozigen nasen!
mit meim schneuzn hab ichs liecht abplasn;
sol ainer nit von unglück hörn?
460   vergiß auf dem rugg der latern.
So geet es, wann man eilen sol;
mein Got mein Got, giengs nur ir wol!

Hie zündet er wider an und fickt[1]) das liecht in die latern und
lauft fort zue dem stal und ruft:

Maria Maria wie geet es dir?
Maria:
Do leit die höchst und ainig zier,[2])
465   das liecht der ganzen weiten welt,
darvon die schrift ganz klerlich melt;
wellichs ich trueg undr meinem herzn,

---

[1]) Hineinstoßen, vgl. Frisch teutsch-lateinisches Wörterbuch 1, 265. Schmeller 1, 510.

[2]) Nach dem mystère de la nativité (Jubinal II. 65) wird Joseph nach der Rückker, als er das Feuer bringt, von Maria zu der Wirtin geschikt die ihr beistehn soll. Nach den apokryphischen Berichten war Joseph ausgegangen, eine Hebamme zu suchen; unterdessen geschieht die Geburt. Die Hebammen dienen nur als Zeugen der schmerz- und fleckenlosen Geburt Mariä. vgl. R. Hoffmann Leben Jesu nach den Apokryphen S. 112. f. und Worthers Maria Fundgrub. 2, 196. Kindheit Jesu Hahn 76, 31 ff. Philipps Marienleben 2000—2187.

hab ich gebern on allen schmerzen.
Joseph, nun leucht ain klains herbei,
schau da leit der Hailand im heu. 470

Hie leucht Joseph hinzue, seat die latern nider und facht an
kniend zu beten:

Herr aller herren, Jesu Christ,
ain warer Got und mensch du bist.
Wir sagen dir lob er und preis,
daß du durch deinen rat so weis
vom himel hoch auf dise erd 475
zu uns bist komen unbeschwert
und angenomen flaisch und pluet,
uns und der ganzen welt zu guet.
O Jesu, du vil klaines kind,
wie ligst du hie im kalten wind, 480
im rauhen stro und dürren heu
mit windeln punden, sein nit neu.
Durch dich all ding erhalten wern,
noch hast du kainen ort auf ern,
da du dein haubt und zarten mund 485
hinlegen möchtst zu diser stund.
O wunder über wunder groß,
daß Gottes son nacket und bloß
geboren wirt in disem stal
für unser sünden all zumal, 490
des wir im billich dankbar sein.

Maria:

Joseph, gee! koch ein müeselein.[1]
Ich wil das kind nemen in arm,
auf daß es bei mir recht erwarm;
wil im die prust auch nit entwenden. 495
Schau schau, wie zappelts mit den henden!
lauf hin, und richt im zue die speis.

---

[1] Vgl. oben S. 152 das Vordernberger Spiel.

Josephus:

Ich gee, pfleg du des kinds mit fleiß.

{ } Mit nichten will ich underlan,
500 ain mues zu kochen wie ichs kan;
obs gleich mir ubel thuet stan
so wils die not iez alse hau.
Der grieß ist schön und ziemlich guet;
aber die milch mir grinnen thuet.
505 Wenn ich ein koch oft werden solt,
in sollichem fal ich des nit wolt,
wurd meiner arbait schlechtlich glont;
des zimmern bin ich beßer gwont.
Jedoch wo man hat beßers nit,
510 mueß man mit allem sein zufrid.

Hie treten die vier hirten[1] ein.

Der erste hirt J o h e l genant spricht:

Ir lieben gselln, wie ists so kalt,
als nie gewesen ist so balt!
Es ist ein recht frostig gewitter,[2]
mich freurt daß ich aller[3] zitter.
515 Ich kan in d' leng nit stille steen,
vor kelt mueß ich hin und her geen,
damit ich mich erwermen kan;
dann ich han böse[4] klaider an.
Das wetter laßt ain nit vil schwizen:
520 vor großer kelt kan ich nit sitzen,
das thuet mir nit ain wenig zorn.

[1] Die Vierzal der Hirten wird durch die legendarische Ueberlieferung neben oder über der häufig begegnenden Dreizal bestätigt. Hier sind die Namen Joel, Schel, Schimel, Fosel; in der Legende heißen sie Misael, Achael, Cyriakus, Stephan.

[2] Gewitter, dem einfachen Wetter gleichbedeutend noch heute in Oberdeutschland gebraucht.

[3] Vgl. Grimm deutscher Wörterbuch 1, 208.

[4] Böse in seiner alten Bedeutung: gering, schlecht: ein leib im dardurch zannet, er hette böse kosen zwar. Ambraser Liederb. von 1582 no. 139. Vgl. auch Schmeller 1, 210. Benecke-Müller mittelhochd. Wörterb. 1, 224. L.

Der ander hirt Schell genant:
Ich bin für war auch schier erfrorn,
mein hand und fueß sein wie ain eis;
weils nit kan anders sein, so seis.
In armuet wir uns müeßen nern; **525**
ich thue mich oftmals kaum erwern,
daß ich nit lauf von meiner herd.
Müe und arbait ist mir bschert,
und waiß nit wie ichs weiter mach,
daß ich mecht haben peßer sach.

Der dritt hirt Schimel genant:
Es macht daß ich eur beder lach,
ich glaub es gschech mir wol so wee;
mein har und part ist mir vel schnee,
bin der zerrißner under alln.
Noch wil ich mein horn laßen schalln **535**
und wil mit nichten thuen verzagn,
wil plasen und die wolf verjagn,
wil mich darzue auch wacker stelln.
Helft schreien, meine lieben gselln,
plast munter in das horn frei, **540**
so kumbt verheut kain wolf herbei.
Plas ainer umb den andern schon;
schreit ir, ich will iez fachen an.[1])

Indem plest er ain mal oder zwier und die andern schreien:
Weicht ab, weicht ab von unsern schaffn,
ir habt alhier gar nichts zu schaffn. **545**

---

[1]) Fast in allen Hirtenspielen der Weihnachtzeit komt diese Furcht vor den
Wölfen und der Versuch sie abzuweren vor. Ser begreiflich. In Wien war es
biß in das 15. Jh. Gebrauch, in der Thomasnacht und in den Rauhnächten gegen die Wölfe Gewere abzuschießen; später wurde dies verboten. Schlager
Wiener Skizzen 1836. S. 6. Aber weit länger, biß gegen Ende des 18. Jh.
hielt sich ein andres Scheuchmittel der Wölfe, der Wolfssegen, welcher in der
Kristnacht in der St. Stephanskirche nach dem Hochamt gesungen wurde. Er
bestand in Absingung des über generationis Jesu Christi secundum Matthäum
„in einem absonderlichen Thon unter Leitung der großen Glocken". Vgl. Schlager
a. a. O. S. 25. Einige Wolfsegen, die beim austreiben des Viehs über dasselbe
gesprochen wurden, theilt Schmeller mit im bair. Wörterb. 4, 67.

Lauft hin wol in den finstern wald,
laßt uns die schaf zufrieden bald.

Schimel der dritt hirt:
Also seit wacker und frisch all,
so laufen die wölf perg und tal;
550 ja wann wir munter seiu und keck,
so laufen die wölf alle weg
zu nuz und fromen unser schaffn.
Ich glaub der Fosel thue hie schlaffn?
wie kann ers thuen, weils ist so kalt!
555 Johel, lieber, weck in auf pald.
Soll er schlaffen und wachen wir,
vielleicht er in dem schlaf erfrier.

Johel der erst hirt weckt in und spricht:
Fosel, Fosel, hör hör, sei munter!
wilt nit hörn? ich stoß dich hinunter.
560 Kanst du des schlaffens nit vergeßen?
Es wurden die schaff alle gefreßen,
daß du drumb gar wenig west.
Ey lieber Got, wie schlefst so fest!
munter dich doch! hoyscha, hoyscha![1])

Fosel erwacht und spricht:
565 Wie? was han? wer ist aber da?
ey wie hab ich so wol geschlaffen.
Sags Johel, wie geets unsern schaffn?

Johel:
Wie wolts in geen? sie sein schon gfreßen,
weil du so schleffrig bist hie gseßen.
570 Du machst uns alle hie zuschanden;
wann wir nit waren da bestanden

---

[1]) Vgl. hoscha Nikl. Manuel S. 379 (Grüneisen) Ayrer opus theatr. 2, 126. hoscha hoscha herr wirt! Ayrers Lied in seiner Tragödie von der schönen Melusine op. th. 1, 349: Was wölln wir aber singen, das hoscha heya ho. Acolastus. Eine Comedie vonn dem verlornen Sun von Georg Binder. Zürich 1536. D. VIII. rw. Hoscha! ein guten tag. Vgl. auch Frisch 1, 470.

so treulichen bei unsrer herd;
du bist nit aines vierers[1]) wert.
Es warn so viel der wölfe hie,
daß wir hettn arbait und müe   575
mit großem gschrei und plasens vil;
noch schlefst du hie und sizst fein still,
als wann wir weren deine knecht.
Du magst wol danken, daß es recht
mit deinen schaffn hat ain gstalt,   580
die weil vil wölf sein in dem wald,
die wir mit schreien han abkert.

   :

Fosel:

Ir lieben gselln, ich habs nit ghört
daß ir so munter gwesen seit.
Ich wils verdienen mit der zeit;   585
wann ir ainmal auch schlaffen thuet,
will ich die schaf halten in huet
und meinen pesten fleiß ankern,
damit die wölf abtrieben wern
von euern und von meinen schaffn.   590
Die große kelt bracht mich zum schlaffn,
und glaub daß ich on alls gefer[2])
in meinem schlaff erfroren wer,
wann ir mich nit, der ich lag stumb,
aufgwecket het so treu und framb.   595
Des ich euch allen dankbar bin,
wil auch ganz munter sein forthin,
damit die sach vergleicht werd ganz.
Bhüet Got, was ist das für ain glanz?
ach mein Got, wie ain heller pliz   600
mit großem feuer, on ain hiz,
so klar gleich wie der sunnenschein,
daß ich gleich fürcht des lebens mein.

---

[1]) „Wälsche und tirolische Münze, die vier Berner (veroneser Pfennige)
galt. Auf den damaligen Kreuzer giengen fünf Vierer." Schmeller 1, 631.
[2]) unversehens. Schmeller 1, 550.

Ich glaub und nach mein sinnen rait,[1]
605 es wirt sein ain betrieglikait,
ain gspenst oder ain fantasei.
Was mueß es sein, lieber Got, ei!
bin erschrocken in meinem gmuet;
der mich stæch, glaub daß ich nit bluet.
610 Got bhüet uns vor unrat und mengl!
sechts was schwebt dort, ists nit ain engl?
Laßt uns zusammen steen auf ain seiten,
hilf Got, hilf Got, was wil das deuten?

Der Engel tröstet sie und spricht:

Fürchtet euch nit, ir lieben leut,
615 dann ich verkünd euch große freud,
die allen völkern ist berait
zu nuz und hail der selikait.
Euch ist in dieser nacht geborn
von ainer jungfrau außerkorn
620 Christus zu Bethleem in der stat,
wie der prophet gweißagt hat.
Und diß sol euch zum zaichen sein:
ir wert in windeln gwickelt ein
finden das kind im dürren heu;
625 secht, merkt das eben auch darbei
daß es in ainem kripplein leit,
der ganzen welt zu trost und freud.

Hie singen die Engel das gloria in excelsis.

Lob er und preis in der höh dem herrn, [2]
der uns so weise sein gnad thuet aufsperrn,
630 daß er seim kinde   laßt so zart und linde
tragen unser sünde.

Fried auch auf erden sei den menschenkinden,
bei den wir werden gueten willen finden;

---

[1] raiten: rechnen, erachten. Schmeller 3, 154.
[2] Die Melodie s. auf der Beilage.

dann es ist heute   euch vil armen leute
Christus nit weite.   625

Ain klaines kindlein laßt er sich anschauen,
gewickelt in windeln von ainer jungfrauen.
Mit freud alsamen   soll wir sein namen
hoch preisen. Amen.

Fosel:

Wolauf ir gsellen, laßt uns geen,   640
es ist nit zeit lang hie zu steen.
Dem engel wir gehorchen wölln,
wies billich ist und wir auch sölln.
Laßt uns bald geen nach Bethlehem,
auf daß ein ieder da vernem
die zaichen, so zu diser stund   645
vom engel sein uns worden kund.

Indem giengen sie all mit einander hin, fallen alle vier auf
die knie, loben Got, und Johel, der erst hirt, spricht:

O Got, der du hoch hast erfreut
heut dise nacht uns arme leut,
daß du für mich und alle nun   650
in dise welt hast deinen sun
gesant, auf daß er flaisch und bluet
an sich nem, uns alln zu guet;
o wie groß ist dein güetikait
gegen der menschlichen plödikait!   655
O Jesu, der du her bist komen,
auf daß dein gburt mir möchte fromen
sambt allen sündern auf der erd,
ich bitt dich, edler schöpfer wert,
laß sie an mir nit verlorn sein,   660
bhüet mich vor der hellen pein.

Schehel der ander hirt:

O du mein Got und schöpfer weis,
der da mir hast das paradeis
so zuegericht schön herrlich nun,

665   durch Jesum Christ dein lieben sun!
       Wie es da leit, das klaine kind,
       für mich und der ganzen welt sünd!
       Mein Got, wie hast du uns so lieb!
       Der teufl, der lose schelm und dieb,
670 j   hat uns gefüert in schand und sünd
       auß der uns hilft dein liebes kind
       mit der geburt, so heut geschehn.
       Wer hat doch größer ding gesehn,
       wer hat doch größer freud erhört,
675   dann sich in meinem gmüet iez mert?
       Darumb, o Jesu, warer Got,
       der du dich annimbst unsrer not,
       hilf mir, gib meinem glauben zue
       nach diesem lebn die ewig rue.

          Schimel der dritt hirt:
680   O reicher Got, himlischer herr,
       der du bist nachet[1]) und nit ferr
       heut worn deiner armen schar
       durch die geburt deins sons so klar,
       der hie leit für das menschlich gschlecht;
685   ach mein Got wie thuest du so recht,
       daß du in laßt zu uns herkomen
       zu unser selen hail und fromen.
       O Jesu groß ist dein diemuet,
       der du, des vatern höchstes guet,
690   an dich nimbst unser flaisch und pain,
       zu trost uns allen in gemain;
       ich bitt, o herr, dich mein erbarm
       und in mir ganz und gar erwarm,
       dann mein herz ist ser schwach und kalt.
695   O Jesu, du mirs werme palt,
       daß ich dein gnieß mit ganzem fleiß,
       dann du bist meiner selen speis.

---

[1]) nachet, nahet, noch heute in dem österreichischen Dialect = nah. — In
den von Keller heraußgegebenen Fasnachtspielen begegnet die Form häufig, z. B.
2, 5. 135, 5. 274, 10. 333, 28. 361, 31. 595, 33. 614, 7.

Darumb hat dich auch Got mir gebn,
durch dich zu geen ins ewig lebn.

Fosel der viert hirt:

O Jesu, warer Gottes sun,   700
der du an dich hast gnumen nun
unser natur und menschlich wesen,
kumb mir zu hilf, daß ich mög gnesen
vom tod sünden und teufels rat,
auch vor der hell durch deine gnad. 705
Den alten Adam in uns still,
der in meim flaisch stäts herschen wil,
daß ich der sünd werd quit und frei
und forthin rain und sauber sei.
Des bitt ich dich, her Jesu Christ, 710
der du Got heut mensch worden bist,
des namen haißt Emanuel,
hilf hie dem leib und dort der sel.
Ach edles guet und höchster schaz,
mach dir in meinem herzen plaz; 715
pett dir darin fein waich und warm.
Am lezten nun dich mein erbarm
und nimb mich, Herr, nach diser zeit
zu dir wol in die ewig freud.

Der hirten herr kumbt und fragt nach seinen knechten, redt
   singt und pfeift:

Hört hört, ir knecht! wo seit ir hin? 720
das ist mir ja ain frembder sin,
die weil ich kain bei der herd find.
Pfui dich, wie ain nachleßigs gsind!
ich kan mich nit verwundern gnueg,
was es für meinung oder fueg 725
mit inen hab iez diser zeit?
die schaff geen irr hie auf der waid.
Hilf lieber Got, wie gern ich wist
wo ein ieder hinkomen ist.
Ich mueß gleich selbst der knecht heut sein, 730
damit nit irrn die schefflein mein

und sich vergeen heut dise nacht;
sie wurden schwerlich wider pracht.
Wolher ir schefflein, all herbei!
735 der herr euch guete waid verleih,
damit ir faist und kreftig werdt
und guete wollen uns beschert.
Ich will euch ain klains tanzel machen,
dann ich gleich mein selbst mueß lachen,
740 daß ich heut mueß sein selbst der knecht;
ich laßs geschehn, wanns nur ist recht.
Kumbt her, ich will ain wenig·pfeifen!
So hart freurt mich an meine hend!
daß dich, poz darm! [1]) als [2]) winters schend!
745 Weil ich dann iezt nit greifen kan,
wil ich zum ersten fachen an
zu singen ain gesezlein schon,
darnach mein sackpfeif schallen lau.
(singt:)
Es ist iezt so ain kalte nacht, mich freurt gar ser;[3])
750 wiewol ich das iezt gar nit acht, noch wirts mir schwer,
daß ich mueß hüeten meiner herd.
Mein knecht sein nit ains vierers wert,
habs wol vernumen.
So möcht ich aber wißen gern
755 und wo sie wern hin kumen.

Der erste Hirt J o h e l genant:
Wolauf ir gsellen, nit lenger peit [4]);
zu unser herd! dann vil dran leit,

---

[1]) Die mit potz gox gits (gots) eingeleiteten Flüche sind gar mannig-
faltig und kräftig. Hier zur Probe einige dem botz darm verwante: botz lung-
en über und botz darm Ruffs Adam 1039. 4553. botz füdloch darm und ochsen-
grien Etter Heini 569. botz schüßelkorb und hännentharm 2586. box muoterdarm
2666. botz kröß und botz miltz. H. Sachs Vater Son und Narr. pox haut Fasnachtsp. 49, 20. pox pauch ebd. 61, 6.

[2]) als alles, bei Flüchen gewönlich, vgl. Grimm deutsch. Wörterb. l,
229—231, wo sich auch dem Fluche dieses Verses verwantes findet.

[3]) Die Melodie s. auf der Beilage.

[4]) Beitet, wartet; noch heute im österr. bair. Dialecte bekant. vgl. Schmeller 1, 218.

und zu bsorgen ist, sie sein
verlaufen in den wald hinein
under die wölf und wilde thier.   760
Was steen wir da? flugs folget mir.

End des andern Actus.

Der dritt Actus.

Caspar der erst künig [1]).

O höchster Got, der du allain
all ding erhaltest insgemain,
der du beschuefest himmel und ern! [2])
ach was bedeut doch diser stern,   765
der sich erzaigt mit seinem glast?
Mein Got, wie freut er mich so fast,
und darf wol sagen, bei meiner zeit
daß ich nie hat so große freud.
Der stern bedeut ain große macht,   770
er scheint den tag-gleich wie die nacht.
Ja solt ich mich nit wundern drob
und Got vom himel sagen lob,
der mir durch dises sternes glanz
mein herz und gmuet erfreuet ganz,   775
darzué auch meinen ganzen leib?
Derhalben ich mit nichten bleib;
dem stern ich nacheil tag und nacht,
des bin ich schon genzlich bedacht,
dann in mir ist das herz entzünt.   780
Hör knecht, daß man gar gschwind einpind
alls was man zur rais bedarf.
Und wær der winter noch so scharf,
so wolt ich mich nit laßen irrn.
Darzue noch ein etlich pfund myrrn,   785

---

[1]) Bei Jubinal mystères II. 84 f. erfolgt das auftreten der drei Könige ämlich wie hier, nur felen dort die Knechte.

[2]) Ern-erden, im Reime merfach erscheinend, z. B. 216. 484. 1022, ist nur als Zusammenziehung aus erden zu faßen, nicht daß wir an das alte ero zu denken hätten. — Die oberdeutsche und niederdeutsche Spaache verfuren in diesen Zusammenziehungen auf ganz gleiche Weise. Vgl. S. 202.

und bind die sach fein all zu hauf;
was steest du lang? eil fort und lauf,
daß wir uns machen auf den weg.

Der Knecht Koschel: [1]
Ja herr, der sach ich fleißig pfleg.
790 Ich nimb alls was wirt sein notwendig,
gehorsam und nit widerspendig,
und wil die sach außrichten wol.

Kaspar:
Ist guet, nit anderst es sein sol.

Melchior der ander künig:
Ei wäs für groß unerhörter ding,
795 der ich mich nit verwunder gring,
und mag wol bei der warhait sagn
daß ich bei allen meinen tagn
ja sollich ding nie hab gesehn,
auch nie gehört zuvor geschehn:
800 daß solt aufgeen ein sollicher stern,
so klar und liecht. so groß von fern;
das ist ein sonderlich art und gschick!
Je lenger ich den stern anplick,
ie mer sich mein herz drob erfreut
805 und mir ein sollichs anzaigen geit,
daß ich mich mach bald auf die fart
und hie dißmal nit lenger wart.
Diß hab ich gfaßt in meinen sin,
wil gen wo mich der stern fürt hin.
810 Derhalben, knecht, hör du mir zue,
merk was ich dir bevelchen thue.
Mach ein, was man darf auf die rais;
es wær so kalt oder gleich haiß,
so bleib ich nit, das ist gwifs war,
815 biß ich die sachen recht erfar,
was uns der stern guets neus thue bringen;

---

[1] Die Legende läßt die drei Könige mit großem Gefolge den Zug thun.
Hier werden drei Knechte mit Namen genant; in Pondos Weihnachtskomödie
finden sich die zwei Namen der Knechte: Joram und Bezar.

nach dem wil ich forschen und ringen.
Darumb gee du bald hin, knecht Veitl;
drin wirst du finden etlich peutl
in ainer großen truhen schwer.   820
Darin such fleißig hin und her,
und daß ich dir d'warhait entdeck,
ich hab verporgen in ainem eck
des besten arabischen gold;
dasselbig ich mitnemen wolt.   825
Fürder dich, bring es bald daher.

Knecht Veitl:

Ich thues nach eur Gnaden beger,
wil fürdern mich so herzlich gern,
dieweil eur Gnaden wölln nach dem stern
ziehen und fragen was er bedeut.   830

Melchior:

Lieber, gee fort, dann wir han zeit.

Balthasar der dritt künig:

O Got, der du das firmament
allain regierst biß an das end,
in des gewalt ist sunn und mon,
auch alle stern am himmelstron,   835
die du zu guet dem tag und nacht
erschaffen hast durch aigne macht
so hübsch und fein, ganz wol formiert!
Doch ist kain stern dergleich geziert
als diser so schön liecht und klar,   840
wie ich dann sich hie offenbar.
Und gwifs er etwas neues bringt,
dann mein herz sich bewegt und dringt,
daß ich hab weder rast noch rue
biß ich dem stern nachfolgen thue.   845
Derhalben merk mich, knecht Emring!
lauf hin, richt zusam alle ding,
was man wirt dürfen auf den weg.
Fein munter diser sachen pfleg,

15

850 dann du waißt wol mein alten brauch.
Mach ein golt silber und weihrauch;
gee hin, eil flugs, laß dir sein gach,
auf daß wir dem stern folgen nach;
saum dich nit, ich wil warten dein.

Der Knecht Emring:
855 Gnediger herr, das sol sein;
ich wils außrichten also schon,
wie eur Gnad bevelch hat than;
sollichs bin ich ieder zeit verpflicht.

Balthasar:
Gee doch fort und hinder dich nicht.

Des Kaspars knecht kumbt wider und spricht:
860 Gnad herr [1]), ich thue schon kumen,
hab alle sach za mir genumen
und wil sie tragen unbeschwert,
dieweil eur Gnaden das begert,
ja nach zuziehen disem stern;
865 darumb thue ichs willig und gern;
dann nach dem stern ist mir auch gach.
Nun raiset fort, ich volg euch nach.

Des Melchiors knecht Veitl:
Gnediger herr, ich bin berait
herkomen nach eurem bschaid,
870 hab auch all sach nach eurem ghaiß
zu mir gnumen auf die rais;
und freuet sich mein herz ganz wol,
daß ich mit euch iez raisen sol.
Der gütige Got uns weg und steg
875 behüet und unser treulich pfleg,
daß wir in seinem schirm und glait
die rais verrichten on alles laid.

Des Balthasars knecht Emring:
Gnad herr, hie kumb ich schon daher

---

[1]) Gnad Herr, Gnad Frau, im 16.—17. Jh. häufig, wird von Schmeller
2, 680 auß genadet Herr u. s. w. gedeutet.

und hab die sach nach eurem beger
fleißig verricht wies dann sein sol.   880
Weil ich hab vernumen wol,
daß ir welt fort und ziehen hin,
dermaßen ich gerüstet bin
mit aller sach nach eurem begonn.
Der lieb Got hüet uns all in ern;   885
auf weg und steg, auf steig und pfad;
ist Got mit uns, wer thuet uns schad?
schreit imer fort, gnediger herr,
ich trumpf [1]) hin nach, wers noch so ferr.

Kaspar:

In Got sol unser rais geschehn!   890
so wil ich doch gar gern sehn
das große wunder dises stern.
Sich knecht, wer kumbt dort her von fern?
Es ist fürwar ein feiner man! [2])
Got geb, daß er mit uns thue gan;   895
er sucht auch an des sternes schein,
ich wil alhie thuen warten sein.

Melchior:

Got geb euch glück auf disen weg!

Kaspar:

Derselb auch euer all zeit pfleg!
Wo wöllt ir hin, wo kumbt ir her?   900
laßt euch mein frag nit sein zu schwer,
daß ich euch hie ansprechen thue.

---

[1]) Trumpfen, mit traben verwant; Frisch teutsch-latein. Wb. 2, 392ᵃ bringt
aus Frundsberg einen Beleg.

[2]) Nach der Legende Joh. v. Hildesheim kamen die drei Könige erst an
dem Kalvarienberge vor Jerusalem zusammen, vorher gegenseitig durch einen
Nebel gedekt. Sie wißen von ihrer Reise nichts und sind sich fremd. In dem
mystère bei Jubinal II. 88 erblikt Melchior zuerst den Balthasar, Caspar komt
später hinzu; auch kennen sie sich schon von früher. Nach der Legenda aurea
c. XIV. ziehen sie gemeinsam aus.

15 *

Melchior.

Mein herz hat weder rast noch rue;
wils euch anzaigen als meinem herrn.
905 Daß ich her rais, das macht der stern,
und kumb hieher auß Orient,
hab disen stern dahaimb erkent
an seiner zier und hellem schein,
den er von sich gibt klar und fein.
910 Und wie er mich dafur ansicht,
so gibt er mir ain sollichn bericht,
wie daß ein großer künig neu
im jüdischen land geboren sei
der allem volk sol helfen auß nöten.
915 Darumb kumb ich in anzupeten
und rais furüber dise straß.

Kaspar.

Ei, mein herr, ist aber das?
ach lieber Got uns alle bhüet!
diß ligt mir auch in meinem gmüet.
920 Der stern hat mich so gar erleucht,
daß mich in all mein sinnen deucht,
ja die rais sei mir gar ring.
Mir ligt nichts an, bin gueter ding,
spür auch kein müede in mein füeßen;
925 derhalben wir wol glauben müeßen,
daß diß sei ain götlich sach.

Melchior.

Gnad herr, wer folgt uns dort hernach?
er eilt als ser und geschwind.
Wer waiß wes er wirt sein gesint;
930 villeicht er auch folgt disem stern,
er sicht im nach, dunkt mich von fern.
Wir wölln hie wartn, duet ir in fragn
ob er uns etwas neus thet sagn.

Kaspar.

Gnad herr, ir solt in fragen bald.

Melchior.

Eur Gnad ip frag, ir seit der alt; 225
ich thue mich kains wegs euch fürprechen.

Kaspar.
Wolan, so wil ich in ansprechen.

Balthasar, der dritt künig.
Got geb eurn Gnaden glück und hail!

Kaspar.
Dasselbig werd auch euch zu thail.
Wie da? warumb eilt ir so gschwind? 940
verzeicht mirs fragn, wes seit ir gsint?
Bitt euch noch ainmal, habt mirs verguet;
ich frag euch nit auß ubermuet.

Balthasar.
Dieweil ir mich thuet fragn in ern,
so wil ich euch der antwurt gwern. 945
Mein rais, die ich iez vor mir hab,
davon ich nit wil laßen ab,
geet nach dem stern so vor uns stat,
der mich darzue beweget hat.
Dann ich sich wol an seinem schein, 950
wie daß neulich geborn sol sein
ain künig im jüdischen land,
den anzubeten ich zu hand
herzogen bin so weiten weg,
so rauhe straß und mangen steg. 955
Hab auch nach unsers lands gebrauch
mit mir genumen vil weihrauch,
der sol zu ainem opfer sein
dem neugebornen künig rein;
das ist mein will und mainung ganz. 960

Kaspar.
Ach lieber Got, wie diser glanz
des sterns euch hieher hat bracht,
das hat er an uns auch gemacht;
dem ist also, wie ich euch sag.

Balthasar.

965 Glaubs gern, doch het ich noch ain frug,
wann mirs zum argen nit wird deut:
wie ir haißt und von wann ir seit?
Ich bitt, ir wolt sein unbeschwert
zu melden, was ich hab begert.
970 Doch daß ir habt kain scheuchen dran,
so wil ich euch vor saigen an,
wie mein nam haißt, wo ich kumb her.
Und wißt, daß ich haiß Walthauser [1]),
   kumb her von Saba auß dem land,
975 wo es dem herren ist bekant:
darin erschin mir diser stern.

Kaspar.

Das hör wir warlich alle gern
daß ir alhie seit so genaigt
  und ganz guetwillig uns anzaigt
980 wer ir seit, von wann ir thut kumen;
wie wirs dann haben iez vernumen
und dises alles glauben gern.
Hiergegen solt ir von mir hörn
wo ich herkomb, wie mein nam haiß,
985 was ursach sei daß ich herrais,
und zaigs euch an bald und behend.
Ich kum iez her von Orient,
mein nam wirt Kaspar genant,
den stern hab ich also erkant
990 an seinem schein, den er gibt klar.
Der macht mir kunt und offenbar
wie daß den Juden wer geborn
ain neuer künig außerkorn,
den ich zu loben und zu ern
995 auß frembdem land kumb her so fern.
Bring im auch opfer und geschenk,
halt auch für gwiß und ganz gedenk,
mein gaben werden sein Got kunt;
ich bring myrren hie etlich pfant.

---

[1]) Oesterreichisch-bairische Form des Namens Balthasar.

Gar manigen perg ich rit und stig 1000
zu lob und er disem künig,
und thues auch allerherzlich gern.

Melchior.

Nun hört meine geliebte herrn!
was sol man nit von wunder sagn,
daß uns der weg hat zsamen tragn. 1005
Ainer vom andern gar nichts wist;
für war ein götlich ding das ist
und bringt groß freud dem herzen mein.
Dann da mir erst der stern erschain,
ist geschehen in Arabia, 1010
ach Got wie fro ward ich alda;
und daß ich euch die warhait sag,
es ist heut nun der zwelfte tag [1])
da ich von dannen zoge auß;
hab noch an diser rais kain grans. 1015
Diß ist das land, da ich kumb her;
wolt ir von mir noch wißen mer,
so solt ir merken da zu hant:
mit nam bin ich Melchior genant,
und diser stern macht mir kund 1020
den rechten weg, daß ich verstund,
ain künig wer geborn auf ern,
des herlikait solt ewig wern,
solt sein ain herr dem Judenthumb;
derhalben ich auch hieher kumb, 1025
zu suchen in und auch zu sehn.
Darneben sol ain opfer gschehn;
hie bring ich, daß irs glauben solt,
des besten arabischen golt,
den künig damit zu begabn. 1030
Wolt Got ich solt was beßers habn,
ich raicht ims auch von herzen gern.
Also ir meine liebe herrn,
weil wir sein aines gmüets und sin,

---

[1]) Dreizehn Tage waren, wie S. 122 erwähnt ward, die drei Könige unter wegs.

1035 so wöll wir mit Got ziehen hin
und fragen nach dem kleinen kind.

Kaspar.

Wolan des sein wir all gesint;
Got helf uns weiter noch in dem.
Secht, dort wirt sein Jerusalem!
1040 es ist ain großmechtige stat,
darin es auch ain künig hat.
Schaut lieben herrn, was wil das sein?
der stern verleurt uns seinen schein!
mit aller klarhait liecht und glanz
1045 von unsern augn verschwindt er ganz
der uns so weit leuchtet hieher.
Wo nemen wir nun ain weiser her,
der uns den weg zaig zue dem kind?

Balthasar.

Gaad her, ich glaub daß man wol find
1050 ja leut in diser großen stat,
die uns wißen der sach ain rat.
Bit, seit getröst in disem fall;
dessgleich wir auch sein wöllen all.
Got wirt uns alls' [1]) versorgen wol.

Melchior.

1055 Der künig hie ja wißen sol [2])
alle geschicht in der revier.
Drumb wölln nun in fragen wir,
er wirt uns ja der frag geweren.

Kaspar.

Sollichs gescheh mit Got den herrn.
1060 Nun frag ainer iez diser zeit; [3])

---

[1]) alls, alles, immer. Grimm Wörterbuch 1, 229. 247.

[2]) vgl. Jubinal mystères II. 93. Melchion. Seigneurs, au pouvoir Hérode
somes; c'est un grant homs entre lez homes. Yrons nous point parler à lay?
Savoir ay scet rian de celuy Que nous quérons et nous adrecier? Ce nous pourra
bien avancier. Bien croy qu'il nous ensaignera. Jaspar. Alons y véoir qui
nous dira; ne puit qui n'en saiche parler.

[3]) Die alte Verbindung zweier gleichbedeutender Partikeln one Kopula.

Dort steen zwen männer, feine leut,
die werden uns' wißen zu sagn.

Melchior.

Gnad herr, ich wil sie darumb fragn.
Ir herrn, ich wolt euch frágen was,   1065
und bit ir wölt mir bschaiden das,
und saget, wo doch sei geborn
der Juden künig hoch erkorn.
Das wolt wir wißen gern zuhand.

Zwen knecht[1] Ischém und Schmol.
Ischem gibt antwort:

Ich waiß kain künig in dem land.
Ir sagt, er wer geborn gar neu?   1070
Das wer ain selzame bofserei!
Wir wißen kain künig, den es hat,
im ganzen land dan in der stat,
des diener ich bin, ain trabant,
Herodes der ist mir bekant.   1075
Villeicht nach disem thuet ir fragen,
und wolt ir, so thue ich fürtragen
eur sachen, seien vil oder weng;[2]
gebt mir nur her drei dicke pfenng,
ich wil euch bringen gar bald für.   1080

---

[1] Die Nuncii, welche schon in den lateinischen Dreikönigsmisterien erscheinen, gaben den Anlaß zu weiterer Außbildung, die in Edelpöcks Spiel am außgeführtesten ist. Bei Jubinal II. 93. hat der meßagier Tretemeuu die Unterredung der Könige gehört und geht sogleich mit der Neuigkeit zu Herodes.

Nach den apokryphen Berichten fragen die Magier zuerst die Einwoner Jerusalems, wodurch Herodes von ihnen erfärt, die Schriftgelerten befragt und dann die Könige holen läßt. So ist auch der Verlauf in dem Leben Jesu der Vorauer Gedichte (Diemers Außgabe 234, 7 ff) und in Philipps Marienleben 2534 ff. In Pondos Weihnachtskomödie S. 33. laßen die Könige durch ihren Knecht die Hohenpriester (die wisen des Vorauer Gedichtes) fragen, und nachdem sie von ihnen schnöde Antwort erhalten, wenden sie sich an den Boten. Hier bei Edelpöck fragen also die Könige zuerst die Trabanten; Herodes läßt die Schriftgelerten und dann die Könige holen. vgl. auch zu v. 1338.

[2] weng, wenig, bair. österr. Verkürzung, wing mitteldeutsche. vgl. meine Dialectforschung S. 40.

Melchior.

Es ist on not, habt dank iez ir.
Ir herrn, wann ir mir volgen wolt,
iedoch eur ratschlag geben solt,
so wer ich des sins und bedacht,
1085 wir bliben heut hier dise nacht,
dann es hat hie vil glerte leut.
Die wolln wir fragen umb die zeit,
wann und wo er geboren ist.

Kaspar.

Diß gfalt uns wol an diser frist,
1090 die weil die nacht ist schon her kumen.
So geen wir bald, in ainer sumen, [1]
zu ainem wirt, legen uns zur rue.

Balthasar.

Es ist das pest daß mans so thue,
ir habt die sach ganz wol bedacht.
1095 Ir lieben freund, ain gute nacht.

Ischem ain trabant:

Das sein mir wunderliche mär,
die uns die menner bringen her;
ich kann mich nit verwundern gnueg.
Wil schauen wo ich kan mit fueg
1100 kumen zu meinem gnedign herrn;
ich weiß er wirts vernemen gern
und schenken mir auch was zu lon. [2]
Dann ich hab oft etwas bracht von,
wann ich was neus zu hoftet bringen;
1105 ich hoff es sol mir auch hie glingen,
sollich kunst tregt mir in d'kuchen wol.
Was dunket dich, mein lieber Schmol?

---

[1] um es kurz zu machen, vgl. daß ichs bschleuß in ainer sumam. v. 223.

[2] Wer melden und klaffen kan, der ist zu hofe ein werder man. Pichard Archiv für ältere deutsche Literatur 3,319.

Schmol.

Ich waiß dein fuchsschwenzen [1] gar wol.
Du bist wol schwach, wann ichs dürft sagn,
auch klain darzue, und thuest schwer tragn. [2]   1110
Mich wundert, daß du dich nit schämbst;
ich glaub daß du dich zu tod nämbst
und fragest nit das gringst darnach;
so gar ist dir nach dem gelt gach.
Hast guet bsoldung und anders mer;   1115
villeicht mainst du, es sei ain er,
an dise menner fordern gelt,
die erst herkomen uber feld
und thuen uns so freundlich hie fragn?
Ei pfui! schäm dich in deinen kragn!   1120
Ich wolt daß du in meiner rot
nit wärst, dann du thuest uns ain spot,
defsgleich der ganzen guardi [3] auch.
Wie wol es ist dein alter brauch
und bist ain rechter karger waust,   1125
hinderst die armen wo du kanst,
verklaffst verschwerzst das hofgesind.
Das wißen auf der gaßn die kind,
man merkt und spürt wie du es treibst.
Schau daß du lang bei gnaden bleibst,   1130
daß sichs blat nit ainmal umbkert;
dann ich hab mein tag oft gehoert,
wann ainer wol dient dreißig jar,

---

[1] fuchsschwenzen, mit dem Fachsschwanz streicheln: mild mit einem umgehen, fin schmeicheln. Der Begriff der hinterlistigen, andern verderblichen
Schmeichelei ligt zugleich darin. – Seb. Brant wünscht ein verdektes Schiff für
die Herrenknecht und andere, die zu Hof schlecken gehn, die den Kutzen streichen
und den falben Hengst strigeln, Har (Flachs) unter die Wolle schlagen, die zudätteln
und den Mantel gegen den Wind henken. Er glaubt nur daß ainer einmal zu rauh
strigeln, und ihm der Hengst in Bauch und Rippen schmitzen werde. vgl. Brants
Narrenschiff. (Ausgabe von Strobel S. 262. f.) S. auch Joh. Agrikola Fünfhundert gemainer neuer teutscher Sprüchw. 1548. fol. 62.

[2] vgl. zu v. 2209.

[3] Guardi oder Qwardi war der dienstliche Name für die erzherzogliche
Leibwache. Vgl. Hurter Ferdinand II. Bd. 1, 31.

kumb oft ain stund, verderb es gar.
1135 Und daß ich dir d'sach klarer stell,
ain sprichwort ist: lang z hof lang z hell! [1]
Wirt nit dermaßen so gedeut,
daß in gemain alle hofleut
von Got dem herrn verworfen sein
1140 und kumen in der helle pein.
Man findt zu hof noch treue leut,
die wol dienen zu ieder zeit,
so Got lieben und auch sein wort,
volgen seinem bevelch immerfort
1145 und dienen treulich irem herrn;
den wirt der himmel für d' hell wern.
Jezt aber laider die hofleut
sein nit wie zu der alten zeit
bei kaiser künig fürsten und herrn [2].
1150 Wenn ainer nun wil hofgsind wern,
thuet ringen nach lob er und preis,
fürwendt auch seinen pesten fleiß,
liebt Got und dient seim herren fein,
der mueß iezt ain fuchsschwenzer sein.
1155 Doch unbillich wirt er so genent;
diß sein die rechten, wer sie kent,
die ain guet wort gebn under augen, [3]
bald nemens den sack von der laugen

---

[1] Simrock deutsche Sprichwörter no. 4813. — Joh. Agrikola Fünfhundert
Gemalner Newer teutscher Sprichwörter 1548. Im Anfang der Dedication: Es
ist ain gemaine sag: Lang zu Hofe lang zu Helle, Vnd als bald Petrus gen
Hofe kame ward ain bub drauß. — Philanders von Sittewald siebendes wunder-
erliches und wahrhaftiges Gesichte: Aula orcus est ex pertis. Zu Hoff zu Höll.
S. 513. 1650.

[2] Zu dieser ganzen Rede Schmols vergleiche die um dreihundert Jare ält-
erè Schilderung der hoveschelke von Konrad von Haslau in dem Jüngling vv.
831—926 (Haupt Zeitschrift für deutsches Alterthum 8, 575—77.) — Interessant
ist zu dieser Schilderung Edelpöcks die Vergleichung der Hofordnung, welche
Erzherzog Karl am 13. November 1564 seinem Hofgesinde zu Gräz gab. Hurter
Ferdinand II. 1, 30. f.

[3] unter augen, ins Gesicht, wie unter den augen, im Gesicht. Grimm Wörterbuch 1, 791—93.

und schlahen hinden auf den ruck; [1]
das ist ain recht fuchsschwenzer stuck.   1160
Maniger gibt red süß wie hönig,
im herzen aber ist es wenig;
maniger beweint ain in dem gsicht,
zu rucks er im sein er abbricht,
gelobt er wöll im helfen zu gnad,   1165
wanns darzu kombt, ist er sein schad;
rät wie er sol kommen herfür,
geet selber hin, schlecht zue die tür;
das ist: er redet mit dem mund,
im herzen hat er gar kain grund. [2]   1170
Wann schon ain armer was erbit,
so bleibts im vor den gsellen nit;
sie weren vast auf allen seiten. [3]
Diß aber war kain brauch vor zeiten;
zu hof war fried und guete rue.   1175
Jezt aber maniger boser pue [4]
mit seinem liegn gibt ain hinan
so meisterlich, wie ers dann kan,
ja vil peßer dann vasten und peten,
das im doch vil baß thet von nöten.   1180
Sagt man im vil vom predig hörn,
von kirchen geen, thuen sies nit gern.
Aber spiln schwern freßen saufen,
daß in die augen uberlaufen,
da thuen sie sich rabiner schreiben;   1185
truz, thue sich ainer an sie reiben!
Vor alters war ain große er
zucht meßikait; iez gilt vilmer
schwern freßn saufn und thue mir bschaid,
wellichs ist Got und sein engeln laid.   ·   1190

[1] Man halt nit für eyn redlich man, Wer eynen will zu ruck an gan Vnd
schlagen, eo dann ers jm sag, So er sich nit genören mag. Seb. Brant Narren-
chiff S. 263 Strobel.

[2] Auß der lungen und nicht auß dem herzen reden. Agrikola Fünfhundert
;emainer newer teutscher Sprichwörter 1548. no. 87.

[3] kumt dem herrn ein nötic man, der frum und wirde erkennen kan, tuot
r im einen kumber kunt, es wendet sän sin valscher munt, oder läts ain armen
iener sin. Konr. v. Haslau Jüngling 897—901.

[4] bue, Bube.

Vor jaren pett man vor dem eßen,
iezt fluecht man, darmit niedergseßen.
Nit eßen, gfreßn nennt man das brot,
das trinken saufn. Ists nit ain spot?
1195 wiewol sies billich nennen saufen,
weil sie sich oft darumben raufen
wellichs alls gebürt hunden und schwein;
noch wöllens gschikte hofpueben sein.
Schändliche lieder künnens singen
1200 und auf die nacht dem herrn was bringen,
diß ist ir gröste kunst und tugend.
Wee dem der sollichs gstatt der jugend
und wil solchs auch von in haben,
lobt sie darzu die feinen knaben,
1205 laßt sie on alle zucht aufwachsen
gleich wie die ungezognen axen, [1]
leben muetwillig, sein frech und frei,
befleißen sich der fuchsschwenzerei.
Wann dann ain solcher mit der zeit
1210 zu hof in ainen dienst einschreit,
so laßt er nit von seiner art,
ob im schon wechst daher der part.
Geet imer nach dem alten leben,
volgt kainem rat der im wirt geben,
1215 darf wol herwider murren und sagen:
was strafst du mich, bin bei mein tagen; [2]
hab mer denn du hofsuppen gfreßen,
bin oft bei großen herren gseßen.
Ja wol, da man die oren streicht
1220 und mit fuchsschwenzen umbherschleicht,
da man würfl und karten rüert.
Das ist sein wandl den er hat gfüert,
darmit dient er seim herren wol,
wann er gleich ist tag und nacht voll.
1225 Von disen sagt, mein lieber gsell,

---

[1] Ochsen; die Außsprache des o neigt sich in der Mundart dem a zu.

[2] bei seinen tagen sein, bekanter Außdruck für erwachsen sein. Grimm deutsche Rechtsalterthümer 412.

das alt sprichwort: lang z-hof lang z hell.
Ain solcher bist du auch, mein man,
der sich solchs nam von jugend an.
Mein rat der wer, du ließt darvon;
fuchsschwenzen bringt zlest schlechten lon.　　1230
Herauf, herauf, dann es ist zeit!

Ischem.

Ei lieber, du redst mirs auß neid.
Nach dir ich nit sovil thue fragen,
darf solchs auch wol meim herren klagen;
wiewol mich dein red nichts geet an,　　1235
weil ich ain gnedgen künig han.

Jefus der dritt trabant.

Ischem, Ischem, hast nit ghört?
solst zum künig, hat dein begert.
Ir habt alhie da ain geschwez
gleich wie ain alster oder hez; [1]　　1240
du bist mit worten gar geschwind,
verachst schier iedes hofgesind;
der künig hat es wol vernumen.
Was steest Ischem, du solst flugs kumen;
gee fort, was machst beim ploderer? [2]　　1245

Schmol.

Ei, geets nur hin, ir fuchsschwenzer?
ich kenn euch all bed gar wol,
ir heuchler, wann ichs sagen sol.

Indem giengen die zwen ab und
Schmol redet fort:

Sie werdens alls dem künig sagen
und vil mer lugen im für tragen.　　1250
Frag nichts darnach, habs drum geredt
auf daß der künig wißen tet
wie es der zeit so arg und gschwind

---

[1] Häze, Heze: Eichelhäher, corvus glandularia. Frisch 1,430 erklärt Häze und Elster für eins.

[2] ploderer, Plauderer, Schwätzer. Schmeller 1,334. Fasnachtsp. 256,3 das dodern plodern und auch schwadern.

thet steen untr seim hofgesind.
1255 Solt er nur wißen des ein drittel,
er würd finden ain ander mittel.
Doch niemand ist ders sagen wil;
vil reden davon, schweign darnach still,
niemand der kaze die schelle anhenkt. [1]
1260 Ain ieder bei im selbst gedenkt:
wann ichs dem künig tue fürtragen,
so tuet man mir d'warhait auch sagen.
Drumb so schweig du, so schweig auch ich;
verratst du mich, was hilft es dich?
1265 Also kumbt kain schalkhait an tag,
truz aim! ders vom andern sag.
Wer iezt zu hof finanzen [2] kan,
der ist ain feiner kluger man,
kan zu markt sezn sein schragen fein,
1270 gschwind sein guet unter falschem schein,
entzeucht auch oft der armen schar
was vom künig verordnet war.
Manger kumbt an hof armer [3] heut,
hat an dem hals kain guete pfait, [4]
1275 mit klainer bsoldung werdens reich;
wie sies bekomen gilt in gleich.
Dann künigs gelt kumbt in zu henden,
wellichs sie tuen an irn naz wenden.
So wirt manger petler zum herrn,
1280 wann sie die seckl dem künig lern.
Sie leichens auch auf wucher hin,
fordern darvon ain großen gwin,
des sich ain Jud billich verwundert;
ja sie nemen zehn vom hundert.

---

[1] „Der Katze die Schelle nicht anhängen wollen, ein Sprichwort von einer Fabel, da die Mäuse vorgestellt werden, daß sie der Katze gern eine Schelle anhängen wollten, damit sie dieselbe eher hören könnten." Frisch Wörterb. 1,505 — Boners Edelstein, Fabel 70 Pfeiffer.

[2] finanzen: betrügen, täuschen, gleich alfanzen; finanz Betrügerei. Worte die dem 16. Jh. ser gewönlich sind. Vgl. Grimm Wörterb. 1,203—205.

[3] über die Flexion des prädikativen Adjectivs Grimm Grammatik 4,492.496.

[4] pfeit: Hemde, Gewand, vgl. S. 160. Anm. 4.

Wirt das lang bsteen, wil ichs gern sehn.　　1285
Schau wunder zue, was wil da gschehn,
daß iezt der künig geet herauß?
poz maus, [1] was wil doch werden drauß?

Hie kumbt der künig Herodes mit den
　　trabanten, fecht an und spricht:
Merk mich trabant, der du haißt Hesl
lauf bald hin, bring mir mein seßl, [2]　　1290
sez mir in hieher für die thür,
und du Ischem, gee her zu mir,
gib mir bericht und frei herauß sag,
was gschehen sei gestern den tag,
ob sich was neus zuetragen hat.　　1295

　　　　Ischem.
Ja künigliche Majestat,
ich bin sollichs schuldig, thues auch gern,
eur Majestat anzeigen in ern,
weils billich ist und so sein sol.
Nechten stund ich und auch der Schmol　　1300
hie auf dem plaz an ainem eck;
daß ich die warhait recht entdeck,
da kamen drei fein männer dar,
wol klait; [3] under in ainer war,
der fragt mich eilends zuhand　　1305
umb den neugebornen in dem land,
der solt der Juden künig sein.
Ich antwurt im hinwider fein,
ich west kain künig den es hat
allain eur Gnaden Majestat,　　1310
dem wir nun sein mit dienst verpflicht.
Eur Majestat sonst waiß ich nicht [4]
das sich hat gestern zuegetragen.

---

[1] vgl. v. 744. und: botz ias Ruffs Adam 4639. botz fuchs und has auch
híradgück 1174. botz fuchs botz has botz ferdenius 4475.

[2] Der Reim ist mundartlich genau, da scharfes ß sanft außgesprochen und
demnach das e gedent wird.

[3] gekleidet.

[4] nichts. Schmeller 2,874.

16

Herodes.

Solt ainer nit von wunder sagen?
1315 ich bin hart komen zu dem reich,
sol iez werdn verdrungen gleich?
das wer mir ja ain selzam sach!
darumb wil ich nit laßen nach
und mein schriftgelerte fragen,
1320 die sollen mir bericht hie sagen,
wann oder wo der künig neu
im Judenthumb geboren sei.
Lauf hin, Jachel, schnell und behend
und hab guet acht auf ort und end,
1325 wo du mein schriftgelerte findst
und mein bevelch mit kürz verkündst.
Sag in, mein will sei und beger
daß sie eilent komen daher.
Gee hin, richt auß was ich dich haiß.

Jachel.

1330 Ja herr künig, dann ich wol waiß
wo dise herren sein zu haus.

Herodes.

Gee fort und richt die sach bald auß.

Jachel. 1)

Got grueß euch all, ir hochgelerten
verstendigen und wol geerten!
1335 Hört Alachim und ir Aman,
solt eilent zu dem künig gan,

---

1) Vgl. oben zu v. 1069. In dem Freisinger und Orleanser Spiel schikt Herodes zu den scribæ, nachdem die Könige schon durch den nuntius zu ihm gefordert sind, ebenso in dem Benedictbeurenschen zu dem archisynagogus. Bei Jubinal mystères II. 95 treten die Schriftgelerten nicht auf, der Bote wird sogleich von Herodes zu den Königen geschikt. Den Schriftgelerten entspricht in diesem mystère der Rat Hermes.

Bei Pondo zeigen sich die beiden Schriftgelerten dem Mesias feindlich (S. 34 f.) eine Erinnerung deßen was legendarisch über den Schrecken der Einwoner Jerusalems bei der Ankunft der Magier berichtet wird. vgl. Legenda aurea c. XIV. (p. 90 Außg. von Gräfse) Wernhers Maria Fundgr. II. 204, Philipps Marienleben 2530. Suchenwirts Freuden Mariä v. 482 mit Primißers Anmerkung.

fürdert euch alle bede schier.
Was bsint ir doch, geet straks mit mir!

Aman der erst hochpriester.

Wolan so geen wir imer fort,
weil wir vernemen euer wort.   1340
Was wil uns doch das bedeuten?
er schikt zu selzamen zeiten
nach uns, die wir sonst sein veracht
und von dem ganzen hof verlacht.
Glert hin glert her, schrift hin schrift her!   1345
kan ainer vil, gilt er nichts mer.
Der gwalt geet iez für kunst und recht;
es ist heuer krump, das fert ¹) war schlecht.
Zu hof die schrift hält man in ern
gleich wie ain schimbligen nußkern.   1350
Darumb ich ganz verwundert bin,
was doch dem künig kombt in sin;
fragt sonst gar wenig nach der schrift.

Alachim der ander hochpriester:

Ja freilich ist die im ain gift,
dieweil sein herz ist' so verkert;   1355
ist in der schrift auch nichts gelert.
Ich wil gern hörn was er doch wil.
Er frag mich wenig oder vil,
sol ich im antwurtn auf sein frag,
Got geb, was er darzue auch sag,   1360
das sol er gwißlich glauben mir.
Secht, er geet gleich iezunt herfür.

Hie komen sie zum künig, Aman
hebt an zu reden:

Got geb eur Majestat vil glück

Herodes.

Dank habt; ich kenn wol euer dück,
ir gleifsner; versteet mich iezt recht!   1365
Ir halts mit dem jüdischen gschlecht,

---

¹) voriges Jar, in den meisten Mundarten erhalten.

16 *

es ist euch allen, auf mein aid,
daß ich bin künig herzlich laid.
Ich bin vom kaiser eingesezt;
1370 truz! daß mich eur'ainer verlezt
und mich von meinem reich wolt bringen,
er muest hupfen uber die klingen,
oder ich thets dem kaiser klagen,
der wurd in laßen trucken zwagen.[1]
1375 Wer wider mich thuet und gethan hat,
den bring ich ins kaisers ungnad,
weil ich dem kaiser thue gefalln.
Warumb ir heuchler nit euch alln?
ir müeßt mich leiden in dem land!
1380 Derhalben ir Juden all zuhand,
schaut daß ir mich nun recht erkent.
Und ir merkt warumb ich hab gesent
nach euch, Alachim und Aman,
auf daß ir mir iez zaiget an,
1385 dieweil die sach sich also trift
und ir erfaren seit der schrift,
habt die propheten glesen all,
versteet ir weißagung zumal;
so thuet mich iez auf mein begern
1390 auß den propheten antwurt gewern.
Wolt irs nit thuen, so müeßt ir wol,
weil ich künig im laud sein sol.
Es sol ainer in diesem land
der Juden künig wern genant.
1395 So er nit schon vorhanden ist,
sol doch nit weit sein dise frist,
daß er in diser weitn revier
das ganze Judenthumb regier.
Darumb ich von euch wißen wil,
1400 wann oder wie, ort oder zil,

---

[1] Zwagen, waschen. — Dem „trucken zwagen" entspricht das sonst vorkommende trucken scheren: vgl. der wirt der hat uns trucken gescheren (Ambraser) Liederbüchlein von 1582 no. CXXX. wie meinst, kunt die nit trucken scheren Fasnachtspiele 332, 30.

da diser sol geboren wern,
es sei gleich nahet oder fern.
Wolt ir sollichs thuen auf das ir wißt,
so thuets, ich wird sonst ganz entrüst.
Schweigt nur nit lang, sagt mirs iezund.   1405

Alachim:

Herr künig, das thue ich euch kund.
Eur Majestat mich recht verstee:
es weißagt der prophet Miche
mit disen worten hell und klar,
wie allen glertn ist offenbar: 1410
Und du Bethlehem Effrata
bist wol ser klain, das sag ich da,
und wirst auch nit wie ander zelt,
under die großen fürsten stelt,
so ligen in Judea zwar.   1415
Dein wart alzeit vergeßen gar,
doch ist nit so gar schlecht dein er;
dann auß dir wirt komen her
der ain regent und herscher sei
uber das ganz Israel frei.   1420
Sein außgang, wie der prophet melt,
wirt vom anfang der welt herzelt
von ewikait zu ewikait,
von der ersten zur lezten zeit.
Er wird auch, wie die schrift melt fein,   1425
der warhaftig Messias sein.
Also lautet die prophezei.

Herodes:

Hört Aman, kumbt ir auch herbei!
Was dunkt euch iez von seiner red?
ist sie auch war, die er da thet?   1430
Es wer mir ja ain selzams wesen!
ir habt die schrift auch ganz durchlesen,
zaigt mir auch euer mainung an.

Aman:

Gnad herr, es ist nit anderst dran;
1435 mein red vergleicht sich mit der sein.
Dann wie er iezt hat gflleret ein,
das ist mir alles wol bewist;
die schrift auch gnugsam zeugnifs ist,
wie genesis am ersten buoch steet,
1440 da Jakob also reden thet
in seinen altn erlebten tagn.
Merkt auf, ich wils aufs kurzist sagn;
o Israel, spricht er herzlich,
man wirt nemen gewaltiglich
1445 von dir, Juda, das scepter dein;
kain ander herr sol uber dich sein,
so lang biß Got der herr wirt senden
den, der die prophezei sol enden,
und werd erlösen Israel,
1450 des nam sol sein Emanuel.
Secht nun, eur Majestat, geb acht!
Den Juden ist gnumen ir macht,
weil ir im land regierer seit;
so ist vorhanden schon die zeit,
1455 daß aller haiden neid hör auf.
Derhalben, künig, steet es wol drauf,
daß diser von Got außerkorn
auß Davids stam sei schon geborn.

Herodes:

Wie? das hab ich nit wol vernumen,
1460 sol er von dem stam Davids kumen?

Alachim:

Ja künigliche Majestat!
wie Aman hie bewisen hat,
also an vilen orten klar
beweists die schrift und thuet dar,
1465 daß von David gschlecht und stam
her kumen sol sein geburt und nam.

Herodes:

Die sach hab ich vernumen wol;
wanns lenger weret, wurd ich toll
von solchem gschwez. Geet imer fort!
ich darf nit weiter eurer wort.   1470

Hie giengen die schriftgelerten hinweg, und Herodes redt
für sich selba.

Herodes:

Sie sein baid uber ain laist gschlagn,
was diser redt, thuet jener sagn;
iedoch es sei im wie im sei,
so denk ich irer wort darbei,
mueß auch sehen wie ich im thue,   1475
damit ich bleib mit frid und rue
in disem meinem regiment.
Trabant Hesl, lauf und frag behend
wo die drei menner sein zu rue;
eil flugs und bring sie dann herzue,   1480
sprich sie an züchtiglich in ern,
bits und sag, ich thue ir begern,
daß sie herkumen in der stund.

Hesel:

Eur Majestat, ich lauf iezund.
Ich wil das underlaßen nicht,   1485
biß ich die sach hab außgericht.

Hie kert er sich umb und redt im gehn mit sich selbst:

Mein herr der ist entrüstet ser;
dann neue zeitung komen her,
ain neuer künig sei vorhanden;
darumb er bsorgt, er werd zuschanden   1490
und von dem reich gestoßn hindan.
Ach Got, wo sein doch die drei man,
daß ichs bald fund und brecht mit mir.
Sich, dort steens gleich under der thür,
wil hin und in die sach erklern.   1495
Ain gueten tag ir lieben herrn!

Kaspar der erst künig:

Got dank euch! was wer eur begern?
ir wolt uns sollichs zaigen an.

Hesel:

Das sol ich ja nit underlan.
1500 Die künigliche Majestat
euch all drei freundlich bitten lat,
daß ir, ir herrn, mit mir iezund
zu ir wert kumen in der stund,
versicht sich auch zu euch in ern,
1505 ir wert sie dieser bitt gewern.

Kaspar:

Ja lieber freund, von herzen gern.
Thuet eurem künig gwifslich kund,
wir wöllen komen zu der stund.

Hesel:

Gnediger künig und auch herr,
1510 nach eurer Majestat beger
hab ich die sachen außgericht;
verhoff sie wern sich saumen nicht,
wie dann ir zuesag glautet hat,
sie kumen gleich, eur Majestat.

Die drei weisen komen zu Herodem. Kaspar fecht an und
spricht:

Kaspar:

1515 Got geb euch glück in eurem reich!

Herodes:

Habt dank ir lieben herrn zugleich. [1]
Das seind mir in mein land frembd gest!
wann ich erfaren kunt und west,

---

[1] Jubinal mystères II. 97. Bien vieugniez-vous noble seigneur. Dictes
nous, sy vous vient à plaisir, Dont estez-vous et que quérir Venez-vous cy
en ceste terre? Estez-vous chacieu de guerre? Dictes le nous, je vous en prie.

warumb ir seit kumen hieher!
Ich bit, sagt mirs on all beschwer;   1520
dann noch das ganze jüdisch land,
dergleichen auch die stat zuhand,
noch ich auch selbs, glaubt mir für war,
habn solcher leut vor gnumen war,
seid uns auch frembd in diser revier.   1525
Es ist was neues, wie ich spür;
darumb bitt ich, macht uns bekant,
was ir doch sucht in disem land.

Melchior der ander künig:
Gnediger künig, hört bericht!
das anzuzaigen laß wir nicht.   1530
Es ist in unsern landen gschehn,
da haben wir ain stern gesehn
der auf ist gangen hell und klar
gleich wie der sunnen glanz für war.
Gar schön er uns geleuchtet hat;   1535
biß wir sein kumen in die stat,
hat sich der stern wider verborgen.
Derhalb wir steen in großen sorgen
und bringt uns nit ain klaine pein,
daß wir beraubt des sternes schein,   1540
der uns hat gfüert hieher so weit.

Herodes:
Lieben herrn, verkünt mir doch die zeit
wann euch der stern erschinen ist,
was er bedeut, daß ichs auch wist
und darauß etwas lernen mag.   1545

Balthasar der dritt künig:
Es ist heut der dreizehent tag,
da wir sahen des sterns schein
und der uns hat gfüert herein;
darauß wir merken gwiß und frei,
wie den Juden geboren sei   1550
ain künig den sie vor nit hetn,

welchen wir kumen anzubetn.
Wann ir uns wißt darvon zu sagen,
so dürfen wir nit weiter fragen.

Herodes:

1555 Ir herrn, ich merk sich wol und spür
eur fürnemn und eur herzlich gier,
warumb ir zu uns komen seit
und hergeraiset also weit,
dem neugebornen künig z' ern.

1560 Zieht imer hin, ir lieben herrn!
ich waiß nit anderst, dann ir findt
zu Bethlehem dasselbig kind.
Ich bit, forschet im fleißig nach;
es ist meim herzen auch ser gach.

1565 Wann irs findt, sagt mirs widerumb,
damit ich auch zum kind hinkumb
und pet es an, gleich wie ir thuet.

Kaspar:

Eur Majestat, es ist gar guet.
Habt dank eurs rats und weiser ler;

1570 wir wöllen auch on alls beschwer,
wann wir mit unsern gschenk und gaben
das klaine kind vereret haben,
kumen zu euch und kundschaft sagen,
wo ir im gwifslich solt nachfragen,

1575 auf daß ir es anbeten thuet.
Got nem euch indes in sein huet.

Hie gingens hinwek, Melchior redet:

Lob er und preis sei unserm herrn!
secht, dort kumbt uns wider der stern.
Er wirt, hoff ich, mit seinem schein

1580 uns füern und unsr wegweiser sein,
dann er erzaigt sich hell und klar.

Balthasar:

Ach lieber Got, es ist ja war!
er leucht uns wie er vor hat than.

Drumb wölln wir sein schein nachgan
und folgen im mit Gottes gnad.   1585

Kaspar:
Secht lieben herren, dort leit ain stat!
Ich hoff zu Got dem herren mein
daß das Bethlehem werd sein.
Für war sie ists, der stern stat still!

Melchior:
Dasselb ich auch gern glauben wil.   1590
Es stat ob ain klain heusl der stern,
das kind ist drin, ir lieben herrn!
Laßt uns nun geen mit stiller rue
diemütiglich. Ihr knecht! richt zue
unser geschenk und alle gaben   1595
langt uns hieher, auf daß wirs haben
und opfern nach dem alten brauch.

Des Melchiors knecht Veit:
Secht herr, da habt ir den weihrauch,
des bestn, das thue ich euch bekant,
so ir habt in eurem land.   1600

Kaspar:
Und du, knecht Köschl, laß dich nichts irrn,
lang mir das gschirr her mit den myrrn,
daß ich im bring und geb mein gschenk.
Thues bald und dich nit lang bedenk.

Köschel:
Ja herr, da habt ir alle sachen,   1605
nach eurem willen mögt irs machen;
handelt damit, wie es euch gfellt,
dann euch zu dienen bin ich bstellt,
das ich dann gern verrichten wolt.

Balthasar:
Knecht Emering, gib mir das golt!   1610
bald fürder dich, thue das geschwind,

es ist vorhanden schon das kind,
auf daß an mir kain mangel hat.

Emring:

Was ir begert, da hats eur Gnad!
1615 Weil wir das kind haben gfunden,
des dank wir Got zu allen stunden,
der uns mit freuden her hat bracht.

Kaspar:

Ir herrn, nembt meiner wort guet acht!
Es bringt uns ja ain klaine müe,
1620 daß wir falln auf unsere knie
und anbeten herzlichen fein
das kind und auch die mueter sein.

Maria.

Lieber Joseph, es ist so kalt
als es ist heuer nit gwesen bald;
1625 vor kelt krachn auf dem dach die schindl.
Mein Joseph, bring mir doch die windl![1])
ei lauf doch flugs und volge mir,
daß uns das kindlein nit erfrier.

Joseph:

Maria faß auf mich kain zorn!
1630 die windel sein noch alle gfrorn,
wie ichs dann nechten gwaschen han;
waist, daß ichs nindert trucknen kan.
Wie thun wir dann, daß Got erbarm!
auf daß uns doch das kind erwarm?
1635 Sich Maria, ich denk erst dran,
daß ich noch aine bei mir han,
die hab ich nechtn in puesen gstekt,
ist auch noch warm; riech wies nur schmekt!
So hin, wickl fein das kindlein drein.
1640 Ach lieber Got, was wil das sein?

----

1) Bei Pondo (S. 30) wärmen die Engel die Windel und bereiten die Speise.

es komen dort her gar feine herrn,
wil gern sehen was wil wern.
Maria halt das kind in huet,
ich hoff zu Got die sach werd guet.

Kaspar raicht sein opfer: [1]
Gegrüßt seist du, o hailigs kind!   1645
durch dein anblick ich ganz empfind
im meinem leib gar kainen schmerz.
Und du, zarts jungfräuliches herz,
hast uns geborn zu diser frist
den sun Gottes, herrn Jesum Christ.   1650
Von dir ist er war mensch geborn,
dein jungfrauschaft gar unverlorn.
O werder trost, du edels kind,
bitt dich, vergib mir meine sünd,
nimb an das opfer das ich bring,   1655
wiewol es schlecht ist und gering.
Myrren ich dir von herzen schenk,
zur lezten stund meiner gedenk;
myrren dem menschen nuzbar ist [2]
zu der begräbnus, wie man list;   1660
darumb ich dir in auch thu geben.
Töt in mir, herr, das sündlich leben,
erhalt mich nach dem willen dein
hie und dort von ewiger pein;
des bit ich dich auß herzens grund.   1665

Maria:
Ich wil zu aller zeit und stund
Got bitten in dem himelreich
und meinen sun desselben gleich,
daß er euch helfen wirt dermaßen,
zu kainer zeit auch nit verlaßen.   1670

---

[1] Vgl. vor allem die Anbetung der drei Könige in Pondos Weihnachtkomödie S. 44 f.

[2] Ueber die mystische Bedeutung von Gold Weihrauch Myrrhen vgl. die
Anmerkung zu dem Flattacher Liede: Drei Könige auß Orient.

Melchior:

O herr, aller herrn höchster herr,
dein gwalt der reicht so weit und verr
im himl auf erd und alles das,
in luft und waßer, laub und gras.

1675 Ach Gottes son, ich bitt dich schon,
du wölst mich armen nit verlau:
nimb an von mir diß klain geschenk
und mein zu aller zeit gedenk!
Weihrauch deut ain andechtigs gbet,

1680 darmit man Got entgegen geet.
Das ist nach Melchisedechs weis
daß man dich lob er und auch preis,
als dem das höchste priesterthumb
allain zueghört in ainer sumb.

1685 Derhalb wir dich anbeten auch
und diß bezeugen mit dem rauch,
der uber sich stäts dringen thuet.
Also das gbet ist nuz und guet,
wann es auß rainem herzen fleußt,

1690 ist ungeferbt, vor stolzhait gleist,
schlecht grecht gefellt allain dem herrn;
ders treulich maint, den wil er gern.
Darumb so ist an dich mein pitt,
du wöllst mich, herr, verlaßen nit

1695 und stets behüetn vor großer quel
den leib alhie und dort die sel.
Auch bitt ich dich, Maria rain,
du wöllest nimer vergeßen mein
bei Got und deinem lieben sun.

Maria.

1700 Ach mein herr, ich sol für euch nun
gegen Got imer und auch stet
fleißig sein in meinem gbet,
daß er euch all sünd wirt vergeben
und hernach füern ins ewig leben.

Balthasar der dritt künig:

O künig aller künig groß,   1705
der du dich auß des vatern schoß
herabgibst in diß jamertal
der schnöden welt für uns zumal
und unser schwere missetat!
zue dir mein geist ain zueflucht hat.   1710
O jungfrau zart, o edels weib,
dein schöne frucht erfreut mein leib,
erquikt mein sel, küelt mir das herz,
empfind in mir gar kainen schmerz.
Allain bekümert mich gleichwel   1715
daß ich diß ellend sehen sol,
daß mein Got ligt in heu und stro.
O falsche welt, siehst du nit do
mein und dein hailand geborn
vou diser jungfrau außerkorn?   1720
Ach Jesu Christ, unschuldigs kind,
das auf sich nimbt all unser sünd
und stillt also des vaters zorn,
für uns ain warer mensch geborn;
du trägst auf dir ja unser purd,   1725
daß die welt durch dich selig ward.
Wie kuntst uns thuen ain größern gfalln?
wir machen schuld und du wilst zaln!
Was sol ich doch mit guetem fueg
dir schenken daß es sei genueg?   1730
Herr Got, weil ich nichts waiß der zeit,
damit ich käm zu dir berait,
dann diß mein arms dankopfer schlecht,
an worten klain, im herzen grecht,
so hab, o herr, mit mir geduld   1735
und laß mir nach mein sünd und schuld.
Ich bring auch golt, das ist nit vil,
damit ich dich vereren wil.
Nimb hin das golt, es zimbt dir gleich
als ainem künig aller reich   1740
im himel und auch auf der erd,

darumb bist du der gaben wert.
Golt auch die christlich lieb bedeut,
die wir zu dir solln habn all zeit.
1745 Diß gschenk ist klain, das ich hab bracht.
Ach liebes kind hab mein guet acht!
wann ich sol farn auß disem leben,
wölst mir o herr das ewig geben
und schützn vor dem ewigen tod.

Maria:

1750 Got der herr wirt helfn auß not;
den wil ich bittn alzeit dermaßen
daß er euch nimer wirt verlaßen.
Für die gabn, die ir schenkt meim kind,
wirt euch vergeben Got all sünd
1755 und nach diser betrüebten zeit
die unzergänglich ewig freud.

Joseph:

Ir herren, ich dank euch gar schon
umb die gabn, die ir habt than.
Es wer wol billich fein und recht,
1760 daß ich euch armer koch und knecht
was guts zuerichtet hie zue kochen.
So geet es mir so übl die wochen,
darzue hab ich auch iez kain feur;
es ist das holz auch mechtig teur;
1765 iedoch hab ich ain wenig kol.
Wann die herrn wolten thuen so wol
und nidersizn, mich dunkt und halts,
ich hab noch hie ain wenig schmalz,
wolt ich mich müen in den sachen
1770 und euch ain wenig küchlein pachen.
Sonst waiß ich nichts zu diser zeit.

Melchior:

Habt dank, ir armen fromen leut!
Es ist on not, richt uns nichts zue,
wir wöllen geen zu unser rue.

Gottes gnad sohuz schirm und macht   1775
behüet euch all, ain guete nacht!

Die drei weisen geen in ir hütten,[1] so kumbt der Engel und redt:
  Ir weisen männer alle drei,
  es hat mich Got gesent herbei;
  der wil euch halten in seiner pfleg.
  Ir solt ziehen ain andern weg   1780
  in euer land wider hin haim,
  fein in der still und in der ghaim.
  Zieht auch nit durch Herodis land,
  er maints nit recht; thues euch bekant.

Der Engel geet zu Josephs hütten, redet wider:
  Joseph, du vil getreuer man,   1785
  wann du wirst von dem schlaf aufstan,
  laßt dir Got sagn, daß du seist gsint,
  nembst Mariam und das klaine kind
  und fliehest in Egipten land;
  bleibst auch darin biß dir bekant   1790
  werd widerumb von Got durch mich,
  wie du weiter solst halten dich.
  Dann es ist ainer verhandn,
  künig Herodes in sein landn,
  der dises kindlein suechen wirt.   1795
  Sein falsches herz hat Got wol gspürt,
  daß er nach seim lebn thuet dringen,
  vermaint es gänzlich umbzubringen.

Der Engel geet wek, die drei künig geen herfür. Kaspar redt:
  Ir herrn, wölln wir nit auf die pan?
  Got lob, ich heut wol gschlaffen han   1800
  on alle hindernus und mengel.
  Es traumbt mir auch wie daß ain engel
  käm vor das pett und redt mit mir,

---

[1] Die Hütten oder Lauben vertraten auf der alten Büne die späteren bloß
an die Seitenkoulissen gemalten Häuser. Es waren recht eigentlich Lauben,
Gerüste one Seitenwände. Vgl. Mone Schauspiele des Mittelalters 2, 158, 183,
v. Schack Geschichte der dramat. Literat. und Kunst in Spanien 2, 123.

17

er zaigt mir an daß forthin wir
1805 nit ziehen durch Herodis land,
macht mir ain andern weg bekant.
Diß traumet mir heut, lieben herrn.

. Melchior.

Ferner glaubt mir bei meiner ern,
mir traumet auch gleich solche sachn;
1810 drumb sagt an, was wöll wir machn?
wo ziehn wir hin, auf welche straß?

Balthasar.

Ach lieber Got, mir traumbt auch das.
Dieweil uns dann in gleichem fal
also getraumbt hat auf diß mal
1815 und ist georndt von Got dem herrn,
so wöll wir den weg raisen gern,
den uns der engl hat zaiget an.

Kaspar.

In Gottes namen woll wir gan
und der bewar uns durch sein güet.
1820 Wir geen dahin; daß euch Got bhüet!

Also geen die drei künig hinwek.
Hie kumbt Joseph und Maria, Joseph redt:

Maria, edle junkfrau rain,
mein herz ist aber in schwerer pein.
Gottes engel mir erschienen ist
heut in der nacht zu diser frist,
1825 der mir anzaiget solche sachn:
ich solt mich auß disem land machn
eilent in Egiptn hinab.
Weil ich dann das verstanden hab
vom engel, daß es thue von nötn,
1830 Herodes sucht dein kind zu tötn,
so mach dich auf und nimb die windl,
mach sie zusamen in ain pündl,
gib mirs, ich wil sie selber tragn.

Maria.

Ach lieber Got, was sol man sagn,
daß wir sobald müeßen davon?   1835
was hat im mein liebs kind gethan?
es ist doch gar on alle schuld.
O treuer Got, gib uns geduld!
So kumb du her, mein lieber sun,
weil es mueß sein geraiset nun.   1840
Du bist ain klain unmündig kind
und muest durch regn schne kelt und wind
sobald in das pitter ellend.
Ach lieber Got, dein hilf uns send,
auf daß wir komen auß dem land.   1845

Josephus.

Maria, mach dich auf zu hand,
zu raisen hab wir große zeit,
der weg wird auch sein zimblich weit.
Wir wöllen geen fein imer gmach,
ich gee vorn, volg du mir nach.   1850

Maria.

Wolan, so geen wir hin den weg,
der liebe Got nun unser pfleg.
Got gsegn euch alle frau und man,
ir bleibt alhie, wir müeßen gan.
Der unser gfert ist durch sein güet,   1855
vor unglück euch allsam behüet.

End des dritten Actus.

Der viert Actus

Herodes.

Mein herz das ist entzünt vor zorn,
darumb daß iez sol sein geborn
ain neuer künig in dem land.
Es raicht mir ja zu großer schand,   1860
daß mein gebiet und regiment
mit schmach sol nemen sollich end.
Zuedem so haben mich betrogen

17 *

die drei menner, sein hingezogen
1865 ain andern weg in ire land.
Wenn ich sie finden möcht zu hand,
wolt ich sie all erschlagen laßn
und mit in handeln auch dermaßn,
daß sie erfüeren mit der that,
1870 wie hoch hie sei mein majestat.
Ain künig ich mich schreiben thue,
wil den namn bezeugn darzue
ja mit der that, als war ich leb;
truz ainem! der mir widerstreb.
1875 Ich laß nit zue, schwer ich ain aid,
und solts mir selbs auch werden laid,
daß ain neuer künig sol entsteen.
Ischem, Jachel, ir alle zwen,
nembt meiner wort gar eben acht!
1880 kumbt her, ich bin also bedacht.
Ischem nimb bald mer leut zu dir,
und was für knabn in der revier
umb Bethlehem auf vier meil
du finden wirst, dieselbn mit eil
1885 erwürgen thue nach meinem rat.
Stichs all zu tod, beweis kain gnad,
schau brings alls umb, schlags nider gar
was drunder ist und bei zwai jar.
Nimb ein kain gschenk gelt oder guet,
1890 wanu man dir gleich vil raichen thuet;
laß dich mit wortn nit uberlisten,
reiß inen die kinder von den prüsten,
schlauf in all winkel ort und eck,
sich, daß man dir kain knabn versteck.
1895 Ich wil den neuen künig finden
und steck er noch so weit dahinden.
Die kron wil ich im laßn aufsezen!
schau, thue dein waffen tapfer wezen,
verricht diß recht nach meinem muet,
1900 ich schenk dir reichthumb und groß guet;
hab nur guet fleiß, lieber Ischem.

Ischem.

Herr künig, ich bin guet zu dem,
ich hab darzue ain freien muet,
was eur Majestat gfallen thuet;
bin auch frei ganz willig berait   1905
und wers dem teufl in der helln laid.
Wann ich nur eur Gnaden thue gfalln,
frag ich nichts nach den andern alln;
wann ich hab euer huld und gunst,
gilt mirs alls gleich, wie es geet sunst.   1910
Darumb wil ich nach euerm gbot
alls niderschlagen, stechen ztod,
prennen henken trenkn und würgen;
da hilft kain gelt, noch guet noch pürgen.
Hoff eur Gnad werd michs laßen gnießn;   1915
entwischt mir ains, so kan ich schießn
von fern, so bring ichs umb das lebn.

Herodes.

Sech *) hin, so wil ich dir iez gebn
zwaitausend ungrische ducatn.
Wann dann die sach wirt wol geratn,   1920
wil ich dir schenken dreifach mer,
wil ich dich auch sezn zu hoher er
Nimb zue dir die andern trabanten
und auch sunst mer deiner bekanten;
gib in besoldung gelt und lon,   1925
du solst forthin sein ir haubtman.
So zeuch nun hin und gib guet acht;
kumb nit her, du habst dann verbracht,
wie du verstandn hast meinen sin.

Ischem.

Wolan, wail ich ir haubtman bin   1930
und mir iez geben ist der gwalt,
so volg mir nach ain ieder pald.

---

*) sech und se (v. 2106) zu dem mhd. sê see (sehe) gehörig, auch sonst
im 15. 16. Jh. nachzuweisen, z. B. in den Nürnberger Fasnachtspielen, in Bind-
ers Acolast, bei Hans Sachs. — se und sich stehen mithin so neben einander wie im
goth. sai und salhv, im ahd. mhd. sê und sih.

Der künig geet in seine hütten. Ischem
geet mit seinen gsellen fort und redet.

Ischem.

Wann ainer nun vorhanden wer,
der nit wolt volgen meiner ler,
1935 wolt meinen worten widerstrebn,
dem wolt ich gar bald urlaub gebn.
Kumb her, Jachel, hab dir mein treu,
mein leutenambt [1] forthin du sei!
Gsell, du taugst zu dem fendrich wol,
1940 aber kainswegs solst du, mein Schmol,
von mir ain ambt bekomen zwar,
wann ich schon haubtman wer vil jar.
Waist wol warumb, gedenkst der zeit.

Schmol.

Schaut wunder zue, ir schön kriegsleut!
1945 seit ir der sach erfarn so geschwind,
daß ir umbbringt ain klaines kind,
das sich nit schützen noch wern kan?
Wann ir sonst solt besteen ain man,
der auf euch dringt mit gwerter hand,
1950 gebt ir die flucht mit großer schand;
ir seit zum scherz die ersten dran,
wann ir kaiser laufen kan;
werft zu mit fersen daß es staubt.
Doch wo man morden thuet und raubt,
1955 seit ir die fürnembsten allzeit.
O ir neugebachnen kriegsleut!
Pfui, schambt euch in euren hals,
daß ir so frech iez und diesmals
zieht wider das unschuldig bluet!
1960 darfür ir in der hellen gluet
müeßt praten, das wirt sein der lon,
den ir für dise that werd han.
Zieht imer hin, ich komb nit dran,
gib euch auß kain solliehn kriegsman.

---

[1] leutenambt für lieutenant im 16. 17. Jh. öfter anzutreffen, z. B. bei
Opitz vgl. meine Dialectforschung S. 70.

Mueß ich mit geen, so schau ich zue,   1965
doch daß ich nun das ubl nit thue;
macht was ir wölt; 'sgfalt mir nit wol.

Ischem.

Du hast gar vil wert, hörstus Schmol?
sie wern dir bringen kainen frumen,
durch dise red muest vom dienst kumen.   1970
Gleich als gschwind, du loser bue,
zum dienst neulich bist komen zue,
so gschwind wil ich dich darvon bringen
und dich hindern in alln dingen;
des sei dir heut ain aid geschworn.   1975

Schmol.

Ir lieben narren, ists nit gfrorn? [1]
wann ich gleich sol geurlaubt wern,
so trau ich Got und meinem herrn,
der wirt mich ja verlaßen nicht.
Dann er ist grecht in seinem gricht,   1980
er sicht und waiß auch alle ding.
Es wirt nichts gspunnen so gering,
es kumbt die zeit, daß es wirt laut.
Ich wolt mich schämen in mein haut
daß ich thet wider Gottes gbot   1985
der welt zu gfalln und eurer rott.
Es wil so hoch nit sein vonnötn;
Got gepeut mir, kain mensch zu tötn,
unschuldigs bluet auch nit vergießn;
die sünd möcht ich nimer mer püeßn.   1990
Wanns aber wider ander feind
solt sein, wolt ich mich rüsten heunt.
Drumb schaut, was ir machen thuet.

Jachel.

Lieber, wir haben ain frischen muet,
weils der künig bevolchen hat.   1995
Thuen wir unrecht, sei sein der schad;
die sünd er billich tragen sol,
es grat gleich ubel oder wol.

---

[1] Ironische Frage: ist da nicht guter Rat theuer? vgl. Schmeller 1,616.

Wir seind sein diener frue und spat
2000 zu gueter und auch ubler that;
darumb wirs tapfer wölln ergreifn.
Wann wir nur hetten trumbl und pfeifn,
das wer meins herzens freud und will.

Hesel.

Nit also, wir müeßen sein still,
2005 damit nit werd hie ain auflauf;
ain ieder sech fein fleißig drauf!
Ir drei solln laufen in ain haus,
damit kain kind entrinn herauß.
Wolan, die erste schanz [1] sol mir! [2]
2010 dort sizt ain weib vor der haustür,
die hat ain kind gleich an der prust,
darzue mein herz hat großen lust.
Frölich so wil ich hinzue springen,
mein schwert wol durch das kind mueß dringen.

Indem springt er hinzue, reißt irs
vom arm und spricht:
2015 Leich her weib, das kind ghört mir!
wann es ist tot, so gib ichs dir.

Hie sticht ers, schlechts wider die erd,
wirft irs wider zue und sagt:
Nimb hin, da hast wider dein sun!

Das weib Rachel: [3]
Ach Got, ach Got, was sol ich nun
anfahen, ich betrübtes weib,

---

[1] Schanz, chance, Wurf im Würfelspiel, dann Wagestück. vgl. Schmeller 3, 374. In Steiermark noch gebraucht bei dem Kegelschieben.

[2] Vgl. die lebendige und schöne Schilderung des Kindermordes in der Maria Wernhers von Tegernsee (Fundgruben II. 209). Ferner die Freisinger und Orleanser Misterien, sodann Mone Schausp. des Mittelalt. 1,179. Haupt Zeitschr. f. deutsch. Alterth. 5, 32. Mastrichter Osterspiel bei Haupt a. a. O. 2,319. Histoire du théatre français 1,143. Jubinal mystères II. 126 ff. Marriott miracleplays 209 ff.

[3] Rachel die Vertreterin aller Mütter in andern Misterien, zugleich Vertreterin der Kristenheit. Matth. 2, 17. 18. Jerem. 31, 15—17. vgl. Edelpöck v. 2329—48.

daß mir mein kind von meinem leib   2020
so jämerlichen ist ermört!
o wer hat ie zuvor gehört,
als ich iezt hab ain sollichn schmerzn?
Ach der du lagst under meim herzn
und hat gesogen dise prüst,   2025
ach grimiger tod, wo du bist,
kumb her und nimb mir auch mein lebn,
das wil ich freiwillig aufgebn,
daß ich nit sech den jamer mer.
Ach Got, ist mir mein herz so schwer!   2030

   **Hesel der dritt trabant hat ains am
spieß, kumbt getreten und spricht:**
Ir lieben gselln, wol her wol her!
zu würgen steet nur mein beger
die kinder, so ich kan bekumen.
Ich hab ir viln das leben gnumen,
darvon trag ich aius an meim spieß.   2035
Haut drauf, stecht tot, poz peul poz drües! [1]
und laßt bei leib gar kaines lebn.

    Jachel der viert trabant
Ich wil die sach erst recht anhebn,
auf daß ich nur in gnaden bleib
des künigs. Secht dort geet ain weib!   2040
sie tragt ain kind haimblich verporgn;
daß sie entgee, darf niemant sorgn.
Die sach kan ich ganz wol erspehn,
ich wil ir undern mantel sehn.
Laß schauen, weib, was du hie trägst,   2045
darüber du den mantel legst?
gib bald herfür, ich hab kain rue.

    Sara das ander weib.
Was ich trag, das ghört dir nit zue,
laß mich mit frid und gee dein straß,

---

[1] Drüese und Beule sind gute Gesellen, die Pestilenz komt oft noch hinzu. Kurzer fürt die Biel Hänsch und Dries als drei personifizirte Krankheiten auf. Daß dich die drüs! geläufige Verwünschung.

2950 dieweil ich dich zu rue auch laß.
Bei mir hast du gar nicht zu schauen.

Jachel.

Gibst du mirs nit, thue ich dich zhauen,
Kumb mir z'hilf, Hesel, lieber gsell!
ich glaub das weib sei auß der hell, [1]
2055 sie thuet sich weren wie ain man,
ich kan ir ja nichts gwinnen an.
Lauf Hesel lauf, sie wischt darvon,
sie het mir bald ain schand aufthan.
Nun wölln wir dir sein mans genueg,
2060 weil das nit gibst mit guetem fueg;
leich her das kind, dann du hast zeit.

Sara.

Ach helft durch Got! ir lieben leut,
daß mir mein kind bleib bei dem lebn.
Ich wil euch tausent gulden gebn!
2065 ach Got mein Got, thuet das doch nit,
umb Gottes willen ich euch bitt.
O mort! mort uber alle mort!
o jamer, trüebsal, kumers hort!
daß ich mit dir nit sol sein tot.
2070 O we, o we der großen not,
daß mich mein mueter hat geborn,
die ich mein trost hab heut verlorn.
Ach du mein kind und schöner sun!
was sol ich doch anfahen nun?
2075 Ach du vil unschuldiger knab,
wolt Got ich leg bei dir im grab!
Wolt Got es solt der vater dein
alhie bei uns gewesen sein,

---

[1] Auch in dem englischen Spiel bei Marriott miracleplays 211 wird der eine
Mörder, Watkyn, von einer verzweifelten Mutter durchgeprügelt In dem mystère
bei Jubinal II. 129 ruft die eine Frau, Biétris, den Mördern zu: Ha hay! faulx
meurtriers, que voulez? voulez vous tuer mon enfant? sanglans truans, larr-
ons puant, je vous estrangleray en l'oure. Nicht zu übersehen ist daß diese
Prügelscene komisch wirken soll im grellen Widerschein zu dem tragischen
ganzen.

das ubel het er warlich grochen,
villeicht werst du auch nit erstochen;   2080
sein lebn het im müeßn drüber geen.

Hesel.

Droh nit vil, wilt beim leben bsteen!
Wann ich das wort von dir mer hört,
so stech ich durch dich auch das schwert;
darumb schweig still und sag nichts mer.   2085
Secht zue, dort kumbt auch aine her!
reißt ir das kind wol von dem arm,
kainer sich uber sie erbarm.
Herr haubtman, die schanz euer bleib!

Ischem der erst trabant.

Gib her dein kind, du loses weib,   2090
dann es sol nun wern erstochen,
damit mein künig werd gerochen.
Ja eure kinder müeßen dran,
was knäblein sein, die müeß [1] wir han.
Drum wer dich nit und machs nit lang.   2095

Das dritt weib Agar genant.

Ach meines laids ain anefang!
sol ich mein kind iez geben her,
ich fürcht ich gsech es nimer mer
so frisch und gsund mit meinen augn.
Muest du dann sterbn, so thue vor saugn!   2100
nimb hin, mein lieber sun, die prust
und trink nach deines herzen lust;
hernach gib ich dirs nimer mer.

Ischem.

Was sols lang drinken, gibs nur her!
mainst ich sol lang warten auf dich?   2105
se [2] hin, wie gfalt dir diser stich?
hab ich sein gfelt, hast du groß glück.

---

[1] Der Abstoß der Flexion in der 1. pl. bei Anlenung des Personalpronoms hat sich auß mhd. Zeit biß in heutige Volksmundarten hinein erhalten. Vgl. meine Dialectforschung S. 126.

[2] vgl. zu v. 1918.

Agar das dritt weib.

O welt, wie groß sein deine tück!
Ist dann da so gar kain erbarmen
2110 an meinem kind? O we mir armen!
Ich kan vor laid schier nichts mer sprechen.
O du mörder, der du thetst stechen,
mein kind hat dir kain laid gethan.
O daß ich wer icz auch hindan
2115 sambt andern frauen all zumal
auß disem ellendn jamerthal!
Ich wil haimb geen, Got well mein pflegen,
wil mich zu sterbn auch niderlegen,
auf daß ich werd mit dir begraben; [1]
2120 so darf ich auch solch angst nit haben.

Ischem

Ja magst wol geen, dann du hast zeit,
eh daß man dir ain schmizen [2] geit.
Troll dich, hab dir saut Urbans plag, [3]
oder ich gib dir auch ain schlag;
2125 heb dich wek und nit lenger bleib.
Secht zue, dort geet schon noch ain weib!
Jachel lauf ir eilend bald nach,
saumb dich nit lang, schau daß mans fach,
eil flugs, daß sie dir nit entlauf.
2130 Thuet sie sich wern, schlags all zuhauf
die mueter sambt dem rozign kind,
hau drein als seist du toll und plind;
solchs thue bei zeit und mit gewalt.

---

[1] Heu matres miseræ quæ cogimur ista videre! cur autem natis patimur
supereße necatis? saltem morte pari nobis licet hoc comitari.

Das zweite Freisinger Spiel, oben S. 65.

[2] schmiz, mhd. smiz smize, Schlag Hieb; noch heute in vielen Mundarten
erhalten.

[3] Urban ist der heilige des Weins. Die Verwünschung lautet auch:
ich wolt er solt Sanct Urban han. H. Sachs Hester. — Urbans Plage ist
die Trunkenheit: Augustenses et Ulmenses magnam habebunt familiaritatem;
sed Urbani plaga hoc est ebrietas frequens apud eosdem futura est. Prognostica
ab Jacobo Henrichmanno latinitate donata. c. 20.

Jackel.

Wolauf, eilen wir zu ir pald.
Hör merk mich weib, wo wiltu hin?　　　　2135
sichst was ich wil und wer ich bin?
es hat kain andre gstalt noch handl,
gib her das kind auß deinem mantl,
thues nur bald, da hilft kain pitt.

Das viert weib Lisa genant.[1]

Ach lieben herren thuet das nit,　　　　2140
laßt mir mein kind die arme frucht!
wer hilft mir, zu wem hab ich flucht,
der mir errett mein liebes kind?
O nit o nit, fürcht euch der sünd,
laßt mein kind leben, schlagt mich ztot,　　　2145
das bitt ich euch herzlich durch Got!

Ischem der erst trabant.

Thues nit Jachel, reiß irs herfür
das klaine kind, und gib es mir.
Ich wil in wol recht zwagn und lausen,
wil mir darumb nit laßen grausen,　　　2150
ob das sünd oder nit sünd ist.
Da hast dein kind, scharrs in den mist,
machs mit im gleich wie du wilt!

Das viert weib Lisa.

Ach güetiger vater so milt,
bin nun verlaßeu ganz und gar!　　　　2155
ir allerliebsten nembt mein war
ob iemant sollichn schmerzen trag
als ich nun heut hab disen tag:
mein armes kind leit da ermort!
Ach thue dich auf, du liebe erd,　　　　2160
verschlick [2] die unbarmherzigen leut,
die mir han gnumen meine freud.

---

[1] Vier Weiber treten auch in dem Lichtmeßspiel bei Mariott miracleplays 210 auf.

[2] verschlicken: verschlingen verschlucken. Schmeller 3, 453 — Daß euch verschlint die erd! Fasnachtsp. 179, 4.

O we, o we und imer we,
allzeit ich ja in trauern stee.

2165 Mein laid und kumer hat kein end,
erlös mich herr anß dem ellend!

Hesel.

Wolan die sach ist schon verbracht,
wir haben than ain dapfre schlacht
und ist von uns noch kainer tot.

2170 Secht mein wer ist von bluet noch rot,
ich hab mich ritterlich gehalten.

Schmol.

Ei ir schön kriegsleut, ei ir alten,
pfui! daß euch nun allr unrat
ankumb! ist doch imer schad,

2175 daß nit vom himel falt das feur
und verpront euch so ungeheur.
Das wer ain recht verdienter lon
für die arbait, so ir habt than;
ir habts laider ganz wel getroffn.

Ischem.

2180 Schweig still, du hast nit lang zu hoffn.
Dem künig wil ichs alls fürtragen,
daß du nit hast ain kind erschlagen.
Was gilts, du muest urlaub drumb han?

Schmol.

Fürwar da leit gar wenig dran;

2185 mir ist lieber des künigs zorn
dann daß solt sein mein sel verlorn.
Got wil vor alln dingen sein geert,
das hab ich oft und vil gehört.
Drumb heuchelt, fuchsschwenzt wie ir wölt,

2190 ich habs euch nach der leng erzelt;
wiewol es ist fast alls umbsunst,
dann euch gilt mer des herren gunst
dann warhait und gerechtikait.
Ir bleibt fuchsschwenzer wie ir seit,

2195 niemand euch anderst machen kan.

Das alt sprichwort geet euch auch an:
Ain alter hund zu kainer frist
an die ketn zu gwönen ist.
Also ir auch laßt mit darvon,
treibt imerfort was ir habt than,   1200
wann man euch schon im gueten straft.
Bei euch haben die wort kain kraft;
verrat verkauft verliegt die leut,
vermaint damit sein gar zu gscheit
und hofft ir habts gans wol getroffn.   2205
Es wer vil beßer, ir wärt ersoffn
in ainem hanfen taech zuemal,
damit nur kainer sich ztod fall,
weil ir so hart die stiegn auftragt. [1]
Diz hab ich euch oftmals gesagt,   2210
drumb volget oder volget nicht.

Hesel.

Ei ja, wir fragn vil nach deim bricht.
Wolauf zum künig wider haim,
da wer wir han guet er und raim. [2]
Er wirt uns vil guet und gelt schenken,   2215
nit sovil wirt er dein gedenken;
dann du hast nichts gerichtet auß,
bringst auch kain zaichen mit zu haus
und hast veracht des künigs gbot.
Das wirt dir sein ain großer spot;   2220
es sol dir auch kain gschenk nit wern.

---

[1] Ich faße diese Stelle so: es wäre beßer ihr wäret gesäckt als daß
ihr nun die Stiege hinunter fallt, die euch die schwere Last eurer Verräterei
und Läge hinabziehen wird. — Hart die Stiegen auf tragen vgl. Joh. Agrikola
Fünfhundert Gemainer Newer Teutscher Sprüchwörter. 1548. n. 91. Schwär trag-
en künden: Ist auch vntrew und verrhäterey üben. Johann von Mörßhaim: Ich
überhebe mich meiner sterche dardurch ich mich gellobet mercke das ich vil
schwärer dan ain wagen Hab leut auff meiner zung getragen. N. 92. Du hast
ain starken Rucken. Er kan XX.XXX. person die hohe stiege hinauf tragen;
das ist dem vorigen gleich.

[2] raim mir unverständlich, wenn es nicht mundartliche Form für rum ist.
Bairisch wenigstens hat ram die Nebenform ram (Schmeller 3,90). Der Reim
wäre also eigentlich: häm: räm,

Jachel.
Du redst alles nach meim begern
und kanst die sach fein zaigen an.
Wolauf, wir wölln nun haim gan
2225 und dem künig all sach entdecken,
wirt frölich sein und nit erschrecken,
daß wir solch taten han getan.
Ischem geet vor, ir seit haubtman;
ziecht imer fort, denn es ist zeit.

Ischem.
2230 Ja ir vil erlichen kriegsleut,
ziecht gschwind hernach munter und frei,
alles in aim glit, drei und drei,
biß wir kumen zus künigs haus.
Secht zu, er geet schon dort herauß,
2235 ziecht fort, es ist nun eben spat.
Got grüß eur künigliche Majestat.

Künig Herodes.
Got dank euch, lieber diener mein.
Wie steet die sach, wirts auch gut sein?
sagt mir wie hat es euch ergangen,
2240 habt ir vil erschlagen und gfangen?
dasselb zu wißn ist mein beger.

Hesel.
Ja gnediger künig und herr,
das mag ich wol mit warhait sagen;
ich hab bei viertausend erschlagen
2245 mit diser meiner aignen hand.

Herodes gibt im die hand.
Des hab dank, du treuer trabant;
ich wil dich für die that begaben,
vil guet und gelt solst von mir haben,
dann ich hör gern solliche mär.
2250 Trabant Jachel, kumb du auch her!
sag mir, was hast dann du gethan?

Jachel.
Eur Majestat, das zaig ich an:
achttausend ich ermort hab zwar,
bei mir kain gnad zu finden war.

Was ich bekam das würgt ich tot,   2255
derhalbn ist mir mein wer noch rot!
ich henk auch aller voller pluet.

Herodes.

Hab dank, mein trabant, das ist guet;
wil dir wol lon mit reichem solt.
und wil dir sein mein lebtag holt,   2260
weil du mir ghorsam warst in dem.
Kumb du auch her, lieber Ischem,
sag mir an, was hast du verbracht?

Ischem.

Ich hab noch than die peste schlacht,
zwanzig tausend hab ich erstochn   2265
und also euer Gnaden grochn,
damit sie nit vom regiment
verdrungen werd also behend.
Ir mögt nun sein on alle sorgn
und kaines andern künigs bsorgn,   2270
der diser zeit sol sein im lebn.

Herodes.

Hab dank, ich wil dir vil golt gebn,
wil dirs schenkn vor meinem end,
solst auch ubr ain regiment
ain obrister sein auf den sumer,   2275
des solst du tragen kainen kumer,
dieweil du dich hast ghalten wol.
Was hast denn du gmacht, hörstus Schmol?
dasselb du mir auch verkünd.

Schmol.

Künig, ich forcht mich großer sünd,   2280
solt ich töten unschuldigs bluet;
die sach daucht mich halt noch nicht guet,
kans auch mit nichten haißen fein.

Herodes.

Mein diener solst du nimer sein,
troll dich gschwind von meinem gsicht,   2285

18

2285 ich darf ains sollichn dieners nicht.
Du bist denselben gsellen gleich,
die mich wölln treiben von dem reich.
Troll dich gar bald, weil du hast zeit.

Der künig geht in seine hütte.

Ischem spricht:
2290 Se hin, sei du mer so gschait,
du hast d'sach laidenvoll außgricht,
iez hab wir dienst, du aber nicht;
dein maul hat dich bracht zue der sach.

Schmol.
Frag nit aiu pfifferling darnach.
2295 Ir seit ins künigs huld und gnad;
wils noch erleba daß auch end hat;
dann herrngunst und legel ¹) wein
mögn in d'leng nit bständig sein ²).
Sie reichen uber nacht bald auß,
2300 und die fuchsschwenzer zu vorauß
mögn nit ewig bleibn in gnadn,
gschicht es nit hie, wirt in dort schadn.
Drumb bin ich nit euer gsell,
fuchsschwenzerei verdient die hell.
2305 Die warhait wil ich haltn in ern,
wirt mir den lon im himel mern.
Got wirt auch helfen wo ich bin,
zue dem sez ich herz muet und sin.
Alde fuchsschwenzer, ich far hin.

End des vierten Actus.

Der fünft Actus.

Der Engel hebt an und redet:
2310 Die hailige schrift klerlich vermelt,
wer sich wider Gots willen stelt

---

¹) Legel, lagena : lagen, lagl, länglichrundes Fäßchen. Schmeller 2, 447.
M. Höfer etymol. Wörterb. 2, 190.

²) Simrock deutsche Sprichwörter 4620. Lehman Florilegium politicum auctum 1662. 1, 378. n. 46. Hoffgunst wäret offt so lang als Wein in der Fläsch.

und widerstrebt seim heiligen nam,
des selbigen gschlecht und stam
sol in die leng mit nichte besteen,
mueß mit der zeit zu boden geen.   2315
Ob Got im schon ain weil sicht zue
:sein ummetwillen spat und frue,
so kumbt er doch zu seiner zeit
und laßt sehn sein herlikait,
nimbt wek tyrannen, die so wüetn;   2320
damit wil er die seinen bhüetn,
laßt sie auch nit in iren nötn.
Herodes wolt das kindlein tötn,
den lieben herren Jesu Christ;
doch hat im gfelt sein böser list.   .2325
Vil tausent kind ließ er umbringen;
noch kunt dem wütrich nit gelingen,
auf daß .es gieng wie er vermaint.
Rachel hat ir kind bewaint; [1])
ir gschrai erhört Got in der höch,   2330
wist daß ir ganz unbillich gschech;
sie wolt sich auch nit trösten laßn,
dann ir nit mer warn dermaßn.
Aber iezund spricht der herr:
hör auf z'wainen und schrei nit mer   2335
und halt deine augn von trähn,
deiner arbait sol blonung gschehn.
Ich wil eur trauren alles wendn,
vil freud und frölikait in sendn.
Sie wern auß der feinde land   2340
wider komen, sagt Got zuhand.
Dein nachkomen wern freuen sich

---

[1]) Jeremias cap. 31, 15. So spricht der Herr: Man höret eine klegliche
Stimme und bitteres weinen auf der Höhe; Rachel weinet über ihre Kinder und
will sich nicht trösten laßen über ihre Kinder, denn es ist auß mit ihnen. 16.
Aber der Herr spricht also: Laß dein schreien und weinen und die Trähnen
dainer Augen, denn deine Arbeit wird wol belonet werden, spricht der Herr.
.Sie sollen wider komen auß dem Lande des Feindes 17. und deine Nachkommen haben viel gutes zu gewarten, spricht der Herr, denn deine Kinder sollen
wider in ihre Grenze komen. — Vgl. v. 2018.

18 *.

und deine kinder sicherlich
sollen zu irem zil und maß
2345 wider kern. Got redet das
durch Jeremiam fein und klar
am ain und dreißigsten furwar.

Der Engel kert sich zu Josephs hütten und redet fort:
Merk Joseph, du getreuer man,
dir Gottes willn ich zaige an.
2350 Stee auf und nimb eilends zu dir
das kindlein und die mueter schier.
Fürcht dir vor kainem angefell [1]
und zeuch in das land Israel;
sie sein gestorben, die dem kind
2355 nach seinem leben gstanden sind.

           Josephus.

Maria, was ich sagen sol,
wie hab ich heint gschlafen so wol!
lag auch on alle sorg und schlief
in ainem traum so mechtig tief,
2360 und ruet also on alle mengl.
Im schlaf mir aber [2] Gottes engl
erschinen ist ganz hell und klar
wie vor in aller gstalt furwar
zu Bethlehem im jüdischen land,
2365 da er mir machet auch bekant,
solt ziehen her in Egipten.
Gleich sollicher mainung und sitten
ist er mir auch erschinen heunt
und sprach zu mir: Des kindes feind
2370 sein gstorben und nit mer bei lebn,
ich solt mich bald wider aufhebn
ins land Israel so geschwind
mit sambt dir und dem lieben kind.
Drumb Maria sei unverdroßen,

---

[1] Ungefell: Unfall; im 15. 16. Jh. oft nachzuweisen, vgl. Brant Narrenschiff S. 154. Strobel. Etter Heini v. 812. 2015 (Ambraser) Liederbuch von 1582 nr. 154. 163. 168. das gefell: glücklicher Zufall, Glück, Fasnachtsp. 833, 35.
[2] Wiederum, Grimm Wörterbuch 1, 29.

wir han des engls wort vor auch gnoßen! 2375
laß uns auch glauben seinem wort
und nach Gottes bevelch geen fort.
Bewar das kind fein warm und decks,
es schlaft, thue gmach, sich zue, nit schreeks,
auf daß es sich gar nit munter. 2380
So ziehen wir imer hinunter
an die ort, die kund macht der herr
durch den engel, wie wols ist ferr.
Weil wir soln geen und habn kain wagn,
wil ich den plunder allen tragn: 2385
schüßl teller pfann leffl und windl
die latern kerzn, machs in ain pündl,
nimb brot und käs und füll das flaschl.
Hab noch acht vierer [1]) in meim taschl,
sonst waiß ich kainen pfenning mer. 2390

Maria.

Mein Joseph, nit plad dich so schwer
mit schüßel teller pfann und flaschn;
nimb nur die windln die sein schon gwaschen,
d'latern, ain käs und ain liebs brot;
das trag auch mit, es ist wol not. 2395
Das ander wir auf dem weg findn.

Joseph.

Bhüet Get! laß das flaschl nit dahindn
und solt ich gleich noch so schwer tragn.
Ei mein Maria, thue das nit sagn!
bin nun ain alter schwacher man, 2400
und solt ich mich nit z'laben han
mit ainem klainen drünkel wein?
Maria, das kan gar nit sein!
Wil eh was anders hinden laßn,
ich mueß wein han auf der straßn! 2405
derhalbn füll mir das flaschl ganz wol.

---

[1]) Vgl. zu v. 573.

Maria.

Diewell es nit anderst sein sol,
so wil ichs thuen mit guetem willn
und dir das flaschel voll anfülln,
2410 damit du spürst mein ghorsamikait.
Nimbs hin, gee fort, wir haben zeit
daß wir beim tag an d'herberg komen.

Joseph.

Der wein bringt mir großen fromen,
wann ich werd müed, daß ich mich lab,
2415 und also bald wider fort trab.
Ain gueter wein halt mich beim gsund, [1]
frischt mir das herz, nezt mir den mund;
wann er wirt sperr [2], mach ich in naß.
Wer wolt zum argen deuten das?
2420 Der wein macht frölich alte leut,
ist ser gsund, ain sterk anch geit,
wann man in zimblich drinkt mit maß.
Wol auf Maria, wol auf die straß!
dann es ist ja nun große zeit.

Maria.

2425 Ja mein Joseph, der weg ist weit.
Schau, nimb alls mit, was sich gebürt,
ich hoff aber, nichts mangeln wirt
auf diser straß und uberal.
Got hilft uns fort durch perg und tal,
2430 wöll uns bewarn auch allesamn.

Joseph geet fort und spricht:

Das selbig gschech in Gottes namn.
Mein Maria, wir sein lang aus;
ich bin gleich fro daß wir zu haus
iezund raisen und haimb kumen,
2435 dann weite rais bringt schlechten frumen,

---

[1] Der Gesund, Gesundheit, dem österreich. bair. Dialect noch heute geläufig. vgl. Schmeller 3, 267. mhd. der gesunt.
[2] Sperr trocken, Schmeller 3, 575.

zuvorauß dem der nit hat gelt
und sol weit ziehen uber felt;
diß ist furwar ain schwere sach.
Maria, wie bin ich so schwach,
vor müedikait mueß ich hinkn.   2440
Rast wir ain weil und thuen wir drinkn,
sezen uns auch ain weil nider,
alsdann so mögen wir geen wider.

Indem sezt er sich und trinkt.

Wann ich die warhait sagen sol,
so schmekt mir der trunk gar wol,   2445
frischt mirs gemüet und küelt mich fein.
Mein Got, wie gar ain gueter wein!
se, Maria! thue auch ain drunk.

Maria.

Ich acht sein nit, dann ich bin junk;
der wein ist jungen leuten schad,   2450
vorauß wer sein z'vil trunken hat;
gebürt sich nit, steet auch nit wol
wann sich jungfrauen trinken vol.
Ich hab gelesen in der schrift,
den weibern sei der wein ain gift.   2455
Es ist auch weder zuecht noch er
daß sich ain frau mit wein beschwer;
es ist all erbarkait auch auß,
wann ain weib vol kumbt haim zu haus.
Der wein ist schad der sel und leib,   2460
zuvorauß wenn z'vil drinkt ain weib;
sie kumbt in große sünd und sehand.
Joseph, mach dich bald auf zuhand
und laß uns wider geen gemach.
Sich zue, wer volget dort hernach?   2465
wir wölln wartn und hie still steen,
villeicht so thuet er mit uns geen.

Schmol.

Ain gueten tag, ir lieben leut!

Joseph.

Got geb euch all vil gueter zeit.
2470 Mein lieber freund, wo auß wo hin?
verzeiht mir, was ist euer sin?
was hört ir guets in disem land?
sagt uns was neus alda zuhand,
wie iezund hie steen all sach.

Schmol.

2475 Vater, die weil ir fraget nach,
wil ich euchs sagn und zaigen an,
als vil ich sein ain wißen han.
Ain künig war in disem land,
Herodem hat man in genant;
2480 ain großer tyrann, wie ich sag.
Er thet den armen auch vil plag,
er forcht im auch gar kainer sünd
und ließ ermordn vil tausent kind,
sogar on alle schuld umbsunst.
2485 Bei im half weder bitt noch gunst;
doch hat sein tyrannei ain end,
und ist gstorben. Das regiment
ist ganz geerbt und kumen nun
auf Archiselaum seinen sun;
2490 und wirt er auch ain wüetrich sein,
so kriegt er auch der helle pein
gleich wie sein vater, das ist gwifs.

Joseph.

Maria merk hie auf und lis ¹)!
Was sagt der guete herr und freund?
2495 mich dünkt, daß ers vom herzen maint.
Solt das denn auch ain mörder sein?
wie thuen wir mit dem kindelein?
Solt er uns bringen umb das lebn,
welchs dann wol z'bsorgen ist darnebn,
2500 wer uns dasselb ain großer spot.

¹) Wis?

Maria.

Es wirt uns bhüetn der liebe Got
und unser in der sach auch pflegn.
Es scheint die sunn gern nach dem regn,
also wirt uns auch Got der herr
nach diser zeit von aller bschwer   2505
erlösen durch sein götlich gnad.
Mein Joseph es ist eben spat,
wir wölln hie bleiben an dem ort
und morgen ziehen weiter fort;
das wer mein mainung und auch sin.   2510

Joseph.

Maria, des gmüets ich auch bin.
Mein lieber freund, bleibt heut auch da,
ich sich euch gern und bin eur fro;
wöllen hinziehn zu herberg ein.

Schmol.

Lieber vater, das kan nit sein,   2515
bedank mich eur freundschaft und er;
wanns aber nit von nöten wer,
daß ich müest fort in schneller eil
und heut noch geen zwo großer meil,
wolt ich euch gweren diser bit;   2520
ich hoff, wert mirs verargen nit.
Mein rais die mueß heut sein verbracht;
Got bhüet euch all, ain guete nacht.

Joseph.

Derselbig halt euch auch in acht.
Maria wir wölln do hinein;   2525
wann aun der wirt het gueten wein,
wolt wir eßen trinkn und uns legn.

Maria.

Daß mich der liebe Got gesegn!
hast dann das flaschel schon gelert?
ich dacht, es solt habn lenger gwert,   2530
solst gnueg habn ghabt dávon drei tag.

Joseph.

O mein Maria, hab kain klag!
thue mirs trinkn mit so verhebn; [1]
ain guets trünkel halt mich beim lebn,
2535 des eßens acht [2] ich mich nit vil.

Maria.

Joseph ich dirs nit weren wil,
trink weil es dir so wol dann schmekt,
doch daß uns nur die zerung klekt; [3]
so bin ich auch ganz wol zufrid.

Joseph.

2540 Maria, kümber dich gar nit.
Got der wirt uns gnueg beschern,
dieweil wir leben hie auf ern.
Kum mit mir, laß uns haben rue,
damit wir auf den morgen frue
2545 mit freuden wider thuen aufsteen,
und forthin unser straßen geen.

Da giengen sie hinein. Der **Engel** kumbt und redt:
Joseph solst dir nit fürchten mer,
es schikt mich Got iez zu dir her:
zeuch an die ort, merk mich zuhand,
2550 wol in das galileische land
und won alda in ainer stat,
die Nazareth haißt, wie dann hat
zuvor geweißagt der prophet,
da er also reden thet
2555 und sich der wort auch thet befleißn:
er sol ja Nazarenus haißn,
als im buch der Richter gschrieben ist
am dreizehenden wie man list.
Drumb Joseph glaub Got, so wirst guesn,

---

[1] Vorhalten, verweißen.
[2] Sich aines achten, Grimm Wörterbuch 1, 169.
[3] Klecken : hinreichen, langen. M. Höfer Wörterb. 2, 139. J. Grimm bei Haupt Zeitschrift f. deutsch. Alterth. 5, 285. ff.

zeuch hin wo du zuvor bist gwesn. 2560
Die götlich gnad wirt dich dermaßn
mit sambt den deinen nit verlaßn.

Der Engel geet weg.

Joseph spricht:
Ich hab geruet ganz sanft und lind;
Maria sag mir, wie hats kind
geschlafen die vergangne nacht? 2565

Maria.
Gar guet, es ist heut nit erwacht;
iez thuet es gleich aufmuntern sich.
Was fach wir nun an, du und ich,
weil Archesilaus im land
das regiment hat in der hand? 2570
Ich bsorg er töt uns unser kind;
drumb Joseph ain guoten rat find,
der uns nit bring zu schand und mengl.

Joseph.
Maria, es ist mir der engl
abr erschinen heut dise nacht, 2575
hat mich getröst und frölich gmacht,
sagt sol mich aufmachen zu hand
und geen ins galileische land
hin in die stat gen Nazareth,
da ich dann vor gewonet het. 2580
Drumb mach dich auf in Gottes nam.

Maria.
Derselb der helf uns allensam,
erhalt uns hie das zeitlich lebn
und wöll uns auch das ewig gebn,
des wir uns freuen allesamen. 2585
Wer das begert, der spreche amen,
das ainig wort von seinem herzn.

Joseph.
Maria, ich hab gar kain schmerzn,

ich freu mich der götlichen gnad.
2590 Schau Maria, dort leit die stat,
darin wir wontn vor langer zeit,
des sich mein herz nit wenig freut,
und dank Got im höchsten thron,
der uns sovil gnad hat than
2595 und uns gfüert von Egiptn herauß.
Maria kenst du auch diß haus,
da ich zuvor gewonet han?
Wolauf! wir wöllen hinein gan
und unsers kindleins fleißig pflegn;
2600 mit uns sei Gottes gnad und segn!

Beschluß.

Also ir Christen lobesan,
hoch und niders stands, frau und man,
ja wes würdn und grads ir seit,
habt in der kürz die große freud
2605 vernumen, die uns Christus hat
durch sein unaußsprechliche gnad
erzaiget, daß er uns zu guet
an sich hat gnumen flaisch und bluet.
Diß, sag ich, habt ir ghöret wol;
2610 was man aber drauß lernen sol,
damit das neugeborne kind
sollichs zuehörns ain frucht auch find,
wil ich mit kürz euch zaigen an
und diß spil also bschloßen han.
2615 Als Adam und Eua das gbot
ubertrat, wellichs in von Got
gegeben ward im paradeis,
und also worden durch den fleiß
und falschen list der schlangen zwar
2620 auß Gottes gnad gefallen gar,
damit sie ver warn uberschütt,
des in der teufl vergunnet nit,
redet mit Eua also schon
daß sie durch lieb betrog den man
2625 und ainen piß vom apfel thet.

Des müßen wir, weil die welt steet,
entgelten und in jamer sein;
wärn ewig bliben in der pein,
wann uns Got in dem höchsten tron
het nit erlöst durch seinen son,   2630
der menschlich natur an sich nam
und zu uns hie auf erden kam,
für uns ain mensch geboren ward
von Maria der jungfrau zart,
auf daß er hinwcknemb die sünd,   2635
die von den eltern erbt das kind,
und uns auch leret den gelaubn,
des uns der teufl thet beraubn.
Darumb betracht ain ieder Christ
was er zuver gewesen ist.   2640
Wir haben ghabt vil müh und angst,
darein uns der satan vorlangst
hat bracht, ja in groß schand und sünd;
das namb hinwek Mariä kind,
welchs hat für uns gar vil gethan.   2645
Wann [1]) nur ain ieder glauben kan,
daß Gottes sun mensch worden ist
und für uns gstorben, wie ir wißt,
damit erworbn das ewig leben.
Ir solt auch wißen mer darneben: 2650
dem glauben gmeß man leben sol,
des stet aim ieden Christen wol;
ain hausvater sol sein berait
sein weib zu bschützn vor allem laid,
mit ir leiden bös und guet,   2655
sol nit thuen wie man iezund thuet:
wanns im nit nach seim willen geet,
von stund an er im harnisch steet,
wil oben auß und nindert an;
geduld die zieret ainen man.   2660
Ain weib hingegen sol dem man
zu ieder zeit sein underthan,

---

[1]) Benn, weil; andere Beispiele auß dem 16. Jh. bei Schmeller 4, 79.

mit im auch guets und bös vertragen,
das best zu allen dingen sagen,

2665 dann ain guets wort fint guete stat;
thuet sie das nit, ists nur ir schad.
Sie sol auch ire kinder zart
helfn zu nern sein ungespart,
sol sich daneben mäßig hulten.

2670 Solchs war ain große er den alten,
des in dann ain schöns beispil ist
die mueter des herrn Jesu Christ,
Maria, ain spiegel der zucht,
wie sie bezeugt in irer flucht,

2675 da sie irs kindlein pfleget fein;
ist mäßig züchtig und auch rain,
nicht wie man iezund sicht und spürt
wie mangs weibspild ir leben fürt
mit unzucht ehbruch freßerei,

2680 helt irem man kain treu darbei,
hat auch der kinder wenig acht,
ist nur geflißen auf den pracht,
wie sie sich mög aufpflänzlen[1] schön
und höflich auf der gaßen geen,

2685 es stee im haus gleich wie es wol.
Noch ains ich hie auch melden sol:
da sie solt ire kinder wert
zu gotsforcht ziehen hie auf erd,
so thuet sies alle hoffart lern;

2690 da sie soln peten, thuen sie schwern,
und sezt an pelz also die leus,
die selbs wol dran kriechen mit fleiß;[2]
diß, sag ich, ist ain große sünd.
Wo die eltern selbst ire kind

2695 auf hoffart in der jugent gwön,
wie wern sie dort immer bsteen,

---

[1] Aufputzen, schmücken. Schmeller 1, 330. f. Grimm Wörterbuch 1, 700
W. Wackernagel bei Haupt Zeitschrift 9, 344.

[2] Simrock Sprichwörter 6222. Friesische Sprichwörter n. 132 bei Haupt
Zeitschrift 8, 360. Th. Murner Schelmenzunft, Augsburg 1513. d. ij. rv. 6

wann sie wirt Christus unser herr
fragn von irer kinder ler,
ob sie es haben auf sein wort
und seinen willen trieben fort?　　　　　　2700
Was wirt alsdann dein antwurt sein,
die du gibst für die kinder dein?
mit in wirst du dann sein verlorn,
auf dir bleibt auch doppelter zorn.
Diß nimb zu herzn, o frumer Christ!　　　2705
dein leibsfrucht dir auß gnad gebn ist.
Es sol ain junger gsell hie auch
lernen den rechten sinn und brauch,
wann er zur ehe greifen wil,
darin dann müe und arbait vil　　　　　　2710
und mangerlai kreuz wont und ist.
Der das nit wol zu leiden wüst
und mit geduld nit möcht vertragen,
der sol disem stand nit nachfragen.
All zart jungfrauen groß und klain　　　　2715
die soln ir herz bewaren rain,
keusch frumb erbar und fürsichtig,
schambhaft mäßig und gotsfürchtig,
darzue auch ire jungfrauschaft
behüeten stets mit Gottes kraft.　　　　　2720
Und wann aine nun treten sol
in den ehstand, thue sie sich wol
zuvor brüefen mit senderm fleiß,
ob sie auch kunt nach alter weis
dem man allen ghorsam erzaigen　　　　　2725
und mit diemuet gegen im neigen.
So sie bei ir solchs findet nit,
laß sie den ehstand ganz zufrid.
Die hausmaid lernen in der zeit
gehorsam und barmherzikait;　　　　　　2730
den armen leuten gebn auß not
ja zu zeitn ain stücklein bret,
obschon haimblich vorm herren gschicht
und d' frau dasselbig auch nit sicht.

2735 Man sols zu kainem diebstal deutn,
was man haimblich gibt armen leutn,
zuvorauß wenn der wirt ist gnau
und gibt nit vil umbsunst die fran.
Wann schon ain magt oder der knecht
2740 haimblich gebn, ists nit unrecht,
eh wan[1]) das brot im kastn erschimbl;
almuesen gebn erlangt den himl.
Die wirt die lernen auch hiebei,
wie es so große sünd nun sei,
2745 daß sie die armen schlahen auß,
die reichen nemen in ir haus
und tragen in auf nach der schwer,
ain petler laßen sie schon ler;
das gfalt Got nit, ist auch nit recht.
2750 Weh dem der ainen armen schmecht
und in die herberg thuet versagn,
Got der sicht wol an ir klagn.
Darumb seit milt gegen den armen,
so wirt sich Got eur auch erbarmen
2755 und wirt euch ja verlaßen nit,
wo ir von herzen recht tailt mit;
wirt hie gnueg geben in der zeit
und hernach dort die ewig freud.
Darzue Got mich und euch erweck,
2760 das wünscht Benedict Edelpöck.

_____

In Edelpöcks Weihnachtkomödie ist noch einmal die epische Gattung dieser religiösen Spiele an uns vorübergegangen; wir nemen Abschied und wenden uns dem parabolischen Drama zu.

In dem meisten, das bißher behandelt wurde, erklärte sich das gläubige Gemüt durch die Darstellung der Begebenheiten unmittelbar vor bei und nach der Geburt des Er-

_____

1) wan, vgl. Schmeller 4, 78. — Fasnachtsp. 41, 21 so felt sie so an der ruck, wan an die seiten.

lösers befriedigt; höchstens wurden die prophetischen Stimmen eingefürt. In einigen älteren Dramen wurde indessen nach dem Grunde der Erscheinung Christi gefragt; so kam man darauf, den Sündenfall und die Schepfung mit den Darstellungen des Lebens Jesu zu verflechten, und zwar entweder mit der Geburt oder mit dem Tode, je nachdem die Ansicht überwog, daß die Erlösung schon durch die Menschwerdung oder erst durch den Versöuungstod geschehen sei. In der bildenden Kunst sehen wir gröstentheils Sündenfall und Kreuzestod verbunden.[1] Zu lebendigster Anschaulichkeit wurden diese Vorstellungen in den lebenden Bildern erhoben, welche im 14. und 15. Jarh. bei weltlichen und geistlichen Festen auf Straßen und Plätzen zur Schau stunden und giengen. Bei der Schwertleite des Sones Philipps des Schönen im Jar 1313 sah man Adam und Eva, die drei Könige, den Kindermord, das Kind Jesus mit seiner Mutter, Herodes und Kaiphas, Pilatus der sich die Hände wäscht u. a.[2] In der Fronleichnamsprozession, wie sie 1415 zu York statt fand, bewegten sich von den verschiedenen Gewerken dargestellt folgende Gruppen: 1. Gott der Vater wie er den Himmel mit den Engeln und Erzengeln schafft; Luzifers Fall. 2. Gott der Vater wie er die Erde mit allem was darin ist schafft. 3. Gott der Vater als Schepfer Adams und Evas. 4. Das Verbot vom Lebensbaum zu eßen. 5. Der Sündenfall. 6. Adam und Eva wie sie arbeiten. 7. Abel und Kain. 8. Noah wie er die Arche zimmert. 9. Noah in der Arche. 10. Abraham den Isak opfernd. 11. Moses und die Schlange; König Pharao. 12. Die Verkündigung und Heim-

---

[1] Vgl. Schnaase Geschichte der bildenden Künste 4, 389. Jakobs und Ukert Beiträge zur ältern Litteratur 2, 17.

[2] Es sind dieß jedenfalls nur lebende Bilder, welche von Pantomimen und erklärenden Sprüchen begleitet wurden, nicht wirkliche Dramen, wie man wol behauptet hat. Vgl. Jubinal mystères 1, XXII. Sandys Christmas carols IX.

19

suchung, und nun folgen in langer Reihe die Scenen auß des Heilands Leben biß zur Himmelfart Mariä.[1] In Deutschland waren ganz gleiche Fronleichnamsprozessionen im Brauche; eine Zerbster Prozessionsordnung vom J. 1507 diene als Beleg.[2] Zuerst kamen die Oelschläger mit der Weltschepfung, dann die Bader mit dem Sündenfall, die Brauknechte welche den Tod Abels darstellten und die Bewirtung Abrahams durch König Melchisedech; die Regenten (Inhaber von Altären) mit Isaks Opferung, die Drechsler mit Jonas im Walfische, die Lakenmacher mit König David, vier Mauermeister mit der kananitischen Weintraube auf den Schultern, die Lakenmacher mit König Salomo und seinem Hofstate, dann folgt die Heimsuchung und die Scenen auß dem Leben Jesu biß zur Kreuzigung. Eine Reihe Märtyrer schließen sich daran, das jüngste Gericht folgt und den Beschluß machen die klugen und die thörichten Jungfrauen. Jede Figur oder Gruppe wurde durch einen Spruch gedeutet.

Diese Darstellungen, welche sich noch heute hier und da bei Prozessionen des Fronleichnamstages finden, wurden beim aufblühen der Oper auf die Büne verpflanzt. Die erste Hamburger Oper, im Jar 1678 aufgefürt, behandelt die Schepfung und Erlösung: „Der erschaffene gefallene und aufgerichtete Mensch"; [3] sie bewegt sich ganz in den Vorstellungen, welche wir bald noch genauer kennen lernen werden. Näher als sie steht den Fronleichnamsprozessionen eine englische Oper, die zur Zeit der Königin Anna aufgefürt

---

[1] Marriott miracleplays XVIII–XXIII.

[2] Mitgetheilt von Fr. Sintenis in Haupts Zeltschrift für deutsches Alterthum 2, 276–297. — Eine Prozessionsordnung von Freiburg im Breisgau auß dem J. 1516 bei Heinr. Schreiber Theater zu Freiburg 25 ff.

[3] o. J. und O. Gottsched nötiger Vorrat 1, 240. Frelesleben Nachlese zu Gottscheds nötig. Vorrat S. 49 f. E. Devrient Geschichte der deutschen Schauspielkunst 1, 273.

wurde. Den Inhalt bildete folgende Reihe Scenen: Adams und
Evas Erschaffung; die List Lucifers im Paradiese; Kain und
Abel; Abels Tod; Isaks Opferung; die Anbetung der h.
drei Könige; die Flucht nach Egypten; der Kindermord;
die Parabel von dem armen und reichen. Daran schließen
sich weltliche Pantomimen und Tänze, Pulcinelloscherze
und die Darstellung des glorreichen Sieges den Sr. Gnaden
der Herzog von Malborough über die Franzosen und Span-
ier erfochten. [1]

Die Oper fürt zu dem eigentlichen Schauspiele dieses
Inhalts, wobei ich die Spiele ganz außer acht laße, welche
nur die Geschichte Adams und seiner nächsten Nachkommen
behandeln.

Die älteste dieser Moralitäten, welche mir bekant ist,
fällt nach Frankreich; sie wird dem Stephan Langton zugeschrieben und in den Anfang des 13. Jarh. gesezt. Adam
wird darin von der Warheit und Gerechtigkeit wegen des
Sündenfalles vor Gott verklagt; Mitleiden und Frieden legen
aber Fürbitte für in ein und Gott der Vater beschließt in
Uebereinstimmung mit dem Sone, daß durch dessen Menschwerdung der Streit geendet werde. [2] Im dreizehnten Jarhundert begannen sodann jene Misterienreihen in England,
welche mit wenig Unterbrechung biß in das sechzehnte gespielt wurden und in wirklichen Dramen darstellten, was die
Fronleichnamsprozessionen nur äußerlich zeigten. Die Spiele
von Chester und Coventry dauerten vier und zwanzig Tage,
die von Towneley zwei und dreißig [3] und sie fürten dasjenige
dramatisch auß, was sonst in ein einziges Spiel vom Sündenfall und der Erlösung gedrängt wird. Auß dem vierzehnt-

---

[1] Sandys Christmas Carels XX.

[2] F. v. Schack Geschichte der dramatischen Literatur und Kunst in Spanien
1, 57.

[3] Marriott miracleplays XL—XLIV.

19 *

en Jarhundert besitzen wir ein niderrheinisches Spiel dieser Gattung.[1] Es begint mit der Weltschepfung und dem Sünd-enfall durch Lucifers Neid. Barmherzigkeit und Warheit ver-handeln vor Gott wegen der Erlösung, und der Herr ihnen willfarend läßt durch der Propheten Mund kund thun daß er seinen Son senden werde. Der Ecclesia wird hierauf durch Balaam Isaias und Virgil die Weißagung mitgetheilt. Die Ver-kündigung schließt sich an mit den Scenen des Weihnacht-cyklus. Jesus zwelf Jar alt im Tempel lerend, die Taufe, die Versuchung, die Berufung der Jünger, die Hochzeit zu Cana reihen sich an; darauf folgt die Geschichte von Martha Maria Magdalena und Lazarus, der Einzug in Jerusalem, der Verrat des Judas und das Gebet am Oelberge. Hier bricht die Handschrift ab, welche die Leidensgeschichte zuverläßig noch enthielt. Von dem vorhandenen ist vieles nur kurz angedeutet; der Zusammenhang mit den Prozess-ionsgruppen tritt augenscheinlich herauß.

Nach den Niederlanden gehört ferner eine außgeführte, den englischen Misterienreihen entsprechende Folge von Stücken „die sieben Freuden Mariens“, deren erstes, die oben erwähnte erste blijscap van Maria, erhalten ist; es wurde 1444 von den Brüsseler Rederykern aufgeführt. Das Spiel enthält den Sündenfall, den Prozess der Warheit Ge-rechtigkeit und Barmherzigkeit vor Gott und schließt mit der Verkündigung. Die folgenden sechs Spiele, welche je nach einem Jare sich folgten, müßen dargestellt haben die Geburt Kristi, die Anbetung der h. drei Könige, die Aufer-stehung Kristi, die Himmelfart, die Außgießung des h. Geistes, die Himmelfart Mariens.[2]

---

[1] Auß einer Handschrift der k. Bibliothek im Hag (früher dem Slawanten-kloster in Mastricht gehörig) bekant gemacht von J. Zacher in Haupts Zeitschr. für deutsches Alterth. 2, 302—350.

[2] Vgl. P. Suchenwirts Gedicht die sieben freud Marid, in Primisser Auß-

Wärend sich hier der Sündenfall mit der Geburt des Erlösers verbunden zeigt, ist in der Résurrection de Nostre Seigneur (Jubinal mystères II, 312—379) das Leiden Kristi an die Vertreibung auß dem Paradiese geknüpft, auß dem Grunde der oben angegeben ward. Die deutsche Ansicht gieng nach den Spielen zu urtheilen vorzugsweise dahin daß durch die Menschwerdung die Erlösung hinreichend volbracht sei, und demgemäß wurde der Sündenfall mit dem Weihnachtdrama verflochten.[1]) Leider ist es mir nicht möglich die Reihe dieser Dramen ver dem 16. Jarh. aufzustellen; ich kann eben nur behaupten daß sie in dem 14. 15. Jh. auch in Deutschland vorhanden gewesen sind. Was ich auß dem 16. Jh. in dieser Hinsicht kenne ist folgendes:

Dialogus das ist tröstlich und lieblich Gesprech zwischen Gott Adam Eva Abel und Cain von Adams fall und Christi erlösung, mit besonderem fleis gebessert gemehret und ausgelegt. Und einem Erbarn Wohlweisen Rath zu Halberstadt zu ehren in druck gegeben durch M. Leonhardum Jacobi Northusianum. Pfarherrn zu Calbe. Leipzig 1555. (1559). Gottsched 1, 103. 2, 218.

Comedia wie Adam und Eva durch Christum nach dem Fall widerum zu Gnaden von Gott sind angenommen worden. 1565. Gottsched 1, 114.

Comedia vom Fahl Ade und Eve biß auff den verheissenen Sahmen Christum, auß fünff Historien zusammengezogen und in eine kurtze ordnung gefast durch Georgium Roll Breg. Siles. Königsberg 1573. Gottsched 1, 118.

Der erschaffene gefallene und aufgerichtete Mensch.

---

gabe (Wien 1827) S. 123—142. Anders als gewönlich werden die sieben Freuden gedeutet in dem englischen Weihnachtliede The first god joy our Mary had bei Sandys Christmas Carols 157.

[1]) Die Weihnachtslieder der protestantischen und der katholischen Kirche gehen ebenfalls häufig auf den Sündenfall zurück.

1678. Die erste hamburgische Oper, Text von Richter, komponiert von Theil.[1]

Ob in Joh. Aeschelbachs Comedie vom schreklichen Sündenfall (1616. Gottsched 1, 175) auf die Erlösung Rücksicht genommen ist, das Stück also hierher gehört, weiß ich nicht. In Hans Sachs Tragedia von der Schöpfung Fall und Austreibung Adä, ebenso in Jacob Ruffs Adam und Eva geschieht es nicht. Merkwürdig ist in dieser Hinsicht ein süddeutsches von dem Benedictiner Sebastian Seiler[2] verfaßtes Bauernspiel: Adams und Evens Erschaffung und ihr Sündenfall. Ein geistlich Fastnachtspiel mit Sang und Klang: aus dem Schwäbischen ins Oesterreichische versetzt. 1783. (o. Druckort. 87. SS. 4°.). In dieser Bearbeitung ist keine Erwähnung der Erlösung; eine die im folgenden Jare erschin, hat die Verheißung derselben hinzugefügt: Melodrama Adam und Eva im Paradeiß. Ein musikalisches Bauernspiel vom Jahre 1250 in vier Aufzügen, verfasset von Sebastian Relies O. S. B. verbessert und vermehret von M. H. und A. M. zur privat Unterhaltung, musikalischer Dilettanten, aus dem Schwäbischen in die Oesterreicher Bauernsprache[3] übersetzet. 1784. (o. Druckort. SS. 61. 8°.). Die Folgen der Verheißung sind indessen nicht außgefürt. — Auch auf die Marionettentheater ist dieser Stoff übergegangen.

Hierher gehört nun das „Paradeisspiel", welches ich im folgenden mittheile. Es wird noch jezt alle Winter um die Weihnachtzeit in der Obersteiermark (Gegend von

---

[1] Gottsched 1, 240. Koberstein Grundriß der Geschichte der deutschen Nationalliteratur S. 795. 4. Aufl.

[2] Sebast. Seiler, Benedictiner zu Marchthal, gestorben 1777. Er hatte wegen dieses Stückes Anfechtungen zu erleiden und wurde bei dem Bischof von Konstanz verklagt. Als derselbe aber von Sailer selbst das ganze Spiel vortragen, singen und mit der Geige begleiten gehört hatte, sprach er ihn frei.

[3] Diese Worte lügen; die Mundart ist im ganzen die schwäbische der ursprünglichen Abfaßung geblieben; von österreichischem findet sich so gut wie nichts darin.

Vordernberg, und in Feistritz a. d. Mur) von herumziehend-
en Landleuten gespielt; auch in Trieben bei Rottenmann in
Obersteier (Paltenthal) wurde früher alle zwanzig Jare ein
Paradeisspiel auf einer Wiese aufgefürt, das indessen den
widerholten Bemühungen der Geistlichkeit und der Polizei
erlegen ist.

Unser Paradeisspiel hebt mit Erschaffung Adams und
Evas an und wie ihnen das Paradies biß auf den Lebensbaum
übergeben wird. Lucifer Satan und Belial treten auf im
Grimme über die Bevorzugung des Menschen, und Satan gibt
den Rat, durch die Schlange und das Weib den Menschen
zu verderben. Es gelingt und eine Triumphscene der Teufel
folgt. Sache der Anmerkungen wird es sein, die Gemeinschaft oder die Abweichung unsres Spiels von den alten
Misterien in diesen Szenen nachzuweisen. Hierauf folgt der
Prozeß. Lucifer bringt den Menschen gebunden vor Gott und
verlangt daß er ihn verstoße. Die Gerechtigkeit findet dieses
begeren begründet, die Barmherzigkeit aber entschuldigt
den Menschen und fleht zu Gott um Gnade. Die Fragen
werden hier behandelt, welche als Hauptsachen in den Dogmen von der Erlösung gelten; unser Spiel zeigt die größte
Bekantschaft mit den verschiedenen dogmatischen Ansichten
und mit der Weise wie dieses Thema im Mittelalter abge-
handelt wurde, so daß es für uns dadurch besonders interessant wird. Obschon die alte Kirche aufstellte daß der
Beschluß der Erlösung nicht in der Zeit entstanden, sondern von Ewigkeit her vorhanden war[1]), so gehörte doch die
Fürung des Prozesses um die Gnade Gottes für den Menschen
zu den beliebtesten Vorstellungen des Mittelalters. Die
Liebe und die Barmherzigkeit oder Friede und Erbarmen
wurden im Streit mit Warheit und Gerechtigkeit dargestellt,

---

[1]) Heinr. Klee Lehrbuch der Dogmengeschichte 2, 7. Mainz 1838.

theils in besonderen Gedichten[1]), theils eingeschaltet in
größere erzälende Werke, so in das Anegenge (Hahn Gedichte des 12. und 13. Jarh. S. 28. ff.), in Heinrichs von
München Fortsetzung der Weltkronik Rudolfs von Ems[2])
und in jene biblische Geschichte, von der Massmann Nachricht gab (Haupt Zeitschrift 2, 137). Von den theologischen
Tractaten, welche über diesen Stoff geschrieben wurden,
ist der bekanteste der Belial Jakobs von Theramo, von diesem 1383 lateinisch abgefaßt und im 15. Jarh. öfters ins
deutsche übersezt, auch gedrukt. [3]) Der Teufel fürt hierin
vor Gott seine Klage gegen den Menschen und erklärt die
Verdammung desselben für ganz gerecht. Moses sucht ihn
zu widerlegen. Warheit und Gerechtigkeit erklären sich
für die Verdammung. Barmherzigkeit und Friede wider-
streiten dem. Gottes Son entscheidet, daß ein guter und
barmherziger Tod die uneinigen Tugenden vermitteln solle.
Die Warheit sucht nun durch die ganze Welt nach einem
sündlosen Menschen und findet keinen; sie bittet deshalb
Gottes Son um Hilfe. „Darumb antwurt Gotes sun und sprach:
daz gêt uber mich, wan alsô muezet ich des menschen sund
puezzen, den ich hab beschaffen. Darnâch kômen die tugent
mit dem rât vur den vater und het diu drivaltikeit auch
daruber rât; und nâch dem wolgevallen des vater und des
heiligen geistes underwant sich der sun daz er wolt mensch
werden und in lieb und barmherzikeit sterben für den mensch-

[1]) Vgl. Massmann bei Haupt Zeitschrift f. deutsch. Alterth. 2, 137. Auch
cap. 55 der Gesta Romanorum komt in Betracht.

[2]) Jakobs und Ukert Beiträge zur älteren Literatur 2, 245.

[3]) v. Murr Journal 2, 380–395. — Vier deutsche Uebersetzungen befinden
sich handschriftlich in der k. k. Hofbibliothek zu Wien (Hoffmanns Verzeichniss
n. CCCXIII, 5. CCCLXVII, 1. CCCLXVIII. CCCLXXI, 2) eine vom J. 1454 auf
der Universitätsbibliothek zu Grwz (?? fol.); auch zu Basel liegt ein deutscher
Belial: W. Wackernagel altd. Handschr. der Basler Universitätsbibl. 62 f. —
Vgl. über zwei verwante Tractate W. Wackernagel Literaturgeschich. S. 331.
Anm. 11.

en. — Dê wurden die tugent mit einander geeint und verricht und wart erfult der spruch: [1] Barmherzikeit und
Wârheit habent an einander begegent, Gerechtikeit und
Fride habent an einander gekufset. (fol. 90. rw. Græzer
Handschr.) Wie weit unser Spiel zu diesen und andern
theologischen Meinungen stimt, werden die Anmerkungen
nachweisen.

Dieser Prozess wurde also auch in das Drama aufgenommen; in dem niederrheinischen (Mastrichter) Osterspiel, in der ersten blijscap van Maria, in dem Mystère de
la Conception (Parfait histoire du théâtre français 1, 63. ff.)
kommen hierher gehörige Scenen vor. Zur Feier der Krön-
ung Ferdinands von Kastilien zum König von Aragon dichtete der Marques von Villena ein allegorisches Schauspiel,
in welchem Gerechtigkeit Warheit Friede und Barmherzigkeit die Personen waren, [2] worauß sich schließen läßt daß
es unmittelbar zu unsrer ganzen Klasse zu stellen ist. Auß
dem Anfang des 16. Jarh. haben wir ein deutsches Spiel
„ein Recht daß Christus stirbt,“ [3] welches in etwas ab-
weichender Weise den Gegenstand behandelt. Jesus wird
von dem Vertreter der Menschheit aufgefordert vom Himmel
zu kommen und die Menschheit zu erlösen; dagegen erhebt
sich Maria und begint einen Rechtstreit, worin sie ihre Behauptung durchzufüren sucht, daß der unschuldige nicht
getötet werden dürfe. Die Altväter werden um ihr Urtheil

---

[1] Vgl. auch (Alberti M.) Compendium theol. veritatis IV, 5. Kugler de
Werinhero p. 40. Mastrichter Osterspiel Haupt 2, 308. M. S. Hagen 2, 385. —
Ein französisches Weihnachtlied (Les Noels Bourguignons de Bernard de la
Monnoye publiés — par Fertiault. Paris 1842. S. XXIII. f.) schildert wie unser
Boppe die Vereinigung des Friedens mit der Gerechtigkeit hinter denen Douceur,
Bonté, Concorde, Miséricorde, Charité, Grâce, divine Providence schreiten und
wie die Selbstopferung des Sones Gottes dieß bewirkte.

[2] v. Schack Geschichte der dramat. Literatur und Kunst in Spanien 1, 126.

[3] Pichler Drama des Mittelalters in Tirol 66—70.

gefragt und entscheiden daß Christus das für die Erlösung gegebene Wort halten müße. Maria beruft sich an die Gnade und Milde; aber Petrus und alle Apostel entscheiden auf den Tod. Der Richter bricht den Stab. Maria stimt ihre Klage an und der Engel sucht sie zu trösten. Kristus nimt Abschied von seiner Mutter und empfielt sie dem Vater.[1]

Auß der großen Neigung der Zeit zu dem Prozessspiele dürfen wir auf zalreiche verwante dramatische Dichtungen schließen. Wie dieser Geist noch tief in das 17. Jh. hinein wirkte, ergibt sich darauß daß jene erste hamburgische Oper von Theil (1678) den Rechtstreit über die Erlösung in sich aufnam; die Personen darin sind Jehovah, Salvator, Justitia, Misericordia, Angeli, Adam, Eva, Lucifer, Belial, Legio, Sodi, die Schlange, Köre von Engeln und Teufeln. Daß weit über 1678 hinauß, wenn auch nicht auf den Bünen der Höfe und Städte[2] aber doch unter Gottes freiem Himmel und der hölzernen Decke der Alpenhütten diese Moralitäten sich fristeten, beweist unser Paradeisspiel. In demselben wird der Prozeß dahin entschieden daß Gott der Son durch seinen Tod die ewige Schuld des Menschen abbüße; den Menschen trift die zeitliche Strafe. Adam muß also sterben; er macht sein Testament und wird vom Tode geholt. Hierauf macht sich Gott der Son auf, das verlorne Schäflein zu suchen.

Der zweite Theil des Paradeisspiels ist, anknüpfend an den Schluß des ersten, ein Spiel vom guten Hirten, und darin unterscheidet es sich von den oben aufgeführten Dram-

---

[1] Auch an Heinrichs von Neustat Buch von unsres Herrn Zukunft mag erinnert werden, dessen erster Theil die Beratung der Natur mit den Tugenden über die Erlösung behandelt.

[2] Es war wol jene Theilsche Oper vom Falle Adams, welche die Spiegelberg-Dennersche Schauspielerbande, die sich 1710 von der Velthenschen trente, in Schweden aufführte zur großen Erbauung der Bauern. E. Devrient Geschichte der Schauspielkunst 1, 344.

en des gleichen Vorwurfes, in denen sich die Geburt oder das Leiden Kristi an den Beschluß zur Erlösung anknüpft. So ser auch das Gleichnifs vom guten Hirten von der Kunst zu Darstellungen außgebeutet wurde und zu lyrischen Ergüßen Anlaß gab, so sind mir doch dramatische Behandlungen desselben auß der deutschen Literatur nicht bekant[1]).

Daß diese Stoffe über die deutschen Bünen des 16. und 17. Jh. giengen, läßt sich indessen nachweisen. Mir ligt z. B. ein Theaterzettel auß dem Ende des 17. Jh. vor, welcher das Scenar einer „unvergleichlichen Haubt-Action" enthält, betitelt: das verlohrne Schäflein oder die büssende Sünderin Magdalena. Die Geschichte der Maria Magdalena gibt darin den lebendigen Inhalt für die Parabel. Dieselbe wurde hiernach gewifs auf den Schultheatern des 16. und und 17. Jh. ebenso wie auf den Bünen der Wandertruppen des 17. und angehenden 18. Jh. merfach behandelt. Freilich versuchten sich keine solche Geister an diesem Gegenstande wie in Spanien, wo ihn z. B. Lope de Vega in zwei Stücken, der oveja perdida und der fianza satisfecha behandelte. Trotz dem drang die dramatisierte Parabel in unser Volk, wie außer diesem obersteirischen Spiele noch ein oberkärntnisches Passionsspiel beweist, von Liesing im Lesachthale (zwischen Friaul und Pusterthal) dessen erster Theil ein Spiel vom guten Hirten ist.[2])

Die Haupthandlung des zweiten Theiles unsres Paradeisspieles bewegt sich folgendermaßen. Das menschliche Geschlecht wird in Gestalt eines Mädehens und zwar einer

---

[1]) Freilich haben wir über dieses Thema das lateinische Drama eines Deutschen: Jacobi Schöpper Ovis perdita. Antverp. 1553.

[2]) Auch in dem Spiele „von dem jungen Helden und Märtyrer S. Pangraz", das 1790 zu Ambras in Tirol aufgeführt wurde, trat der gute Hirt auf und zwar als Sprecher des Prologs. Vgl. Ed. Devrient Geschichte der deutschen Schauspielkunst 1, 400. Leipzig 1848.

Schäferin dargestellt, deren Liebe der gute Hirte vergebens sucht, denn die Schäferin zieht den als Schäfer (Jäger) verkleideten Teufel vor, wodurch sie den drei Teufeln des Wollebens und dem Tode verfällt. Als sich diese ihrer bemächtigen wollen, rettet sie der gute Hirt und Gott verzeiht dem Schäflein, das durch des Sones Blut gereinigt ist. Die drei Teufel, Lucifer Satan und Belial, die den Menschen im Paradiese verfürten, erheben nun die Klage daß Gott der Son durch seinen Versönungstod die Menschen auß ihrer Gewalt befreite; noch geben sie alle Hoffnung nicht auf, allein der gute Hirt vertreibt sie mit einem Donnerstrale. Wie auch dieser Schluß in unserm alten Drama entsprechendes finde, werden die Anmerkungen darthun.

Ich habe das Paradeisspiel einer ganz jungen Handschrift in Quart entnommen; sie hat den Titel: Exemplar oder das Buch des Paradeisspieles. 1847. Auf dem zweiten Blatte: Simon Reiterer vulgo Sommerer [1]) gehörig. Am Ende der Handschrift hat der Schreiber seinen Namen überliefert: Mathias Graf m. pr. Der Besitzer lebt in der Gegend von Vordernberg in der Obersteiermark. So jung die Handschrift ist und so deutlich geschrieben, so schlecht ist die Ueberlieferung; es gilt in dieser Hinsicht völlig das von dem Vordernberger Weihnachtspiel gesagte. Es war also fast überall nach der echten Gestalt zu suchen; daß ich dieselbe überall gefunden habe, kann ich nur wünschen.

Die Reime beweisen daß dieses Paradeisspiel in unsern Alpen entstund; welchem Lande es ursprünglich angehört, ob Oesterreich oder Steiermark oder Kärnten, wird nicht so leicht zu entscheiden sein, da die Mundart nur hinein-

---

[1]) Der zweite Name ist der Name des Hofes, nach welchem der Besitzer gewönlich genant wird. Diese alte Sitte ist in Obersteier und Oberkärnten ebenso zu finden wie im deutschen Norden. Vgl. Homeyer die Heimath nach altdeutschem Recht 76. Berlin 1852.

spielt. Sein Fortleben in Obersteier möchte dafür sprechen daß es hier auch geboren wurde. Ueber den Verfaßer weiß ich nichts mitzutheilen; es muß ein nachforschen darnach eben so vergeblich sein wie bei dem Volksliede. Daß der erste Verfaßer ein Geistlicher war, läßt sich auß der genauen Bekantschaft mit den theologischen Fragen in voller Bestimtheit behaupten. Ich sage der e r s t e Verfaßer; denn es haben merere, wenigstens zwei, durch die Zeit getrente Männer an unserm Spiele gearbeitet. Das Spiel vom guten Hirten ist, wie es vorliegt, bedeutend jünger als der erste Theil und der Schluß; es hat in neuerer Zeit eine Ueberarbeitung erfaren, befand sich aber warscheinlich schon in der ersten Anlage. Wie diese „Bauernspiele" von Zeit zu Zeit umgearbeitet werden, ist bei Gelegenheit des Ammergauer Passionspiels auch in weiteren Kreißen bekant worden.

Das Paradeisspiel.

Aus Vordernberg in Obersteier.

Das erste Lied [1].

Ihr Kristen all zusammen
steht nur ein wenig still,
und höret mit Verlangen
was man euch zeigen will.

Gott Vater hat erschaffen [2]
in sechs Tagen allbereit [3]
den Himmel und die Erden
samt ihrer Zierlichkeit.

Ein Menschen hat er gsetzet
zu herschen über all das,
über Thiere Fisch und Vögel
und über das grüne Gras.

Ein Baum war ihm verboten
der mitten im Garten stand,
der komt ihm groo zu Schaden
und uns auch allensamt.

Nun haben wir uns entschloßen
euch dieses vorzustelln,
in unsrer kleinen Komödien
wir euchs anzeigen wölln.

Der Engel tritt auf und spricht: [4]

Ich tret herein ganz Abends spat,
ein glückselgen Abend geb euch Got,

---

[1] Ueber die Eröffnung dieses Spieles durch ein Lied und darauf folgenden Prolog vgl. die Anmerkung zu dem Vordernberger Weihnachtspiele S. 136.

[2] Vgl. das Schlangenlied weiter unten. Auch an Martin Myllius „Gott in seim gemüet ewig beschloß" (Wackernagel das deutsche Kirchenlied no. 167.) mag erinnert werden.

[3] Grimm deutsches Wörterbuch 1, 214. f.

[4] Der Engel als Sprecher des Prologs und der verbindenden Reden ist eine

ein glückselgen Abend, ein fröliche Zeit,
gleich wie uns Gott von Himmel geit.
Ihr ersamen groaugünstigeu weisen Herrn,
ihr tugendsamen Frauen und Jungfraun in Ern,
ich bitt euch, ihr wöllt mirs nicht für übel han,
ein geistliche Komödie zu fangen an,
wie ich sie von Adam und Eva weiß,
wie sie wurden geschlagen auß dem Paradeis.
Wer solches wöll vernemen in guter Ruh,
der schweige still und höre zu.

Das zweite Lied [1].

Gott Vater in seiner Herlichkeit schwebt,
er schuf alles was da lebt.
So loben wir Gott schon
im höchsten Thron [2].
Er schuf die Erden mit samt dem Gewild,
darauf schuf er das menschliche Bild.
So loben wir Gott schon
im höchsten Thron.

Der Gott Vater spricht: [3]

Im Anfang erschuf ich Himmel und Erden samt ihrer Zier
und Herlichkeit. Den Himmel erfülte ich mit zwelf Kören der

stehende Gestalt des älteren geistlichen Schauspiels. In Spanien wurde in den autos vor 1550 der Prolog meist von dem Engel gesprochen. Zu dem Prologe vgl. die Anfänge der schlesischen Kristkindelspiele, namentlich das Reichenbacher Dreikönigsspiel S. 122. Der ganze Prolog trägt den Karacter des 15. 16. Jh.

[1] Dieses Lied erscheint als besonderer Prolog zu der ersten Handlung.

[2] Häufige Formel; der oberste Thron oder Kor ist der sekste (daz der zehende chöre der obriste wære Hahn Ged. des 12. 13. Jh. 13, 75) er steht über den neun Kören der Engel, deren Namen unter andern Vorauer Gedichte 3, 10. 4, 6. ff. angegeben sind. Der höchste von ihnen heißt trón. Gleich in der folgenden Rede Gott des Vaters werden zwelf Engelköre genannt, die sich aber durch den Fall Luzifers mit seinen drei Kören auf neun zurückfüren. Vgl. auch W. Grimm zu Freidank 0, 3. 4.

[3] Für die Mischung von Poesie und Prosa, die in der folgenden Rede und auch sonst öfter in diesem Spiele hervortritt, musten die lateinischen Misterien in ihrer Zusammensetzung auß prosaischen Antiphonen und strophischer Poesie ein Vorbild sein. Ein niederdeutsches Beispiel hat Mone Schausp. des Mittelaltern

schönsten Engel, die Erde aber mit zwei groœen Himmelsliecht-
ern, nemlich mit Sonne und Mond und viel der Sternen, auch viel
 Waœer Bäume Kräuter und Thier
 brachte ich auœ dieser Erde herfür.
Diese Kreaturen sollen mich als ihren Gott und Herrn
 erkennen, alzeit lieben loben dienen und ern.
Unter diesen Geschepfen aber ist mir untreu worden Luzifer der schönste Engel samt seinem Anhang der drei Köre der
Engel. Diese wolten sich wider mich setzen und empören. Ich
aber habe sie auf ewig in den Abgrund der Hellen verstoœen;
sie sollen auch in Ewigkeit nicht mer erlöset werden wegen
meiner unendlichen Gerechtigkeit. Ihren Platz aber will ich er-
setzen mit anderen Kreaturen. Darum so laœet uns machen den
Menschen [1] der nach uns gebildet und der Sele nach uns
gleichförmig sei, auf daœ er hersche über
 die Vögel der Luft, über die Fisch im Waœer und über die
               ganze Erde,
 daœ auch im Himmel der Platz des Luzifer durch ihn erfül-
               let werde;
 den Leib mach ich ihm auœ Kot und Erden
 dazu er auch letzlich widerum kann werden.
     haucht ihn dreimal an.
 Adam nimm an den lebendigen Atem und fang an zu leben,
tritt her auf deine Füœ und sei lebendig und beschau alle Ge-

2, 115 f gegeben. Auch sonst liegen Belege vor: einen unmittelbaren Uebergang auœ prosaischen in gereimten Satz, wie unser Paradeisspiel, zeigt die
Paœsio einer minnenden sele (Mone a. a. 0. 1, 129—131). Für die Verwandung
dieser gemischten Schreibart in geschichtlicher Darstellung zeugt eine Pommers-
felder Handschrift (Haupt Zeitschrift f. deutsch. Alterth. 5, 371). Wie sich diese
Mischung auch in lerhafter Rede und in Predigten, in Rechtschriften und Seg-
ensprüchen und Gebeten findet, hat W. Wackernagel erwähnt deutsche Literat-
urgesch. 8. 318. 320.

[1] Daœ der Mensch erschaffen sei, die Stelle der gefallenen Engel einzu-
nemen, wurde von Augustin behauptet und nach ihm von verschiedenen Kirchenvätern; wir finden deshalb diese Ansicht öfter in den geistlichen Gedichten des
Mittelalters, z. B. Vorauer Gedichte 5, 5. 336, 13. Fundgruben II. 11, 40. Hahn
Gedichte des 12. 13. Jh. 13, 19. Haupt Zeitschrift 5, 18. Auch die Mystiker trat-
en dieser Annahme bei, Pfeiffer Mystiker 1, 380. Haupt Zeitschr. 9, 10. nicht
minder die späteren wie Jakob Böhme (Menschwerd. Jesu Christi l. c. 2. u. 9.)
Gegen Augustins Ansicht trat auf Honorius Augustodunensis in seinem libellus
octo questionum de angelis et homine (Pez thesaurus anecdot. II. 1, 213—234).

schepfe, die ich aus nichts erschaffen habe, und sage an wie
sie dir gefallen [1]).

Adam spricht:

O Herr, es ist ser gut fürwar was du in deiner Vorsichtig-
keit erschaffen hast, ich will dir
als meinem Gott und Herrn
alzeit dienen in Furcht und Ern.

Gott Vater spricht:

Adam, bau und bewar den edlen Garten in dem Paradeis.
Du kanst auch eoen von allen Früchten und Speisen im Paradeis; aber nur allein von dem Baum der Erkentnifs gutes und
böses solst du nicht eoen. Denselben Tag, da du davon eoen
werdest, solst du des Todes sterben.

Adam spricht:

O Herr, ich bin bereit dein Gebot zu halten alle Zeit und zu
folgen deiner Lere.

Das dritte Lied [2]).

Gott lieo kommen ein Schlaf so süo
wol über den Adam, dao er schlief.
So loben wir Gott schon
im höchsten Thron.

Er nam eine Rippe auo Adams Leib,
darauo formiert er dem Adam ein Weib.
So loben wir Gott schon
im höchsten Thron.

Gott Vater spricht:

Mich dünkts nicht gut zu sein
dao der Mensch ist allein
auf Erden, denn unter allen Thieren Viehen und Vögeln find ich
keines, das dem Adam zu einer Gehilfin gleich wäre. Darum

---

[1]) In Jak. Ruffs Adam und Eva ist hierauß eine lange Scene gebildet;
Adam muß die einzelnen Thiere benennen. vv. 739—970.

[2]) Ueber die Lieder in den Zwischenscenen vgl. die Anmerkung zu dem
Vordegnberger Weihnachtspiel S. 143.

20

will ich ihm aus seinem eigenen Fleisch und Gebein eine Gehilfin machen.

Gott Vater steht auf, greift dem Adam in die Seite, nimt eine Rippe heraus.

Eine Rippe nem ich aus Adams Leib,
daraus formier ich dem Adam ein Weib.
Adam erwach vom Schlaf gar bald,
sieh! hier hast du eine Gehilfin nach deiner Gestalt.

Seid fruchtbar, vermeret euch und erfüllt die Erden, denn euch sollen unterworfen sein alle Fische in dem Waser, alle Vögel unter dem Himmel und alle Thiere auf Erden, und alle Kräuter sollen euch zur Speise sein. Bleibet nur in meinem Gehorsam allezeit.

Adam spricht: [1]

Das ist ein Fleisch von meinem Fleisch und ein Bein von meinem Bein. Diese soll ich Männin oder Eva heisen, weil sie vom Mann genommen ist.

Gott Vater spricht:

Adam nimm war und sieh alle Thier,
diese alle geb ich dir.
Alle Thier die auf Erden leben,
alle Vögel die in der Luft schweben,
alle Fisch die in dem Waser schwimmen,
die sollen dir allesamt dienen.
Ich hab dir auch das beste Ort bereit,
da kanst du leben one Sorgen und Müh,
solst auch keinen Mangel leiden nie.
Wann du ausgelebt wirst haben,
werden dich die Engel in den Himmel tragen;
dies geschieht wenn du wirst folgen mir
und halten wirst was dir gebür.
Im Paradeis steht ein Baum,
die Erkentnifs heist sein Nam;
von diesem solst du esen nicht,
sonst aber von allen Bäumen die Frücht.
Wirst du dich aber so vermesen

---

[1] Genesis 2, 23. Hans Sachs Schöpfung Fall und Austreibung Adä III. rw. (1560). — Diese biblische Haltung felt den entsprechenden französischen Mysterien.

von der verbotnen Frucht zu eßen,
so solst du des Todes sterben. Hierbei erkenn deinen Gott
sodann,
der dir das Leben geben hat und auch widerum nemen
kann.

Der Adam und die Eva gehen miteinander um [1].
-Da spricht der Adam:

Sieh, meine Eva, wie lieb uns Gott hat vor allen Kreaturen
auf Erden, denn er hat uns alles unterworfen und in unsre Gewalt gegeben. Sieh von allen diesen Früchten können wir eßen,
aber nur allein von dem Baum der Erkentnifs gutes und böses
sollen wir nicht eßen. Denselben Tag, so wir davon eßen,
werden wir des Todes sterben. Darum ist es auch billig, daß
wir Gott lieben loben und eren und seine Gebote halten.

Der Adam und die Eva stehen zu dem Baum,
da spricht die Eva: [2]

Halten wir nur fleißig dieses Gebot,
damit wir nicht erzürnen unsern Gott.

Das vierte Lied:
Gott hat erschaffen zwei Person
und hats gezieret wunderschon.
So loben wir Gott schon
im höchsten Thron.

Sobald der Teufel das inne war,
so komt er heimlich geschlichen dar.
So loben wir Gott schon
im höchsten Thron.

---

[1] Dieses herumgehn, one daß die Personen abtreten, bezeichnet im alten
Schauspiel öfters den Wechsel der Scene.
[2] Bei Jubinal mystères II. 6. 7. will Eva erst den Grund des Verbots von
Adam wißen, und als Adam sagt, auch one dieß zu wißen werde er gehorchen,
sagt sie: Et moy aussy je le feray; mez moult volentiers en mengasse pour
certain, se je ne culdasse faire offence. In dem mystère de la résurrection
(Jubinal II. 320) sagt sie zulezt: Dire vous vaell ma volenté: de ce fruit volentiers mengasse, se point désobair ne culdasse. Certes volentiers je céasse
pourquoy l'a falt ce je péusse: ne sçay pas sy l'a fait pour moy. Darauf tritt
der Teufel Belgibus vor und spricht: Je te diray raison pourquoy il vous a ce
fruit deffendu.

Der Teufel war dem Menschen feind
das er solt kommen in Himmel hinein.
So loben wir Gott schon
im höchsten Thron.

Der Teufel sezt sich wol auf den Thron,
des Adams Fall zu stellen an.
So loben wir Gott schon
im höchsten Thron.

Die drei Teufel treten auf: [1]) der erste heist Belial, der zweite Satan, der dritte Luzifer.

Luzifer spricht:
O Zeter, Mord, o Jammer und Not!

Satan spricht:
Ach groses Leiden on End in Ewigkeit!

Belial spricht:
Sterben mit verderben und doch leben!

Alle zusammen sprechen:
Grisgramen, seufzen, weinen und heulen! ach wir armen!

Luzifer
Entsetzliche und häsliche,

Satan
geklemte und gequälte,

Belial
garstige und abscheuliche,

Luzifer
feueransspeiende und elende,

---

[1]) Die erste blijscap van Maria begint mit dem Gespräch zwischen Nijt und Luelfer, worin Nijt zur Rache für ihren Sturz den an ihre Stelle gesezten Menschen zu verderben schwert. Luzifer verheißt Hilfe und der Nijt findet den Rat, durch die Schlange Eva zu bethören, welche ihren Mann überreden werde. Willems belgisch Museum IX, 61 ff. In dem Mystère de la Nativité (Jubinal II. 7.) felt diese Zwischenscene und an die Aeußerung des gezwungenen Gehorsams Evas schließt sich die Versuchung durch Belgibus in raschem Zuge an. In Hans Sachs Tragödie von der Schepfung treten dieselben drei Teufel wie hier auf.

Satan

vom Himmel verworfene,

Belial

in die Helle verstoßene,

alle zusammen
geschwächte und überwundene Geister!

Luzifer:

Ach wir elende! was haben wir gethan, daß wir so lüderlicher Weis in ein so großes Elend sind geraten? Wir haben
vorher Gott wollen gleich sein, aber anjezt sind wir uns selber
nicht mer gleich; wir haben zuvor Gott seine Ere mißgönt,
aber anjezt werden uns alle Kreaturen verspotten und ver-
lachen und unseren Schaden vergunnen.

Belial:

O großer Jammer, o ewige Rache, so Gott an uns verübet
hat! denn in alle Ewigkeit haben wir keine Erlösung zu hoffen,
ja sogar der kleinste Trost ist uns versagt. Darum sei verflucht
jene Stunde, in welcher wir sind erschaffen worden; verflucht
und vermaledeit sei jener Augenblick, in welchem wir wider
Gott sind aufgestiegen! Ach wir werden in alle Ewigkeit ver-
fluchte und vermaledeite Geister bleiben.

Satan:

Ei was nützet uns so viel klagen? wir können doch den
Jammer unsrer Pein auf das mindeste nicht lindern, sondern
vielmer vergrößern und erbittern. Wir müßen doch immer und
ewig in der Helle als unglückselige Geister verbleiben.

Luzifer:

Freilich können wir es nicht mer ändern. Aber unter aller
meiner Pein, was mir am schwersten fällt ist dieses, daß ich
weiß das Gott zwei Personen erschaffen hat mit einer so
schönen Krone, die wir so lüderlicher Weise verscherzet haben,
da sie damit gekrönet werden [1]). Eben dieses erwecket in mir
Zorn Haß Neid und allen Grimm.

---

[1]) Freidank 68, 12—15. Got mohte den tiuvel niemer bas gehœnen, do er
sô hôhe saz, danne das diu broede menneschelt, die er verriet, dâ krône treit.

Satan und Belial sprechen mitsammen:
Eben das ist unsre Stimm.

Satan:

Ich weiß aber auch, Gott hat den Menschen einen Baum
verboten, von welchem sie nicht sollen eßen. Eßen sie von
dieser Frucht, spricht Gott, so müßen sie sterben des ewigen
Todes. Also werden wir diese Leute anreizen daß sie davon
eßen, so sind sie schon in unsrer Gewalt. Wir sind Fürsten
der Erden auch über das ganze menschliche Geschlecht. Die
Menschen müßen auch mit uns in die Helle verstoßen werden.

Luzifer:

Satan, ich heiße gut deinen Rat; geh hin und stelle das
beste an,
> und mach dich zu einer Schlangen weis
> und verführe Adam und Eva aus dem Paradeis.

Satan:

Alles nach deinem Befelch.

Satan gehet ab.

Luzifer spricht:

Und du auch Belial reize ihn dazu und spare keinen Fleiß,
und dieses mache nur fein bald, eh wann sie Gott befestiget mit
seiner Gnade,
> gleich wie man bei den Engeln sicht
> daß keiner mer sündigt nicht.

Belial:

Dies soll also bald geschehen.

Gehen alle zwei ab.

Das Schlangenlied vor der Thür: [1]

Gott hat erschaffen in sechs Tagen allbereit
den Himmel und die Erden und alles zugleich,
all Bäume Kräuter und grünes Gras
Luft Erden und Feuer und die Waßer so groß.

Alle Thierlein auf Erden, alle Fisch in dem Mer,
alle Vöglein in Lüften und was anders mer.

---

[1] Vgl. das erste Lied dieses Spiels S. 302.

Den Menschen den hat Gott aus Erden bereit
und die Eva aus Adam seinen Leib.

Gott hat sie gesezt in das Paradeis,
hat ihnen erlaubt von aller Speis;
nur einen Baum er verbieten that,
durch ihn sie die Schlange verfüret hat.

Die Schlange tritt auf [1]) und der Belial.
Die Schlange spricht:

Ioh tret herein ins Paradeis
geschlichen in einer Schlangen Weis [2]).
Gott hat geschaffen zwei Person,
er hats gezieret wunderschon,
er hats gesezt ins Paradeis,
verboten ihnen eine Speis.
Werd schaun ob ich sie kann betriegen, [3])
will ihnen gar so recht vorlügen.

Die Schlange spricht zu Eva:

O mein Eva, wenn ihr wüstet was ich weis, [4])
ihr würdet gewifs esen von dieser Speis.
Hat Gott vielleicht gesagt, ihr sollet nicht esen von allen
Früchten im Garten?

Eva:

Gott sagt, wir können esen von allen Früchten im Garten;
aber nur von dem Baum der Erkeutnifs gutes und böses, hat
Gott gesagt, sollen wir nicht esen. In welcher Stund wir davon
esen, so werden wir des Todes sterben.

---

[1]) Die Schlange wird durch ein Mädchen mit langem Zopfe dargestellt. Mit
einem Frauenkopfe oder ganzem Frauenleibe findet man sie häufig auf alten
Bildern. In Hans Sachs Tragödie von der Schepfung heißt es: die Schlange steht
auf jre Fuß.

[2]) Hs. als eine Schlange weis. — Vgl. darumb der tiuvel si betrouc in
eines slangen wise. Muskatblüt 3,36 [(Ausg. von Groote.) — Der tiuvel kam
gekrochen — in einer slangen wise. ebd. 23,20.

[3]) ich werd schaun ob ich die Leut nicht kann b, Hs.

[4]) in dem Mystère de la Resurrection (Jubinal H. 321) ist die Anknüpfung
des Belgibus mit Eva weit geschikter.

Die Schlange: [1)]

O ihr Leute, wie thöricht und unverständig seid ihr! von der allerschönsten Frucht nicht eßen, wäre ein Zeichen daß euch Gott nicht lieb hätte. Eßet nur von dieser Frucht, ihr werdet nicht sterben des ewigen Todes.

Eva:

Eßen die Engel auch nicht davon?

Die Schlange:

Ja freilich nicht, Gott selber nicht, sie bedürfen es auch nicht. Wenn Gott wüste in welcher Stunde ihr von dieser Frucht eßet! [2)] Dann werdet ihr alles hören und sehen, wißen was gut und bös ist, alles alles alles.

Eva:

O wie liebreich zart und schön
die Früchte in dem Garten stehn!
's ist ja die schönste Augenweid,
das erkenn ich mit großer Freud.
Ei so will ich mein Hand außtrecken
Die Eva greift um den Apfel und will die Frucht abbrechen
ich will sie kosten alsogleich,
wie solche Frucht zu eßen sei.
Wenn ich die Warheit sagen soll,
schmeckt mir die Frucht von Herzen wol.
Nimm hin mein lieber Adam, iß auch davon,
so werden dir auch deine Augen aufgethan.

Adam: [3)]

Nun dann eß ich auch davon,
wenn ich wie die Engel werden kann.
Eva wie gedünkt es dich? ist denn noch alles war, was dir die Schlange sagt?

[1)] T serpent in der ersten blijscap van Maria v. 203—205: u swelle steet te lewene ende seit øe wetten hoe ende watte van allen wijsheiden.

[2)] Genesis 3,5.

[3)] Eerste blijscap van Maria 254 ff. t'dwen begeerne eawillic mi niet plaen te weerne. Ic hebt gedaen. God iut ons te vromen ende tonen sdiagen inde comen.

E v a:

Nein, mich dünkt wir müssen weichen!
die Schlange hat gar ein süßes Maul,
sie ist listig und betrogen,
drum mach ich mich von hier, sie möcht uns haben vorgelogen,
dazu wær sie nicht faul.

Der Adam und die Eva gehen ab.

Die Schlange und Belial sprechen mitsammen: [1]

Juch Victoria! jezt haben wir Adam und Eva betrogen ⸫ .
und ihnen so schrecklich vorgelogen!
Ja so werden wirs machen mit den andern allen,
damit sie recht in die Sünde fallen.
Juch Victoria! der Sieg ist erworben und das ganze menschliche Geschlecht
in die Sclaverei als dienstbare Knecht
gebracht. Mit Freuden wir jubelieren und springen
und dabei Victoria singen.

Luzifer tritt auf und spricht:

Wer rufet um Sieg und Victoria?

Die Schlange:

O groser Hellenfürst, durch deinen Befelch haben wir erworben Sieg und Victoria.

Belial:

Durch unser beider List und Reizerei
brachten wir dies zu wege frei,
und übergaben wir diese Leut
in deine Botmäßigkeit.

Luzifer:

O glückselige Zeitung und fröliche Botschaft, die ihr mir
  habt gebracht!
ihr habt das ganze Menschengeschlecht zu Sclaven der
  Helle gemacht,

---

[1] Bei H. Sachs folgt dem Apfelbiß ebenfalls die Jubelscene der Teufel. In
der blijscap van Maria komt nach dem Sündenfall die Vertreibung auß dem Paradies
und darauf die Scene zwischen Luzifer und Nijt. Das Mystère de la Nativité
(Jubinal II.) hat diesen Teufeljubel nicht.

euch gebürt viel Er und Rum, weil ihr habt so viel aus-
gericht.
Ihr habt den Menschen den Himmel verschlossen
damit sie allsamt werden in die Hell verstoßen.
Derwegen wir Teufel jubilieren triumphieren
wegen dem erworbnen Sieg. [1]

Die fünf Personen treten auf: der Engel, die Barmherzigkeit, die Gerechtigkeit, Gott Son, Gott Vater.

Der Engel:

Damit alle Kristgläubige desto beßer verstehen möchten,
was das für eine große Gnade sei daß Gott das menschliche Geschlecht angenommen und die Schuld auf sich genommen, so
wollen wir in unsrer Komödien solche Betrachtungen vorstellen,
wie die Gerechtigkeit und Barmherzigkeit mit einander in Gott
gestritten haben, so dann kein anders Mittel gewesen als die
Menschwerdung Gottes. [2]

Die Barmherzigkeit:

Ich werde die Lieb und Barmherzigkeit Gottes genant,
und bin anjezo so ser betrübet
und gegen den Menschen so ser verliebet
daß ich will wagen bei Gott eine Bitt
und will haben mit dem Teufel einen Stritt.
Darum o Luzifer thue dein jubilieren und triumphieren und
victorisieren
noch eine kleine Zeit verschieben
und erwarte was ich bei Gott vermag, ich als die Liebe,
da ich so mächtig bin daß ich Gott fast kann zwingen zu
was ich will.
Darum du Hellenhund, steh mit deiner Victoria still.

Die Schlange geht ab.

---

[1] In der Hs. steht: die Teufel stehen zu dem Baume und singen das Lied;
allein das Lied ist nicht mitgetheilt.

[2] Ueber den hiermit beginnenden Prozeß der Entsünung des Menschen vgl.
meine Vorbemerkung zu diesem Spiele S. 296. f.

Luzifer:

Ich schreie nach der Gerechtigkeit um Rach und Straf [1]
und du, Liebe und Barmherzigkeit,
solst mich nicht überwinden in Ewigkeit,
Belial nimm hier meine Ketten

(gibt dem Belial die Ketten)

binde Adam und Eva gar fest damit,
denn auf ewig sollen sie mir verbunden sein.
Binde sie mit Ketten und Banden,
niemand soll sie reißen aus meinen Handen. [2]

Belial:

Das soll alsobald geschehen.   (geht ab).

Die Barmherzigkeit:

O Luzifer nicht poch so ser, denn ich werde
einen Liebespfeil wagen auf den göttlichen Son.
Mit Liebesfeuer will ich ihm sein Herz durchschießen,
daraus wird den Menschen die Erlösung sprießen;
deine Banden werden brechen dann,
den Sieg und Victoria trag ich davon.

Luzifer:

Ich trag den Sieg davon. Herr, gerechter Richter, ich schrei
um Rach und Straf wider Adam und Eva.
Weilen sie dein Gebot haben gebrochen,
so soll es ihnen nicht bleiben ungerochen.

---

[1] In dem Pariser Mystère (Parfait histoire du théâtre français 1,65) findet sich hier eine ganze Hellenscene.

[2] In der ersten blijscap van Meria schließt sich an die Jubelscene über die Verführung sogleich an, daß Luzifer und Nijt Adam vor Gott füren und von ihm verlangen daß er den Fluch erfulle mit dem er den Menschen für den Ungehorsam bedroht hat. Gott muß die Gerechtigkeit der Forderung anerkennen und die Teufel jubilieren; sie laßen die Helle erweitern und für die zu hoffenden Ankömlinge zurecht machen. Adams Tod. Seth geht zu dem Cherubim. Die Klagen in der Helle. Dann tritt das bitter Ellinde auf Krücken auf; es will zum Hern gehn und hoft auf das Innich Gebet. Dieß komt, Elend trägt ihm die Not vor wie die Altväter in der Helle liegen. Inn'ch Gebot sei en ihrer Stett auf der Erde gelaßen, es möge nun auch für sie zum Herrn gehen, es sei schnell. Innich Gebet sagt: es könne nicht helfen wegen Gottes Zorn; indeßen habe es eine Freundin bei Gott, die Barmherzigkeit (Ontfermicheit) die von Gott über alles

Ich will sie herstellen vor das Gericht,
auf das du strafst was ungerecht ist;
und wenn dieses nicht geschicht,
bist du kein gerechter Richter nicht.

Belial fürt Adam und Eva gebunden herein, [1] die Schlange geht hinten nach.

Luzifer:

Allmächtiger und gerechter Gott! hier stell ich dir den er-
vergeoenen Adam vor, weil er wider dein ausdrückliches Gebot
den Apfel von dem verbotenen Baum gestolen und gegeoen hat.
Gleich wie du mich, o Gott, mitsamt meinen Mitgesellen von
wegen meines hoffertigen Willen von dir und dem Himmel verstoßen hast, so ist es auch billich und recht das du den Adam
und Eva und das ganze menschliche Geschlecht von dir und dem
Himmel verstoßest.

. Die Gerechtigkeit:

Allmächtiger und gerechter Gott! was der leidige Satan
wider den sündhaften Menschen vorbringt, ist die gründliche
Warheit. Denn der Mensch hat nicht allein wie die Engel, sondern er hat noch viel schwerer gesündiget als sie, welches ich
also beweise. Die Engel haben gesündiget wegen ihrer Hoffart,
weil sie Gott wolten gleich sein; der Mensch hat eben darum

---

geliebt werde. Zu ihr geht innig Gebet, beschreibt ihr das bitter Elend, woher
es komme, und gerürt wendet sich die Barmherzigkeit an Gott; dagegen erhebt
sich die Gerechtigkeit und weist die Bitte als gegen Gottes Warheit zurück. Die
Warheit wird Schiedsrichterin und erklärt eine Außhilfe sei möglich, wenn nämlich ein reiner für die Sünde des Menschen freiwillig den Tod auf sich neme.
Die Gerechtigkeit aber sagt, unter den Menschen sei keiner schuldlos; drum
wenden sie sich an die Engel. Von denen will jedoch keiner den Tod auf sich
nemen, drum spricht die Barmherzigkeit Gott selbst an. Die drei göttlichen
Personen bereden sich über den Antrag; die Entscheidung wird auf Anlaß des
Friedens der Warheit überlaßen, welche erklärt daß der Son die Entsünung über-
nemen müße. Der Son aber weigert sich anfänglich, biß er den Gründen des
Vaters, der Warheit und der Gerechtigkeit nachgibt Da küßen sich Friede und
Gerechtigkeit und bringen dem Sone jubelnd Dank. (vv. 500—1400)

[1] Ueber die Feßelung durch den Teufel vgl. Mone Schauspiel des Mittelalt. 1,268.
Grimm Mythol. 964. Vgl. auch Altdeutsche Blätter 1,299: dô sprach der teufl:
nu habe ich den menschin fundin met der deube in dem paradifo und habe in
gebundin mit den strickin der sundin. — In dem Liesinger Paßions Spiele (vgl.
weiter unten) wird das Schäflein von Astarot an einer Kette vor Pluto gefürt.

gesündiget weil er auch Gott gleich sein wolte, weil er die Frucht, so ihm deine Majestät ausdrücklich verboten, gestolen und gegesen hat. Der Mensch kann sich nicht entschuldigen daß er nicht gewust habe, das es eine so grose Sünde sein solte; denn er hat es mit seinen Oren gehört: wenn er von dieser Frucht esen werde, solle er des Todes sterben. Daraus folgt das der Mensch keiner Barmherzigkeit sondern der ewigen Strafe wirdig sei.

Die Barmherzigkeit:

Almächtiger und barmherziger Gott! es ist deine göttliche Majestät mit den armen Engeln so streng verfaren das ich es one Herzeleid nicht habe ansehen können. Wenn du nun mit dem armen sündigen Menschen auch also woltest umgehen, was würde nicht dieses für ein Herzeleid sein? Darum bitte ich deine göttliche Majestät, du wollest den Menschen nicht strafen nach seinen Verdiensten, sondern ihm die Sünde nach deiner grösten Güte gnädiglich nachlasen.

Die Gerechtigkeit:

Das will sich gar nicht gebüren, das deine göttliche Majestät wider dein eigenes Wort solle thun; denn du es dem Adam gesagt: in welcher Stund er von dieser Frucht esen werde, soll er des Todes sterben. Weil deine göttliche Majestät solches geredet hat, so mus es auch gehalten werden.

Gott Vater:

Nun denn, was ich gesprochen, das soll auch geschehen.

Die Barmherzigkeit:

Almächtiger und gütiger Gott! gedenk was du thust! wenn du den armen Adam verdammest, so verdammest du das ganze menschliche Geschlecht. Sollen denn so viele tausend und tausend Menschen von wegen dieser einzigen Sünde verloren gehen? Dieses würde ein unbeschreiblicher Jammer sein. Denn der Mensch ist listiger Weise von der Schlange betrogen worden, sonst hätte er nicht so leicht gesündigt; er hat es auch nicht so vermeint das ein einziger Apfelbis eine so grose Sünde sein solte. Darum bitte ich deine göttliche Majestät demütiglich um Gnad und Barmherzigkeit.

Die Gerechtigkeit: [1]

Wenn da, o Gott, dem Menschen die Sünden one einige Strafe würdest nachlassen, so würdest du ihm Ursach geben, hernach desto freier zu sündigen. Alsdann würde man sagen können, es sei keine Gerechtigkeit in Gott, weil er nicht einen jeden belont oder bestraft, wie er es verdient hat.

Die Barmherzigkeit:

Ich begere nicht, dass Gott dem Menschen die Sünde on einige Strafe solle nachlassen; sondern ich bitte nur dass ihn Gott nicht ewig strafe. Zeitlich kann er ihn strafen so viel er will.

Die Gerechtigkeit:

Mit einer zeitlichen Strafe bin ich nicht zufrieden, dieweil dieselbe gar nicht giltig ist für die Sünde, die der Mensch begangen hat. So hat er eine unendliche Strafe verdient. Gesezt aber dass ich mit einer zeitlichen Strafe wolte fürlieb nemen, wie kann er seine Kinder, die er in die Sünde gestürzt hat, rechtfertigen? wie kann ein Sünder den andern rechtfertigen? wie kann einer geben was er selbst nicht hat? wie kann einer, der lang tot ist, andere wider lebendig machen?

Die Barmherzigkeit:

Ich muss bekennen dass Adam für sich und seine Kinder nicht genug thun könte, wenn er schon sein Lebtag Busse thäte. Darum bitte ich dich o Gott, du wollest einen Engel [2] vom Himmel schicken, der für die Sünde des Menschen genug thue und das ganze menschliche Geschlecht aus dem Joche des Satans erlöse.

Die Gerechtigkeit:

Wie würde sich dieses schicken? gesezt aber dass es ge-

---

[1] Erste bijjscap van Maria v. 1093—1143 die Gerechtigkeit spricht: Ni dat ic gescreven vinde, só es Gods waerheit sonder inde, ende aldus dan ná á verstaen, soe soude de waerheit Godes vergaen. Ontfermicheit, fuster, dan mach niet sijn. — Ebenso in dem Mastrichter Spil 137—139 vader min, ded's du inbermicheit, wá blive dan die gerechticheit?

[2] Die Frage über die Möglichkeit der Erlösung durch einen Engel wurde in der alten Kirche besonders durch Photius bekämpft, überhaupt viel behandelt. Ebenso beschäftigten sich die Mystiker mit ihr. Vgl Klee Dogmengeschichte 2, 3. 4. Vgl. auch David v. Augsburg bei Haupt Zeitschrift 9, 0—14.

schehen solt, so wären die Menschen schuldig denselben Engel für ihren Heiland zu erkennen und ihm aus allen Kräften zu dienen; und wären mer schuldig demselben Engel ihrem Erlöser als Gott ihrem Erschaffer.

Die Barmherzigkeit:

Almächtiger und gütiger Gott! ich habe vermeint ich wolte dem armen sündigen Menschen helfen. Nun sehe ich aber das kein andres Hilfsmittel mer übrig ist', als das du dich selbst des Menschen annemest [1] und für seine Sünde genug thuest.

Der Gott Vater:

Wie? soll ich für die Sünde des Menschen genug thun? wie? soll der Herr für den Knecht leiden? wie? soll sich der Richter für den Dieb henken? Das wäre ein Wunderding! Gesezt aber das ich es thun wolte, wie kann ich es thun? Adam hat durch seine Sünde eine schwere Strafe verdient, ich kann nicht leiden. Adam hat durch seine Sünde den zeitlichen und ewigen Tod verdient; ich kann nicht sterben.

Die Barmherzigkeit:

Weil du, o Gott, weder leiden noch sterben kanst, so will ich dich von Herzen bitten das du die menschliche Natur annemest und in derselben für die Sünde der Menschen genug thuest.

Die Gerechtigkeit:

Das wäre ein Wunderding! Adam hat die Strafe verdienet und Gott soll dieselbe bezalen? nimmermer werde ich dieses gestatten; denn tausendmal beoer ist es das der Mensch ewig leide als das dem allerhöchsten Gott das geringste Uebel widerfaren solte.

Die Barmherzigkeit:

Wo aus? wo hin? o höchst betrübte Liebe und unterliegende Barmherzigkeit, das du dich könnest erquicken und finden eine Freude! Denn was nüzt es mir, das ich die erste Tugend bin in Gott, das ich Gott dem Vater einen Liebespfeil in das Herz ver-

---

[1] Herre got, dir ist der arme angevallen, dem nieman gehelfen mac wan dû alleine. David von Augsburg Haupt Zeitschr. 9,10.

setzet hab daß er den Menschen erschaffen hat zur ewigen Himmelsfreud! Und nun schwinget die Gerechtigkeit das Schwert
in aller Schärfe und bringet den Menschen in das ewige Leiden!
Dieses ist mir ein unerträgliches Herzeleid.
Jedoch will ich mich hin verfügen zu der zweiten Person,
nemlich zu Gott dem Son,
und will sein Herz mit Liebesfeuer durchschießen,
vielleicht wird allda dem Menschen die Erlösung entsprießen.
Ich bitt herum, ich ruf herum und bitte alle heilige,
(sie kniet nieder vor dem Engel.)
O Engelein hilf mir bitten für den sündhaften Menschen!
(Sie wendet sich zu Gott dem Son.)
O göttlicher Son und zugleich Gott, der du mit dem Vater
und dem heiligen Geist regierst her von Ewigkeit, du siehest
und weist auch wol, daß ich dir obsieget habe und durch meine
hitzige Liebe dich fast kann zwingen zu was ich will. Drum will
ich dir einen feurigen Liebesstral in dein Herz versetzen
(bläst den Liebespfeil ab auf den Gott-Son)
und bitte dich zugleich du wollest den armen Menschen als ein
verlornes Schäflein
suchen und füren zu deines Vaters Herde in den Himmel ein.

Der Gott Son spricht:

Die Liebe und Barmherzigkeit hat mir mein Herz erweicht
und verwundet mit einem Liebesstral. [1] Es erbarmen mich die

---

[1] Heu willic vriendelic doen bekinnen dat mi Onifermicheit heeft ontstaet,
vuerich dorscoten mijn hert mijn sinnen ende metten strale van minnen geraet;
dies wort van mi de doet gesmeekt. Eerste blijscap van Maria 1343—1347. —
Daß der Logos oder die zweite Person in der Gottheit die Erlösung volziehen muste,
war übereinstimmende Ansicht der alten Kirchenväter wie der Scholastiker. Als
Hauptgründe gelten daß durch den Logos die Welt geschaffen sei und er seine
Schepfung dem Teufel gegenüber behaupten müße, sodann daß er als mittlere
Person in der Dreiheit zum Mittleramt am geeignetsten war. vgl. Klee Dogmes-
geschichte 2, 3—5. Diese Ansichten finden wir in die mittelalterlichen Gedichte
aufgenommen und im einzelnen außgeführt. Unser Paradeisspiel behandelt den
Fall ebenfalls. In der ersten blijscap van Maria werden jene beiden kirch-
lichen Hauptgründe geltend gemacht, ferner daß als die Weisheit die schwere
Aufgabe oné wißen des Feindes am besten lösen könne; durch seine Stärke
sei er überdieß mer als der h. Geist zu der That befähigt. In dem Pariser mystère

armen Menschen ser; aber dao ich als Gott solte leiden, das
wäre wider meine Ere.

Die Barmherzigkeit:

Ob es zwar scheinet dao es wider deine göttliche Ere sei,
so gereichet es doch zur sonderbarlichen Vermerung derselben,
denn hierdurch werden alle Engel und Menschen Ursach bekommen, Gott ewig zu loben und um das so wunderbarliche Werk
unendlichen Dank zu sagen. Es wird auch hierauo deine göttliche Gerechtigkeit desto klarer erscheinen, weil alle sehen
werden dao Gott gerecht ist, dao er lieber die Sünde an sich
selbst wolte abstrafen als ungestraft hingehen laoen. Es wird
auch hierauo deine göttliche Allmächtigkeit Weisheit Freigebig-
keit und Gütigkeit desto klarer erscheinen, weil alle sehen
werden dao Gott solches Werk gethan hat welches wider allen
erschaffenen Verstand ist. Ja ich weio auch dao alle Menschen,
die auf eine so wunderbarliche Weise erlöst werden, Gott Tag
und Nacht danken und sich mit Leib und Sel werden verschreib-
en laoen; ja dein verwundetes Herz und grooe Liebe werden
alle Menschen zur Gegenliebe anreizen. Darum bitte ich dich,
gütigster Gott, um deine grooe Ere und Glorie: nimm doch dieses Werk auf dich und willige in mein eifriges begeren.

Der Gott Son:

Du Liebe, ich kann dir nicht abschlagen dein begeren,
sondern ich werde dir deine Bitte gewären.
Herzliebster Vater, dich auch erbarme,
wir wollen den Menschen nicht auf ewig verdammen.

---

bei Parfait histaire du théâtre français 1, 103 sind die vier Gründe, weshalb
der Son die Erlösung übernemen muste, seine Sonschaft, dann daß er das Ab-
bild des Vaters ist, ferner daß er der Logos sei, viertens weil er die mittlere
Person ist. In der teutschen Theologey des Bischofs Berthold von Chiemsee heißt
es cap. 54 §. 2. „Do nun menschlich geschlächt in ewigs todes noeten lag und
nyemants vorhanden was, der dafselb geschlächt hiet moogen erledigen, dann
der hoechst mensch, den gotlicher Son in sein person wurd annemen — darauf
hat got im rat heiliger Trinitat beschloßen durch denselbigen gotlichen mensch-
en das abgefallen menschlich geschlächt aus seinen noeten zuo erheben und zu
bringen zum ende dazuo es beschaffen ist." Daß sich auch unsre mittelalterlichen
Lyriker mit diesen Fragen beschäftigten, belege das Gedicht Reimars von Zweter
Ich feite iu gerne ich weiz wol waz. Minnesänger v. Hagen 2, 177 b.

21

Der Gott Vater: [1]

Nun denn! damit Himmel und Erde erkennen daß ich unendlich gütig und barmherzig sei, so will ich dem Adam nicht allein verzeihen, sondern damit auch der Gerechtigkeit ein völliges genügen geschehe, so wollen wir die Sünde an uns selbst abstrafen. Darum bewillige ich eine aus uns drei göttlichen Personen die Menschheit anzunemen und in derselbigen für die Sünde des Menschen genug zu thun.

Der Engel muß um das Kreuz gehen indem die Gerechtigkeit spricht:

Weilen du, o ewiger Gott, dich von der Barmherzigkeit also läßest überwältigen und von der Liebe also läßest zwingen, so will sichs gebüren daß du mir auch ein völliges genügen leistest. Denn weilen sich der Mensch an dem Baum vergriffen und versündigt hat, so kann ich nicht zulaßen daß der Mensch das Leben

an einem andern Ort als am Kreuzesbaum solt geben. [2]

Die Barmherzigkeit:

Damit der göttlichen Gerechtigkeit auch ein völliges genügen geschehe, darum bitte ich dich o Gott, du wollest die Kreuzeslast auf dich nemen,

(Die Barmherzigkeit nimt von dem Engel das Kreuz und gibt es dem Gott Son)

um das ganze menschliche Geschlecht zu erlösen.

Der Gott Son:

Aus Liebe gegen den Menschen will ich alles leiden, ich will das Kreuz auf mich nemen mit Freuden, damit ich ihn von dem ewigen Tode erlösen könne.

Der Gott Vater:

Es ist mir lieb, mein lieber Son, aber es wird dir gar übel

---

[1] Vgl. Mastrichter Osterspiel bei Haupt Zeitschr. 2, 308.

[2] Dů mit dínem tóde unsern tôt zivuortest an dem stamme, damit uns in disem wuotchlamme verstieze Adámes gîte. Heinrichs Litanei Fundgruben II. 217, 46—218, 3. Holz bracht mich in not, darumb sol auch der ewig got an dem holz und stammen uns widerum gnad erlangen. Ein Recht daß Christus stirbt bei Pichler Drama des Mittelalters in Tirol S. 67. Vgl. ferner Mone Schausp. des Mittelalters 1, 307. 313. und unten S. 328. f. die Anmerkung zu Adams Tod. Ueber die Verbindung des Lebensbaumes und des Kreuzes in künstlerischen Darstellungen des Mittelalters z. B. an den Egstersteinen s. Schnaase Gesch. der bild. Künste 4,369.

ergehen in deiner Menschheit, denn du wirst ser viel müßen leiden: Hunger und Durst, Hitz und Kälte, Verfolgung und Verachtung; ja den allerschmerzlichsten Tod wirst du müßen austehen.

Der Gott Son:

Mit diesem bin ich gar wol zufrieden, mein allerliebster Vater. Ja deine Gerechtigkeit zu befriedigen und meine große Liebe und Barmherzigkeit vor allen Kreaturen öffentlich zu erzeugen, bin ich auch bereit auf dem Kreuzesholz zu sterben und alda dem sündhaften Menschen die Freiheit und das Leben zu erwerben.

Lucifer läst Adam und Eva aus den Ketten.

Lucifer:

Der Sünder der gehöret mein
und das ganze menschliche Geschlecht muß mit mir in die Hell
hinein.
Aus meiner Hand soll sie niemand retten!

Der Gott Son:

Pack dich weg, du Hellenhund,
weil du so schändliche Worte läst aus deinem Schlund.
Ich mit meinem Leiden und Kreuzestod werde dich schlagen
in die Hell hinab.
(Schlägt den Lucifer mit dem Kreuz auf die Schultern. Lucifer und Belial
gehen ab.)

Der Gott Son:

Ob ich schon die Strafe des Adam auf mich neme, so befreie ich ihn doch nicht von der zeitlichen Strafe. So will ich ihm und seinen Kindern, so lang sie leben, die Sünde auf dem Hals liegen laßen; so will ich ihm die Kleider der Unschuld abnemen, damit sie sich fürchten und schämen und will sie aus dem Paradeis verstoßen.

Adam:

Ach wehe, wie ist mir mein Mut verkert! ach was habe ich gethan? ich sehe jezt daß ich nackend bin. Wo fliehe ich hin, mit was bedeck ich mich? aus Feigenblättern werden wir uns Schürzen flechten, damit wir unsre Blöße bedecken.

(Adam und Eva nemen Kränze und legen sie über die Schultern.)

21 *

324

Der Gott Vater:
Adam wo bist? komm her zu mir! [1])

Adam:
O Herr, ich höre wol deine Stimme, aber vor dein Angesicht
zu kommen schäme ich mich.

Gott Vater:
Adam, warum schämst du dich?

Adam:
Weil ich bloß und nackend bin.

Gott Vater:
Wer hat dir gesagt das du bloß und nackend bist? hast du
vielleicht gegessen von der Frucht so ich dir geboten hab: Du
solst nicht essen?

Adam:
O Herr, das Weib, so du mir zu einer Gehilfin gegeben hast,
gab mir von der Frucht und ich aß davon.

Gott Vater:
Eva, sag an, warum hast du dieses gethan?

Eva:
Mein Gott, wie hat mich die Schlange so ser betrogen das
sie mir den Apfel gab und ich aß davon.

Gott Vater:
Weil du, o giftige Schlange, dies hast gethan, so solst du
verflucht sein unter allen Thieren. Auf deinem Bauche solst du
gehen und Erde essen dein Leben lang. Ich will Feindschaft setz-
en zwischen dir und dem Menschen, denn aus des Menschen
Samen wird wider ein Weib geboren werden so dir den Kopf
zertreten wird. (Die Schlange geht ab.) Und du Eva, dir will ich
viel Kummer und Schmerzen machen, du solst deine Kinder mit
Schmerzen gebären und unter deines Mannes Gewalt sein und
er wird dein Herr sein. Du aber, o Adam, weil du die Stimme
deines Weibes angehört hast und gegessen von der Frucht wo-

---

[1]) Diese Scene ist fast wörtlich nach dem biblischen Texte: Genes. 3, 9 ff.
Es mag überraschen, sie hier zu treffen; indessen sie ist in diesem Spiele von
Anfang an dieser Stelle gewesen und nicht verstellt. Der Vertreibung aus dem
Paradiese schließt sich die Verheißung der Erlösung an, welche erst dem be-
reits entschiedenen Prozesse folgen konte.

von ich dir geboten hab: du solst nicht eßen! so soll die Erde
verflucht sein auß der du genommen bist. Mit vieler Arbeit solst
du dich ernären, Distel und Dornen soll sie dir tragen, im Schweiße
deines Angesichts solst du dein Brot genießen, biß du wider zur
Erde werdest darauß du genommen; denn du bist auß Staub
und Erden und must wider zu Staub und Erden werden. (ruft
den Engel) Engel Gabriel, komm her zu mir!

Der Engel:

Herr, hier bin ich, was schafst du mir?

Die Gerechtigkeit gibt dem Gott Vater das Schwert,
Gott Vater spricht zum Engel:

Das scharfe Schwert das geb ich dir, das scharfe Schwert das
solstu tragen,
solst Adam und Eva auß dem Paradeise schlagen.
Verbanne und beware den Weg zum Baum des Lebens mit diesem feurigen zweischneidigen Schwert,
auf daß derselbe biß zum End der Welt von niemandem gefund-
en werd.

Der Engel:

Ich hab empfangen ein Gebot
und das von dem allerhöchsten Gott.
Das scharfe Schwert das soll ich tragen,
soll Adam und Eva auß dem Paradeise schlagen.
Also gehet hinauß auß dem Paradeis!
Adam, du solst bauen das Feld mit Fleiß,
Eva soll sich ermüden nicht minder [1])
und mit Schmerzen gebärn ihre Kinder.
Adam soll seine Sünden büßen,
in Schwitz und Schweiß sein Brot genießen.
Eure Kinder sind von Staub und Erden,
zu den sie letzlich müßen werden.

Eva:

Ach ich arme Frauen,
jezt muß ich das Elend bauen.
Adam und Eva gehen biß zu der Thür.

---

1) nicht minder, fält der H.

Adam:

O Weib, komm her und bitten wir Gott
das er uns wider ruft aus der Not. [1]

Eva:

Wir bitten Gott, er woll uns doch nicht ganz verlasen.

Der Engel:

Eva, du darfst keinen Zweifel fasen,
Gott wird euch nicht verlasen.
Eva, ere deinen Mann, erzieh dein Kind,
so verzeiht dir Gott all deine Sünd.

Adam und Eva singen ein Lied vor der Thür.

Eva singt allein:

Schau, mein Adam, hörst den Engel
:|:und was er uns:|: hat gedrohet an.

Adam singt:

Warum folgst dem Teufelsengel,
der dich so gereizet an.

Eva singt:

Ach wir leiden grose Not.

Adam:

Du bist schuldig des ewigen Tod.

Eva singt:

Wo sind denn nun jene Freuden
:|:die wir gnosen:|: im Paradeis.

Adam:

Der Apfelbis herfürbringt Leiden
Jammer Trübsal uns zur Speis.

Eva:

Du verfluchter Apfelbis!

Adam:

Schau mein Eva, must leiden dies.

Eva singt:

In die Trübsal wir uns haben [2]
:|:tief gegraben:|: beide ein.

---

[1] Auß der Not, felt der Hs.
[2] Hs. wir uns vergruben mir uns beite finden ein.

Adam:
Sünd und Laster müssen wir tragen,
weil wir ungehorsam sein.

Eva:
Ach die Schlang ist schuld daran!

Adam:
Schau mein Eva, das hast zum Lon.

Adam spricht:
Ach weh ich armer Mann, ach weh was hab ich gethan, dass
ich so ein grosses Gut mit einem einzigen Apfelbis verscherzet
hab! Soll ich denn nimmermer die Hoffnung haben, widerum
in das Paradeis zu kommen? soll ich denn mein Lebtag in diesem Jammerthal verbleiben? So wäre es ja kein Wunder das ich
mir vor Leid und Traurigkeit meine Augen aus dem Haupte
weinen möchte. Ach liebster Gott, erbarme dich meiner, strafe
mich nicht ewig wegen meiner Sünde.

Gott Vater:
Engel Gabriel, komm her zu mir!

Der Engel:
Herr hier bin ich, was schafst du mir?

Gott Vater:
Geh hin zu den Menschen auf Erden
und sage ihnen das sie erlöset werden.

Der Engel:
Nicht betrübe dich so ser Adam! aus deinem Samen wird
widerum ein Mensch geboren werden, der wird sein ein gerechter und friedsamer Held. Er wird seine Hand ausstrecken
und vom Baum das Leben nemen; er wird seine Frucht für alle
bringen die auf ihn hoffen.

Das sechste Thronlied:
O Mensch, steh ab von deiner Sünd,
richt dich zum sterben!
du kanst erwerben
ein selig End.

Adam der erste Mensch auf Erd,.
must dich nun fügen, ¹)
muß ja schon liegen ·
dein Leib in Erd.

Bedenk, o Mensch, alls was du thust!
du kanst nicht weichen,
und deines gleichen ·
auch sterben muß.

Wilst du auf Erd gottselig sein,
dein Leben beschließen,
wirst wol genießen
die Freude rein.

Die Gottesengel mit großem Fleiß
auf dein Sel warten
im schönen Garten,
im Paradeis.

Dort wird man dich in Himmelsthron
gar bald einfüren,
Gott wird dich zieren
mit einer Kron.

Dort wirst du sehen, allezeit
sein göttlich Gestalt
und all sein Gewalt
in Ewigkeit.

Adam tritt auf macht das Testament ²) und spricht:
O ihr meine lieben Kinder, hört die Worte eures Vaters und

---

¹) Gs. richt dich zum üben.

²) In der ersten blijscap van Maria sendet Adam, als er den Tod naben fült, seinen Son Seth zu dem Engel, welcher vor dem Paradiese Wache hält, um zu fragen, wann seine Qualen enden sollen und wie der Sündenfall zu büßen sei. Ehe Seth widerkomt, stirbt Adam; der Cherubim gibt Seth einen Zweig von dem Paradiesesbaume; durch diesen Zweig soll Adam „die eude grise“ erlöst werden. Seth soll ihn auf Adams Grab pflanzen, auß ihm wird ein großer und schöner Baum werden. vv. 642—716. In dem niederdeutschen Spiele von der Auferstehung (Mone Schausp. des Mittelalt. 2, 45 f.) erzält Seth, wie er von Adam

bewaret solche in eurem Herzen. Der Menschen Jare sind kurz
und vergehen wie der gestrige Tag, so nicht mer verhanden ist.
Ich hab zwar schon neun hundert dreißig Jare in diesem Jam-
merthale verlebt, aber unser Leben auf Erden ist wie ein Schatten und wir haben kein verbleiben hier, denn wir sterben alle
und verschliefen unter die Erden, gleich wie die Waßer die
nicht wieder kommen. Unsere Tage werden verzert als wie ein
Nebel in der Sonnenhitz. Mir hat es zwar der gütige Gott versprochen, es werde aus meinem Samen ein Erlöser geboren
werden, der uns den Weg ins Paradeis zeigen werde; ich aber
werde die Gnad nicht mer haben diesen Heiland zu sehen. Ihr
aber meine lieben Kinder, lebet nur fromm und gottselig und ihr
werdet die Gnad haben, den Heiland zu sehen. Ich gehe den
Weg aller Welt und gehe zu der Erden, was mir zugehört; denn
ich bin von Staub und Erden und muß wider zu Staub und Erden
werden. (Adam kniet zu dem Baume).

Der Tod tritt auf [1]) und singt:

Ich Tod von Gott geschicket bin
zu nemen dir das Leben,
die Zeit ist schon verfloßen hin
die Gott dir hat gegeben.
Mach dich nur auf, bsinn dich nicht lang,
du must auf fremde Straßen,

zu dem Engel um das Oel der Barmherzigkeit geschikt wurde, dieser aber (es
ist hier Michael) ihm dafür das Reis gegeben: wen vif düsint jår sint umme
kamen unt sechshundirt, dat mach dinem vadir vramen. In dem franz. Mystère
de la Nativité (Jubinal II. 17 ff.) fleht Adam, qui veult trespasser, daß Gott mit
seiner Sele, die in die Helle gehen solle, Barmherzigkeit habe, und der Herr
verheißt ihm nach fünftausend Jaren Erlösung. „Cy se voise Adam coucher sur
une couverture" und heißt seinen Son Cep ins Paradies gehn nach dem Oel der Barmherzigkeit. Der Engel welcher diesem auf Gottes Befel das Reis gibt, ist Raph-
ael. In unserm Spiele ist angenommen, daß dieser Erlösungsbaum (der Kreuz-
baum) schon aufgewachsen ist. Von dem Holze des heil. Kreuzes handelt ein
besonderes niederdeutsches Gedicht (Hagen Grundriß S. 207); auch Liutwin am
Schlaß seines Gedichtes von Adam und Eva (Hagen Grundriß 454. Hoffmann
Wiener Hß. n. XLVII) erwähnt der Zweige des Lebensbaumes, die auf Adams
und Evas Grab gepflanzt wurden.

[1]) In Ruffs Adam und Eva tritt der Tod gleich nach dem Apfelbiß auf und
hält einen Monolog: Ich bin der Tod in d'welt erborn, gemacht von der Sünd
und ußerkorn u. s. w. v. 1411—48.

und ob es dir werd noch so bang, [1]
ich werd dich hier nicht lasen.

Adam singt:

O nicht, o nicht o Todesmann
thu mich hinweg nicht reisen!
ich hab gelebt auf Erden lang,
neunhundert Jar und dreisig.
Ach nicht, ach nicht, o Todesmann,
las mich noch hier verbleiben,
soll ich von all mein Kindern dann
jetzunder auch schon scheiden?

Der Tod:

Nicht mer ein Stund sei dir vergunt,
was sagst von vielen Jaren?
es ist die Zeit verflosen hin,
thu nur dein Sel bewaren.
Die Ur ist schon gelaufen aus,
du darfst ja nicht lang wanken;
bestehen must den Todesstraus,
du bist in meinen Schranken.

Adam singt:

Behüt euch Gott mein Kinder all,
von euch mus ich jezt scheiden;
gedenket meiner auch einmal,
thut Sünd und Laster meiden,
habt Gott vor Augen allezeit,
gedenket auf das sterben,
damit ihr seid alzeit bereit
den Himmel zu erwerben.

Der Tod:

Verlase deine Kinder du,
du must dich schon aufmachen,
ich las dir ja kein Tag mer Ruh,
thu nur dein Leben betrachten.

---

[1] da werd ich dir schon bang. Hs.

Weil dich am Baum verbrochen hast,
ist dort verwirkt dein Leben,
du must gleich sein als wie ein As
den Würmlein untergeben.

Adam und der Tod gehen ab. [1]

Das siebente Thronlied:

Adam ersturbe der fromme Mann,
verlies seine Kind in betrübtem Stand.
So loben wir Gott schon
im höchsten Thron.

Es komt schon die Zeit des Erlösers herzu,
das Gottes Son Mensch werden thut.
So loben wir Gott schon
im höchsten Thron.

Der Gott Vater spricht:

Nun mein allerliebster Son, jezt ist die Zeit das du dich auf-
machest und in die Welt hinunter lasest; denn es erbarmen mich
die armen Altväter so ser, das ich ihr Elend nicht länger kann
ansehen. Darum will ich lieber dich leiden sehen als die armen
Menschen zu Grunde gehen lasen.

Der Gott Son:

Mein allerliebster Vater, wenn es dein göttlicher Wille ist,
das ich soll Mensch werden, so bin ich bereit (steht auf.) So
siehe, ich dein eingeborner Son, ich gehe hin in die Welt, wo ich
wol weis das mir alles übel widerfaren wird. So siehe, ich dein
eingeborner Son gehe in einen schweren Streit, den ich mit der
Sünd und mit der Welt und mit dem Fleisch und mit dem Tod und
mit dem leidigen Teufel werde füren müsen. So siehe, ich dein
eingeborner Son gehe hin zu sterben und mein so adeliches
Leben auf einem so schmählichen Kreuzgalgen zu lasen. Das

---

[1] Auf Adams Tod folgt in der ersten blijscap van Maria eine Hellenscene.
Luzifer und Neid freuen sich der vollen Helle; Adam Eva und die Altväter
klagen; Isaias erinnert an die Prophezeiung die er gelesen daß das Kind einer
Jungfrau sie erlösen werde, und Adam sagt: Verhucht u vriende ende blift in
hopen, die prophecie enmach niet liegen. Willems belgisch museum IX,85—89.
Diese Scene wird durch unser siebentes Thronlied ersezt.

thue ich dem armen sündigen Menschen zu lieb, damit ich deinen
Willen erfülle und die Altväter aus der Helle erlöse.

Die Gerechtigkeit singt:

Erlöser dieser Erden,
muß denn gestorben sein?
kann dir nicht geholfen werden,
allerliebster Jesus mein?
Adam ist daran schuldig
und du must gehn in Tod;
leidest alles so geduldig,
o du gerechter Gott.

Der Gott Son singt:

O Schäflein wegen deiner
trag ich das Kreuz auf mir,
denn weilen ja sonst keiner
auf Erd kann helfen dir.
Denn du wärst sonst verloren,
die Wölf zerrißen dich;
ich hab dich auserkoren,
weil du erfreuest mich.

Die Barmherzigkeit singt:

O Sünder nimms zu Herzen:
der allerhöchste Gott
als Mensch leit große Schmerzen
und geht für dich zum Tod.
Darum thu dich bequemen
und lern Geduld von Gott,
sein leiden thu erkennen
und halte sein Gebot.

Der Gott Vater spricht:

Was die Gerechtigkeit und Barmherzigkeit schon vorlängst
haben beschloßen, das soll endlich mit der Zeit erfüllet werden.
Denn es rufen und seufzen die Altväter schon über viertausend
Jare. O Himmel eröfnet euch und regnet herab den gerechten [1]

---

[1] Isaias 45,8.

Darum o allerliebster Son, verlas die neun und neunzig wolge-
weideten Schäflein und suche das .
was verloren ist und bringe es zu meiner Herd,
damit es sich bei mir erfreu und nicht ewig verloren werd.

Gott Son:

Mein allerliebster Vater, ich gehorsame dir gern, ich nem dies
Gebot gern auf mich,
ich will das Schäflein suchen und werds auch finden sicherlich.

Gott Vater:

Es ist mir lieb, mein lieber Son. Es wird dir aber gar übel
ergehen in deiner Schäferei; denn du wirst ser viel leiden müsen,
ja dein eigenes Schäflein wird sich wider dich setzen und empören und dich verfolgen über die masen ser.

Gott Son:

Aus Liebe gegen das Schäflein will ich alles leiden; ich will
mich nicht widersetzen und empören, damit ich es vom ewigen
Selentode erlösen könne.

Neun und neunzig gerechte ich hinterlase,
das ist die neun Köre der Engel im Himmelssal,
und auf die Welt ich mich hinunterlase
abzubüsen den Adamsfall.
Ich verlas die Himmelslust und Freuden
und geh in die Welt ins leiden,
in die enge Trauerstatt,
widerbringen was verloren war.
Alle Himmelsfreuden las ich hier,
du mein liebes Kreuz, wie bist du mir
so lieb! mit dir will ich leben, auf dir will ich sterben,
mit dir will ich das menschlich Heil erwerben.

nimt die Kron und das Tuch von der Schulter und sezt den Hut
auf, nimt Urlaub vom Gott Vater und vom Engel und
spricht:

Nun Adieu, mein allerliebster himmlischer Vater, nun Adieu
mein allerliebster heiliger Geist; sich ich gehe in die Welt ins

leiden, welches mir von Ewigkeit ist zubereit. Nun Adieu ihr lieben Engelein! (geht ab.)

Der Engel singt:

Gloria in excelsis deo.

Die vier Personen gehen ab: der Engel, die Barmherzigkeit, die Gerechtigkeit, der Gott Vater.

Zweiter Theil.

(Das Spiel vom guten Hirten) [1]

Der gute Hirt tritt auf und singt:

Wo soll ich mich nun wenden hin [2]
ich armes Schäferskind,
weil ich mus suchen ja forthin
ein Schäflein bis ichs find,
welchs gelaufen ist von der Weid,
die ihm mein Vater hat bereit
in alle Ewigkeit.

Ich klopfe hier an dieser Pfort,
o Schäflein mach mir auf!
in dieser Au find sonst kein Ort,
schon lang herum ich lauf.
Ich bin ganz matt, glaubs sicherlich,
die Herberg mir abschlage nicht,
ich bitt herzinniglich.

Ich bin ein Kind von hohem Stamm,
o edle Schäferin!
ich hab niemand nichts leids gethan,
ganz fromm ich allzeit bin.
Ein Schäflein ich verloren hab,

---

[1] Zusatz von mir. — Im übrigen vergl. die Vorbemerkungen zu dem Paradeisspiele. S. 298. f.

[2] Vgl. Friedr. Spee Ein Schäflein außerkoren such ich so manchen Tag Güldnes Tugendbuch Thl. 2. Kap. 4. Psälterlein P. P. Soc. Jesu S. 260 und O Schäflein unbeschoren du zartes wullen Kind Trutznachtigall (1683) S. 167. f.

das muß ich suchen Tag und Nacht,
bis ich es find fortab.

Mein Vater ist von Ewigkeit
und ewig wärt sein Reich;
sein eingeborner Son zugleich
ich ewig bin und bleib.
Ach Sünder merk und mich anhör,
dein arme Sel von dir beger,
drum bin ich hier, schenks mir.

O ihr verlornen Schäflein all,
ach wendet euch zu mir!
wol in den himmlischen Schafstall
ich euch all füren will;
hinauf wol zur himmlischen Weid
und wo ihr all in Ewigkeit
mich sehen wert alzeit.

Der gute Hirt spricht:

Dann! [1]) jezt will ich meine Stimm erheben
in der Wildnifs in diesem Jammerthal,
und will die Schäflein rufen,
das sind die Menschen all,
weilen sie durch den Adamsfall
verloren haben das Paradeis.
Ihr eigne Sünd beineben
schnurgrad der Hellen sie zuweist.
Drum will ich nicht nachlasen
und will das Schäflein suchen,
mit heller Stimme rufen:
komm Schäflein, komm Schäflein!   (geht ab.)

---

[1]) Dann! steht hier und in der folgenden Rede; die Bedeutung entspricht
dem verstärkten woldan!

Dieses auffordernde dann glaube ich auch annemen zu mäßen Fasnachtspiele (des 15. Jarh. von Ad. Keller) 252, 6. Nu grueß euch Got all mit einander! mich wundert daß ich zu euch wander. Dann! schazt mich ab nach
meiner person. ebd. 341,8 Dann! Got bewar euch hin als her.

Die Schäferin tritt auf und spricht:

Dann! jezt bin ich eine Schäferin on Hirten auf dem weiten
Feld
und tracht nach Freuden auf dieser Welt.
Es ist viel schöner in Freuden leben
als in Traurigkeit die Zeit verzeren.
Man singt, man springt,
man ist lustig und guter Ding,
und ich solt solches nicht genieaen?
das fällt mir gar zu schwer.
Ei so will ich mich ergetzen,
in den Weltfreuden
meine Zeit vertreiben,
meinen fünf Sinnen laaen freie Lust.

Der gute Hirt tritt auf und singt:

Ach liebstes Schäflein mein,
sag was soll dieses sein,
daa du mich gar verachtest,
nach andern Hirten trachtest?
Bleib hier in meiner Weid
bei schönster Seligkeit.

Die Schäferin singt:

Schäfer, verzeih mirs doch,
zu schwer ist mir dein Joch.
Ich seh bei andern Hirten
die Schäflein nicht bebürden
mit schwerer Dienstbarkeit,
wie hier auf deiner Weid.

Der gute Hirt singt:

Schäflein du irrest weit,
waunst [2]) gehst von meiner Weid,
der fremden Lust nachgehest
und dich zun Böcken gsellest.

---

1) waunst neme ich anß der Hs. in den Text; wannst wann du, mit ein-
geschobenem euphonischen s. Vgl. meine deutsche Dialectforschung, S. 81.

Du geratest ins verderben,
des ewgen Tods wirst sterben.

Die Schäferin singt:
Schäfer, laß mir ein Freud
nur eine kurze Zeit.
Bei deinen stillen Herden
möcht ich melancholisch werden.
Drum such ich Lustbarkeit
und mein Vergnügenheit.

Der gute Hirt singt:
Verfluchter Eigensinn,
so nimm den Abschied hin!
heut wirst du noch zumalen
in Sünd und Laster fallen;
dein Sel steht in Gefar,
gar bald verloren war.
(Gehet ab.)

Der Engel tritt auf und spricht:
O Schäflein folge meinem Rat
und bleib bei deinem Hirten;
denn alle weltliche Freud
wärt nur eine kurze Zeit.
Was? gibt nicht dein treuer Hirt
für eine kleine Zeit
dir ewige Himmelsfreud?

Die Schäferin spricht:
Dies Joch ist mir zu schwer,
das kann ich nicht ertragen.
Es ist auf seiner Weid
wenig Freud zu erfragen.
Drum wend ich mich von ihm
zu einem andern Hirten hin.

Der Engel:
Gott hat dir vorgelegt Feuer und Waßer; strecke deine
Hand aus nach welchem du wilst.
(Gehet ab.)

22

Die Schäferin singt dies Lied allein:
In der Früh wenn der Tag zu leuchten anfängt [1]
und sobald die Sterne vom Himmel vergehn,
so treib ich all mal
die Schäflein aus dem Stall,
weid sie auf grüner Heid
mit groser Freud.

Und wenn die Sonne zu scheinen anfängt
und sobald das Lerchlein die Liedlein anstimmt,
wenn ich in d' Taschen greif
mach ich ein Spiel und pfeif,
das giebt ein Widerhall
in Berg und Thal.

Ich bin und bleib ein Schäferin frei
weil mich auf der Erd nichts beser gefreut.
So liegt es mir im Sinn,
weil ich ein Schäfrin bin,
ich bleib auf grüner Heid
in der Schäfrei.

So will ich bleiben ein Schäfrin allein;
was könt auf dieser Welt lustiger sein.
Las mir auf grüner Aun
ein kleines Hüttlein baun,
das ich kann wonen drein
ja ganz allein.

In der Früh wenn ich d' Schäflein auf die Heid austreib,
so komt zu mir ein Jäger, vertreibt mir die Zeit.
Wenn ich dann schläfrig bin,
leg ich mich ins Gras hin
und druck die Äuglein zu
in süser Ruh.

---

[1] Vgl. die zweite Strophe des schlesischen Schäferliedes bei Hoffmann und Richter Schlesische Volkslieder S. 310. „Wenn dann früh die Sonn aufgeht Und der Thau am Grase steht, Treib ich ja mit Glockenschalle Meine Schäflein aus dem Stalle Auf die grünen Wiesen hin, Wo ich ganz alleine bin." Vgl. auch das oben S. 176. f. angeführte Hirtenlied.

Der Jäger geht bei der Thür hinein und singt:

Lustig ists auf grüner Heid,
man thut mich Schäfer nennen,
ich weis ein Schäflein ganz allein
das will ich schon bekommen.
Im Winter war es in dem Wald
in dem Sommer auf grüner Au,
da hab ich ein schön Unterhalt
bei einer Schäfersfrau.

Die Schäferin singt:

Und wenn du bei mir Schäfersfraun
willst eine Freude haben,
so darfst herein zu mir dich traun,
darfst weiter niemand fragen.
Die Schäflein gehn auf grüner Heid,
wir tanzen so herum,
gar lustig sind wir jederzeit,
drum sei mir nun willkumm [1]).

Der Jäger singt:

Geliebte Schäfrin sei gegrüst,
jezt sind wir schon beisammen
wir habn zu trinken Wein und Bier,
alls was wir nur verlangen.
Und lustig könn wir immer sein,
auch Musik haben wir,
ich will dir schaffen Kleider fein,
was dich noch schöner zier.

Die Schäferin singt:

Wenn du mir schöne Kleider schaffst,
das wär mein gröste Freud;
die Hoffart ist ein schöne Sach,
die haben die meisten Leut.
So kann ich allzeit ummi [2]) gehn

---

[1]) Hs. die Musig willkum.
[2]) Hs. herum.

22 *

wol in der schönsten Pracht;
hier wollen wir ein Hüttlein baun
zu wonen bei der Nacht.

Der Jäger singt:
Geliebte Schäfrin sag es mir
was machest hier allein?

Die Schäferin singt:
Ich will wäln ein Schäfer mir,
der mich allzeit thut gfreun.

Der Jäger:
Und wenn du wöllest Freude haben
so bleib du nur bei mir

Die Schäferin:
Wenn ich alhier kann Kurzweil haben,
so bleib ich schon bei dir.

Der Jäger:
Und hier kanst du schon Kurzweil haben
wenn d' bleibst allzeit bei mir.

Der Jäger spricht zur Schäferin:
Sei gegrüßt o Schäferin mein,
sag was machst auf dieser Heid allein? [1]

Die Schäferin:
Schön Dank mein Schäfer [2], ich bin alhier,
mich zu ergetzen auf dieser Weid
und einen Schäfer außzuwäln
der mich stets weide in Lustbarkeit.

---

[1] Auch hier hatten wir in dem voraußgehenden Liede dasselbe, was uns im Gespräche verhandelt wird. So ist in der jüngeren Faßung doch die Weise des älteren Schauspiels bewert worden.

[2] Die Hs. hat Jäger, wie vorher und nachher in den Ueberschriften. Ich habe hier Schäfer gesezt und auch an einigen andern Stellen, wo die unmittelbare Beziehung auf das Hirtenleben waltet, im übrigen Jäger stehen laßen, denn der Jäger ist hier der verkappte Teufel, der dem guten Hirten gegenüber steht. Der Teufel erscheint nach weit verbreitetem und auch in Steiermark geldnigen Glauben vorzüglich gern als Jäger.

Der Jäger:
Ei so komm in meine Schäferei,
da steht dir alles frei;
hast Lustbarkeit in Ueberfluß,
so viel als nur dein Herz gelust.

Die Schäferin:
Der Pakt der sei geschlosen,
ich komm in deine Weid,
du versprichst mir Freuden
und ich dir meine Treu.

Der Jäger:
Komm Schäflein, komm Schäflein, komm her zu der Heid,
schau was dir die Götter [1] vorlängst schon bereit!
komm nur in meine Weide,
dort lad ich dich ein,
in Wollust und in Freude
stets lustig zu sein.

Die Schäferin:
Nun Schäfer, nun Schäfer, ich folge deim Rat,
damit ich kann finden bei den Göttern die Gnad.
Ich will mich ergetzen
in Wollust fortan [2],
ich will dir auch schenken
mein Herz zu eim Lon.

**Die drei Götter treten auf und haben die Kleider:
der Schammelteufel hat das Latzel, der Satan den
Spiegel [3] und der Belial hat den Hut.**

Der Jäger singt:
Sieh wie dich Kupido [4]

---

[1] Die Götter (!), die gemeint werden, sind Kupido Bachus und Epikur, die jedoch nicht selbst auftreten sondern durch den Schammelteufel Satan und Belial vertreten werden.

[2] Hs. sodann.

[3] Ueber den Namen Schammelteufel weiß ich nichts sicheres zu sagen. Der Spiegel als Luxussache ist ein Werkzeug des Teufels, daher auch der Teufelsname Spiegelglanz. In den Paßionsspielen hält Lucifer der Maria Magdalena einen Spiegel vor: Alsfelder Paßion bei Haupt Zeitschr. 3, 494. 496. Mastrichter Osersp. Haupt 2, 329. Zu dieser ganzen Scene vergleiche die Darstellungen der Magdalena in den Paßionsspielen: Fundgrub. 2, 246. ff. Mone Schausp. des Mittelalt. 1, 79. f. 2, 187. ff.

[4] Hs. wie dich die Kabiter.

zum lieben ladet ein,
Kupido und Frau Venus [1])
zusammen gemein.
Bachus er hat ja
die Tafel schon dekt,
und Epikurus [2])
sein Fänlein aunstekt.

Die Schäferin singt:
Nun Schäfer, nun Schäfer,
mich gfreuets so ser;
ich seh schon von weitem
die Kurzweil gehn her.
Allzeit voller Freuden
leb ich in der Still,
allzeit beim Hirten
verbleiben ich will.

Der Jäger spricht:
Sieh an meine Schäferei,
da steht dir alles frei,
sieh was Epikurus dir spendieret,
wie die Welt auf Götterart dich zieret.
Kupido ladet dich zum lieben ein;
was könt doch ergetzlicher sein?
Bachus ladet dich zur Tafel dann,
wo man frist und sanft und sich ergetzen kann.
Es sind auch verhanden   allerlei Gespiel,
man tanzt in unserm Lande   lustiger Tänzlein viel.

Die Schäferin spricht:
Ihr Herren Musikanten
kommets herbei,
machets mir aufi [3])
ein lustigs Tänzlein gleich,
damit ich und der Schäfer mein
können lustig und frölich sein.

---

[1]) Hs. und eben der V.
[2]) Ebikrusens Hs.—Vgl. das anßstecken der Kirchweihfänlein. Schmeller 1,583.
[3]) Hs. auf.

Der Jäger und die Schäferin machen den Tanz[1])
und nachdem spricht der Jäger:
Ei so komm auf meine Heid,
da ists voll Ergezlichkeit;
allda werde ich dich weiden
meine ganze Lebenszeit.

.Der Satan[2]) spricht:
Ei so komm her zu mir,
ich gib dir Freiheit auf der Welt;
was kann doch schöner sein
als Gut und Geld?
(gehet ab.)

Der Belial spricht:
Ei so komm her zu mir,
ich lade dich zur Tafel ein,
wo man stets iot und trinkt
und auch kann lustig sein.
(gehet ab.)

Der Schammelteufel spricht:
Ei so komm in meinen Garten,
der ist voller Süoigkeit:
die Lustbarkeiten auf dich warten,
die sind dir alle zubereit.
(gehet ab.)

Der Jäger singt:
O liebste Schäferin der Schäferei,
sag mir wie dein Herz gen mich beschaffen sei?
ob du aufrichtiglich
beständig liebest mich
und bleibst mir treu?

Die Schäferin singt:
O liebster Schäfersmann, was fällt dir ein?
meinst dao ich dir so gschwind solt untreu sein?
ich bin kein solche nicht,
die gleich das lieben bricht;
bild dirs nit ein.

---

[1]) Vgl. su diesem Tanze Mone Schausp. des Mittelalt. 2, 81.
[2]) Götter Sattan.

Der Jäger singt:
Wenn es denn also ist,
o Schäfrin wert,
bin ich vergnüget schon.
Komm z' meiner Herd!
mein Herz zur Morgengab
samt meinem Hirtenstab .
sei dir verert.

Die Schäferin singt:
Dort ist das Blumenbett
floriert bereit,
wo wir zur Ruh uns legn
auf grüner Heid.
Dort ist der Blumenquall,
wo wir die Schäflein all
trenken zugleich.

Der Jäger singt:
Wenn es dann Abend wird,
treibn wir heim die Herd.
Was könt denn schöner sein,
o Schäfrin wert?
so sperrn wirs Hüttlein zu
und schlafen in süßer Ruh,
bis es Tag werd.

Die Schäferin singt:
O schönster auß aller Welt,
von dir laß ich nicht ab,
weil sich das Herzlein mein
vergnüget hat,
und weil das Herzlein mein
allzeit bei dir soll sein
bis in das Grab.

Zwei Götter treten auf und füren die Schäferin
ab, der Schäfer geht nach.

Der Pilger tritt auf und spricht:
O die ungeheure Wüsten, o die erstaunliche Wildniss, so
mich umgeben! Meine Augen sehen nichts als den freien Himmel,

erschreckliche Felsen und die tiefsten Thäler; meine Füße müßen einen rauhen und unebenen Weg gehen wegen der hervorstehenden Steinklippen hohen Hügeln und tiefen Graben. Wolt wünschen daß ich nun bald das End erreichen könt, denn Hunger und Durst und Hitz und Kält haben hier ihr Zelt aufgeschlagen.

Der **gute Hirt** spricht vor der Thür:
Schäflein, Schäflein, Schäflein!

Der **Pilger** spricht:
Ach Wunder, ich verneme ja die Stimme eines Menschen allhier in dieser Wildniss, wo ich doch vermeinte, es solten nichts als wilde Thiere, Wölfe Löwen Leoparden und Tieger ihre Wonung haben.

Der **gute Hirt** tritt ein und spricht:
Ach Schäflein komm zu mir! ach Schäflein kere um zu mir! ach Schäflein laß dich einmal finden!

Der **Pilger:**
Ach mein Kind, was bedeutet dieses, daß du ganz allein auß dieser ungeheuren Wildniss kommest? und was ist dir leids geschehn, daß du so ser weinest und betrübet bist?

Der **gute Hirt:**
Ach solt ich denn nicht weinen und betrübet sein, weil ich gar so unglücklich bin daß ich dasjenige nicht finden kann, was ich schon so lang und eifrig gesuchet hab?

Der **Pilger:**
Was suchest du denn so eifrig?

Der **gute Hirt:**
Mein Vater[1]) hat hundert Schafe; neun und neunzig sind gar wol versorgt, das hunderte aber ist davon verloren und dieses suche ich schon lang. Weil ich es aber nicht finden kann, darum bin ich so ser betrübet, daß ich mir schier die Augen auß dem Haupt weinen möcht.

Der **Pilger:**
Mein Kind, wer bist du denn und wer ist dein Vater?

---

[1]) Mein Herr Vater, durchgängig in der Hs.

Der gute Hirt:

Mein Vater ist gar ein groẞer und reicher Herr, denn er bei seiner Hofhaltung mer denn tausendmal hunderttausend Diener hat und sein Reichthum hat kein Ende.

Der Pilger:

Wenn dein Vater gar ein groẞer und reicher Herr ist, was ist ihm dann an einem so unnützen und reudigen Schäflein so viel gelegen?

Der gute Hirt:

Es ist zwar nichts daran gelegen; aber weil er es so ser liebet, so kann er den Verlust desselbigen doch nicht verschmerzen. Darum hat er mich geschikt dasselbe zu suchen und anbefolen nicht eher vor seine Augen zu kommen, bis ich das Schäflein gefunden hab.

Der Pilger:

Hat denn dein Vater sonst niemand schicken können, als daẞ er eben dich seinen einzigen Son muste in dieses Elend jagen?

Der gute Hirt:

Freilich wol hat mein Vater genug Leut; aber zu zeigen wie lieb ihm das Schäflein sei, hat er mich als seinen einzigen Son dasselbe zu suchen geschikt.

Der Pilger:

Dein Vater hätte dir ja einen Diener können mitgeben, der dir aufwarte und dir das Schäflein suchen helfe.

Der gute Hirt:

Ich habe keinen Diener haben wollen, damit sich das Schäflein nicht solte fürchten, sondern desto lieber zu mir komme. Denn ich gedenke bei mir, wenn mich das Schäflein solte sehen, daẞ ich der einzige Son meines Vaters, ein so adeliches Kind, halb nacket, allein und one Diener, in stäter Müd und Mattigkeit, über rauche Berg und Thal, bei Sonn und Mond das verlorne Schäflein zu suchen herumlaufe, [so würde es umkeren und zu mir eilen; zumalen wenn es sähe daẞ ich,][1] weil ich es

---

[1] Das eingeklammerte felt der Hs.

nicht finden kann, gar so ser betrübet bin das ich mir schier die Augen aus dem Haupte weinen möcht.

Der Pilger:

Mein Kind, wie lang ist es schon das du dein Schäflein suchest?

Der gute Hirt:

Mein lieber Freund, von der Zeit an da ich habe laufen können, hat mich mein Vater fort getrieben, hat mir auch keine Wegzerung noch Proviant gegeben, so das ich mich ganz allein treulich behelfen mus.

Der Pilger:

Hast du in so langer Zeit dein Schäflein niemals angetroffen oder wenigstens verspürt?

Der gute Hirt:

Mich dünket zu Zeiten, ich sehe es von fern; bin aber noch niemals in die Nähe kommen, denn es hat seine gröste Freud, das es mich quälen und ängstigen kann. Diese Hartnäckigkeit treibt mir bittere Zähren aus meinen Augen und betrübet mich bis in den Tod.

Der Pilger:

Mein Kind, wie wäre es aber wenn das verlorene Thier selbst in deine Hände liefe? woltest du es nicht ser strafen wegen seiner Mißhandlung?

Der gute Hirt:

Ja strafen! entgegen wolte ich ihm laufen und wolte es um den Hals nemen, ja ganz freundlich wolte ich es küssen und an meine Brust drucken; ja auf meine Schultern wolte ich es legen und zu meinem himlischen Vater tragen, und wolte die ganze Hofhaltung rufen und wolte sprechen: Erfreuet euch mit mir, ich hab das Schäflein funden das verloren war.

Der Pilger:

O erstaunliche grose Barmherzigkeit, so du deinem Schäflein erzeigest! so verdienst du auch billich von demselben geliebet zu werden.

Der gute Hirt:

Mein Freund, du solst wisen das ich das Schäflein so ser liebe: wenn ich es auch unter einer Herde Wölfe solte finden,

so wolte ich mich hinein wagen, wenn mich auch schon die
fräßigen Bestien solten zerreißen und um das Leben bringen.
Ja wenn ich hundert Leben hätte, so wolte ich sie für das Schäflein geben, damit ich es von dem ewigen Tod erlösen möcht.

Der Pilger:
Mein Kind, vor lauter Mitleiden kann ich nicht mer länger
mit dir reden. Der liebe Gott wird es geben daß du dein Schäflein
bald findest. Gehab dich wol, ich muß meinen Weg weiter fort-
setzen!

Der gute Hirt:
Ach lieber Freund, wenn du mein Schäflein wo werdest
antreffen, so sage ihm doch daß ich schon lange herum laufe
und wie schmerzlich ich es suche. Meine Füß sind schon voller
Blattern, daß ich kaum mer darauf stehen kann; mein Haupt ist
von Dörnern ganz zerrißen, daß es voller Blut und Wunden ist:
ja der ganze Leib ist abgemattet, daß ich sicher nicht mer fort-
kommen kann. Ich bitte es inniglich, es wolle doch zu mir kommen und soll mich nicht länger betrüben.

Der Pilger:·
Ach mein herzgoldenes Kind, alles um was du mich gebeten
hast, will ich gar gern verrichten. Nun Adieu o Schäfer wert!
(gehet ab.)

Der gute Hirt:
Ach ich armer und unglückselger Hirt, ich muß nun wider in
den wilden Wald hinein!
Hitz und Kälte werden mich nicht abschrecken; Hunger und
Durst wird mein Labung sein.
Mit heller Stimme will ich rufen: komm Schäflein, Schäflein,
Schäflein!

Die Schäferin und der Jäger treten auf.
Die Schäferin spricht:
Wie lustig ists in diesem Garten
alwo mich mein Schäfer weidt,
die Wollüste schon auf mich warten
mit Freuden und Vergnügenheit.

Die Schäferin singt:
Stets lustig frölich will ich leben,
bin stets vergnügt auf dieser Heid,

da will ich one widerstreben
zubringen meine Lebenszeit;[1]
denn auf der Welt sind allzeit Freuden
und ich weiß nichts von Traurigkeiten;
in dieser Schäfersaun
werd ich mein Hüttlein baun,
in dieser Schäfersheid,
wo mich mein Schäfer weidt,
dem ich versprochen meine Treu,
die weil mein Herz vor Lieb thut brinnen
und niemand mir wird löschen künnen.
Er schießt auf meine Brust
ein Pfeil voll Freud und Lust.

Nach diesem Liede macht der Jäger und die Schäferin den Menuettanz. Der Engel tritt auf, geht zu der Schäferin und spricht:

Schäferin, ker um von deinem Sündenstand,
sieh, dein Hirt sucht dich mit Schmerzen ach schon lang.
Mach dein Wollust doch ein End
und zum guten Hirten dich wend.

Die Schäferin spricht:

Was für ein Plaudermaul ist das', das sich untersteht mich
bringen zu wollen auf einen anderen Sinn?

Der Jäger spricht:

Das sind lere Einbildungen und ein leres Geschwätz, das
dich will betrügen. Schlag dirs nur aus dem Sinn.

Der Engel spricht:

Sieh die Liebe die Gott hat bewogen
und vom Himmel ihn herab gezogen!
er will dich ja selbst begrüßen,
thu ihm nur dein Herz aufschließen.

Die Schäferin:

Es ist war zwar, es thut mich schier reuen
daß ich von seiner Herd bin gangen;
doch mein Schäfer thut mich auch erfreuen,
und weidet mich nach meim verlangen.

---

[1] Da will ich stets zubringen meine ganze L. Hs.

Der gute Hirt:
Mich dünket, ich sehe mein Schäflein von weiten!
da will ich es empfangen mit Freuden.
O Schäflein sei gegrüßt! wie lang hab ich dich schon gesucht und niemals angetroffen! O wie viel Unbill hast du mir
angethan! Dieses will ich dir alls verzeihen, komm nur mit
Buß und Reu zu mir.

Die Schäferin:
Was gehst du mich an, du fremder Mann? was frag ich nach
dir? ich habe einem andern versprochen meine Treu, welcher
mir gefällt. Es zeigt sich ja deine ganze Gestalt; du bist ganz
traurig und betrübt. Ein solcher gefallt mir nit, in ein viel
schönern hab ich mich verliebt.

Der gute Hirt:
O Schäflein thu dich nicht lang besinnen; komm doch her
und nimm den Trauring von mir an.

Der Jäger:
Hör nicht lang an diese Wort,
laß ihn predigen singen und sagen,
bleib du bei mir auf dem lustigen Ort
und spar deiné Buß auf die lezten Tage.
Drum folge meinem Rat sodann
und stoß diesen Schäfersmann
mit meinem Hirtenstab hindan.

Der gute Hirt:
O Schäflein, glaub es mir,
ich bin die sichre Himmelsthür,
·ich bin die Pfort der ewgen Seligkeit
und will dich führn zur ewgen Himmelsfreud.

Die Schäferin:
Du Plauderer, du Lerschwätzer, pack dich nur bald von mir,
eh daß ich mit dem Schäferstab mich rächen werd an dir.

Der gute Hirt:
Nun ist kein andrer Rat!
für das Schäflein muß ich sterben;
zu finden ist kein Gnad!

Der Jäger:
Räch dich nur bald an diesem Mann,
nimm zu Hilf die sieben Gsellen, [1).
schlagt ihn mit Ruten und Geiseln dann,
sezt ihm auf eine Dörnerkron,
prefst ihm auo den lezten Tropfen Blut,
schlagt ihn ans Kreuz, verbringet euren Mut!

Der gute Hirt, die Schäferin und der Jäger geh-
en ab.

Der Engel[2]) tritt auf und singt:
Sünder, wie thust dich betrügen,
wie lebst du so eitel und blind?
du thust in der Wollust liegen,
gar zu sicher in der Sünd;
du thust in der Wollust schweben
als wenn gar kein Hell nicht wär,
du hast dich der Welt ergeben,
machst dein Sel mit Sünden schwer.

Heist dieo nicht unrecht gehandelt
wenn man so von Gott entflieht,
und dem Satan so nach wandelt
und verläst des Himmels Liecht?
Wie viel tausend werden müoen
dorten in der Hellenpein
ihre Sünden schmerzlich büoen.
Solt das nicht ein Thorheit sein?

Sieh o Schäflein deinen Hirten,
wie er dich schon sucht so lang;
er will dein Sel freundlich küssen,
wie die Braut den Bräutigam.[3])

---

[1]) Sind die sieben Gesellen die sieben Todsünden?

[2]) Hs. Berolikus, was auß Prologus entstellt ist. Da der Engel die Rolle
des Prologs in unserem Spiel hat, habe ich nicht gezögert, Engel hier zu schreiben.

[3]) Auch hier verrät sich Verwantschaft mit dem geistigen Kreiße Spees,
welcher das mittelalterliche mystische Bild der Brautschaft der Sele mit Gott
in mer als einem seiner Gedichte behandelte.

Darum thu dein Sel versorgen,
greif o Sünder zu der Bus,
lieber heunt und nicht erst morgen,
eh dein Leib ins Grab hin muß.

Der Jäger springt hinein und spricht:
Alloy, jezt hab ich meine Freud!
Ich hab das Schäflein fest gebunden
mit dem Welt- und Sündenband;
die Gnade Gottes ist verschwunden,
die Sünd hat gnommen überhand.
Jezt will ich die Helle hitzen,
will das Schäflein füren drein;
aldort muß es ewig schwitzen
und mit mir verdammet sein.
(gehet ab und komt mit der Schäferin zurück.)

Die Schäferin singt:
Kein gröser Lust auf dieser Welt [1]
als 's Schäferleben frei,
ich bleib Hirtin, so lang ich leb
auf dieser grünen Heid.
Wird mir allein die Zeit zu lang,
so geh ich zu meim Schäfersmann,
der vertreibet mir all Traurigkeit
und bringt mir grose Freud.

Der Jäger singt:
O Schäfrin, wilst ein Musik han,
das kanst du mir gleich sagen;
ich rufe den Wachhannes her, [2]
der kann die Harpfen schlagen;
er machet Gspiel von allerlei,
was deim Herz ein Vergnügen sei.

---

[1] Hs. Ein vergnügter Lust auf dieser Welt das Hirtenleben sey ich bleib ein Schäferin etc.

[2] Erkundigungen nach diesem Wachhannes waren fruchtlos; er ist dem Anschein nach ein in Obersteier bekannt gewesener Harpfenist. Die alte Form Harpfe ist dem österreichisch-steierischen Dialect geblieben.

Sag du mir nur was d'haben wilt,
das wird dir gleich aufspielt.

Die Schäferin singt:

O mir beliebt kein Musik mer,
es ist der Tag vergang [1])
schau du nur um ein kleines Ort,
das ich bald ruhen kann.
Und wenn ich halt soll schlafen ein,
so must du bei mir wachbar sein;
o Schäfersmann, das sag ich dir,
bleib du allzeit bei mir.

Der Jäger singt:

O ja, mein liebste Schäferin,
das kann bei mir schon sein;
das Ort das hab ich schon bereit,
das du kanst schlafen drein.
Da sitzen wir auf gräner Heid,
da kanst du ruhn so langs dich gfreut,
da kanst du schlafen in sanfter Ruh
bis morgen in der Fruh.

Der Jäger spricht: [2])

Komm her, mein liebste Schäferin,
hier setzen wir uns in Schatten hin;
da kanst du schlafen ganz sorgenfrei,
ich werd bei dir schon wachbar sein.

Die Schäferin und der Jäger machen den Schlaf,
vor der Thür wird das Lied gesungen:

:|: Nur heunt schlafst du in Freud
in voller Sänigkeit, :|:
morgen must du scheidn,

---

[1]) Das abwerfen der Flexion im Partizip. präteriti der starken Verba ist der
Mundart eigen und läßt sich schon bei Ottokar im Reime nachweisen: die zwêne
künege junc, dem kardinâle was gelung 401 a. unz das diu zît kom, ûf die diu
sprüche was genom 36. b. — Gevaang: ergang. Suchenwirt XXV, 815.
Vgl. weiter unten das Mosburger Lied: Juch he heps he he!
[2]) Abermals die Wiederholung des Inhalts des Gesanges in der Rede.

23

must alle Wollust meidn
wol in die Ewigkeit.

:|:Nur eins kanst du erwäln,
nur jezt hast du noch Zeit,:|:
ewig in dem Himmel sein
oder in der Hellenpein,
eins ist dir bereit.

:|: O Mensch nimm dies in Acht,
auf das dich nicht der Tod,:|:
der Tod mit seinen Pfeiln
er möcht dich übereiln
in deiner Sünden Not.

Der Engel tritt auf und spricht:
Ach liebstes Schäflein, thu dich bezämen
und steh doch ab vom Wollustleben,
und ker dich um vom Sündenstand,
der ewge Tod wartet dein schon.

Der Jäger steht auf und singt:
Schäfrin wach auf vom Schlaf,
ich glaub es ist schon Tag;
mach dich auf, geh mit mir,
die Musik ist schon hier,
was dich bliebt, thue ich dir. ¹)

Die Schäferin steht auf und singt:
Ich hab ghört eine Stimm,
mir will der Tod zudring;
geh du nur bald von mir,
ich bleib nicht länger hier,
geh geschwind weg, geh marschier!

Der Jäger singt:
Dein Reu macht erst der Tod,
dein Bus ist schon zu spat;
ich geh nicht mer von dir,

---

¹) thu ich dir, felt der Hs.

du must schon bleiben mir,
es hilft dir nichts dafür.

Der Tod tritt auf und singt:

Wenn man Memento mori singt,
das in den Oren klingt;
wenn man Memento mori schreit,
dann ist es hohe Zeit. [1]
Ich höre keine Bitt,
kein Miserere nit.

Die Schäferin singt:

Wen hör ich vor der Thür?
wer pocht mit Ungebür?
wen hör ich draußen singen, [2]
wer will mit Gwalt eindringen?
sag an Fremdling behend,
was ist dein Ziel und End?

Der Tod singt:

Auf auf! es ist schon Zeit,
es end sich alle Freud.
Gedenk daß du must sterben,
die Helle solst du erben
durch eitle Lust und Freud;
komst mir zu einer Beut.

Die Schäferin spricht:

O Tod, o Tod halt ein,
und rede nicht so viel;
sieh an wie jung und stark ich bin,
vom sterben ich nichts hören will.

Der Tod spricht:

O du schön Gstalt und Rosen,
dein Stärke ich nicht acht;
mag dich die Liebe kosen, [3]
die Welt mit ihrer Pracht,

---

[1] Für denselben der Hochsteigt Hs.
[2] Felt der Hs, von mir ergänzt.
[3] Hs. wenn dich schon die Liebe küßet.

23 *

sobald die Ur ist abgeloffen,
so hat dich schon mein Pfeil getroffen,
du must mit mir alsgleich
hin in das Totenreich.

Die Schäferin spricht:
Ach Tod, ach Tod,
las mich rufen um Gnad bei Gott!
was mus ich dir geben,
wenn du mir schenkst das Leben?

Der Jäger und der Tod springen zusammen
und sprechen:
Was rufst um Gnad?
es ist zu spat
jezt in den lezten Zügen;
hätst du bereut
bei Lebenszeit!
nun heist es still geschwiegen.

Die Schäferin:
Ach Gott, jezt gehn mir meine Augen auf!
ach weh, was hab ich gethan,
das ich hab verstosen
meinen werten Schäfersmann.
Ich hab mich in die sündhafte Welt verliebt,
zum Lon sie mir die Hell jezt gibt.
Nun so will ich trauen auf die Barmherzigkeit!
meinen Schäfer will ich bitten,
das er mein Sünden mir verzeiht.

Der Jäger:
Zu spat ist deine Reu,
umsonst ist alles hoffen;
von Kristi Schäferei
bist du zu weit entloffen.
Du must in die Hell hinein,
deine Buse ist zu spat,
ewig must gefangen sein,
zu finden ist kein Gnad.

357

Die Schäferin:

Ja ja, ich habs zu grob gemacht in dem verfluchten Sünden-
stank! meine Sünden sind so groß und viel! Wer stellet mir den
guten Hirten her? ich bin verloren wegen der verfluchten Wol-
lustsünd, die ich niemals betrachtet hab.

Der Engel tritt auf und spricht:

Verzage nicht, du zaghafte Sel! weil noch die Gnadenzeit
vorhanden ist. Wenn die Sel vom Leib noch nicht geschieden,
ist die Buß noch nicht zu spat.   (gehet ab.)

Zwei Götter treten auf mit dem Liecht und Spiegel und gehen
zur Schäferin.

Dann wird vor der Thür gesungen:

Traurigs Herz thu nicht verzagen,
wenn du bist in Kreuz und Leid;
thu dein Kreuz geduldig tragen,
denn nach Leid folgt allzeit Freud.
Wenn schon Unglück dich umgeben
und ins Todesbett gebracht,
suche nur bei Gott das Leben,
denn bei ihm findst allzeit Gnad.

Alles geht zu seinem Ende,
Freud und Leid auf dieser Welt;
mit Geduld das Schiflein lende, [*)]
so lang als es Gott gefällt.
Durch das eitle Wollustleben
komt man nicht zur Himmelsfreud;
wenn dir Gott ein Kreuz gegeben,
ists ein Zeichen zur Seligkeit.

Die zwei Götter gehen ab.

Die Schäferin spricht:

Ach Gott verzeih mir meine Sünd,
die ich hab begangen;

---

*) lenden mit der Bedeutung lenken wenden. Frisch 1,605. Schmeller bair.
Wb. 2,478. f Haupt Zeitsch . f. deutsch Alterth. 8,518 Auch die Schlesier des
16. 17. Jh. kennen das Wort in solchem Sinne. Careus — Rätel (1607) 292. Opitz
1,291 (1629) A. Gryph. Gibeon. 582.

steh mir bei am lezten End,
lao mich Gnad erlangen.

Die Teufel treten auf; Luzifer spricht:

Zu spat ist deine Reu,
ewig bist du gefangen,
in d'Hell must du hinein,
kein Gnad kanst mer erlangen.

Satan:

O schöne Blüe [1] der Rosen,
in Hoffart thatst dastehn,
betracht nun dein schön Gstalt,
sie wird dir bald vergehn.

Belial:

Du hast schon viele Jar
die Welt mit Freuden gnoaen,
jezt must du leiden Pein
und hast kein Trost zu hoffen.

Der Schammelteufel:

Dein Sünden groa und klein,
die du hier hast begangen,
bringen dich in d'Hell hinein,
dort must du sein gefangen.
(Die Teufel gehen ab.)

Der Tod:

Hast du gelebt in Eitelkeit,
jezt komst du mir zu einer Beut.

Die Schäferin singt das Lied:

Trübe Wolken meiner Sele,
gebet mir nur Seufzer gnueg! [2]
flücht mein Geist in d' Jammerhöle,
decke dich [3] mit Erden zu!

---

[1] Blüe, Blüte, Schmeller 1,233.
[2] Wir hätten streng genommen gnüe zu schreiben, wodurch der Reim auf
ꝗue nach der Mundart hergestellt wird.
[3] Hs. decket mich.

Ach die Menge meiner Sünden
klaget mich im Himmel an,
so kann ich kein Ort mer finden
das ich mich verbergen kann.

Aber ach! was hilft mein fliehen?
meine Sünden folgen mir;
solt ich in die Wäste ziehen,
eine Helle fänd ich hier;
solt ich mich ins Waßer senken,
leschet doch nicht aus die Glut;
solt ich mich in Gift ertränken,
selbst der Tod macht es nicht gut.

Ach ich habe mißgehandelt
mer als ich erzälen kann;
ich hab wider Gott gehandelt,
mein Gewißen klagt mich an.
Doch hat Gott ein Eid geschworen:
er will nicht des Sünders Tod;
bin ja also nicht verloren,
nur Bekerung ist mir not.

Ei so will ich wider keren
und zu meinem Hirten gehn,
weil ich weiß das sein begeren
thut nach meiner Buße stehn.   (da geht der Jäger ab.
Will bereuen was vergangen;
einen Vorsatz mach ich mir,
ein fromm Leben anzufangen:
das mein Schluo, Gott helfe mir!
(Die Schäferin und der Tod gehen ab)

**Der Engel und der Gott Vater und der Pilger
treten auf. Der Pilger spricht:**

Da ich vor einem Jare eben diese Straßen gereiset bin, da
erblikte ich einen wunderschönen Jüngling, der ganz eifrig ein
verlornes Schäflein suchte. Ich möchte gern wißen ob er selbes
gefunden hat oder nicht, denn er hat mich ser erbarmet.

Der gute Hirt ruft dreimal vor der Thür:

Schäflein, Schäflein, Schäflein, wegen deiner geh ich in den Tod.

Der Pilger:

Ach Wunder, was bedeutet dieses? ich verneme ja widerum die Stimme des Jünglings (indem tritt der gute Hirt auf). Erstaunungsvolles Gesicht! was erblicken meine Augen! bist du nicht der schöne Jüngling, welcher vor einem Jare alhier in dieser Wüsten ein verlornes Schäflein suchte?

Der gute Hirt:

Ach ich armer und unglückseliger, ich bin es selber.

Der Pilger:

Mein Freund, wie komst du denn in dieses Elend und was hat dich also zerrisen?

Der gute Hirt:

Das hat alles mein Schäflein gethan.

Der Pilger:

Das ist ja unmöglich, das ein Schaf seinen Hirten also solte zerreisen! Ich kann mirs nicht bilden ein, denn das sind keine Schaf- sondern Hundsbio Wolfszäne und Bärenklauen.

Der gute Hirt:

Es ist zwar war, gleichsam ärger hat mich mein Schaf zerrisen als wie ein Lewe einen Menschen zerreisen kann. Denn ich bin ihm drei und dreisig Jare nachgelaufen, bis ich es endlich unter den Wölfen gefunden habe. Ich wagte mich in die Bestien hinein; so springet es aber gleich auf mich her und tra mich mit seinen Fäsen zur Erde.

Das verstokte Thier
war lieber bei den Wölfen als bei mir,

und zerris mich mit den Zänen der Sündenlast und stoset [1] mich sogar aus dem Weinberge des Herzens aus und laset nicht nach

---

[1] Präteritum, ebenso wie oben springet. Belege dieser Form aus österreich. bairischen Dichtern des 13. Jh. gab Lachmann zu Walther 86,33.

bis ſes mich ans Kreuz brachte, aldorten ich in der Betrübniſs
muste meinen Geist aufgeben.

>Doch rufe ich zulezt: ach Schäflein
>hör und sieh all meine Wunden,
>die laden dich nur ein;
>du kanst noch Gnade finden
>und ewig mit mir selig sein.

Der Pilger:

O erstaunliche grose Barmherzigkeit, so du dem Schäflein
erzeigest. O Schäflein, mache es dir doch zu Nutzen, ehe die
Sele vom Leibe abscheidet.

Der Jäger und die zwei Götter treten auf und haben die
Kette für.

Die Schäferin springt herein und der Tod hintennach.

Der gute Hirt singt:

>Du Schäflein komm zur Herd,
>es ruft der gute Hirt;
>lieb Gott allein auf Erd,
>lang gnug gehst du schon irr.
>Ich suche deine Sel
>zu erlösen von der Hell;
>gedenk an meine Ler
>und sündige nicht mer.

Die Schäferin singt:

>O guter Selenhirt,
>wie liebreich ist dein Stimm;
>ich war zur Sünd verfürt,
>verdient hab ich dein Grimm;
>ich war von dir getrennt,
>hab mein Irrthum nicht erkennt.
>Ach leider meine Sünd
>hat mich gemacht so blind.

Der gute Hirt singt:

>Ich rufe dich mit Gnad,
>o hör mich an geschwind;

sonst möchts bald werden spat,
trau länger nicht, mein Kind.
Ich reis das Hellenband,
(der Gott Son schlagt die Ketten ab.)
mit dem du bist gefang;
o Schäflein flieh zu mir,
kann alzeit helfen dir.

Die Schäferin singt:

Ich war ein groaer Thor,
dein Ruf und Gnadenstimm
hab ich gehört zuvor;
das ich zu Herzen nimm.
Mitsamt mein Leib und Sel
mich gänzlich dir empfel.
O Hirt, bleib du nur mein,
ich Schäflein bleibe dein.

Der gute Hirt spricht:

Ich werde dich in Himmel füren
wo ein heiligs jubilieren,
alle Engel musizieren;
dort kanst du auch ewig sein.

Die Schäferin spricht:

O trostvolle Wort,
dao ich bei deiner Gnadenpfort
noch kann finden eiue Gnad. Ich zerreis der Welt ihr Band
und leg ab die Hoffartkleider und verfluch den Sündenstand.
Ich will nicht anders schlafen ein,
ich will liegen bei deinen Füaen:
in deine Wunden schlies mich ein,
meine Sünden will ich büaen,
dao ich kann ewig selig sein.

Der Jäger und die zwei Götter springen zusammen
und sprechen:

Das Schäflein ist unser, die Buo ist zu spat,
es ist auch nicht wirdig solch einer Gnad.

Der Engel spricht:

Pakt euch fort ihr hellischen Bestien; denn Gott hat auf dem Kreuz bezalt in der That — was Adam und Eva verschuldet hat. — Das Schäflein aber durch sein Bus und Reu — seine Sünden büst und beicht und wird nun frei.

Die Schäferin spricht:

Sieh o Herr, bei deinen Füsen bereu ich meine Sünden und bitte dich um Gnad.

Der gute Hirt spricht:

Steh auf mein Kind, deine Sünden sind dir vergeben.
(er singt:)
Dein Untreu verzeih ich dir,
bereu es nur vom Herzen.

Die Schäferin singt:

Zerspringen möcht mein Herz in mir
vor lauter Reu und Schmerzen.

Der gute Hirt:

Kein Sünder ich von mir verstos,
der sich wirft zu mein Füsen.

Die Schäferin singt:

Fürwar o Hirt, dein Lieb ist gros,
die du mir gibst zu gniesen.

Der gute Hirt:

Ich hab dich gliebt bis an mein End
und will dich allzeit lieben.

Die Schäferin:

Ich bfel mein Sel in deine Händ,
will dich nicht mer betrüben.

Der gute Hirt:

Noch eins ich dich ermanen will,
von mir thu nicht mer scheiden.

Die Schäferin:

Gib mir Gnad das ich dein Will erfüll
und bleib in deiner Heiden.

Der gute Hirt:

Nimm hin das Kreuz zum Liebespfand,
ans Kreuz will ich dich heften.

Die Schäferin:

Das las ich nicht mer aus der Hand,
gib mir dazu nur Kräften.

Der gute Hirt:

Zum Pfand der Treu will ich aufs neu
mein Herz dir übergeben.

Die Schäferin:

Nimm hin das mein, gib mir das dein,
will ewig in dir leben.

(Der gute Hirt und die Schäferin singen jezt mitsammen die vier
lezten Verse, deren lezter jezt lautet: bei mir kanst ewig leben.)

Der gute Hirt spricht:

Wenn ein Ernst ist in dir,
so erweise eine Probe mir.

Die Schäferin spricht:

Deinen Blutschweis will ich abwischen,
in dein Angesicht und deine Wunden will ich mich ver-
schliesen;
ich hoffe da sicher zu sein. Ruten und Geisel sollen mir
dienen für das Fleisch der Begerlichkeit,
das Kreuz will ich auf mein Achsel nemen und wills tragen
in Ewigkeit;
ich setze auf die Dörnerkron
der Hoffart zu eim Lon.

Der gute Hirt:

Komm her mein liebes Kind,
ich verzeih dir deine Sünd,

komm her zu mir und zu der Himmelsfreud
und erfreue dich in alle Ewigkeit.

Der Jäger und der Tod springen zusammen:

O groser Hirt und Gottes Son, du brichst aus den Pfeiler und,
Anker, so gros ist deine Gewalt. Las uns von dannen packen
triumphier sodann, setz dich zu deines Vaters Rechten, deine
Gnade sei erhöcht,
wir sind auch des Herren Knecht.

Der gute Hirt spricht:

Fort durch meinen Gewalt! — wol hin in des Satans Reich! —
von mir seid gebunden und überwunden — in alle Ewigkeit. Alte
Schlange und Hellendrach! — dich nur bald von dannen pack!
Tod, ich werde sein dein Tod; Hell ich werde sein dein Bus, wie
bei Hosea [1] geschrieben ist.

Der Tod und Jäger gehen ab.

Die Schäferin singt:

Ach was könt auf ganzer Erden
doch liebreichers gfunden werden
als der Nam Herr Jesu Krist,
als der Name meines Herren
den ich alzeit thu vereren,
der mein Hilf und Heiland ist. [2]

Der gute Hirt singt:

Sieh ich las dich Gnade finden
und verzeih dir alle Sünden
steh dir bei am lezten End.

Die Schäferin singt:

Und ich hoffe mit Vertrauen
das mein Sel niemand kann rauben,
wo man deinen Namen kennt. [3]

---

[1] Hosea 13,14. Aber ich will sie erlösen aus der Helle und vom Tod erretten
Tod, ich will dir eine Gift sein, Helle, ich will dir eine Pestilenz sein. —
Die Hs. hat Josua.

[2] Von mir ergänzt,

[3] Hs. wo der Name Jesus ist.

Der gute Hirt singt:
Ich werde dich in Himmel füren
wo ein heiligs jubilieren,
alle Engel musizieren;
dort kanst du nun selig sein. [1]

Der gute Hirt spricht:
Mein allerliebster Vater, hier bring ich dir das Schäflein auf
meiner Achsel, [2] welches ich schon drei und dreisig Jar gesucht
und endlich unter den Wölfen gefunden habe; das Schäflein, das
mich sogar verfolget hat, doch endlich mit seinen goldenen
Thränen, mit Buo und Reu, meinen Blutschweis gänzlich abge-
waschen und sich zum völligen Heiligthum gebracht hat.

Der Gott Vater:
Nun ist alles vollbracht, die Verheisung erfüllet — und mein
Zorn gestillet, — die Gerechtigkeit vergnüget — die Liebe aus-
geübet!
Dir ist gegeben alle Gewalt im Himmel und auf Erden; in
deinem Namen sollen sich beugen alle Knie im Himmel und auf
Erden und unter der Erden. Darum o allerliebster Son, setze dich
zu meiner Rechten und regiere mit mir und dem heiligen Geist
von nun an bis in Ewigkeit.

Der gute Hirt:
Erfreuet euch mit mir!
das Schäflein ist wider hier,
das schon völlig war irr.

Die Schäferin:
Sieh o Mensch, wies mir hat geraten;
sündige nicht auf Gottes Gnaden,
es habens viel erfarn mit Schaden.

Der gute Hirt:
O Mensch, verlas dich nicht auf meine Güte und sündige

---

[1] Vgl. dieselben Verse oben. S. 362.
[2] Der gute Hirt wird auf Bildern gewönlich so dargestellt, im Anschluße
an den biblischen Vers: und wenn er es gefunden hat, so legt er es auf seine
Achseln mit Freuden. Lucas 15,5.

nicht auf Gottes Barmherzigkeit. Auch viel tausend Engel
habens erfaren, wie Adam im Paradeis. Der Sündflus gibt euch
Zeugnifs von der scharfen Schlacht der Gerechtigkeit, wie auch
Sodoma und Gomorha. Der stolze König Pharao konte mir auch
nicht entrinnen. Darum o Mensch!

lieb und fürchte mich ingleichen,
denn das ist das allerbest;
thu von mir niemals entweichen,
so kanst leben wolgetröst.
Die Schlüsel ich euch hinterlase
aufzusperrn den Himmelssal,
in mein Stapfen thut mir folgen,
alsdann werdet ihr selig all.

Luzifer tritt auf und spricht:
Komt ihr Teufel also bald!

Die drei Teufel treten auf: der Schammelteufel,
Satan und Belial.

Luzifer:
O entsetzet euch über Gottes Gewalt; sehet an des
Menschen Son,
was für eine grose Güte er dem sündhaften Menschen
gethan:
er schikt auf die Welt seinen eigenen Son
sie zu erlösen aus unserem Bann.

Satan:
Er nimt an das Fleisch der menschlichen Natur,
geboren er aus einer Jungfrau wurd
in einem Stall zu Bethlehem,
von König und Hirten ward er erkent.

Belial:
Und gibt sich als Erlöser der ganzen Welt,
wirkt auch viel Wunder und doch in Armut lebt.
Als nun die Zeit des Leidens war,
wurd zuvor bereitet das Abendmal,

gibt sich in Brot und Weingestalt;
die Apostel sind des Zeugen all.

Schammelteufel:

Auch bei der Meſs im neuen Testament
wird der Priester mit Gott versönt.
Als ein Versönungsopfer er sich gab
in Priestershänd bei dem Altar.

Lusifer:

Hernach gieng er vom selbigen Haus
in den Oelberggarten aus;
aldort schwizt er häufig Blut,
auch komt ein Engel der ihn stärken thut.

Satan:

Judas komt auch daher
mitsamt einem ganzen Kriegesher;
alda verkauft er seinen Gott
um dreisig Silberling, das ist ein Spott.
Sie fingen ihn, sie banden ihn,
und fürten ihn zu Ananias hin.

Belial:

Zum Kaiphas haben sie ihn auch gefürt,
aldort ward er schrecklich examiniert.
Zum Herodes haben sie ihn auch geschleppt,
ein Narrenkleid wurd ihm angelegt;
er wurd verspottet und veracht
und auch hämisch ausgelacht
und spottweis biegen sie
vor ihm die Knie.

Schammelteufel:

Zum Pilatus haben sie ihn auch gebracht,
haben viel Ursach wider ihn erdacht;
er wurd gegeifelt und gekrönt,
Pilatus sich zum Volk hinwendt.
Er sprach: ich finde keine Schuld an ihm.
Sie aber schrien all: kreuzige ihn, kreuzige ihn.

Satan.

Sein Kreuz mno er auch selber tragen,
an welches er wurde geschlagen
ganz nakend und ganz bloß,
an Häud und Fäßen mit Nägeln groß.
Also hat er erlöset das ganze menschliche Geschlecht.

Die Teufel springen alle zusammen und sprechen:
Aber das ist uns nicht recht!
Ach wie ist es doch für die Menschen gut,
für sie hat er vergoßen sein Blut;
er will sie all füren in den Himmel ein.
Und wir solten defsen beraubet sein?[1]

Luzifer springt vom Thron herab, die andern Teufel stehen auf.

Luzifer.

Ei so will ich meinen Fleiß nicht sparen
damit die Menschen in der Sünd verharren.
Drum hört mich an ihr Teufel all,
daß den Menschen wir richten ein neuen Fall.
Weil uns der erste Trost ist mifslungen,
so hab ich mich auf einen andern besunnen[2].

Satan.

Wir wollen nicht sparen kein Fleiß noch Macht,
die Menschen zu versuchen Tag und Nacht,
und alle Zeit befließen sein
daß wir sie bringen in die Hell hinein.

Belial.

Mittel gibt es genug zu Handen,
die Menschen zu bringen in Sünden und Schanden,
denn sie sind ja selbst dazu geneigt;
ganz klar hat Adam dieß bezeigt.

---

[1] Vgl. auß dem Liede Ad. Neumanns „Adam hat im Paradies" die Strophe :
Nimst du nicht die Engel an, die sich auch von dir verloren? was hat denn der
Mensch gethan, daß du nur für ihn geboren? Vgl. nach Mone Schausp. d. Ma. 2, 20

[2] Vgl. die Spiele von Christl Auferstehung (Mone Schausp. des Mittelalt.
2, 79 f. altdeutsche Schausp. 118 ff.) wo die Teufel nach Christi Hellenfart außgeschikt werden, die Helle wider zu bevölkern.

24

Seine Kinder auch nicht beser sein,
das ist deutlich algemein.

Schammelteufel.

Nun ist schon der Beschlus gemacht,
viel tausend damit in die Hell gebracht;
viel tausend auf der Erd noch sein,
auch die sollen all des Teufels sein.

Luzifer.

Der Beschlus den wir haben gemacht,
ist nicht mifslungen, weil schier die halbe Welt
ist in Ketzerei und Irthum gebracht.
Ja fast in der ganzen christlichen Gemein
ein jeder thut den Willen mein.

Die Teufel springen all zusammen und sprechen:

Ach Freude über Freud,
die Freud thut sich vermeren;
eine groae Zal der Welt
die thut bei uns einkeren.

Der gute Hirt.

Weil du, o Luzifer, dem Menschen wilst den Himmel beneiden,
so will ich dich mit einem feurigen Donnerstral von meinem
Angesicht vertreiben [1].

Jezt springen die Teufel aus, der gute Hirt geht ab.

Der Pilger tritt auf und spricht:

Ihr geistliche Zuhörer, unsre kleine Komödie ist zu Ende
gekommen.

Ich verhoffe, ihr werdet haben vernommen
daa Gott alle Ding aus nichts erschaffen hat
und den Menschen durch seinen göttlichen Rat
Er hat sie ins Paradeis gesezt,
die Schlange hat aber die Eva verhezt.
Weil sie die Gebot Gottes gebrochen haben,
sind sie worden aus dem Paradeis geschlagen.
, Jesus der gute Hirt in N. N.

---

[1] In dem schlesischen Osterspiel (Fundgruben 2, 306) wird der Teufel
durch den Erzengel Michael ebenso zurückgewissen.

er wird eure Wiesen und Aecker segnen,
euer Vieh das wird er weiden,
wie ein guter Hirt zu allen Zeiten;
er wird auch das Haus und den ganzen Markt bewaren
vor Unglück Feuer Wetter und Waßergefaren,
er wird euch allesamt glücklich bewaren [1].

Amen.

Das lustige Lied [2].

O Mensch, hast nun vernommen
des Schäfers große Lieb,
wie er vom Himmel kommen
zu suchen Sünder dich.
Darum betracht die Lieb,
fall deinem Gott zu Füßen
weil er erlöset dich.

Ach Sünder thu nur eilen
zum lieben Schäfer wert,
er kann dir ja ertheilen
was dorten ewig wärt.
Die Freud und Seligkeit
hat man aldort zu hoffen
in alle Ewigkeit.

Nun wollen wir beschließen
wol jezt zu dieser Frist,
viel Heil wird dir entsprießen
daraus, o frommer Krist.
Euren Schäfer liebt alzeit,
so wird er euch hinfüren
zur ewgen Himmelsfreud.

Ende.

---

[1] Auch hier am Schluße die Häufung des Reimes, worüber die Anmerk. zu dem Vordernberger Weihnachtsp. S. 165. zu vergleichen ist.

[2] In den älteren Misterien schließt sich an den Epilog gewönlich ein Te deum laudamus oder der Gesang eines Hymnus oder auch eines deutschen geistlichen Liedes (bei den Osterspielen: Krist ist erstanden) an. Hier haben wir die Erinnerung daran; auch in Pondos Weihnachtspiel folgt dem Epilog ein Lied. Ayrers Phönizia wird one Epilog bloß durch ein Lied beschloßen.

24 *

Oben (S. 299.) wurde bemerkt, daß sich der gute Hirt
mit dem verlornen Schäflein auch in dem Pafsionsspiele von
Liesing im Lesachthale in Kärnten finde. Das Spiel, welches
1852 nach längerer Unterbrechung wider in der Karwoche
auf dem Dorfplatze aufgefürt wurde, ist ziemlich umfangreich; es besteht auß dreißig Auftritten, die von sechs und
fünfzig Personen gespielt werden. Nach dem Prolog begint
eine Hellenscene; Pluto „der Herr und Gott in Stigis Reich"
rümt sich seiner Macht, ist aber doch in großem Zorn daß
der Mensch Gnade hoffen dürfe und befielt die Verfürung
der ganzen Menschheit; an Judas und Kaiphas sei schon
ein Anfang gemacht. Astarot behauptet, daß schon jezt
die Menschen ganz unterworfen seien und fürt zum Beweise
das Schäflein an einer Kette herein. Dieses hat einen
schwarzen Mantel über, einen stolzen Hut auf, „tritt ganz
aufgeblasen herfür"; es rümt sich seines weltlichen Lebens, will von Himmel und Helle nichts wißen und nur ewig
leben. Pluto färt entzükt darüber von seinem Throne auf
und die Teufel schlagen alle an die Brust mit dem Schwure,
nicht zu ruhen biß alle Selen verfürt seien. Das Schäflein
schläft ein und der gute Hirt komt, das verirrte zu suchen.
Der Pilgram tritt auf und das folgende Gespräch ist desselben Inhalts wie in dem obersteirischen Paradeisspiele;
es ist nur kürzer und in Versen. Da erblikt der gute Hirt
das Schäflein und wekt es. Erwachend sieht es die Teufel
und erschrikt. Reue komt über sein Herz und es wirft sich
dem guten Hirten zu Füßen. Er macht es von den Baud-
en los und gibt dem Pluto mit dem Stabe einen Stoß. Er
fürt dann das Schäflein über die Vorbüne ¹), wärend er
singt:

---

¹) Ueber die Einrichtung dieser Büne werde ich anderswo Mittheilungen
machen.

Komm geliebtes Schäfelein,
ich will dich fürn auf jenes Ort,
allwo man zu deinem Heil
Gott von dannen fürt zum Tod.
Ja alldort kanst du betrachten,
wie man Gott für dich wird schlachten,
Isak war nur ein Figur [1],
so dir Gott selbst stellet vor.
Mit dem dritten Auftritt hebt nun das Pafsionsspiel an.

Zum Schluße dieser Spiele ein par Worte über die sogenanten Bauernspiele in Steiermark und Kärnten. Sie
gehen mit raschen Schritten ihrem Untergange entgegen;
zwar sind sie in den lezten Jaren hier und da wider lebend-
iger geworden, allein es scheint mer das lezte aufflackern
eines erleschenden Liechtes. Ihre Zeit ist vorüber.

Die geistlichen Schauspiele, welche theils von den
Jesuiten in ihren Schulen, namentlich in Græz und Klagenfurt, theils an besuchten Walfartorten, wie auf Maria Rast
bei Marburg [2], gegeben wurden, wirkten auf das gedeihen
dieser Volksspiele in Steier und Kärnten begreiflich ein.
In dem vorangehenden habe ich mannigfache Zeugnifse
dieser dramatischen Volksliteratur vorgefürt. Obersteier
war meist die Heimat derselben. Hier ziehen noch allwin-
erlich kleine Banden dieser Bauernkomödianten durch die
entlegenen Thäler, vom Rabthal biß an die kärntische
Grenze, und bringen als Lon der Kunst Lebensmittel, namentlich Korn und Speck heim. Sie haben aber viel Ver-
folgungen zu erdulden und sie fliehen die Mächte dieser
Welt.

---

[1] Ueber Figur in solchem Zusammenhange Mone Schauspiele des Mittelalters 1, 31. 2, 187.

[2] Steiermärkische Zeitschrift. Neue Folge. 2. Jarg. 1835. Hft. 2. S. 30. f.
Es wurde hier auf der Gränze der Sprachgebiete deutsch und windisch gespielt.

In Kärnten erliegen die alten Spiele zusehends. In
Mosburg bei Klagenfurt wurde vor fünf Jaren noch gespielt,
allein ein modernes Stück: der Ring der Treue von Budik.
Auf dem Krappfelde wurde noch in neuester Zeit die Pafsion
aufgeführt und „das bairische Hieselspiel" d. i. die Geschichte des im vorigen Jarh. berüchtigten bairischen Wild-
schützen Math. Klostermaier. Im Gurkthal war ein Goliath-
spiel auf der Büne, im Mölltthal ein Dreikönigsspiel und ein
Armes Sünderspiel, das eine der vielen Marienlegenden
dramatisierte, wie die h. Jungfrau dem Teufel einen Sünder
entreißt, der ihr stets dienstbar blib. Im Gailthal muß das
Volksspiel einmal ser geblüht haben. In Delach wurde
früher im Walde oder in einem Stadel gespielt; die jetzige
Büne steht seit etwa siebenzig Jaren; ihr Vorhang ist mit
Drachen und Ritterlanzen bemalt. Die religiösen Stücke
waren: die Pafsion, die Auferstehung, der verlorene Son,
der egyptische Joseph, Genovefa; die geschichtlichen:
Julius Cäsar [1]), die Huldigung der kärntischen Herzöge auf
dem Zollfelde, Kunz von Kaufungen, der Ritter von Weiß-
briach. In Mauthen und Reisach werden jezt meist moderne
Ritterspectakel aufgeführt; die Büne von Hermagor hat sich
durch die Beamten in ein Liebhabertheater verwandelt. In
Liesing im Lesachthale wurden außer der Pafsion gespielt:
der verlorene Son, der egyptische Joseph, Genovefa, Paul-
inus von Nola, Hirlanda, Anderle von Rien, und die Pofsen:
der krumpe Haxmarten und der bestrafte Fürwitz. Die
Spiele sind, so weit sie eine alte Grundlage überhaupt hab-
en, ganz modernisiert. Nur weniges verrät dem kundigen
die alte Faßung. Alles hat seine Zeit.

In Tirol blühen die Bauernspiele anscheinend noch

[1]) Die zahlreichen Römerdenkmale im Lande bringen die alte Geschichte
dem Volke näher. Das Gailthal grenzt überdieß an Friaul.

ziemlich.[1]) Das Nikolausspiel im Stanzerthal (Mittheilungen
darüber im Phönix von Zingerle und Wildauer. 1851. 214 ff.
222.ff.) läßt wünschen, daß den änlichen Spielen das aufmerk-
same Auge nicht fele, wozu Hofnung vorhanden ist. Ueber
das Passionspiel im oberbairischen Oberammergau brauche
ich weiter nichts zu sagen, nachdem bereits eine Literatur
darüber sich gebildet hat. Künstlerischen Genuß in diesen
Spielen zu suchen und zu finden, ist mindestens zweifelhaft;
von kulturhistorischem Standpunkte betrachtet, bleibt ihnen
ein sicherer Wert.

[1]) Kränitz Encyklopädie 141, 114 ff. Lewald Tirol 1, 31 ff. Devrient Gesch.
d. deutschen Schauspielkunst 1, 399—407.

Ehe wir die Samlung volksthümlicher Weihnachtlieder
vorlegen, welche die innige Verbindung des Volkslebens
mit der heiligen Geschichte weiter beweisen, wollen wir
uns mit kurzen Zügen die Entwickelung des deutschen
·Weihnachtliedes vorführen.

Die kristliche Kirche besizt an den Hymnen einen
reichen Schatz religiöser Dichtungen, die namentlich der
lateinischen Kirche entblühten. Seit dem vierten Jarhundert
angesammelt, war zur Zeit da Deutschland der volständ-
igen Bekerung sich näherte, der gröste Theil der Hymnen,
die noch heute in Geltung sind, bereits vorhanden. Sie
wurden also auch in den ersten deutschen Gotteshäusern
gebraucht und jene Geistlichen, welche in karolingischer
Zeit die lateinischen Formeln und Gesänge dem Volke zu
verdeutschen strebten, wanten ihre Thätigkeit auch ihnen
zu. Wir besitzen zum Zeugniss dessen die althochdeutsche
Uebersetzung von sechs und zwanzig Hymnen [1], die in
knechtischem Anschluß an den lateinischen Urtext den
Zweifel ihrer Singbarkeit erwecken müsten, wenn wir nicht
auß den späteren Zeiten ebenfalls Interlinearübersetzungen
von Hymnen hätten, die augenscheinlich zu kirchlichem
Gebrauche bestimt sind. Ein solches Hymnar enthält eine
Wiener, früher Grazer, Handschrift des 13. oder 14. Jh. [2]
Wir finden in ihr auch eine Zal Weihnachthymnen [3], die in

[1] Herausgeg. von Jak. Grimm Hymnorum veteris ecclesiae XXVI. inter-
pretatio theotisca Götting. 1830.
[2] Mit der Meinung, daß sie dem 12 Jh. angehöre, zum Abdruck besorgt
durch Jos. Kehrein Kirchen- und religiöse Lieder aus dem 12—15. Jh. Paderborn 1853.
[3] Es sind folgende: Conditor alme siderum. Verbum supernum prodiens.

der althochdeutschen Samlung ganz mangeln. Besonders zalreich wurden diese Uebersetzungen im 14. und 15. Jarh. Beispiele geben zwei Wiener Handschriften (Hoffmann altdeutsche Handschriften der k. k. Hofbibliothek zu Wien. n. CCL. LXXXVI.) welche ebenfalls knechtisch dem lateinischen Texte folgen, da sie der Melodie nicht freier die Worte zu verbinden wusten. Die Melodien sind übergeschrieben. Auch die Universitätsbibliothek in Græz besizt ein solches Hymnar auß dem 15. Jh. (sign. ⅔. fol. Pap.) das zwar one Melodien ist, aber zum gottesdienstlichen Gebrauche bestimt war, wie das vorangehende deutsche Brevier beweist. Die Uebersetzung ist in einigen Hymnen gewanter als in der Ambras - Wiener, in andern stimmen sie überein. Die in der Græzer Handschrift übersezten Hymnen des Weihnachtcyklus sind: Conditor alme. Veni redemptor. Verbum supernum prodiens. Vox clara. A solis ortus cardine. Corde natus. Sancte dei pretiose protomartyr. Solemnis dies. De patre verbum prodiens. Christe redemtor. Hostis Herodes. [1]

Indessen entstunden schon im vierzehnten Jh. freiere Uebersetzungen der Hymnen, welche als Kern des almählich reich sich · entfaltenden geistlichen deutschen Liedes erscheinen. Auf Beger des Erzbischofs Pilgrim von Salzburg († 1396) versuchte sich ein Salzburger Benedictiner Hermann (Johann) in Gemeinschaft mit einem Weltpriester Namens Martin an der Bearbeitung von Hymnen und Sequenzen [2]). Darunter findet sich für Weihnachten der Hymnus A

Vox clara ecce intonat. Veni redemptor gentium. Agnoscat omne sæculum. Christe redemptor. A solis ortus cardine. Corde natus ex parentis. Hostis Herodes. Jesus refulsit.

[1]) Ueber eine andere Hs. dieses Inhalts vgl. Aufseß Anzeiger 1833. S. 95. Ueber gedrukte Hymnarien Hoffmann Geschichte des deutschen Kirchenliedes biß auf Luthers Zeit. Breslau 1832. S. VIII. 174. f. Bollens der deutsche Choralgesang der kathol. Kirche. Tübingen 1851. S. 81.

[2]) Altdeutsche Blätter 2, 325—349. Kehrein Kirchen- und relig. Lieder 128—192.

solis ortus cardine und die Sequenz Mittit ad virginem. Im
15. Jh. dichtete Heinrich von Laufenberg zu Freiburg im
Breisgau in dieser Richtung; sein Agnoscat omne sæculum,
Veni redemptor, A solis ortus kommen für uns in Betracht.
Außerdem wurden im 15., vielleicht schon im 14. Jh., übersezt das Corde natus, Dies est lætitiæ, Conditer alme siderum, In hoc anni circulo[1]). Auch das Lied „Quem pastores
laudavere den die Hirten lobten sere" ist damals in Gebrauch
gekommen. In Joh. Leisentrits Catholischen geistlichen
Liedern und Psalmen finden sich die Bearbeitungen folgender
lateinischer Gesänge: Conditor alme siderum, Veni redemptor zweifach, Dies est lætitiæ, Grates nunc omnes zweifach,
Puer natus zweifach, A solis ortus cardine, Corde natus,
Nobis est natus hodie. Mich. Vehs Neu Gesangbüchlein
geistlicher Lieder bietet nur das Dies est lætitiæ und Grates
omnes, zwei Gesänge die ungemein verbreitet waren und
deren erster namentlich mit dem eingefügten „Ein Kindelein
so löbelich" fast unzäliche Bearbeitungen erfur.[2]) Sonach
besaßen die deutschen Katholiken im 16. Jh. nicht wenige
freier bearbeitete Hymnen und Sequenzen, einen Schatz
dessen Wert auch die älteren protestantischen Liederdichter
zu schätzen wusten. Außer Luther selbst haben namentlich
Mich. Weisse, Nik. Hermann, Joh. Spangenberg und Joh.
Hermann Hymnen bearbeitet.

Wie angesehen diese Hymnen und Sequenzen in dem
Volke waren, beweisen die ihnen zugeschriebenen Wunder-
kräfte. In der Münchener Handschrift der Lieder des Mönchs
von Salzburg heißt es von dem Stabat mater: „swer die an
tôdsünd mit andâcht etlichen zeit spricht, den lât unser liebe
vraw in kain grôz herzenlait nit komen." Bei dem Hymnus

---

[1]) Ph. Wackernagel deutsches Kirchenlied n. 773. 134. 793. 124.

[2]) Ein auf „die falschen evangelischen" parodiertes Dies est lætitiæ in
Haupts Zeitschrift für deutsches Alterth. 8, 329.

Christe qui lux es et dies wird bemerkt: „swer den mit andacht pei der nacht spricht, den mag der tievel nicht ange-
weigen[1]) noch kain swærer traum zugevallen." Der Pfingst-
hymnus Veni creator spiritus bei Tag undNacht gesprochen
soll gegen allen Schaden durch Feinde waren.[2]) Ganz dieselben Kräfte wurden also den Hymnen zugeschrieben welche
man biblischen Büchern, namentlich dem Evangelium Johannis und einigen Psalmen zulegte und hier und da noch
zulegt. Glaubte man doch jeder Schrift geistlichen Inhalts
schützende und rettende Kraft verbunden, so daß Wernher
von Tegernsee sein eignes Gedicht von Marien Leben damit
empfal, daß eine Frau rasch ihres Kindes genesen werde,
welche es in der Not in ihrer rechten halte.[3])

Nachdem wir die Zuflüße auß dem Quelle der lateinischen
Hymnen bemerkten, müßen wir die Schepfung eines selbst-
ständigen deutschen Weihnachtliedes zu verfolgen suchen.
Da ich für die Behauptung daß Otfrieds Evangelienbuch eigentlich einKirchengesangbuch desVolkes sei, keineBerecht-
igung sehe, so kann ich erst im 12. Jh.[4]) ein auf Weihnachten
bezügliches deutsches Lied nachweisen: Spervogels Er ist
gewaltic unde stark (Minnesing. Hag. 2, 376.). Fälschlich
wird es auß mereren Strophen zusammengesetzt; es kann
der Zeit nach nur ein strophig sein. Uebrigens trägt es
die Weise eines religiösen L i e d e s, wärend des Hardeg-
gers Hiute ist der sældenriche tac daz Jesus wart geborn

---

[1]) Anweigen, anfechten Schmeller 4, 47. vgl. ahd. weigjan. — In Steier
bezeichnet oanaweigeln das gespenstische spucken und umgehn.

[2]) Altdeutsche Blätter 2, 327—329.

[3]) Hoffmann Fundgruben II. 183, 12—16.

[4]) Der Schlachtgesang der Deutschen, den sie im 12. Jh. gewönlich anstimten,
Christus qui natus, scheint auch ein Weihnachtlied und war vielleicht deutsch.
Indessen kann der Anfang, den wir allein kennen, auch zu algemeinerem Gedanken überleiten. Unter andern wurde das Schlachtlied bei Tuskulum am zweit-
en Pfingsttage (29. Mai) 1167 gesungen.

(MSH. 2, 135ᵃ) und Reinmars von Zweter Ich seite in gerne ich weiz wol waz (MSH. 2, 177ᵇ—179ᵇ) Weihnachtbetrachtungen sind, wohin wir auch allenfalls Walthers von der Vogelweide Krist hêrre lâz mir werden schîn (Lachmanns Außg. 24, 21—29) zälen können. Singbar wenn auch kein geistliches Volkslied ist Meister Alexanders Herre got dir sungen schône hiute nacht vor dînem trône Cherubin und Seraphin niuwez lob in hôher wunne (MSH. 3, 26). Dasselbe gilt von dem ebenfalls ins 13. Jh. gehörigen Gedicht: Hêr Jêsus gât im paradîs, er gît den kiuschen liuten prîs, mit dem Kerreim: Süezer Jêsu milter Jêsu guoter Jêsu. ¹) Es ist übrigens nach lateinischem Texte gearbeitet. In dieselbe Zeit gehœrt ein längeres erzälendes Gedicht strophischer Form, in der Handschrift eine Tagweise genant, welches die Geschichte Jesu von der Verkündigung biß zum bethlehemitischen Morde behandelt: Marien wart ein bot gesant vom himelrich in kurzer stunt (MSH. 3, 468ᵘ—468ᶻ). Einzelnen Theilen läßt sich frisches Leben nicht absprechen, und das Stück, welches den Stern und die Weisen in Jerusalem besingt, finden wir in der That abgelöst und mit einigen Aenderungen unter den Liedern des Mönchs von Salzburg.²) Es scheint demnach wirklich als geistlicher Gesang gebraucht worden zu sein. Ganz anderer Art ist das Lied einer Münchener Hs. des 13. Jh.: Ein kint ze trôste ist uns gesant von verre ûz der engel lant, in stipulis jacere vaut man den wênigen hêrren. ³) Hier zeigt sich jene Mischung von lateinischen und deutschen Versen, die seit dem 10. Jh. in Deutschland auftauchte⁴) und namentlich gern bei frölichen Stoffen gebraucht wurde; sie bot sich

---

¹) MSH. 3, 468ᵇᵇ. Altd. Blätt. 2, 124.
²) Altdeusche Blätter 2, 342. f.
³) Aufseß Anzeiger für Kunde teutscher Vorzeit 1833. S. 275.
⁴) Hoffmann Geschichte des Kirchenliedes 151—173.

darum auch für das Weihnachtlied dar. Dieser Art ist auch
das bekante biß in neueste Zeit gesungene „In dulci jubilo
nu singet und seit fro", welches schon im 14. Jh. vorhanden
war (Hoffmann 151). Diese Lieder waren begreiflich nicht
für das Volk gemacht, sondern drangen erst almählich in
dasselbe. [1]

Unter den Weihnachtliedern des 14. Jh. zeichnet sich
besonders der Gesang auß: Uns komt ein schif gevaren,
es bringt ein schœnen Last, darüf vil engelscharen und
hât ein grôzen mast (Ph. Wackernagel Kirchenlied n. 729.
Bollens Choralgesang 62). Er wird dem großen Theologen
Johannes Tauler († 1361) zugeschrieben. Uebrigens ist er
Umdichtung eines weltlichen Volksliedes und auß dieser
Quelle ist ihm der volle warme Ton gekommen. Die Strophe
„Möcht ich daz kindelin küssen an sin lieplichen munt, und
wær ich krank, vür gewifse ich würd davon gesunt", ist ganz
volksliedmäßig. Dazu stimt die Weise, die wir in der Melodie des Liedes: Es wolt ein jäger jagen, wolt jagen in
einem holz, wider finden. Von der weiten Verbreitung dieses Weihnachtliedes zeugen seine mannigfachen Ueberar-
beitungen, die ihm jedoch nicht zum Vortheil gediehen. [2]
Ebenfalls allgemein gesungen und lange bewart wurde ein
andres Kristlied des 14. Jh., das unter den Gesängen des
Mönchs von Salzburg aufgezeichnet ist und sich jener S.

[1] Ein latein. niederländ. Weihnachtlied bei Hoffmann Kirchenlied 153—156.
Englische mit viertem latein. Verse bei Sandys Christmas carols 6. 7. Christmastide 226. weltliche englische Weihnachtlieder (Eberlieder) mit lat. Verse bei
Sandys Christmascarols 19. 180. englische geistl. Weihnachtlieder mit lat. Kerreim bei Sandys Christmascarols 2. 15. 20. Ein Weihnachtlied auß regelmäßig
wechselnden französischen und lat. Versen bei Sandys Christmascarols 167. Du
Meril, der es S. 101 f. seiner Poésies populaires latines (Paris 1843) mittheilt,
sagt es sei noch populär.

[2] Vgl. Wackernagel Kirchenlied n. 119. Eine holländische Bearbeitung bei
Hoffmann Horæ belgicæ II. 10. Zu vergleichen ist Muskatblüt Ein rich schif-
vart bereitet wart (n. 19. Groote) und das englische I saw three ships come
sailing in on Christmasday bei Sandys Christmascarols 112. Christmastide 260.

49. 106. erwähnten ritualen Darstellung an der Krippe an-
schloß.[1]) Den hier waltenden Liedeston finden wir in einem
andern Weihnachtgedicht des Salzburger Benedictiners nicht,
dem: Maria kiusche muoter zart, wie hustlich was din reiniu
art. Gesangwidrig gebaut, mit ganzem Anklang an die religiöse Kunstdichtung des 14. 15. Jh., mer verständig grüb-
elnd als herzlich empfindend ist es nicht geeignet vom Volke
in seinen Liederschatz aufgenommen zu werden. [2]) Was
Hugo von Trimberg in seinem Renner v. 11080 ff. sagte,
ist zutreffend: „der leien leise durch tiutschiu lant sint ein-
veltec und baz bekant danne manec kunst, uf die geleit ist
grôziu kost und arbeit," Worte die zugleich für das deutsche
geistliche Lied an der Scheide des 13. und 14. Jh. Zeugnifs
geben. Einfachheit und warmes Gefül, inniges durchdrung-
ensein von dem Glauben an die heilige Geschichte und die
Warheit des Evangeliums, der frische Klang der Volks-
weise, das waren und sind in Ewigkeit die Mächte des
geistlichen Liedes.

Auf dem Wege des 14. Jarh. schritt das 15. weiter.
Ein kurzes Weihnachtlied „der himelkünig ist geboren von
einer meit" bietet eine Breslauer Hs. auß den Jaren 1414-
1423 (Hoffman Kirchenlied 103). Weniger volksmäßig und
bedeutend länger ist das nicht viel jüngere Lied: „Ein
kindlein ist geboren von einer reinen meit"[3]). Ganz besonders anschaulich wird das Weihnachtlied dieser Zeit
dadurch daß wir es gruppenweise beobachten können.
Eine solche Gruppe finden wir unter den Liedern Hein-

---

[1]) Der volständigere Text in Mones Anzeiger 4, 45; hier findet sich der
Anfang: Nu frew dich kristenliche schar. Außerdem vgl. Altd. Blätt. 2, 342.
[2]) Hoffmann altd. Handschr. CLXXI, 8. Altd. Blätt. 2, 346. Kehrein Kirchen-
und relig. Lieder 186. Liederb. der Kl. Bätzlerin 257.
[3]) Docen Miscellan. 2, 246. Hoffmann Kirchenl. 104. Wh. Wackernagel altd.
Leseb. 973. Ph. Wackernagel Kirchenl. n. 126.

richs von Laufenberg, den wir schon als Hymnenbearbeiter kennen lernten. Auß den Anfängen der Weihnachthymnen sexte er das Lied zusammen: Puer natus ist uns gar schon, wol uf mit süßem engel ton (Wackernagel Kirchenl. n. 765) das latein. deutsch und leicht singbar ist. Wie hier so finden wir den Kerreim auch in Laufenbergs „Es saz ein edle maget schön in höher contemplation (Wackern. n. 750) und in dem „In einem kripffi lag ein kind" (Wackern. n. 751. 743). Beide Lieder sind erzälend und einfach und wol zur Aufname vem Volke geeignet. Die andern Lieder dieses Dichters, welche auf die Weihnachtzeit sich beziehen [1]), sind theils zu kunstreich im Bau, theils zu gelert, als daß sie in den Mund des Volkes hätten kommen können.

Eine andere Gruppe des 15. Jarh. enthält eine Handschrift des ehemaligen Frauenklosters zu Pfullingen, die jezt in Stuttgart aufbewart wird [2]). Hier begegnen uns merere Contrafacturen oder geistliche Umdichtungen weltlicher Lieder; nämlich nach dem Liede: „Ich var dohin wend es mueß sin" das Weihnachtlied: Ich var zu dir Maria rein (n. 732) und nach dem Zechliede „Den liebsten buolen den ich han" das: „Den liebsten herren den ich han der ist mit lieb gebunden" (n. 735). Außerdem enthält die Handschrift die Weihnachtlieder: Woluf gen Bethleem behend mit hertz muot und sinnen (n. 733); Ein nüw geburt wünsch ich zwar (n. 734) und: Jesus du süßer name, götlicher minne flamme (n. 737). Man kann namentlich den ersten Singbarkeit und leichten Bau zugestehen, allein der Inhalt eignet sie schwerlich zu Liedern der Menge. Der spielende Ton der geistlichen Dichtung dieser Zeit läßt die kernige Einfachheit nicht gedeihen: es sind wol Lieder für

---

[1] Wackernagel Kirchenlied no. 746. 747. 746. 757. 766.
[2] Ph. Wackernagel Kirchenlied ao. 730 — 745.

Nonnen aber nicht für das Volk. Am meisten läßt sich das Contrafactum „Ich var zu dir, Maria rein" außzeichnen.

Weiteres gewärt eine Klosterneuburger Handschrift (Cod. ms. 1228); sie ist zwar erst im 16. Jh. geschrieben, allein ihr Inhalt gehört anscheinend in das 15. hinauf [1]. Von Weihnachtliedern bietet sie das In dulci jubilo und die bekante Uebersetzung des Puer natus „Ein kind geborn zu Bethleem, des frenet sich Jerusalem;" ferner ein Dreikönigslied „Sim! Got so woln wir loben und ern", und drei längere erzälende Weihnachtlieder. Das erste derselben (n. 4 der Hs.) begint also:

Well wir aber singen — gegen disem newen jar — von ainem hailigen kinde — wie es geporen wart — von ainer jungfraw hübsch und fein — Jesus ist der name sein — den sult ir hœren — und sult in eren.

Die lezte (29.) Str. lautet:

Der uns das liedlein hat gemacht — und neu gesungen hat — er hats gar wol gesungen — zu einem neuen jar — das well auch Got uns allen geben — und darnach das ewige leben [2] — tuet er begeren — Got well in geweren.

Das lange Lied, welches nicht bloß die Geburt des Heilands erzält, sondern auch dem zwelfjärigen Jesus im Tempel und dem Erlösungstode merere Strophen widmet, war zum Gesange bestimt und ist auch vielleicht gesungen worden. Die Länge darf nicht dagegen eingewant werden, da wir ebenso lange weltliche erzälende Lieder der Zeit besitzen und auch in dem Kirchenliede späterer Zeit ser oft die Breite statt der Tiefe bemerken.

---

[1] Mone gab ihre Liederanfänge und einige volständige Lieder in seinem Anzeiger 1830, 347 — 354. Weitere Nachrichten und Außzüge verdanke ich der Gefälligkeit des Chorherren Dr. Hartmann Zeibig, d. Z. Cooperator in Nußdorf a. d. Donau.

[2] Dieser Vers felt in meiner Abschrift und ist von mir ergänzt.

Das zweite Lied (n. 31. der Hs.) begint also:

Es ist ain kindelein geporn — es hat versœnet gotes zorn — gotes zorn vom himmelreich — nie geporn wart desselben gleich — Maria.

Ain klaines kind, ain großer got — der alle welt beschaffen hat — der alle welt beschaffen hat — der ließ sich sehn in schlechter wat — Maria.

Die beiden lezten (25. 26.) Strophen, welche in der Hs. umgestellt sind, lauten:

Zu Rom ain prunn mit ol ersprang — er hat sogar da seinen gang — wol von der tief piß an den grunt — wer bresthaft was, den macht er gsunt — Maria.

Gnedigs kint, Herr Jesu Krist — wir pitten dich heur zu diser frist — daß du uns vergebst all unser schult — daß wir erwerben Gotes hult — Maria.

Mit Außname der Länge müßen wir diesem Lied selbst heute noch Singbarkeit zugestehen und die Fähigkeit Weihnachtandacht in der Menge zu erregen. Sein Anfang erinnert an andere Lieder, welche oben S. 107. Anm. 2. angefürt wurden.

Das dritte Lied (n. 33 der Hs.) will ich wegen seiner Uebereinstimmung mit einem holländischen des 15. Jarh. (Hoffmann horæ belgicæ II. 4) ganz mittheilen. Welches von beiden Original ist, mag fraglich sein; die Form warf in Str. 5 für warb kann nicht entscheiden.

Da Jesu Krist geboren wart,
do was es kalt;
in ain klaines kripplein
er geleget wart.
Da stunt ain esel und ain rint,
die atmizten uber das hailig kint
gar unverborgen.
Der ain raines herze hat, der darf nit sorgen.

25

Joseph der nam sein eselein
wol bei dem zaum,
er fueret es uuder
ain tadelpaum.
„Eselein du solt stille stan,
Maria die wil geruet han,
sie ist gar muede."
Do neiget sich der tadelpaum zu gotes guete.

Maria prach die tadeln
wol in ir schoo.
Joseph derselben weil
doch nit verdroo.
„Eselein, du solt fürpao gan,
wir haben noch dreioig meil zu gan,
es wird zu spate."
Do neiget sich der tadelpaum zu gotes gnade.

Do zugen sie fürhin pao
wol in ain stat.
Joseph gar treulich umb
ain herberg pat.
Derselbig wirt lebt in dem saus,
er traip die gest widerumb auo,
sie warn ellende.
Maria spann das raine garn mit iren henden.

Sie giengen ain wenig fürhin pao
wol in ain darf.
Joseph gar treulich umb
ain herberg warf.
„Wirtin, liebste Wirtin mein,
behaltet mir das kindelein
und auch die frawe".
Sie sprach: ich wil es gern thun, welt ir in ain strawe.

Wolhin wolhin! gen abend spat
do wart es kalt ;
alspald sie in die scheuern gieng,
ins stadel trat.

Maria die nam ir kindelein,
Joseph der nam sein eselein,
sie lagen besunder.
Do schauet wirt und wirtin zu dem grosen wunder.

Wolhin wolhin! gen mitternacht
do was es kalt.
Der wirt zu seiner frawen do
gar treulich sprach:
„Frawe, liebste frawe mein,
ste auf und mach ain feuerlein
durch gotes willen.
Das kindlein heint kain rue gewan, es möcht erfrieren.

Die fraw stund auf gar palde,
wasmaus (?) sie hies;
wie pald sie in die kuchen lief,
ain feur aufplies.
„Fräwlein, liebstes fräwelein,
trag herein dein kindelein,
wol zu dem feure!
Dein kindlein heint kain rue nit hat, es möcht erfreuren.

Maria het ain pfändelein
und das was klain;
da kocht sie irem kint ain müesl,
was lauter und rain.
Weil es verzert sein mueselein,
Maria sang irm kindelein
gar und gar taugen:
„so bistu mir ain spiegel klar in meinen augen."

Maria die kunt spinnen,
des freut sie sich;
Joseph der kunt zimmern,
des nerten sie sich;
Jesus der kunt haspen garn.
Der reiche wirt der wart do arm,
der arm wart reich.
So bit wir Got von himl, das er uns helf in sein reich.

25 *

Das fünfzehnte Jh., in welchem die religiöse Lyrik ser zalreiche Sproßen trib, gibt natürlich noch weitere Zeugnifse für das Weihnachtlied. Freilich dazu können wir die beiden Weihnachtgedichte Oswalds von Wolkenstein nicht rechnen: „In Syria ain praitenhal hórt man durch gróz geschelle" und „Keuschlich geborn ain kint só kuene von rainer mait", [1] eben so wenig die ziemlich zalreichen Advent- und Weihnachtpoesien Muskatblüts, welche zu dem schwächsten gehören, das diser Dichter hervorgebracht hat. [2] Aber zu einem erbaulichen Volksgesang ist das schöne Adventlied geschikt Auß hartem wee klagt menschlichs geschlecht, [3] das durch eine herliche herzgreifende Weise getragen wird. Zu unterscheiden davon ist das Lied Auß hartem weh klagen wir menschen (Mone Schauspiele des Mittelalt. 2, 366), das an Gehalt ihm nicht gleich komt. Ungemein beliebt und nicht viel jünger als dies Lied war der Gesang: Es ist ein ros entsprungen auß einer wurzel zart. Es ist häufig bearbeitet und vielfach mit Zusätzen versehen worden [4] und scheint ursprünglich Umdichtung eines weltlichen Liedes. Echt liedmäßig scheint auch „Sich hat der schepfer aller ding genidert von des himels ring, als in der jungfrau hochgeborn verkündet Gabrielis horn" [5] Anderes dagegen darf schwerlich zu den geistlichen Volks-

---

[1] Die Gedichte Oswalds von Wolkenstein, herausgegeben von Beda Weber. Innsbruck 1847. no 102. 104.

[2] Nur das Gedicht „Sündiger mensch in diser zit gedenk das ex dir harte lit (Lieder Muskatblüts. Erster Druck besorgt von E. v. Groote. Köln 1853. no 20) will ich außnemen.

[3] Wackernagel Kirchenlied n. 181 a. Der Text, den Bone Cantate n. 14. gibt, ist nicht gut überarbeitet. Ueberdieß ist der alte Strophenbau durch Entfernung eines Verses gestört.

[4] Hofmann Kirchenlied S. 138. Wackernagel Kirchenlied. 160. Bone Cantate n. 28.

[5] Der ewigen wißheit betbüchlln. Basel 1518. Mone Anzeiger 8,373.

liedern der Weihnachten gerechnet werden. So urtheile ich
über das Gedicht: Ein reine meit verborgen lac biz ûf den
heilgen wihnahttac (Aufseß Anzeiger 1833. S. 278.), ferner über das hölzerne Meistersängerlied des Martin Weiß:
Ir solt loben die reyne meyt (Wackernagel n. 178) und über
des Martin Myllius Adventgedicht: Nachdem den menschen
Cherubin mit schaden (Wackernagel no. 168) das im Tone
des Hymnus Ut queant laxis, also im saphischen Maße, gedichtet ist.

Wollen wir uns über das vorreformatorische Weih-
achtlied eine weitere Vorstellung bilden, so sind die katholischen Gesangbücher des 16. Jh. zu berücksichtigen,
deren Inhalt meist in das 15. Jh. hineinreicht. Ich kann nur
Vehs und Leisentrits Gesangbücher benützen, indefsen dürften
gerade sie für unsern beschränkten Zweck außreichen. Michael Vehs New Gosangbüchlin Geistlicher Lieder [1] enthält
wenig Weihnachtlieder, da es überhaupt eine kleine Samlung ist. Außer der Uebersetzung des Dies est lætitiæ
und des notkerschen Grates, so wie außer dem In dulci
jubilo findet sich nur noch das trefliche Lied: „Gelobet
seistu Jesu Christ daß du Mensch geboren bist.“ Es
gehörte zu den verbreitesten und blühte gewifs schon im
15. Jh. Ursprünglich war es nur einstrophig, wie alle die
alten Gesänge, welche die Andacht nur wecken wolten; bald
fanden sich mer Strophen hinzu. Bei Veh und Leisentrit hat
es sechs Strophen. Luther nam das Lied nach einiger Bearbeitung in seine Gesänge auf und diese Recension übte auch
auf den späteren katholischen Text Einfluß. [2]

---

[1] Ich benutze die zweite Außgabe „Gedruckt zu Meyntz durch Franciscum
Behem. Anno M. D. LXVII.“ welche sich auf der Universitätsbibliothek zu Gräz
findet. Nach Süp hymnolog. Reisebriefe 2,78 ist sie auch in München. Ph. Wackernagel kante sie nicht.

[2] Vgl. den Text bei Bone Cantate n. 47 mit dem in Luthers Enchiridion
von 1524 (Wackernagel 193) und dem bei Veh und Leisentrit.

Das umfangreiche Gesangbuch des Johann Leisentrit, Thumdechanten zu Budifsin, bietet begreiflicher Weise einen reichen Strauß geistlicher Weihnachtblüten. [1] Das Adventlied und das eigentliche Weihnachtlied sind zalreich vertreten in kürzerer und längerer Gestalt, in Uebersetzungen und Bearbeitungen lateinischer Lieder, wie in selbständigen deutschen Schepfungen. Auch Neujarslieder erscheinen merere. Wir gewinnen also das Ergebnifs, daß in der deutschen katholischen Kirche das Lied des Volkes eine bedeutende Stelle erlangt hat. Es sind nicht mer Gedichte religiösen Inhalts in Liederform, in denen sich das einzelne Gemüt außspricht, sondern der Glaube des ganzen Volkes strömt in dem Liede hervor. Die heiligen Geschichten und die Hauptsätze des Glaubens werden nach ihrer allgemein bewegenden Bedeutung gesungen; nicht Künstlichkeit und geistreiche Auffaßung, fondern gläubige Einfalt und warme Ueberzeugung sind des Liedes Mächte. Das geistliche Lied des Volkes war zu einem Diener am Wort auch in dem kathol-jschen Deutschland geworden, und dieß hatte die mystische Bewegung des 14. Jh. vorbereitet, die Reformation entschieden. Die Reformation zeigte der katholischen Kirche die Bedeutung des geistlichen Volksliedes und diese pflegte es darum in den Zeiten der Gefar wenigstens in Deutschland [2] Im 18. Jh. sank das deutsche kathol. Lied, so daß heute über seinen Zustand Klagen gehört werden.

---

[1] Ich benutze den ersten Theil warscheinlich der dritten Außgabe; er ist one Jarzal und Angabe des Druckorts; der zweite Theil, weicher nicht auf der Grätzer Univ. Bibliothek ist, würde wol nach Wackernagel (Kirchenlied S. 786) die Z. 1584 tragen; derselbe rechnete ihn zur zweiten Außgabe. Die erste Außgabe erschin 1567, die zweite 1573 (Stip hymnolog. Reisebriefe 2, 59) die dritte also 1584.

[2] Zwei Anfürungen aus Synodalstatuten mögen weiteres andeuten. In dem Stat. synod. Augustan. a. 1567 heißt es: antiquas vero et catholicas cantilenas præsertim quas pii majores nostri Germani majoribus ecclesiæ festis adhibuerunt, vulgo permittimus et in ecclesiis vel in processionibus retineri probamus. In dem

Worin die Bedeutung der Reformation für das deutsche geistliche Lied besteht, wurde eben angedeutet; sie machte es zum Kirchenliede. In der katholischen Kirche war es und blib es ein entberlicher Schmuck des Gottesdienstes; der protestantische Ritus kann one das Kirchenlied nicht bestehn. Das ist ein Verdienst Luthers, welches konfessionelle Polemik nicht umzustoßen vermag. Kann man doch selbst seine Bedeutung als Kirchenliederdichter nicht ableugnen, so lange man ihm „Ein feste Burg ist unser Gott" [1] und das Lied von den zween Martirern zu Brüfsel laßen muß.

Der Stamm des protestantischen Kirchenliedes ist das allgemeine deutsche alte geistliche Lied. Luther nam die alten Lieder entweder unverändert auf oder bearbeitete sie mit Benutzung des Anfangs und der Melodie nach seiner Glaubensansicht. Den Hauptpunkten seines Dogmas wurde die tönende Zunge des Liedes gegeben. Unter seinen Weihnachtliedern finden wir die alten: Gelobet seist du Jesu Krist, Kristum wir sollen loben schon, Nun komm der Heiden Heiland her (Uebersetzung von Veni redemtor gentium) und eine Uebersetzung des Hostis Herodes impie. Das Lied „Nun freut euch lieben Christen gmein" scheint auf dem Grunde des alten „Nun feiret alle Christenleut und laßt uns frölich singen heut" zu ruhen; freilich hat es andern Ton und Weise, allein der Inhalt stimmt so, daß wir bei Luther nur weitere

3. can. des conc. Burdigalense von 1584 heißt es dagegen: Vernacula lingua publice psallere aut orare nemini nisi concionatori populum ad devotionem excitanti liceat, ne inde temere judicandi de sacris mysteriis et sensu scripturæ cuiquam detur occasio. Die erste Stelle steht bei Hartzheim conc. Germ. VII. 164. Die andre bei Labbei. conc. XV. 1456.

[1] Zu Grunde ligt der 46. Psalm. — Nebenbei möge hier der kathol. Parodierungen des luther.: „Erhalt uns Herr bei deinem Wort" gedacht werden. Die eine fürte Stip auf in s. hymnolog. Reisebriefen 2, 93; eine zweite findet sich in Harters Ferdinand II. 3,521 f. gerichtet gegen die beiden luther. Prediger Zimmermann und Fischer in Grätz „verfertiget zu Stockholm in Schweden den 14. May Ao. 1594." Wer Frischlins Phasma kent, wird sich der dortigen Umdichtung erinnern.

Außführungen dieses Liedes finden. Auch das Lied „Vom Himmel hoch da komm ich her"[1] mag nur Bearbeitung eines älteren vorreformatorischen sein, das sich bei Leisentrit erhalten hat. Luther selbst arbeitete sein Lied frei um in seinem „Vom Himmel kam der Engel schar."

Unter den ältesten Liederdichtern der lutherischen Kirche haben sich um das Weihnachtlied Verdienste erworben Erasmus Alberus, Johann und Cyriak Spangenberg, Johann Mathesius und Nikolaus Hermann. Reichlich ist das Weihnachtlied unter den Gesängen der böhmischen Brüder vertreten, die dem Michael Weisse auß Neifse zugeschrieben werden. Wir finden neben freien Bearbeitungen altkirchlicher Hymnen und Sequenzen eine Reihe selbständiger Dichtungen, deren Hauptinhalt wie im lutherischen Liede die Freude und der Dank ist, daß Kristus kam den Sünder durch seinen Versönungstod gerecht zu machen. — Wie reichlich die Sat des protestantischen Kirchenliedes aufgieng, ist bekant; die Mafse wurde namentlich im 17. Jh. groß und zugleich meist flach. Dem einzigen Johann Rist schreibt man siebenhundert Lieder zu. Doch schwimmen köstliche Perlenmuscheln in dem Mere, welche neben altlutherischer Einfachheit und Strenge die tiefe Erregung der angstvollen Zeit, das Feuer der Prüfung und die Stärke unerschütterlichen Glaubens außsprechen. Dazu komt der Fortschritt in Behandlung der Sprache und des Verses. Wenn wir demnach im allgemeinen die schönsten Erzeugnifse des evangelischen Kirchengesanges im 17. Jh. gewaren, so auch im besondern des Weihnachtliedes. Ich zeichne auß unter den Adventliedern: Johann Rists Auf auf ihr Reichgenoßen, Johann Olearius Komm du wertes Lösegeld, Zacharias Her-

---

[1] Von Luthers Lied „Vom Himmel hoch" wurde im 16. Jh. in Schottland eine treue Uebersetzung gesungen: I come from hevin to tell The best nowellis that ever be fell, Sandys Christmascarols 27—29.

manus Wo bleibt mein Selenschatz, Samuel Großers Liebster Jesu sei willkommen, namentlich aber Paul Gerhards
Warum wiltu draußen stehen und: Wie soll ich dich empfang-
en und wie begegnen dir. Auß der weit größern Menge
der Weihnachtlieder hebe ich hervor: Martin Bohems O König
aller Eren, Herr Jesu Davids Son; Joh. Rists Ermuntre dich
mein schwacher Geist und trage groß Verlangen; Paul Gerhards Wir singen dir Imanuel, du Lebensfürst und Gnaden-
quell, und Ach alzuhartes Nest, ligt Jesus in der Krippen
von Neunherz. Welche Theilname dem Weihnachtliede im
16. und 17. Jh. im protestantischen Deutschland zugewant
wurde, können auch die Neuen Weihnacht Liedlein und
Arien, weihnächtliche Vesperstunden und wie sich diese
Einzelsamlungen sonst nennen, beweisen, die damals erschienen. [1])

Es ist bekant, daß gegen Ende des 17. Jh. die liederdich-
tende Kraft in der protestantischen Kirche abnam; das 18. Jh.
bietet in dieserHinsicht wenig erfreuliches. Außer dem Kreiße
der sogenanten Pietisten war keine hervortauchende Richtung
befähigt, ein echtes Kirchenlied zu schaffen, weder die starre
tote Orthodoxie noch die nüchterne Aufklärungspartei. Die
Hernhuter hatten den warhaft poetischenGeist der böhmischen
Brüder auch nicht geerbt. Und so bilden biß heute die Lieder
des 16. und namentlich des 17. Jh. den Hauptkern des
deutschen evangelischen Kirchenliedes, für welches vielleicht eine neue Blüte sprießen wird in einer Zeit, die Anlaß
genug hat sich des 16. und 17. Jh. kräftig zu erinnern.

Wir haben nun einer besondern Art des Weihnachtliedes zu gedenken: des Kinder- und Hirtenliedes. Ihm
wesentlich ist die naive Hingabe an das Eräugnifs der

---

[1]) Vgl. Stip hymnologische Reisebriefe 1,32. 131—133. 2,65. Die zalreichen
Weihnachthymnen des 17. Jh. gehören nicht hierher. Vgl. über sie Gervinus
Gesch. d. poet. Nationalliterat. d. Deutsch. 3,334. 3. Aufl.

Geburt Kristi, die unmittelbare Theilname daran und der
demütig vertrauliche Gang zu der Krippe. Das episch dramatische überwigt; die Verkündigung an die Hirten und ihre
Anbetung bilden den Mittelpunkt, und die heilige Vergangenheit wird zur unmittelbarsten Gegenwart. Das Volk sieht
sich selbst in jenen Hirten der heiligen Nacht und die Kinder begrüßen in dem Heiland ein Kind. Vertraulicher Ton,
selbst ein Scherz vermählt sich der Andacht, one daß eine
unstatthafte Verbindung entstünde; die Göttlichkeit wird
nicht durch kindliche Lust beeinträchtigt.

Die Zeugen dieser Richtung finden sich unter den ältesten deutschen und deutschlateinischen Weihnachtliedern.
Das In dulci jubilo, das Quem pastores laudavere, der Wechselgesang zwischen Maria und Joseph „Joseph liebster nefe
mein" gehören hierher. Unter den Liedern des 15. Jh. neigen
sich die rein erzälenden mer oder minder dazu; je außfürlicher sie sind und je mer sie in das Stilleben der h. Familie
eingehen, um so eher tönt der kindlich naive Klang in ihnen
herauß. [1]) Die Reformation trat dieser Richtung nicht entgegen; Luther selbst neigte sich im Weihnachtliede ihr zu
und der Gesang an der Krippenwiege (vgl. S. 49) hat sich
in evangelischen Kirchen lange erhalten.[2]) Joh. Mathesius
bearbeitete denselben neu „die Christen Kinder mit zu
schweigen oder einzuwiegen" (Wackernagel n. 478) und
dichtete noch ein anderes Wiegenlied „für gottselige Kinder-
meidlein" (Wackernagel n. 477) welches die Geburt Christi
im Kindersinne darstellt. Ebenso dichtete Nicolaus Hermann die beiden Lieder „Hort, ir liebsten Kinderlein" und

---

[1]) Gleiches gilt von den holländischen Weihnachtliedern jener Zeit: Hoffmann
horæ belgicæ II. 2—5

[2]) Zu S. 49 ist nachzutragen, daß der Gesang „Joseph lieber nefe mein"
in Hamburg im Anfang des 18. Jh. noch gesungen wurde. Rambach Ueber D.
M. Luthers Verdienst um den Kirchengesang. Hamb. 1813. S. 146. Nach Hoffmann v.Fallersleben ist zu jenem Brauche zu vergl. J. Bocmus de omnium gentium ritibus. Aug. Vind. 1520. f. LVIII. b.

„Seid frölich und jubilieret" (Wackernagel n. 485.487) ganz
in dieser Richtung. Indefsen der Ernst des protestantischen
Gottesdienstes konte solche Lieder nur außnamsweise zulaßen; Johann Mathesius hatte daher sein „O Jesus liebstes
Herrlein mein" außdrücklich für das Haus bestimt.

Eine freiere und reichere Entwickelung namen daher
diese Kinder- und Hirtenlieder in dem katholischen Deutschland. Hier gestaltete sich überhaupt biß in die neueste Zeit
das geistliche Lied außerhalb derKirche in bedeutendemGrade
fort, angeregt durch die Kirche aber nicht von ihr gepflegt.
Die Weihnachtzeit wurde besonders mit diesen geistlichen
Volksliedern geschmükt, und von ihnen biete ich im folgenden
eine Samlung. Zwei Hauptarten unterscheiden sich von
selbst: eine ernstere höhere, und eine niedere frölische,
welche auch in der Sprache sich zu dem Volksdialect herab-
läßt. Für beide haben sich unter uns schon Samler gefunden;
namentlich hat man in Westfalen die Aufmerksamkeit auf die
höheren geistlichen Volkslieder gerichtet; Zeugnifs davon
geben die „Geistlichen Volkslieder mit ihren ursprünglichen
Weisen" (Paderborn 1850) und das Gesangbuch „Cantate'
von Heinrich Bone. Auß Schlesien theilten einige Weihnachtlieder dieser Art nebst andern geistlichen Liedern
Hoffmann von Fallersleben und E. Richter in ihren schlesisch-
en Volksliedern mit. Von der nachfolgenden Samlung gehören
die Lieder n. XXIII—XLII hierher, welche mit einer einzigen
schlesischen Außname (n. XXIX) auß Steiermark und Kärnten sind.

Oefter wurde die Aufmerksamkeit der niederen Gattung
zugewant, [1] die sich mer als Volkslied hervorthat. Auch

---

[1] Was von solchen Weihnachtliedern bißher gedrukt wurde, ist meines
wißens folgendes. Auß Schlesien in den Schlesischen Volksliedern mit Melodien gesamm. und herausg. von Hoffmann von Fallersleben und E. Richter Leipz.
1842. n. 278. Auß dem Kuhländchen in: Alte teutsche Volkslieder in der

von ihr biete ich steierische und kärntische Belege.
Namentlich in Kärnten ist die Zal dieser „Hirtenlieder" ser
bedeutend gewesen, und noch vor vierzig Jaren hatte fast
jede Pfarre ihren Dichter, den Vorsänger der Gemeine, welcher den altenSchatz mit neuem stets vermerte. Heute scheinen
sie nicht mer so üppig zu blühen, sind aber noch immer ser
zalreich vorhanden. Von Steiermark läßt sich dasselbe sagen.
— Diese Lieder werden theils in der Kirche theils in den
Häusern gesungen von derAdventzeit biß zumDreikönigstage.
Die mundartlichen lustigen beschränken sich auf die Kristnacht, wenigstens was die kirchliche Oertlichkeit betrift.
In der Kirche stimt sie der Vorsänger oder der Mesner an,
meist nach Beendigung des Gottesdienstes, wo einzelne an-
dächtige zu einer Privaterbauung zusammenbleiben. In der
Kristnacht werden sie aber allgemein gesungen und sind
in Klosterkirchen auch vom Kor herab ertönt. In den Häusern werden sie wärend der ganzen Weihnachtzeit von den
Kirchensängern oder von jungen Bauerburschen vorgetragen,
die zu sechs biß acht von Haus zu Haus gehen und zum Lon
eine Gabe erhalten. Wogegen die Staträte des 14. Jh. schon
einschritten, [2] das ist also biß heute trotz aller Verbote
am Leben geblieben. Von diesem absingen in den Häusern
rürt der Wunsch für den Hauswirt her, der sich am Schluße
einiger Lieder (n. XXVII. XXXIII) und auch des schlesischen
(n. XXIX) findet. Lezteres beweist, daß diese Gesänge auch
inSchlesien vorkommen, und zwar müßen wir bemerken daß es

Mundart des Kuhländchens herausg. von J. G. Meinert. Wien und Hamb. 1817.
S 269—280. Auß Niederösterreich in: Oesterreich. Volkslieder mit ihren
Singweisen gesamm. und herausg. von Tschischka und Schottky. 2. Aufl. Pesth
1844. S. 39—50. Auß Tirol ein Lied bei A. Pichler über das Drama des Mit-
telalters in Tirol.Innsbruck 1850. S. 10. f. Auß Kärnten ein Lied bei F. Sartori
Neueste Reise durch Oesterreich ob der Ens, Salzburg u.s.w. Wien 1811. 2,172.
Einzelne Verse bairischer Weihnachtlieder sind in Schmellers Wörterbuch
verstreut.

[2] W. Wackernagel deutsche Literaturgeschichte §. 75. Anm. 9.

auß einer fast ganz protestantischen Gegend ist. Die Knaben, welche die Kristkindelspiele aufführen, singen dort auch diese Lieder.

Als ein Uebergang von den mundartlichen zu den hochdeutschen finden sich nicht selten Lieder, welche in Sprache und Gedanken diese Mittelstellung verraten. Die Lieder n. XVII—XXII meiner Samlung gehören hierher. Uebrigens gilt auch von den ersten sechszehn Liedern, daß sie nicht ganz mundartlich, wenigstens nicht rein kärntisch oder steierisch sind. Worte und Wendungen enthalten sie, welche diesen Ländern fremd oder überhaupt nicht volksthümlich sind. Wir haben uns zu erinnern daß sie von den Mesnern oder von Vorsängern gedichtet sind, die gern „schriftgelert" erscheinen wolten und hochdeutsches mit der Mundart oft seltsam mischten. Einige dieser Lieder mögen auß Nachbarländern herübergekommen sein.

Mit Außname zweier Lieder, die ich einem gedrukten fliegenden Blatte [1]) entnommen, gebe ich diese Gesänge nach handschriftlichen Quellen auß Græz, auß Mosburg bei Klagenfurt, auß Flattach im Möllthal in Kärnten und auß Liesing im Lesachthal in Kärnten. Gedrukte wie geschriebene Ueberlieferung war verderbt; bei der eigenthümlichen Mischung vieler Stücke war natürlich mit Vorsicht zu verfaren. Ich wünsche daß mir die Herstellung gelungen sei.

Ich würde zum Schluß noch eine Nachricht über die englischen Christmascarols und die französischen Noels geben, wenn nicht die Beschränkung des Raums mir es verböte. Auf der britischen Insel, selbst in ihrem keltischen

---

[1]) Dieser fliegende halbe Bogen in 8. enthält unsere Lieder III. VI. XL. (wobei ich aber eine handschriftl. Quelle zu Grunde legte) und einen Gesang zwischen Schäferin und Schäfer über die Botschaft der Geburt, den ich nicht aufnam. Vgl. oben S. 162. Anm. 2. Solche Drucke, deren ich nur den einen sah, dienen den Privatandachten in der Kirche unter Leitung der Vorsinger.

Theile, und in Frankreich blühten und blühen noch diese volksthümlichenWeihnachtlieder ebenso wie inDeutschland.In England unterscheiden sich wie bei uns ernste und heitere, leztere namentlich für die Weihnachtgelage bestimt und selbst an den Hoffesten Elisabeths und der Stuarts gesungen. Das englische Weihnachtlied ertönt heute namentlich noch in den nördlichen Grafschaften. Man hat ihm sammelnde Aufmerksamkeit weit mer als wir dem unsern gewidmet, und seit 1521 biß 1852 reihen sich Samlungen an Samlungen der Christmascarols. Die neueste, die zugleich glänzend außgestattet ist, gab William Sandys in seinem Buche Christmastide, its history, festivities and carols. London (1852) nachdem er früher denselben Gegenstand mit einer græßern Zal von Liedern behandelt hatte in seinen Christmas Carols ancient and modern, including the most popular in the west of England, and the airs to which they are sung. Also specimens of french provincial carols. With an introduction and notes. London 1833. In beiden Werken zält der gelerte Verfaßer die übrige Literatur dieser Gattung auf; ich begnüge mich daher auf ihn zu verweisen.

Auf die älteren englischen Weihnachtlieder der heiteren Richtung haben französische augenscheinlich eingewirkt; französische Verse und der Ruf Noel! begegnen öfter. In Frankreich haben wir also auch ein Land des Weihnachtgesanges; ernste und heitere Lieder finden sich auch hier, die lezteren überwiegen. Sie laßen sich weit hinauf verfolgen; mit Vorliebe scheinen sie in der Provence und in Burgund gepflegt zu sein. Ein burgundischer Dichter des goldenen Zeitalters brachte sie auch bei der vornemen Welt in Aufname; es war Bernard de la Monmoye, Gui Barôzai, geb. zu Dijon 1641 gest. zu Paris 1728 [1] Wir Deutschen müßen

---

[1] Seine Noels sind heraußgegeben zulezt und mit Ueberpetzung von F. Fertiault: Les Noelq Bourguignons de Bernard de la Monmoye. Paris 1842.

aber in seinen Liedern den rechten Weihnachtton vermifsen;
statt kindlicher Stimmung und unschuldiger Frölichkeit begegnen uns ser oft platte Späfse und pikant sein sollende An-
spielungen auf Zeitverhältnifse, natürlich mit knechtischer
Schmeichelei gegen Ludwig XIV. gemischt. Die französischen
Weihnachtlieder sind merfach Gegenstand von Samlungen
gewesen, die von Sandys in den Christmascarols CXXXIV—
CXLII und der Christmastide 190—198 verzeichnet sind.

A.
I.

Auf Nachpár, erschrick nöt, i moan schier es brint,
Die Nacht is so finster, i bin jo nöt blind.
Es hat heunt a liachten als wär es schon Tag,
I kans nöt ergründen, wo's herkomen mag.
Schauts, schauts, dort zu Wethlachem auoer der Stat,
Just wo halt das Marktviach sein Unterstand hat,
Von dort thuat herschimmern an glanzender Schein;
I wett es muao dorten was sonderbars sein.

Hörts Buama! mein, losts nur, was klingt denn so fein?
Dös muao jo an englische Musik gwifs sein.
Sö singen: „Excelsis, Gott sei Lob und Er!
Euch ist heunt geboren Mefsias der Herr.
Im Stall werd ihr finden das göttliche Kind,
In Windlein gewickelt bei Esel und Rind.“
Hätt wol mögen fragen, i hab mi nöt traut,
Dao Gott nach kana beoeren Wonung umgschaut.

Hiazt nim i mei Ranzerl, ös [1]) gehts jo mit mir!
An Putter und Höni lög i ihm aft [2]) für.
Tragts mit weioes Kochmel [3]), a Lampl [4]) und Brot,
Damit das kloan Kindl zu eoen was hot.

---

[1]) Ihr. vgl. S. 69. Anm. 1.
[2]) Hierauf, hiernach, dann. Schmeller 1, 34.
[3]) Mel sum Koch, Brei. Schmeller 2, 278.
[4]) Lämlein. Anm. 1.

Seits aber nöt ungschikt und rürts Kindl an,
Ös möchts ihm wol weh thuan und schröcken darvon.
Thuats enk fein tief bucken und ziachts d' Hüat ab,
After fallts vor ihm nider und opferts die Gab.

Willkomm liabstes Schatzerl, du gettliches Kind,
Wie ligst du verlaoen beim Esel und Rind.
Du ligst in dem Krippel wies Lamperl im Feld,
Zum leiden bist komen für uns auf die Welt.
Du wüllst uns erlösen und achtest kan Not,
Damit mir befreit sein vom ewigen Tod.
Dein grooe Liab fund doch beim Menschen kan Treu,
Muast in dem Stal ligen auf an Schüppel [1]) Heu.

Du herzliabste Muater, gib Acht auf dös Kind,
Es is ja gar frostig, thuas einfatschen [2]) gschwind.
Und du alter Voda, decks Kindlein schen zua,
Sonst hats von der Kölden und Winden kan Ruah.
Hiazt nemen mir Urlaub, o gettliches Kind,
Thua unser gedenken, verzeich unser Sünd.
Es freut uns von Herzen dao d' ankomen bist;
Es hätt uns ja niemand zu helfen gewist.

Græz, Ursulinerinnen.

II.

Auf Rüpl auf!   was wird wol dös werden?
Es rauschet und brauset als ober der Erden.
Stöffel, Stöffel lauf! und darzue schau auf,
Was sich im Feld halt für ane schene Gstalt [3]),
Als wenn der Himmel glei einfallen solt?

Los Jodl, los! wie thuets so schen pfeifa!
Rüpl und Stöffl künts â so schen greifa?
Geigen geigen thuets, grausla schen thuets;
Das Ding is recht schen, möcht allweil dastehn.
Wie wirds nit anmal im Himmel zugehn!

---

[1]) Büschel. Schmeller 3,314.
[2]) Einwickeln; Fatschenkind: Wickelkind. ital. fascia, fasciare.
[3]) Hs. was sich auf unsern Feld halt, hat eine wunderschöne Gstalt.

Los Rüpl, los,   los was mir derlöben!
Mir müesen uns alle von Feldern begöben:
Zu Wethlachem sein sol   unser Got geborn!
Lippl i di bit,   · nim a Zöpfl [1]) mit,
I nim a Lampl und trags zu der Hütt.

O lieber Got!   wie ligst in dem Kripplein!
Hier auf dem Stroh solts dir doch zu kalt sein.
Eia so wolt Got,   dao ich helfen kunt!
Da bring mir dir was,   nim von uns alln das,
Uns all einmal in den Himmel einlao.

O Jesulein!   wir thun dich schön bitten,
So lao uns doch einmal dein eigen auch sein.
Wenn wir in den Zügn   auf dem Sterbbett lign,
Wenn der Hellenhund   uns zieht zum Abgrund,
Nim unser Sel auf von unserem Mund.

                    Liesing im Lesachthal, Oberkärnten.

III.

Bots hundert, liaba Bua,
los mir a wengerl zua! [2])
I muao da was dazöln,
wie i Nachts in da Fruah
han meine Schôf geweidt,
is gschechen auf der Heid,
a Bot der is von Himmel grennt,
i han jo mein Tag nia kennt.
Bots hundert, lieba Bua,
los mir an wengerl zua.

A Botschaft hat a bracht,
dao ihm das Herz hat glacht,
dao unsers Herrgots Sun
geboren is heunt Nacht,

---

[1]) Hs. Semmelzöpf.

[2]) Zwar einem Drucke entneme ich dieses Lied, allein die Ueberlieferung
dieses fliegenden Blattes ist so schlecht wie die handschriftliche welche ich
sonst benütze. Es galt auch hier der Versuch der Herstellung. Ich gebe auch
hier nur die ärgsten Feler in den Anmerkungen.

                                                    26

zum Heil für uns geborn [1]),
sonst wär ma all verlorn.
Das kloane Kind der grose Got
ligt in dem Stall, is schier a Spot.
Bots hundert, liaba Bua,
los mir a wengerl zua.

Mir suachn ihn überall,
mir findn ihn in kån Sal;
balds [2]) um und um is kemma,
so lag er in am Stall.
Er hat a Büschel Heu,
es friert ihn å dabei.
Das kloane Kind der grose Got
ligt in dem Heu, is schier a Spot.
Bots hundert, liaba Bua,
los mir a wengerl zua.

Was hat a vor a Kload?
was hat a vor a Pfoat?
Ei jo, du wistests wol,
wenn i dirs sagen that.
Meinst denn, er hätt a Kload?
a hat a schleisigs Pfoat!
das kloane Kind darein is gnät,
an schene Jungfer bei ihm steht [3]).
Botz hundert, liaba Bua,
los mir a wengerl zua.

Zwa Thier sein a dabei,
beim Kindlein in dem Heu [4]).
Den Ochsen kenn i wol,
woas nöt was merers sei,
is grad als wie an Rôfs,

---

[1]) Daß unsers Herrn Gottes Sohn di heuti Nacht gebohrn, sonst u. a. w.
[2]) Nicht der Mundart gemäß.
[3]) Im Drucke: meynst den er hat å schleisisches Pfäyd, das klein Kind, darein ist gnät: botz u. a. w. — schleißig: verschlißen, abgenätzt. Vgl, Schmeller b. W. 3, 459.
[4]) Beim — Heu, von mir ergänzt.

is aber nöt so groß.
Sein Voda is a Zimmermann,
er hat dem Kind gar oartla than.
Botz hundert liaba Bua,
los mir a wengerl zua.

Graez. Fliegendes Blatt.

IV.

Bitt enk schen, bitt enk schen,
Stehts nur bald auf,
d'Uhr hat schoan zwelfe gschlagn,
Hurti nur drauf!
Seits alle drei dao?
Losts nur brav zue.
Hausa [1]), muest voraus gehn,
Joa joa, mei Bue!

Sich nur, wies funkeln thuet,
Schau nur hinab!
Fliegn wie d' Flödamäus
Uebas Dach ab.
Los nur, wies singen thoan!
Kan nix verstehn,
I moan sö soagn, mir
Sölten gschwind gehn.

Hausa, sich zue, dort
Ligt a schens Kind,
Glizalt und blizalt,
Sein Herzl schier brinnt.
Und sich den alten Mann,
A schens Weib dabei,
'S Kind ligt in der Krippen drin
Auf gspizten Heu.

Hausa, gib Achtung!
Da Hansel is gröb!
Er möcht das Kind schröcka,

---

[1]) Balthasar.

26 *

Das wár üns ka Lôb ¹).
D' Hüet müests auf d' Seitn lögn,
D' Stöcken auf d' Erd,
Müests soagen, mir kema
Von unserer Herd.

Mir arme Hirten hiez
Kema daher,
Und dir, kloans Kindl, gern
A was verern.
Hoan a weis Lampedl ²) doa,
D' Hausa an Föll,
D' Hansl in an Sackedl a
Weng waitzes Möl.

Bhüet di Gôt, liebes Kind,
Hie wird schon Toag,
Mir müeßen weiter gehn,
Is uns a Ploag.
O Jesulein, schens Kind,
Herzliebster Bue!
Vatta, gib Achtung
Und Mueda, hälls zue!

Mosburg bei Klagenfurt.

V.

Grüeß di Gôt, Bruda,
Und d' Nachbarsleut!
Mi gfreut von Herzen
Die fröliche Zeit.
I kim hiez grad her
Von Wethlachem,

---

¹) Vgl. auß einem burgundischen Weihnachtliede (Noels bourguignous de Bern. de la Monnoye publ. par Fertiault. 1842 p. 217) den Kerrein: No disons met. Prends garde que les clous, Gros Talebot, Les clous les clous les clous De tes sabots, Les clous de tes sabots N'éveillent ee petit.

²) Lämlein; — edl Deminutivbildung der Mundart: Lampedl, Sackedl Säcklein, Liebedl Liebchen. — Gewönlicher ist — erl, woraus durch Tausch von r und d edl entstanden ist.

O wärts gwest à dabei,
Wißets was gschechen sei,
Losts nur a weng!

Wunderschens Gflügelwerch
Soach i herum
Hupfen und springen dort
Alls um und um.
Tausad! was mag des sein,
Denk i bei mir,
Des is joa Engelsgsicht!
Tanz i halt à brav mit,
Lusti sein mir.

Doa fangt a kläne Bue
Zue singen an:
Glo glo glo glo glo glo
Glo gloria!
Bald er des gsagt hat,
Hat 'r una glei gnennt:
Kom herbei Schäfers Rôt [1],
Zu sechen euern Gôt
Ia Wethlachem!

Mei lieba Peata geh,
Làf nur fein gschwind,
Nim a fàsts Kitz zu dir,
Opfers dem Kind!
Geh nur fein hurti,
'S wird di nit greun,
Weils unser Heiland ist,
Sein Nam hoaot Jesu Crist,
Des thuet mi gfreun.

A Laibl Klezenbrot
Hoan i mitbracht;
Bald mi 's Kind gsecha hat,
Hats mi anglacht.
Der Mueda gfiels wol,

_____
[1] Rotte.

Der Seppl schmuzt [1]),
I fall auf meine Knie,
Weil ich sach mein Got hie,
Bat ihn um Schutz.

Mosburg bei Klagenfurt.

VI.

Herr und Got, is des a Sach! [2])
Under am so schlechten Dach
Finden sich solch Wunderding.
Sechts do ligt das kloane Kind!
O Schatzerl mein, lao mich dein sein!
Wolt i kunt di mit mir tragen,
Dao i di gnue liab kunt haben.

Liaba Nachbar sâm di nöt,
Bring fürs Kind a Lamperl mit.
Schauts die arme Muada an,
Kan ka Schnittl Brot nöt han.
Schwing di bequem [3]) nach Wethlachem!
Bringts den Nachbarn neue Mâr,
Dao an Kind geboren wâr.

Ei du liaba alter Greis,
Mir dein herzigs Schatzerl weis!
Bitt di schen, verdenk mi nöt
Dao i glei do eini trit.
Lao mi a weng liabn 's Kind in der Wiagn!
Wüll dir aften [4]) schon gar schnöll
Zu am Müaserl [5]) göbn a Möl.

Werla [6]) geht a rauher Wind,
Väl zu kalt fürs kloane Kind.

---

[1]) Schmutzen, mhd. smutzen, lächeln.
[2]) Vgl. oben S. 162. Anm. 2.
[3]) Ebenso wenig der Mundart gemäß wie manches andere in diesem Liede.
[4]) Nachher, dann. Der Druck: öfter.
[5]) Auch nicht steirisch.
[6]) Nicht steirisch.

Sechts, do habts mein rupfenes Pfoat [1],
Machts ihm gschwind darauo a Kload.
Aft dektsn zua! schlaf liaba Bua!
Thats mi halt derbarma frei,
Wannst müast lign auf blooem Heu.

O herzliebes Jesulein,
Lao uns dir befolen sein.
Wann wir kommen vor dein Thron,
Sich uns alle gnädig an,
Arme Sünder, Adams Kinder!
Das wir dich dann allzugleich
Loben und preisen im Himmelreich.

Græz. Fliegendes Blatt.

VII.

Hörts ihr Menschn und laots euch sagn,
Der Hammer der hat zwelfi gschlagn.
Es is bei der Nacht so liecht,
Als wies beim hellen Tag geschicht.
Das Ding geht mir gar nöt ein,
Was denn muo sein.

I bin schier vor lachen hin,
Und wais, mein Aid! nöt wo i bin,
Das a Kindlein also zart
Sol bei solcher Kölden hart
Schier vor Hiz zerschmelzen gar.
Das is nöt war!

Wie sol i das Ding verstehn,
Das Got sol selbst vom Himel gehn?
Er wär ja, mein Aid! nöt gscheit,
Wann er bei rauher Winterszeit
Sol verlaosen seinen Sal
Und gehn in Stall.

---

[1] Rupfen, von grober (Werg) Leinwand. vgl. auch Schmeller b. W. 3, 119.
Steirisch (wenigstens um Græz) und österreichisch das Pfeit, sonst die Pfeit.

Ei was sagst du mir nur für!
Das Ding deucht unmöglich mir,
Daß die Kind zum Tod sol gehn
Und auch die Sünden von uns nem',
Kümt zu uns ja gar so fer,
Ain Got und Her.

Nachtwächterlied. Graez,
Ursulinerinnen.

VIII.

Ihr Hirten, laufts von eurer Herd,
Laot Schaf und Lampeln stehn!
I han heunt was seltsams ghört,
Mei Lebtag nia so schen.
Do i wolt weiden meine Schaf,
Wökt mi an Engel auf vom Schlaf,
Er singt und klingt,
Vor Freude springt,
Sagt, i solt mit ihm gehn.

I dacht ma, was muao dises sein?
Bin recht daschrocken dran;
Er is ja gwöst vol Glanz und Schein,
Kunt ihn kaum sechen an.
Er singt mit mir das Gloria,
Versprichet uns Victoria,
Sagt i solt gehn
Nach Wethlachem,
An Kind zu beten an.

Und da i aft aufs Engels Rat
Gefolgt han seiner Stimm,
Fürt er mi zuachi ¹) zu der Stat,
Von der i hiazt glei kimm.
Alldort in anem wülden Stall
Vol Spinnawöten ²) überall

¹) Hinzu.
²) Spinnenwett, Spinnwebe s. Schmeller 3, 570.

Traf i a zar-
tes Kindlein an,
Sein Muader â bein ihm.

Der Engel sagt, dös Kindlein sei
Messias unser Got.
I mein, ei wie ligst in dem Heu!
Mein Treu, es is a Spot.
Sol denn koan Mensch zu finden sein,
Der sein Got lies ins Haus hinein,
Das er so li-
gen muas im Stall,
Und leiden solche Not?

In aner Krippen ligt das Kind
Auf wülden gspizten Heu.
Sein Muader schier kan Windel findt
In diser Armutei.
Der Schne und Eis ligt vor dem Stall,
Die Wind durchblasens überal.
Es zitterts Kind
An Füas und Händ,
Und weint schmerzlich dabei.

Aft gieng i zuachi, schaut es an,
Verwundern muast mi recht,
Das unser Got vom Himmelsthron
Bedient wird hier so schlecht.
A wülda Esel und a Rind
Sein unsers Heilands Hofgesind!
Gehts, schauts na hin!
Er ligt dort drin
Gleich anem armen Knecht.

Wie i das Wunder gsechen han,
Hab gmeint i war schon tot,
Das disen Stall stats Himmelsal
Erwölt hat unser Got.
O Liab, du bist jo gwifslich blind,
Weil Got durch dich ja selbst wird Kind!

Und dennoch kert sich niemand dran;
Warhaftig s' is a Spot!

So gehts, ihr Hirten alzumal,
Das Kindlein betets an!
Lauf du, o Sünder, auch zum Stall,
Jesus wart deiner schon.
Durch Buas wärm ihm sein Leibelein,
Schenk ihms zerknirschte Herze dein;
So gibt er dir
Sich selbst dafür,
Zulezt die himmlisch Kron.

Grez, Ursulin erinnen.

IX.

Ju höfsa Buema, was gibts denn heunt neus?
das d'Leut so schiesen, das Ding hat mi gfreut.
Wer wird dann im Winter wol feuern in Krieg?
Das d' Leut seind gloffen, weils schiesen so schiech,
so schiech weils schiesen so schiech [1]

Unser Nachbar Stöffel hat si a schoan lang gfreut,
Das anmal is komen die heilge Weihnachtzeit.
Es hat der König David schoan lang dervon gsagt,
Es sol au Kind gboren werden wol um ein Mitternacht,
nacht, nacht, wol um ein Mitternacht.

Der krumpe Nachbar Urban woas a dervon zu sagn,
Das er sich scheu anlegt; der Engel wil es habn,
Das er scheu nacha geht und juchgazt was er kan,
Er möcht das Kind derschröcken, wann er gieng voran, vor-
an, wann er gieng voran.

O liebreiche Mueter, han a noch was da,
An kloane weise Leinwand und das is mein Gab,
Dem Ochslein a Futter, dem Eselein a Heu,
Das Gloria in excelsis, der Fried sei mit eu, mit eu, der
Fried sei mit eu.

---

[1] Weil sie so fürchterlich schießen.

I hoan a no was gfunden bei mir auf der Stöll,
An Kas und an Putter, an Kandl vol Müll [1]
An Schüsel und a Pfandl, an Teller drauf an Straubn [2]
Hiez wöll mir dem Kind a Opfer zammen klaubn, klaubn,
              ein Opfer zammen klaubn.

Hiez reiten schon dorten drei Könige daher,
Und hinten beinacher an grose Armee,
Es kan ihm der Fänkel nit singen genue,
Er singet allweil Pipi. Hiez reitets herzue, herzue, hiez reit-
              ets herzue!

O liebreicher Jesu, hätt auch noch ein Bitt;
Wann es kommt zum sterben, verlase uns nit,
Wann dus einmal wirst richten das Gschlecht Israel,
O liebreicher Jesu, verschone mein Sel, mein Sel, verschon
              mein Sel.
              Liesing im Lesachthal in Kärnten.

X.

Juch he, hops he he!
Recht toll gehts ja he!
I bin ja schon gsprung,
Recht d'Soldn [3] than mir weh.
Dradl dadl didl dum de,
Bald hinter, bald fürsche, [4] bald überwärts a,
Recht lusti bin i gwösen
Beim hop sa sa sa.

Aft wie i so gsprung, [5]
Hats glei noacha gsung:
Gloria in excelsis!
Recht liebla hats klung.

---

[1] Milch.

[2] Melspeise, die in heißes Schmalz gesprizt ist. Die Strauben werden auf dem Lande den Wöchnerinnen zu Eren gebacken.

[3] Die Solen. — Die Anfügung eines unorgan. d an l zeigt sich auch sonst in der Mundart Kärntens, z. B. dazöldn; erzälen, die Kölder Kolen (Liesing). Ueber d an den Liquiden meine Dialectforschung 76.

[4] für sich, vorwärts. vgl. Schmeller baier. W. 1,555.

[5] Vgl. oben S. 353 Anmerkung 1.

Hoan gschaut umadum;
I schau wie an oanfalt, was das Ding möcht sein,
Aft plazt hinta meina
An Engel darein.

I hoan ihn gschwind gfragt,
A hats mir glei gsagt
Das's drenten zu Wethlachem
Geboren heunt hat
Gar draust vor der Stat
An engelschens Kindl, unsers Hergot sein Son,
Zugleich in der Gotheit
Die ander Person.

O Jodl auf auf!
Und gschwind mit mir lauf,
Thue di nit lang bsinna,
A Opfer einkauf,
Und gschwind mit mir lauf.
Mei Gvoada [1] is a Wirt, dem schick nur a Post,
Sag das a an Wein mit nimt
Oda an Most.

Du soag ihms â gschwind,
Das as Geigerl mit nimt; [2]
A kan die alt Mode
Aufs neuge Kostim,
Sein Maul darzu krim.
Sein Gsicht is all krumpfet, die Hoar sein gekraust;
Mein Liebedl! wirst lacha,
Wann du ihn anschaust.

So bist du schon doa,
Wie bin i so froah!
Du bist a weng gschriftglert,

---

[1] Gevatter.

[2] Guillot, prends ton tambourin, Toi prends ta flûte, Robin: Au son de ces Instruments, Turtelurelo, patapatapan; Au son de ces instruments Nous dirons Noël galement. B. de la Monmoye Noels bourguignons p. 15 (Paris 1842) — S dans la crèche il crie, Mal vêtu, mal blanchi, Voici ma flûte champêtre, Je n'aurai qu'à jouer p. 49.

Mein Aid ¹) giengst ma ab.
Weil du nu bist doa,
Hiez wöll ma das Opfer vereren gar gschwind,
Damit mir a Er aufhebn
Beim lieben Kind.

Gelobt sei Jesus Christ!
Mein Liebedl du bist,
I bin halt herkema,
Gelt hast es nit gwist?
Gelobt sei Jesus Christ!
I han a zwen Gspån mitbracht, die seind noch dråst ²)
Sö thoan di schen bitten,
Dants eini lanen thast.

So kömts na herein,
Hübsch höfla müents sein.
Zerst opferts die Öpfel,
Auf d' lezt erst den Wein;
Hübsch höfla müents sein.
Du Hansl gib Achtung, da Jodl is gröb,
Er möcht das Kind schröcka;
Des war uns ka Löb.

O Jesulein klein,
Herzigs Kindelein,
Bitt wöllst auf uns denka,
Uns fürn in Himmel ein;
O Jesulein klein!
Und wann uns der Teufl wird wölln unterdruckn,
I bitt di recht gar schen,
Doa schloagn aufn Ruggn!

Mosburg bei Klagenfurt.

XI.

Lieba Bruda, thue doch schauen

---

¹) Bei meinem Eid! vgl. oben S. 85 Anm. 5 Die Rede ist an den erwarteten
Wirt gerichtet.
²) Brentß en.

Was des Ding bedeutet doch;
Dorten kommen vül Wauwauen, [1]
Seind schwarz wie an Ofenloch.
Soag mir was des Ding bedeut,
Dises Gfört [2] und dise Leut.

Rüpl, du bist wol a Hörrer, [3]
Sigst denn nit dao Moren seind?
Koana is ka Raufangkörer,
Glaub es müeoen König sein.
Der den Kranz tragt auf dem Grind, [4]
Reitet gwifs in Stoal zum Kind.

Wart, i wer den Diener fragen,
Der allda voran her reit:
Schwarzer Rüpel thue mir sagen
Wo komts her, dös [5] schwarze Leut?
Sag mir nur die Warheit bloo,
Sunst reio i di rab vom Röfs.

„Lieber Baur, gschwind wil ich sagen,
Wir sein her auo Morgenland,
Dem Weltheiland nachzufragen,
Der allhier sol sein bekant.
Dem zu lieb sein wir hergreist,
So lang uns der Sterren weist."

Hätts, mein Aid, ja bald nit gsecha,
Dao dös a Windliecht mit enk fürt,
Dao man bei der Nacht kan secha,
Dao der schwarze liechter wird.
Wann das Kindlein enk erblickt,
Woao i gwîfs, dao es erschrickt.

„Lieber Bauer, thue doch sagen
Wo ist dieser Heiland groo?
Wil dir etwas für bezalen,

---

[1] Popanze, vgl. Schmeller bair. W. 4, 1.
[2] Gefort: Furwerk, Reiteraufzug. Schmeller 1, 567.
[3] Ein armer Tropf—Hascher.
[4] Kopf, Beneke-Müller Mittelhochd. Wörterb. 1,576. Schmeller b. W, 2,114.
[5] dös, ös, ihr. vgl. oben S. 89 Anm. 1.

Wenn mich hinfürst samt mein Röſs.
Wann du uns zeigst dises Kind,
Gib ich dir ein Thaler gschwind."

Sei nur still und halt die Goschen
Und laſs mi a Moal mit Fried.
Wannst mir gäbst an gelben Groschen,
Zeigt i dir das Kindlein nit;
Denn das wâr jo gar nit gscheit
Wann i hinbrächt schwarze Leut.

„Ei so wil ich unterthänig
Bei dem Herrn mich melden an,
Bei Herodes eurem König,
Diser wird es zeigen an.
Wann kein Bauer uns diſs sagt,
Wird der Herr halt selbst gefragt."

Bei mir kanst du nix derfroagen,
Schwarzer Rüpel, soag dirs nit.
Wolt dir lieber ane schloagen
In dein schwarzes Angesicht.
Denn das Kindlein is gar schen;
Schwarzer, darſst nit eine gehn.

„Mein! was mueſs das Ding bedeuten
Daſs uns nicht der Sterren leucht?
Da wir zu Herodes reiten,
Daſs er uns nicht mer vorleucht?
Weil der Sterren nicht mer brinnt,
Zeig o Bauer uns das Kind!"

Hoab ka Windliecht angezunden
Bei der gschlagnen finstern Nacht;
Hab den Heiland glei wol gfunden,
Wie der Engel hat Botschaft bracht.
In dem kalten Stoal vol Wind
Ichs bei Ochs und Esel find.

Geh nur hin zum groſsen König,
Frag wo is der Herr Jesu Christ.
A woaſs grad wie du so wenig,

Weil a nur a Spreizer *) ist.
Denn der Herr liebt arme Leut,
Weil er selbst am Stroh da leit.

Schau, dort kummt schon wider aner,
Reitet vom Herodes weg.
Schwarzer, sag nur her, Ziganer,
Traust di wol und bist so keck
Dem Kristkindlein unters Gsicht?
Wasch di zvor und trau di nicht.

„Lieber Bauer, wir sein gwaschen,
Unsre Herzen sind schon rein.
Denn in unsren Herzenstaschen
Trachten wir nach Got allein.
Dreizehn Tag sind w'r schon greist,
So lang uns der Sterren weist."

Jo des wår an anders Gsangl,
Das i nit hab gwust voreh.
Is des, woag i noch a Gangl,
Zeig enk wo is unser Herr.
Bist du in deim Herz koan Mor,
Laßt a di gar gerne vor.

„Nun mein Bauer, grad iezunder"
Sprach zu ihm der feine Mor,
„Schau der Sterren, o was Wunder,
Leuchtet uns schon wider vor."
Hiez geh i geschwind mit enk
Und mi ganz dem Kindlein schenk.

Mosburg bei Klagenfurt.

XII.

Losts, Buama, i bin dorten gwöst,
Wos kloane Kindlein leit;
I hoans betracht aufs allerhöst,
Es is uns grad a Freud.

---

*) Spreizer, Spreuzer: Praler vgl. Schmeller 3,594. Es bezieht sich natür-
lich auf Herodes

Die Engel sein schier alle dort
Und musizieren schen,
Aft fallts ma ein und lauf gschwind fort
Und wüls enk sagen fein.

Das Kind is in der Krippen glögn,
So herzig und so rar!
Mei klâner Hansl war [1] nix dgögn,
Wenn a glei schener war.
Kolschwarz wie d'Kirschen d'Augen sein,
Sunst aber kreidenweiß;
Die Händ so hübsch recht zart und fein,
I hans angrürt mit Fleiß.

Aft hats auf mi an Schmutza gmacht, [2]
An Höscheza [3] darzue;
O warst du mein, hoan i gedacht,
Werst [4] wol a munter Bue.
Dahoam in meiner Kachelstub
Ließ i brav hoazen ein,
Do in den Stâl kimt überâl
Der kalte Wind herein.

Wann i enk als dazölden sôlt,
Wann wurd i ferti wern?
Gehts nur glei selber umme dort,
Könnts alles sicher sehn.
Und machts dös enk nur alle fort
Und gehts mit mir a moal,
I wül enk sölber umme füern
Nach Wethlachem in Stoal.

Wanns aber alle ferti seits,
Kömts alle her zu mir,

---

[1] wäre.

[2] Lächeln. — Die vier ersten Verse dieser Strophe stehn auch in einem von Sartori Reise 2, 172 mitgetheilten Weihnachtsliede.

[3] Höscheszer, tiefer Seufzer; höschszen, tief seufzen und schluchzen, zumal für die Kinder gebraucht wenn sie geweint haben. vgl. mhd. höschen.

[4] würdest.

27

Und was dös ihm zum Opfer treits,
Des i euk sagen wer. ¹)
Du, Mueta nimst an grosen Han
Mit an schienroten Kamp,
Ans nimt an Putta, åns a Möl.
Der stärkste nimt das Lamp.

Und wann dös in dö Nähe kömts,
So stellts enk, i woas wie;
Die Huet gschwind ab, wanns eine kömts,
Fallts nieder auf die Knie.
Aft schreits mit mir nur alle zaman: ²)
Gelobt sei Jesu Christ,
Der für uns Sünder auf der Welt
Als Mensch geboren ist.

Wir schenken dir a wenig was,
Wülst mer, so sags nur köck;
Dafür must uns versprechen was,
Sunst geh ma dir nit wög.
Wann wir dir zürnen, sei nit faul,
Gib uns an etli ³) Wix;
Aft sei nur wider freundli drauf,
Sunst wöll ma weiter nix.

Mosburg bei Klagenfurt.

XIII.

Mei Hansl, los was i dir sag,
I kan dirs nit verschweigen,
I hoan da znächst a Musik ghört,
Wars Harpfen oder Geigen.
Das Ding kam mir so artla für;
I kan dir nit dasagen,
Was si dort aft hat in dem Stoal
Vor Wunda zuegetragen.

¹) werde.
²) zusamman.
³) an etl, eine etliche — tüchtige derbe Hiebe.

A Schüppl Engeln, a ganze Schar [1]
Fliegt umma z' allen Seiten;
Doa hoan i halt glei gschaut wie a Narr,
Was nit des mueß bedeuten.
Doa fangens halt zu singen oan
„Ehr sei Gott in der Höhe,
Wie auch den Menschen inagemein
Der Fried auf Erd bestehe."

Das Herzl sprang mir auf im Leib,
Wie i das Ding vernomen,
Daß Gottes Son von Himmelreich
Ist auf die Welt gekomen.
O Hansl Wolferl und du Lenz, [2]
Tuets kåner nit verweilen,
Du Stöffel, Rüepl, låfts und rennts,
Nach Wethlachem thuets eilen.

Wir grüeßen dich du herzigs Kind,
Und bitten dich allsammen:
Thue uns verzeihen unsere Sünd,
Daß wir nicht eh sein kommen.
Wir bringen dir ein kleine Gab,
Nim sie aus unsern Händen;
Und steh uns bei an jenem Tag,
Wann wir das Leben enden.

Mosburg bei Klagenfurt.

XIV.

Möcht wol wißen, was bedeut
Daß so schene Nacht heunt geit! [3]
Kaum hat d'Uhr recht zwölfe gschlag,
Ists hell liecht wie um Mittag;
D'Lamplein haben a so geblärt,
Daß ichs all mei Tag ni ghert.

---

[1] Hs. A ganzer Schüppel Engelscharr — Schüppel, Haufe Schmeller 3,314.

[2] Wolfgang und Lorenz.

[3] gibt.

27 *

Husch, wie is nit heunt so kalt;
Ka so Köldn [1] woas i nit bald;
So lang i an Schafhirt bin,
Denk i kaum a moal dahin.
Und wauns ä war noch so kalt,
Sungen d'Vögl decht [2] nit im Wald.

Los! so gar schreit der Gugu! [3]
Wie ers öppa moant, hä du?
Wanns löstla [4] im Summer wär,
Hielt is für ka neige Mär;
Afa [5] bei so küller Zeit,
Möcht i wison woas bedeut.

Neila treib i durch das Thal
Meine Lamplein wie all Mal;
Aft hör i von Himmelreich
Musiciern, wie schen nur gleich:
Heilig, singt die himmlisch Rot,
Ist der Herr Got Sabaoth.

Aften sig i erst a Schar,
D' Engeln in der Luft sie than
so schen singn und imprimirn,
O, aner hat gar laut gschriern
Gloria in excelsis;
Josel, sag mir was des is?

O mei Jöggedl [6], du sei stüll!
Des alls wundert mi nit vüll;
Afa das von Himmelssal
Got is kömm in an kalden Stal,

---

1) Kälte — Vgl. bei Sartori Neueste Reise durch Oesterreich u. s. w. 2,172 eine fast gleiche Stelle eines kärntischen Weihnachtliedes.
2) doch.
3) J'ay ouy chanter le rossignô, Qui chantoit un chant si nouveau, Si bea si beau, Si résonneau etc. Les Nouels Bourguignons (Paris 1842) p. XXII.
4) lostlich, lotstlich: nur.
5) aber. Vgl. Grimm deutsches Wörterbuch 1,29.
6) Jakob.

A kloans Kind is unser Herr,
Bruda, des wundert mi mer.

Los, wie laut an Engel schreit:
„Ich verkünd euch große Freud,
Und darob erschröcket nit,
Gott sei Lob, den Menschen Fried,
Allen Menschen insgemein,
Die eins guten Willens sein."

O mei Josel, wannst halt doch
Nämst a Mülch dem Kind zum Koch,
Gries und Möl so vüll ma ham;
Machts enk auf und richts enk zamm! [1]
Nemts das böst Lamp von der Herd;
O das Kind is alls wol wert.

O ihr armen Hirtenleut,
Die ihr so glückselig seid!
Wann mir ringen mit dem Tod,
Bittet doch für uns bei Got,
Das wir aus dem Jammerthal
Kommen in den Himmelssal.

Mosburg bei Klagenfurt.

XV.

I schau Wunder groß,
I mi schier verlos! [2]
Ein Steren vol Feuer
Glanzt ober der Scheuer.
Trompeten und Leier,
Kamelthier und Röfs
Gehn auf den Stal los.
Drei Herren sind drunter,
Aner schwarz wie a Zunder,
Sie gehn frisch und munter

---

[1] richtet euch zusammen: macht euch fertig.
[2] sich verlosen, im anschauen oder in Gedanken starr verloren sein. vgl.
ahd. losten Graf 2, 281. — Schmeller bair. Wörterb. 2,500.

Mit Pelzwerk und Stutzen [1]
Im schensten Aufputzen
Hinein in den Stal
Mitsamt :|: ihrem Schwal :|:

I fürcht mi, mein Aid!
Dem Kind gschicht a Laid!
Es laut sich mit gspaßen.
Was sol dös Ding häßen?
I wül hingehn paßen;
Dös Ding is verdrät,
Der Stern all begleit,
Von weiten seins kemma.
Das thuet an schier gräma.
Wöllns eppa mit nema
Das Kind in ihr Hoamat,
Mit Zänen i kroamat, [2]
Von vollen Hals schrie,
Als a :|: Schildwacht wie. :|: [3]

Doch anderst es stehts,
Es gibt ab koa Ghetz. [4]
Die König und Baschi
Die haben brav Laschi; [5]
Secht ihre Pogasci! [6]
Sie göbn lauter Schätz
Und knien aufs Fletz [7]
Ganz hasen [8] demütig
Zuchtvoll ererbietig.
Das Kinderl sie gütig
Und heilig anbeten,

<hr/>

[1] Der Stutzen: Muff.
[2] kramen, gramen: knirschen. vgl. Schmeller 2,109.
[3] Sinnlose Umstellung für als wie. Hieraus wie auß mereren andern Stellen dieses Liedes zeigt sich die geringe Gewandheit des Verfaßers.
[4] Gehetze, Hs. Kets: Streit. Zank.
[5] Geld vgl. Schmeller b. W. 2,505.
[6] Bagage.
[7] Fußboden. Schmeller 1,595.
[8] ghoasen, freundlich. ahd. hasan glatt, schön. bair. hase. hasig schlank glatt. Schmeller 2,244.

Versprechen und wetten
Es sol als ihr Land
Mit Got :|: wern bekant. :|:

Schauts was man kan segen,
Was s'für Schätz hergeben!
Gold Weihrauch und Mirhen
Dem Kind sie spendieren;
Das thuet mein Herz rüren!
Dao mi d'Armut plagt,
Nix solches vermag!
Ein Opfer doch z' stellen,
Schenk i Herz und Selen;
Die wil'i abschelen
Von Sünden und Makeln.
I wül nimmer wackeln!
I schwur Stain und Bain,
I lieb :|: di allain. :|:

O Got mi erhalt!
Dein Hirt niderfalt.
Du tragst als derbarmen
Mitn Bettlern und armen,
Die dich ummi schwarmen.
Den schenkst du alsbald,
Was ihnen gefalt.
Wanns dann geht zum Ende,
Dein Aug zu mir wende;
Dann dein Gnád mir schenke
Und las deinen Erben
In deiner Gnad sterben.
Beim Gricht sprich mir zu
Die |: ewige Ruh. :|

Grez, Ursulinerinnen.

XVI.

Was is des zum Plunder,
Bei der Nacht hiazunder
Für a Metten [1] und a Singerei!

---

[1] Lärm, Getöse; vgl. Schmeller bair. W. 3, 649.

S' sein die Musikanten
Heunt schon all vorhanden
Ja zu Wethlachem in unsern Gai. [1]

Sö schlagen das Hackebretel
Und blasen das Klarinetel
Und dann den grossen schönen Bumsasei. [2]
Das sein rechte Laffen,
Laßens d' Leut nit schlaffen;
I bin schon glögen guet af meiner Streu.

Nachba, mach fein hüfti, [3]
Sunsta machst mi gifti,
Daß mer alle kemm beim Stall dort an.
Daß mer unsre Sachen
A glei zammenmachen,
Nimt a jeder was er hat und kan.

I nim a foast Kizel [4]
Und an Putterstrizel,
Etlich Taffetöpfel und an Brein.
Und an Floaden Heni [5]
Nim i á a weni,
Und a Pitscherl [6] roten süassen Wein.

Du nimst Oar [7] im Kerberl
Und a Schmalz im Scherberl,
Von Ziweben á a Klözenbrot. [8]
Daß das arme Lapperl [9]
Himma [10] kriagt a Papperl
Und bisweilen á a Zuzerl [11] hat.

___

[1] Gäu, Gau.
[2] Baßgeige.
[3] schnell, geschwind.
[4] feistes Zickein. — Brein, v. 3., Hirse.
[5] Honig.
[6] Kleines Fäßchen auß Holz. vgl. Höfer etymolog. Wörterb. 2,237.
[7] Eier.
[8] Gebäck auß Klezen (gebackenen Birnenspälten) Rosinen (Zibeben) Feigen und anderen Süßigkeiten.
[9] Närrchen.
[10] manchmal, entstanden auß immer einmal?
[11] Mit Pappe gefülltes Saugläppchen (zuzeln, saugen): Stöppel, Zap, Zuzel.

Weil da Himmeltatel
Hat zu Trutz 'm Schratel [1]
Af dö Wölt geschickt sein liaben Sun,
Der vom Säudenwösen
Wird die Wölt erlösen
Und uns alle glückli machen kan:

Nachba, laß uns bitten
Daß er unsre Hütten
Gnädi von der Feuersbrunst bewart;
Daß mir kriagn in Summer
Vüll und oni Kummer,
Daß der Wolf nöt kümt zu unsre Herd.
Daß ers Gras laßt wachsen,
Recht an langen Flachsen [2],
Und den waren Frieden uns beschert!

Aus der Obersteiermark.

B.
XVII.

Auf auf ihr Hirten.
Gehts mit mir auf die Reis,
Schauts, es thuet brinna
I bin nit so vül gscheit,

laufts mit Begierden,
zeigts auch groß Freud.
z' Wethlachem drinna;
was es bedeut.

Schauts, laßt uns losen.
Trompeten Pfeifenschall
Wie sie schen singa,
Als wenns im Himmel war

wie sie schen blasen,
mit Freuden all.
wie sie schen klinga,
so schen und rar.

O du mein Simon,,
Was uns die alten Leut
Vül Jar und Wochen
Daß der Mefsias kimt

weist du dann nimma,
han gprofezeit?
hat Got versprochen,
als ein klein Kind.

Grüß di Got Vater,
Bei disem schnöden Wind

schau nur! was thuet ir [3]
mit dem klein Kind?

---

[1] Eigentlich ein Kobold, in Steier one weiters auf den Teufel übertragen.
[2] Nicht mundartlich. Flachs wird nicht gesagt, sondern Har.
[3] Hs. ich han a Knoll Putter.

Gehts dafür weiter,
Als wanns erfrieren solt

is ja vül gscheüter
im kalten Stal.

Er tragt an Zucker,
Er tragt an Eir und Schmalz,
I han a Lampel,
Das is dem alten Greis

i an Knoll Putter,
das braucht ihr alls.
hat an feins Wampel,
ein rechte Speis.

Wöllts vorlieb nema,
Dörfts mir kein Zins göba,
Eins thue i bitten:
An unserem lezten End

kunts zu mir kema,
kunts dabei löba.
thuets uns behüeten,
enk zu uns vrendt.

Liesing im Lesachthal, Oberkärnten.

XVIII.

Heunt Nacht wach i im Feld
Und schlag mir auf ein Zelt
Bei meinen Schafen;
Hab mi glögt wol zur Rue,
Gdruckt meine Augen zue,
Könnt doch nit schlafen.

Ja dort in meiner Hütt
Könnt i heunt schlafen nit,
Hört i schen singen.
I woas das noch nit wie,
Mein Lebtag hab i nie
So schen ghert klingen.

Glei kimmt ein Engel her
Und spricht freundli zue mir,
I solt gschwind gehen
Derthin nach Wethlachem,
Wo Rind und Esel stehn,
Würd eppas sehen.

Dort wo der Steren brinnt,
Solt sein ein kleines Kind,
Hab i vernomen;
Das solt Mefsias sein,

Ligt in ein Krippelein,
Vom Himmel kemen.

I dacht, was ligst im Stal,
Ein Got vom Himmelssal?
Wer ist dann gröser?
Kerst du nit ein in d' Stat,
Die schene Zimmer hat?
Wär ja vül böser.

Die hat die Liebe gmacht,
Hat dich vom Himmel bracht
Zu uns auf Erden.
Nit in ein Königssal,
Nur in eim kalten Stal
Wülst gboren werden.

Herzliebstes Jesulein
Englisches Kindelein,
Wül dirs Herz schenken.
Wann wir in lezten Zügn
Im Todbett werden liegn,
Wöllst auf uns denken.

Mosburg bei Klagenfurt.

XIX.

Ihr Hirten, auf, auf! thut aufstehen all,
Und lact uns hingehen zum Kindlein in Stall.
Wanns nur nit etwan erfroren ist gar,
So wölln wir wünschen ihm ein neues Jar.

Es ist heunt fürwar bei meiner Treu kalt,
Das eim die Rippen ja krachen schier bald,
Unds Kind ligt dorten halb nacket und frei,
Im Stall bein Viechern aufm spitzigen Heu.

Wer weis was ihm sonst noch alles abgeht,
Es hat ja niemand, der ihm helfen thät.
Das ist warhaftig wol ein armer Got,
Der da mus leiden viel Elend und Not.

Ich nim halt mit mir ein Hemet fürs Kind,
Die Mutter wirds ihm wol anlegen gschwind.
Mein Nachbar mus mit sich tragen ein Lamb;
Mithin so gehn wir nur fort in Gotts Nam.

Wir wünschen dir anheunt ein neues Jar,
Es thut dir gfallen gwifs, gelt es ist war?
Ich han heunt für dich ein Hemd mit mir bracht;
O mein Got! schauts nur, wies Kindlein schon lacht.

Mein Nachbar ein Lamb spendieren dir thuet,
Las dirs nur also bald zurichten guet.
Wannst sonst was haben wilst, sags mir nur rund;
Ich will dirs bringen gleich in einer Stund.

Indefsen thun wir dich bitten, o Herr,
Mit deinen Gnaden stärk uns immermer,
Thue uns behüten, uns alle bewar
Vor Krieg Pest Hunger und aller Gefar.

Las uns beständig allbfolen dir sein,
Das wir nicht kommen zur ewigen Pein.
Ich sich, wie das du fein schläfrig schon bist,
Mithin gelobt sei der Herr Jesu Christ.

Græz, Ursulinerinnen.

XX.

Losts losts ihr Hirten, eilts geschwind,
was i enk heunt erzöl!
geboren ist ein kleines Kind
in einer steinen Höl,
zu Wethlachem in einem Stal,
der hat kein Thür noch Thor,
das Oberdach   von Stroh gemacht
und gar kein Fenster vor.

Die Mutter weint ein Stund dabei,
sie war ein Jungfrau zart,
das Kindlein blos ligt auf dem Heu
in einem Futterkorb.
Ein Ochs und Esel war dabei,

die hatten keine Ruh ;
ein alter Greis im Bart schneweis
sol Vater sein dazu.

Sechts sechts, wie scheint der ganze Stal
von disem Wunderkind!
es scheint wie Silber und Kristall;
man recht, die Hütten brint.
Losts wie die Engel singen schen,
das durch die Luft erschalt ;
zukts Fües und Händ, machts Kompliment,
auf eure Knie falt.

So gehts mit mir, nur eilts geschwind,
von Herzen ich enk bitt ;
zu sehen dises Wunderkind,
und tragts ein Opfer mit.
Ich will mein Lämlein mit mir nemn
und eilen hin mit Fleis ;
tragts Milch und Schmalz, auch Mel und Salz,
dem Kindlein für ein Speis.

So sei zu tausend mal gegrüet,
kleins Kindlein, groser Got,
der da schon unsre Sünden büst
in Armut Kält und Not.
Ach Josef und Maria rein
nemts hin der Hirten Gschank,
und sagts dem klein- en Jesulein,
das sei ihm für ein Dank.

Mosburg bei Klagenfurt.

XXI.

Steh auf, mein lieber Nachbar,
Steh auf, du hast schon Zeit,
Treib die Lämmer und die Schäflein
Ausi auf die Weid.

Was wird denn das bedeuten?
Laot mich heunt in der Rue,

Will meine Schäflein weiden,
Hab noch nit gschlafen gnue.

So bist du dann ein solcher
Der da so schlafen kan?
Es bricht das helle Sonnenliecht
Mit aller Gwalt schon an.

Der unser Nachbar Urban
Was neues weis zu sagu,
Was sich die Nacht bei seiner Hütt
Für Wunder zugetragn.

Da er vom hüeten heim kam
Und wolte schlafen gehn,
Da sach er dort zu Wethlachem
Im Stall ein Feur aufgehn.

Es that gar lieblich glitzen
Und glanzen auch von fern,
Als wie das liebe Sonnenliecht,
Als wie viel tausend Stern.

Und wanns dem Vater recht wär
Und ihm zuwider nit,
So brächt er von sein Heimat her
Dem Kind ein Opfer mit.

Sein Mutter ist so jung und schön,
Das mans nit glauben kann;
Sein Vater ist ein alter Greis
Und doch ein steifer [1]) Mann.

Liesing im Lesachthal, Kärnten.

XXII.

Wie leuchten heunt die Sternen,
Wie schön glanzt doch die Nacht!
Ich mein es will Tag werden, Tag werden,
Ist kaum noch Mitternacht.

---

[1]) Steif : stark, tüchtig. Schmeller bair. Wb. 3, 618.

In Wolken hör ich singen
Excelsis gloria,
Thut gar vor Freuden klingen, ja klingen,
Thut pfeifen geigen â.

Geh nur Spitzbartel, Lippel,
Nim mit dir Kas und Brot;
Das Kind ligt in der Krippen, ja Krippen,
Wir helfn ihm aus der Not.

Steffl, ich habs erblicket;
Ein Engel wunderschön
Der wird vom Himmel gschicket, ja gschicket,
Weist uns nach Wethlachem.

Meßias wird uns geben
Von einer Jungfrau zart,
Der Vater stund daneben, ja neben,
Ein Mann im grauen Bart.

Secht eine offne Hütten,
Dort ligt das schöne Kind!
Wenn dis die Weiber wüsten, ja wüsten,
Sie brächten Windeln geschwind.

Du hast nix guts zu hoffen,
Das Kind erfrieret ja!
Trags mit nach Haus zum Ofen, ja Ofen,
Ist beßer als wie da.

Geh Brosel, nim ein Kitzel
Und fürs mit dir hinauf,
Ich nim ein Weizenstrizel, ja Strizel
Und streich ein Butter drauf.

„Nim hin der Hirten Gaben,
O liebes Jesulein!
Wir geben was wir haben, ja haben,
Das Herz ist auch vol dein.

Und wann wir werden sterben
Und du wirst Richter sein,

Nim uns zu deinen Erben, ja Erben,
Für uns in Himmel ein.

Dort wöllen wir dich loben
Mit gröster Herzensfreud,
Hoch in dem Himmel oben, ja oben,
In alle Ewigkeit."

Liesing im Lesachthal, Kärnten.

C.
XXIII.

Auf auf ihr Hirtenleut, höret und singet,
es ist warhaftig ein himmlischer Ton.
Höret mit Trost und Freud, höret was klinget,
welches kein Mensch auf Erd so machen kann.
Hört nur wies himmlisch schön sprechen fein thuet,
als ob selbst singet Got, das höchste Guet.

Denn wie ich es vernimb, ist es so heilig,
das es mich recht in mein Herzen erfreut,
indeme diese Stimm alln zu Vortheile,
weil sie die Ankunft des Heilands bedeut,
das er nach tausend Wunsch kommen nun sei,
von unsern Banden zu machen all frei.

Darum sprachs ins gemein mit schönstem Schalle:
es ist geboren der Heiland der Welt,
Gottes Son, Jesulein, der für euch alle
sich in die menschliche Gstalte verstellt.
Dieser ist heunt Nacht geboren für euch,
ja fürs ganz menschliche Geschlecht zugleich.

Wollet ihr glauben nicht unseren Worten,
so kommt und gehet auf Bethlehem hin.
Nemt aber Gschenknifs mit allerlei Sorten,
denn ihr werdt in einer Krippen darin
finden ein Kindlein ganz ärmlich aldort,
welches Fleisch worden ist, das ewig Wort.

Holdseligs Jesukind, Maria, Joseph,
euch bitt ich im Namen der ganzen Gemein:
bschüzt unser Hab und Gut, Wiesen und Felder,
allen die wir hier beisammen nun sein.
Ewig soll loben im himlischen Reich
Son, Vater, Mutter die Menschheit zugleich.

Immer und ewig dich wollen wir preisen,
heiliger ewig unendlicher Gott,
daß du dein einzgen Son den du verheißen
heut Nacht uns schiktest in unserer Not.
Drum lobt, ihr Engel und Menschen, heunt all
den himlischen Vater im götlichen Sal,

Græz Ursulinerinnen.

XXIV.

Auf auf und komt all   und lost was für Schall
in Lüften erklingt
vom himlischen Sal:
Ein Engel der singt,   daß alles erklingt;
ihr Hirten vor Freuden heunt alle aufspringt!
Frohloket ihr Kristen und singet zugleich,
weil Gott ist ankommen vom himlischen Reich.

Das einige Wort   ligt in dem Stall dort
ganz nakend und bloß
an eim kalten Ort,
selbst die Weisheit groß,   in der Mutter Schoß
von der Welt verlasen und liget ganz bloß!
O Joseph du Vater, so deck es doch zu,
damit es kann schlafen das Kindlein mit Ruh!

O schönes Kindlein,   gibst dich willig drein,
daß du leiden solt
für uns große Pein.
O liebreicher Gott,   hilf uns aus der Not,
auf daß wir nicht werden der Hellen zum Spott.
O liebreiches Kindlein, o stehe uns bei,
wanns komt zum sterben, dort gnädig uns sei.

28

Ihr Menschen auf Erd,   das Kindlein verert
und betet es an
als götlichen Son.
Es wird euch alsdann   mit der Himmels Kron
belonen zugleich, wanns komt in sein Reich.
Wir bitten dich, Jesu, jezt und allezeit
das du uns wolst schenken die himlische Freud.

                           Mosburg bei Klagenfurt.

XXV.

Auf ihr Hirten, nicht verweilet, [1]
lauft nur hin in jenen Stall,
nur zum Jesukindlein eilet,
ihme nur zu Füsen fall. [2]
Sich wie hart   er dort wart!
Nur geschwind, bewein dein Sünd,
er mit Freuden dich aufnimt.

O liebreiches Jesukindlein,
sei gegrüst zu tausendmal;
reiche mir dein Zuckermündlein,
dir ich jezt zu Füsen fall.
Sich wie Gott   leidet Not
Armut Elend Kält und Frost,
und wenns auch sein Leben kost.

Himmelskind, o du Lamm Gottes,
was zwingt dich vom Himmelssal?
von deim Vater dich begibest,
komst zu uns ins Jammerthal.
„Menschlich Lieb,   die mich trib,
das ich all von Adamsfall
könt erlösen durch mein Qual.“

---

[1] Ein änlicher Anfangsvers in dem Liede: Auf auf, ihr Hirten, euch nicht verweilet! laufet mit Freud! (bei Hoffmann und Richter schlesische Volkslieder n. 282) das sich auch in Oberkärnten findet.

[2] Dieser Uebergang von der Merzal zur Einzal ist auch in Nr. IV. warzunemen.

In dem Kripplein wir dich grüßen,
o herzliebstes Jesukind,
und laß ich viel Seufzer schießen,
weil ich dich im Stall da find.
Jesulein,   schöns Kindelein,
hier hast mein Herz, [1] und leg dich drein
statt dem harten Krippelein.

Thu doch unsre Bitt erhören,
o herzliebstes Jesulein!
laß mein soufzen doch gewären,
und wenn wir im sterben sein,
wenn vom Leib   die Sel abscheidt,
für sie ein zur Himmelsfreud,
dich zu loben in Ewigkeit.

Mosburg bei Klagenfurt.

XXVI.

Da das Gebot ward angestellt [2]
daß jeder in sein Land gezält,
ließ ihm dieß Joseph auch gefalln
seinen Tribut zu zaln.
Da sprach Maria unbequem,
da sie gehen nach Bethlehem:

---

[1] Jesu qui in casa friges Omnibusque membris riges, Fuge patens ventis tectum Madidumque nive lectum: En me totum do in lectum Et cor meum do in tectum Quo quiescas melius . Hymn. Cur relinquis Deus coelum. — Pro stabulo me dedo, Corpus pro stramine, Cor pro præsepi cedo Et pro solamine. Hymn. In Bethlem transeamus. — Daß diese Gedanken häufig in Weihnachtliedern begegnen, ist begreiflich. Unter den Liedern der protestantischen Kirche möge P. Gerhards Warum wilt du draußen stehen etc. zum Belege angefürt werden. — Von den hier mitgetheilten Liedern vgl. namentlich das Mosburger: O wie ein so rauhe Krippen.

[2] Eins der ältesten Lieder, die ich in dieser Samlung gebe; es gehört wol dem 15. Jh. an. Es ist mir nicht gelungen, es anderwärts aufzufinden. Manche Vergleichungspuncte bietet das englische When Cæsar Augustus had raisd a taxation, He assest all the people that dwelt in the nation bei Sandys Christmas Carols S. 76.77. Ferner When Augustus Cæsar throughout All the world had made peace a. a. O. 81—83.

28 *

„Es schmerzt mich·ser euch dieß zu sagen,
mein schwere Reis euch vorzutragen;
in Willn des Herrn gib ich mich drein."
sprache Maria fein.

Sie machten sich wol auf die Reis
bei groser Kält und schäfrigem [1]) Eis,
und kamen abends in die Stat;
Joseph um d Herberg bat.
Da sprach der Wirt ganz ungescheit:
„Seits arme oder reiche Leut?
habt ihr brav Geld, nimm ich euch an,
sonst wird euch hier nicht aufgethan."
So findet denn der höchste Schatz
alhier gar keinen Platz.

So helfe mir o Gott doch aus,
daß ich kann finden ein ander Haus!
Maria rein, geh nur mit mir,
ich klopf bei dieser Thür.
„Wer da, wer klopft, wer ist denn draus,
wer macht Unruh vor meinem Haus?
ich nimm nur an die reichen Leut,
kein solches Gsind nicht wie ihr seid."
Ach wo soll ich mich wenden hin
daß ich ein Herberg find.

Was fang ich armer iezund an,
wann ich kein Herberg finden kann?
So müßen wir auf freiem Feld
aufschlagen unser Zelt.
„O Joseph mein betrüb dich nicht,
groß Gheimnifs ist in dieser Gschicht:
in Armut will geboren werdn
der höchste Herr der ganzen Erdn."
Daran o Mensch lerne mit Fleiß,
wilst komn ins Paradeis.

_____

[1]) ahd. sclvaroht rauh. vgl. auch Schmeller bair.. Wb. 3,836.

Weil es denn also Gott gefall,
s o gehn wir hin in jenen Stall,
und wolln mit groser Erandacht
zubringen diese Nacht.
Eröfne dich o Felsenstein,
erkenne doch den Schepfer dein!
ihr Engel kommet one Zal,
helft zubereiten diesen Stall,
den ihm Gott selbst hat auserwält,
weil ihn nicht kent die Welt.

Ihr Himmel thauet doch herab [1]
und theilet uns die beste Gab,
erfüllet was ist prophezeit,
z um Trost der Kristenheit.
Auf auf und singt das Gloria!
geboren hat uns Maria
ein Kind, so hinnimt der Welt Sünd;
in einem schlechten Stall mans findt.
So kommet alle da herzu,
hier findet Freud und Ruh.

O Sünder, du doch dieo betracht,
hast auch verschuldt in dieser Sach.
Oft hat Gott bei dir klopfet an,
hast dein Herz nicht aufthan.
Nur Eitelkeit und Sündenlast
bei dir oft eingeladen hast;
hast oft gerufen: komm, ach komm,
Er Gut Wollust und Weltreichthum!
O Gott und Herr verzeih es mir
und mach bei mir Quartier.

Mosburg bei Klagenfurt.

XXVII.

Drei Könige auo Orient [2]
erkantens an dem Steren,

---

[1] Jesaias 45,8.
[2] Dieses Dreikönigslied gehört auch zu den ältesten der Samlung und wird
sich seiner Entstehung nach auf das 15. oder 16. Jh. zurückführen laßen.

und sind herkommen zu dem End
Messiam zu vereren.
Was Balaam schon längst prophezeit
das ist nunmer geschehen;
den Stern auß Jakob prophezeit [1]
in unserm Land wir sehen.

Er stund im Luft ganz hell und klar;
das ist ein gwifses Zeichen,
daß jener Prinz geboren war,
dem alle Macht muß weichen.
Denn dieses Kind wegen unsrer Sünd
der Heiden Macht zerstöret;
diesen auß ganzem Herz und Sinn
ist billig das man eret.

Den neuen König wollen wir
alhier zu Land anbeten.
Du Himmelssteren, uns hinfür,
dir wollen wir nachtreten.
Zeig uns des Königs Residenz,
der da vom höchsten Stammen;
diesem ein tiefe Reverenz
zu machen wir sein kommen.

Dem Himmelskind zu ein Präsent
soll sein Gold Weihrauch Myrrhen;
der Weihrauch wird Gott zuerkent, [2]

---

[1] 4 Mos. 24,17. Der Legende nach waren die drei Magier die Nachfolger
Bileams. Legenda aurea c. XIV. (p. 89. ed. Græsse.)

[2] Für diese mystische Deutung der Gaben der drei Weisen ließen sich viel
Belege bringen. Nach Beda brachten sie das Gold zur Unterstützung, den Weihrauch gegen den Gestank im Stalle, die Myrrhe zur Kräftigung des Kindes und
Vertreibung der Würmer. Das Gold bedeute ferner den Tribut des Königs, Weihrauch göttliches Opfer, Myrrhe die Sterblichkeit. Durand. Ration. VI. 16. In dem
Missale gothicum heißt es: Iisdem muneribus declaratur: offertur, immolatur,
sumitur. Mabillon liturg gallicana III. 11. In ähnlicher Weise begegnet die Deutung
überall; vgl. Legenda aurea c. XIV. Hymn. Quem non prævaleat propria und
Nuntium vobis fero de supernis. Vorauer Ged. 235, 13—19 Fundgruben II. 206,
1—10. Kindheit Jesu bei Hahn Ged. des 12. 13. Jh. 82, 12 ff. Haupt Zeitschr. 5, 29.

Gold thut die Könige zieren,
der Myrrhen zeigt sein Sterblichkeit,
weil er als Mensch geboren,
sonst wär die Welt in Ewigkeit
in Staden ganz verloren.

Ich Kaspar dir befilch mein Reich,
und alles Gott verschreibe;
ich Melchior thu auch desgleich,
A deo dein verbleibe.
Ich Balthasar dich auserwel,
du Persiens Scepter füre;
auch unser Herz mit Leib und Sel
samt allem Volk regiere.

O König Himmels und der Erd,
nimm gnädig die Geschenke;
wir sind mit Götzendienst beschwert,
der Thorheit nicht gedenke.
Hinfür wir dich als waren Gott
erkennen und verören;
in dein Reich für uns nach dem Tod
durch deinen Gnadensteren.

O neugeborner Gottes Son,
durch dich wir auch ansingen
ein erenwerten Hauspatron, [2]
ihm neuen Jarwunsch bringen.
Wir wünschen ihm samt dem Gemahl
alhier glückliche Zeiten,
durchs Jesukind, das ligt im Stall,
auch dort die Himmelsfreuden.

Flattach im Möllthal in Kärnten.

P. Suchenwirt sieben Freuden Mariæ v. 569 ff. Wackernagel Kirchenlied 88. b.
Pomde Weihnachtkomödie S. 31. — David von Augsburg sagt: der sterne ist
der gloube der uns zuowiset zuo dir; daz golt diu gnoten werc, daz wir ouch diu
wâre- minne, diu mirre gedult in ungemache. Haupt Zeitschr. 9,45.

[2] Vgl. die Bemerkung oben S 393 Zu vergleichen ist auch das englische
Weihnachtlied: God bless the master of this house and all that are therein bei
Sandys Christmas Carols S. 115. und ebd 160 der Liedschluß: God bless you
all both great and small, And send you a happy new year.

XXVIII.

Ein groae Freud verkünd ich euch
und allem Volk auf Erden :
Gott laat sich von seins Vaters Schoo,
im Stall geborn zu werden.
Zu Bethlehem in Davids Stat
ein Jungfrau hat geboren
ein kleines Kind,   vor Kält und Wind
ganz bloo und halb erfroren.

Die Hirten schon nach Mitternacht
thun ihre Schäflein weiden;
ein Engel komt, ermuntert sie,
verkündigt groae Freuden,
das Gloria in excelsis singt:
Erfreuet euch ihr Hirten,
zu Bethlehem   im offnen Stall
ein Kindlein werdet finden!

Auf freiem Feld und überall [1]
thut jene Freud erklingen,
die Voglein singen daa es schalt,
all Thier vor Freud aufspringen.
Die Blümelein auf freiem Feld
thun alle grün ausschlagen;
der Erde Band   brach seine Hand, [2]
der Hellenfeind ist gschlagen.

O Jesu, liebstes Kindelein, [3]
was hat dich so bezwungen,
daa du sogar vom Himmels Sal
in kalten Stall bist kummen?

---

[1] Vgl. die Strophe Hunc astra tellus aequora, Hunc omne quod coelo subest, Salutis auctorem novm Novo salutet cantico. Hymn. Christe redemtor. Auch der Osterhymnus Itenocteb ite nubes ist zu vergleichen.

[2] Felt der Hs., von mir ergänzt nach dem Verse Fracta sera gaudet terra aao der Strophe Plaudant rupes et torrentes in dem Hymn. Ite noctes ite nubes.

[3] Cur relinquis deus coelum Et in terrae venis coenum und Huc amor te vocavit Humani generis, Huc mei reclinavit Te noxa sceleris Hymn. In Bethlem transeamus.

O Menschenkind, nur deine Sünd
thun mich so weit herziehen.
Ich liebe dich,   ich rufe dich,
willst noch von mir entfliehen?

O Jesukind im Krippelein.
ich falle dir zu Füßen,
ach laß mich armes Schäfelein
doch deiner Hilf genießen!
O Menschenkind o eil geschwind,
ih Stall zum Krippeleine!
sieh, wie so süß   die Gnad herfließt
vom liebsten Jesuleine!

Mosburg bei Klagenfurt.

XXIX.

Ein Kind ist uns geboren,
das Gott und Mensch zugleich;
eröfnet Herz und Oren,
o Kristen freuet euch!
Zu Bethlehem im Stalle
kert unser Heiland ein,
zum Troste für uns alle;
geliebet will er sein.

Die Hirten hören singen
die frohe Engelschar;
gekrönte Fürsten bringen
Gold Weihrauch Myrrhen dar.
Sie legen Herz und Krone
zu Jesu Füßen hin,
sie sehn in Davids Sone
Gott selbsten, preiset ihn!

Erfüll mit deinen Gnaden,
Herr Jesu, dieses Haus,
Tod Krankheit Selenschaden
Brand Unglück treib hinaus!¹)

---

¹) So heißt es auch am Ende des Fasnacht-Spiels vom Berner und Wanderer: Got frist euch allzeit vor kranken. Der Schluß vom Fasnachtspiel n. 17.

Laß hier den Frieden grünen,
verbanne Zank und Streit,
daß wir dir frölich dienen
jezt und in Ewigkeit.

Kolbniz bei Jauer in Schlesien.

XXX.

Ein Kindlein geboren, [1])
ganz schön auserkoren,
von einer Jungfrau zart!
Hast dir ein Sal erkoren
bist in eim Stall geboren:
du komst auf die Erden
daß wir selig werden,
o liebstes Jesulein.

Zwischen Esl und Rindel
ligt das kleine Kindel
im Stall im Krippelein,
und ist ein König worden
des Himmels und der Erden,
und ist für uns gstorben,
hat das Heil erworben
das liebste Jesulein.

Die Hirten sind kommen
das Kind zu empfangen,
ihren liebreichen Gott;
sie sahen auch von ferren
gar einen schönen Sterren,
sie fanden das Kindlein
in eim kleinen Kripplein,
das liebste Jesulein.

Ihr Sünder, lauft alle
mit Freuden zum Stalle,

---

der Kellerschen Samlung lautet: Got woll euch nur gut und ere geweren, euch
und eur gesind lang spar gesunt auf erden manig jar. Diese Worte finden
sich öfter.

[1]) Vgl. eben S. 107 Anmerkung 2. über kallich beginnende Lieder.

betrübte Herzen all!
Zum Jesulein all eilet,
das keiner sich verweilet!
ihr findet alle Gnad,
wann ihr nicht kommt zu spat
zum liebsten Jesulein.

Liebreiches Kind Jesu,
las uns nicht verderben,
wenn wir im sterben sein;
thu uns doch nicht verlasen,
für uns auf rechter Strasen
zu dir in Himmel ein,
wo alle Engel sein,
o liebstes Jesulein!

Mosburg bei Klagenfurt.

XXXI.

Eröfnet die Pforten [1])
der Herzen voll Freud!
Das Wort ist Fleisch worden
und ligt auf dem Heu.
Er ligt in der Krippen
ganz arm und veracht,
in schneweisen Windlein
ist er eingemacht.

Er ligt schon gebunden,
der alls binden kann.
Die Sünd ihn verwundet,
das Kreuz tragt er schon.
Er ist schon ausgangen
vom himlischen Sal.

---

[1]) Psalm 24, 7. — Durand. ration. divini offic. lib. VI. c. 12. Quantus sit (dominus), ostendit psalmus qui ad introitum (vigiliæ natalis domini) cantatur, scilicet Domini est terra etc. de quo etiam dicitur offerenda Tollite portas etc.

444

Nun laufet ihr Hirten
nach Bethlehem all!

Dort werdet ihr finden
ein wunderschön Kind;
es ligt in der Krippen
beim Esel und Rind.
Der Vater, der Joseph,
der ist auch dabei;
ein wunderschöne Jungfrau
die kniet auf dem Heu.

Das Kindlein recht zittert
vor Kälten und Frost;
muß in dem Stall ligen
ganz nackend und bloß.
Maria und Joseph
sind voller Mitleid,
daß anderstwo nirgends
kein Herberg sich beut.

Tedeum laudamus!
singt alle zugleich.
Die Engel musiziren
dem Kindlein im Reich.
Es fangt an sein leiden,
weils glitten muß sein,
weil alles durchs leiden
in Himmel geht ein.

Nach dem achten Tage
das Kindlein im Stall
beschnitten ist worden
für uns Sünder all.
Sein Blut es vergoßen,
die Zähren ganz klar:
das will es uns schenken
zu eim neuen Jar.

Flattach im Möllthal in Kärnten.

XXXII.

Erwachet und steht auf ihr Hirten,[1]
laufet nur und eilt geschwind,
begrüset und beschaut die Krippen,
werdt findn ein wunderschönes Kind.
Nach Bethlehem thut nur gschwind eilen,
ein Opfer thut ihm auch mittheilen,
und schauet an das herzge Kind,
im Kripplein es vor Liebe brint.

O mein Gott, in was für ein Winter
ligst du in Stroh da und in Heu!
Seind kommen die einzigen Hirten,
zu zeigen Liebe dir und Treu.
Sie singen dir und thun frohlocken,
die Menschen wollen sie herlocken;
sie knien und beten Herr dich an
und preisen dich göttlichen Son.

Komm Sänder und sei doch zuhanden,
lauf mit den Hirten in den Stall,
zerreis doch die teuflischen Banden
und thu dem Kinde ein Fußfall.
Ein Opfer thu du ihm auch schenken,
es wird deiner allzeit gedenken.
Es ist ganz sanftmütig und mild,
ist allezeit mit Lieb erfüllt.

Mosburg bei Klagenfurt.

XXXIII.

Es hat der Prophet Balaam[2] weißgesagt:
ein Steren wird aufgehn aus Jakob klar,[3]

---

[1] Es wäre leicht gewesen dieses schöne Lied zur Uebereinstimmung von Betonung und Gewicht der Silben zu bringen; ich habe es indessen auß guten Gründen nicht gethan.

[2] Handschr. Pallam.

[3] 4 Mos. 24, 17. Es wird ein Stern auß Jacob aufgehen und ein Scepter (virga Vulg.) auß Israel aufkommen und wird zuschmettern die Fürsten der Moabiter und verstören alle Kinder Seth.

eine Rut wird entspringen aus Israel
und schlagen die Fürsten von Moabel.

Viel hundert Jar haben wir den Steren erwart
wol auf dem Berg Victori[1]) bei Tag und Nacht,
weil doch kommen must die gnadenreiche Zeit,
die Himmel und Erde und alls Volk erfreut.

Nun wolln wir mit den Hirten auf Bethlehem gehn,
das Kindlein anbeten und grüßen gar schön,
weils für uns thut leiden viel Kälte und Not.
O thu uns verzeihen, o gütiger Gott!

So grüßen wir die Mutter und Jungfrau zugleich,
sie woll für uns bitten im himlischen Reich.
Gott ist gütig, barmherzig, er lindert so viel,
verzeiht uns die Sünden wenn nur der Sünder will.

Bereun wir die Sünden und Feler zugleich,
so wird uns Gott aufnemn ins himlische Reich.
Dort wolln wir ihn loben und preisen on End,
wir Kristen auf Erden im heiling[2]) Sakrament.

Wir wünschen euch allen ein glücklich neus Jar,
und was wir euch wünschen, das soll werden war.
Man wünscht Glück und Segen, der Fried sei mit euch,
und nach diesem Leben das himlische Reich.

Flattach im Möllthal in Kärnten.

XXXIV.

Freu dich o Tochter Sion,[3])
dein König kommet an!

---

[1]) Legenda aurea c. XIV. hi ergo per singulos annos post mensem
ascendebant super Montem Victorialem. (p. 89. ed. Græfse). In der Legende
Johanns von Hildesheim heißt der Berg Vaus.

[2]) heiling auch in dem Liede: Freu dich o Tochter Zion. vgl. Schmeller
bair. Grammat. §. 580. W. Schmeltzl Comœdia Judith. 1542. Wien. C. ij.
gwalting. E. iij. rw. vnschulding.

[3]) Zach. 9, 9. — Dieser Vers bildet den Außgangspunkt auch für J. Rists
Auf auf, ihr Reichsgenoßen, M. Bohems O König aller Ehren, und Schirmers
Nun jauchzet all ihr frommen. Vor allem aber ist unserem Liede zu vergleichen
Christian Weises Du Tochter Zion freue dich, dein König komt zu dir. — Vgl.

O Bethlehem nicht minder!
komst nicht es sehen an?
Der Tag hat sich geneigt;
den Abraham gesehen,
er hat sich uns gezeigt.

Die Rute Arons blühet[1]
und steht mit grünem Zweig;
aus Jakob ist dem Herscher
der Zepter zubereit.[2]
David ein Gärtnersmann,
ein Gärtner von Judäa,
ein Ros schön pflanzte an.[3]

Den Moses hat gesehen,
ein Busch der feurig brinnt,
er auf dem Heu mus ligen
und weinet wie ein Kind.
Das soll sein Ruhstatt sein;
niemand hat ihn aufgnommen,
im Stall mus kern er ein.

Freu dich o groser Sünder,
bereue deine Sünd,
knie nieder vor der Krippen
und bitt das Jesukind.
Mer Freud im Himmel sein
als wegen neun und neunzig grechten,
o Sünder, wegen dein.

Das Wort das ist Fleisch worden,
es wonet in der Welt;

überdieß das Klosterneuburger Lied Vreu dich tohter von Syon Wackernagel
altdeutsch. Lesebuch 896.
[1] Hs. ist. — 4. Mos. 17, 8.
[2] Hs. Auch Jakob von Judäa den Z. — 4. Mos. 24, 17 — 19.
[3] Ueber die häufigen Vergleichungen der h. Iungfrau mit einer Rose vgl.
W. Grimm Goldene Schmiede XXXVI. f. XLII. Ihr Anherr David wird der
Gärtner genant, welcher die Rose pflanzt. Auch Jesus wird der Rose ver-
glichen, welche die Jungfrau pflegt. vgl. Maskatblät 2, 30. 6, 96 (Groote).

sein Heiligkeit zu zeigen
hat sichs zu uns geselt.
Allen die dies begern,
den gibt er auch die Gnad
Kinder Gottes zu wern.

Einmal wir müßen sterben,
es kann nicht anderst sein!
O Joseph und Maria,
das bitten wir anheunt,
daß wir das Jesukind
in Fleisch und Blut genießen·
im heiling Sakrament.

       Flattach im Möllthal in Kärnten.

XXXV.

Lauft ihr Hirten zu der Krippen,
eilet hin in jenen Stall!
Seht, in der so armen Hütten
scheint es gleich im Himmelssal.
Ach, was wird es doch bedeuten?
bei so kalten Winterszeiten
findet man ein Kindlein zart
ligen in der Krippen hart.

Höret nur die Engel klingen
einen jubelreichen Ton,
Gloria in excelsis singen,
loben Gott im höchsten Thron;
thun ein neue Botschaft bringen,
thun den Hirten Freud verkünden,
sagen daß Gott als ein Kind
ligt bei Esel und dem Rind.

Komt ihr Sünder all mit Freuden,
folget denen Hirten gschwind;
thut zu jenem Kindlein eilen,
das dort ligt in Kält und Wind.

Eret Gott im höchsten Throne,
weil er uns sein eigen Sone
wegen unserer Sünden all
schikt in dieses Jammerthal.

Alles Lob sei dir gesungen,
liebstes Jesulein im Stall,
das du bist herabgekommen
von dem hohen Himmelssal.
Thu doch gnädig uns ansehen,
die wir vor deim Kripplein stehen!
nimm o liebstes Kindlein dann
unser Herz zum Opfer an.

Mosburg bei Klagenfurt.

XXXVI.

Liebreiches Kindlein,   ligst in den Windlein,
ist denn das Kripplein dein Wiegelein?
die Lieb hat dies gemacht, __ hat dich in Stall gebracht,
laßt nicht erfrieren das Jesulein.

Drei König von feren   mit einem Steren
kommen geritten vor seinen Thron.
Die Er erweisen dir,   fallen auf ihre Knie,
Gold Weihrauch und Myrren sie opfern dir.

Liebreiches Kindlein,   thu dich erbarmen
über uns Sünder all insgemein.
Will dir auch schenken dann,   nimm unsre Herzen an
für deine Wiegen, liebs Jesulein.

Mosburg bei Klagenfurt.

XXXVII.

Mit Freud des Herzens wir dich grüßen,
neu gebornes Jesulein,
und wir falln zu deinen Füßen,
beten an im Krippelein.
Die Engelschar mit stimt,   .

Gloria in excelsis singt,
o Jesuskind.

Freuden Freuden über Freuden,
jubelreiche Weihnachtzeit!
Gott sein Son hat gsant zu weiden
die irrenden Schäfelein.
Er tauscht den Himmelssal
um ein zerrissnen Stall
im Jammerthal.

Große Liebe hies dich gehen
von dem Himmel auf die Erd,
Pein und Marter auszustehen,
zu bezaln was Adam gfelt.
Durch d'Schlang wir seind gefang,
dem Satan unterthan;
Jesulein komm!

Dich Gott Vater glorfizieret
in dem Himmel und auf Erd;
ihr Altväter jubilieret,
Mefsias euch erlösen wird.
Mariæ Liebesflamm
die hat geklopfet an
bei Gottes Thron.

Liebster Jesu, wir dich bitten,
allerschönstes Himmelskind,
vor alln Gfarn uns wolst behüten
und verzeihen unsre Sünd.
Wenn wir im sterben sein,
wolst du uns gnädig sein,
o Jesulein!

                            Mosburg bei Klagenfurt.

XXXVIII.

O sei gegrüst, mein Jesulein,
du edles Kindlein zart!
Must du denn in dem Krippelein
da ligen also hart?

In einem Stall geboren bist,
kein Örtlein dir vergönnet ist;
zu Bethleem in der ganzen Stat
man dich verstoßen hat.

Es heißt hinaus! bei jedem Haus,
nur fort! ich kenn euch nicht!
geht nur in jene Hütt hinaus,
hier ist kein Ort für dich!
So geht nur vor die Stat hinaus,
dort ist ein Stall gehauen aus,
aldorten könnt ihr vor dem Wind
einkeren mit dem Kind.

Maria die edle Jungfrau zart,
die weinet bitterlich,
weilen sie sonst kein Ort nit hat
als nur beim wilden Viech,
in einen Stall muß keren ein
mit ihrem liebsten Jesulein;
das Wiegelein ein Krippelein,
das Viech die Diener sein.

O Jesulein, was zwinget dich
daher in diesen Stall?
„Die menschlich Lieb die ziehet mich [1]
herab vom Himmels Sal,
daß ich sie kunt erlösen all
von der Erbsünd und Adams Fall
und füren in den Himmel ein
zu allen Engelein."

Mosburg bei Klagenfurt.

XXXIX.

O wie ein so rauhe Krippen
hast du, Jesu, dir erwält,
zwischen Felsen Stein und Klippen,
wilden Thieren zugesellt.
O herzliebstes Jesukindlein,
ligst alhier im kalten Stall

---

[1] Vgl. oben S. 434. no. XXV. Str. 3.

29 *

bei dem Esel und dem Rindlein
und verlaßt den Himmelssal.

Jesu allerhöchster König,
hast du denn kein andern Sal
als beim Esel und beim Rindel
in dem stinkenden kalten Stall?
Engels Stimmen hört man singen
in den Lüften weit und breit,
thun uns neue Botschaft bringen
und verkünden grose Freud.

Jesu, ich will sein dein Krippen,
Jesu ich will sein dein Stall,
laß mich deine roten Lippen
grüßen küfsen tausend Mal.
Nun, ihr Hirten, euch erfreuet,
lobet Gott im Himmelreich,
daß er uns sein Son gesendet,
wird uns armen Menschen gleich.

Eins, bitt ich, laß mich erwerben,
gnadenreiches Jesulein!
wanns wird kommen zu dem sterben,
wollest uns doch gnädig sein.
Wann die Sel vom Leib wird scheiden,
füre sie zum Himmel ein,
laß sie ewig bei dir wonen,
allerliebstes Jesulein.

Mosburg bei Klagenfurt.

XL.

Still o Erde, still o Himmel [1]),
auch du Mer sei still dazu [2]);

---

[1]) Vgl. Bone Cantate n. 40 Still geschwinde, still ihr Winde. Zu vergleichen ist auch der Hymnus Dormi fili, dormi! mater Cantat unigenito (Simrock Lauda Sion S. 76. f.) der indeßen unserm deutschen Liede nachsteht. S. ferner O dormi dormi blandule Jesu. Geistliche Volkslieder. Paderborn 1850. S. 106. Unser Lied findet sich gedrukt auf fliegenden Blättern, worüber das früher erwähnte zu vergleichen ist. Ich gebe die bedeutender abweichenden Stellen des in Græz gebrauchten Textes in den Anmerkungen. Ein älteres englisches Weihnachtswiegenlied bei Sandys Christmascarols 32. 33. Vgl. auch daselbst S. 122 das Lied There is a child born of our blessed Virgin.

[2]) Euer Gott ligt in der Ruh.

still o Welt [1]) mit deim Getümmel,
euer Herr schlaft in der Ruh [2]).
Von dem Pfeil der Lieb getroffen
ligt er da ganz unverhoffen [3])
als ein Kind im Stall ganz matt [4])
auf der harten Ligerstatt.

Hast vielleicht, o herzigs Kindlein,
ein Liebestrunk gnommen ein,
daß du bei so kalten Windlein
bist so sanft geschlafen ein? [5])
Es ist ja der kalte Winter
sonst ein Feind der zarten Kinder;
doch du wälst die kalte Stat [6]),
weil dein Herz gebrunnen hat.

Schlaf mein Kindlein one Sorgen,
schlafe, jezt hast du noch Zeit;
wird dich heut schon oder morgen
wecken auf der Juden Neid.
Dann wirst du vor harten Waffen
wenig oder gar nicht schlaffen,
wenn man dich mit gröstem Spott
wird verdammen zu dem Tod.

Laße dir vom Kreuz nichts träumen [7]),
allerliebstes Jesulein;
von dem wirst du nichts versäumen [8]),
jezt bist du noch viel zu klein.
Bist ein Kind, darfst es nicht wagen
ein so schweres Kreuz zu tragen,

---

[1]) Meer.
[2]) Schließet eure Schranken zu.
[3]) Drum ligt er jezt unverhoffen, ist vom Pfeil der Lieb getroffen.
[4]) Darum liegt er jezt ganz matt.
[5]) Daß du auf den harten Rindlein hast so bald geschlafen ein.
[6]) Aber dir die Kält nicht schadt.
[7]) Auf alten Bildern sieht man an der Wand des Stalles ein Kreuz hängen zum Vorzeichen des Todes des Erlösers. Vgl. Mone Schauspiele des Mittelalters 2, 170.
[8]) Man wird doch dich nicht verschonen.

454

deine Wanglein seind zu weich
zu dem harten Backenstreich.

Schlaf mein Kindlein! dort im Garten
wirst du müssen wachbar sein,
wo auf dich wird Judas warten
dich zu füren in die Pein.
In der Geislung wirst schon müsen
diesen deinen Schlaf noch büsen.
Du, o Herr, von deinem Knecht
wirst noch haben saure Nächt.

Deine Händlein kreuzweis lege,
neugebornes Kindelein!
in der Ruh dich nicht bewege,
schlafe sanft o Jesulein.
Jezt bist noch zu schwach an Kräften,
das man dich ans Kreuz könt heften;
deine Händlein seind zu zart
und die Nägel viel zu hart.

Schlaf, o Jesu, bleib nur ligen,
schlafe auf dem harten Heu;
aber wenn ich greif in Zügen [1]),
dann wach auf und steh mir bei,
das ich selig mög entschlafen;
schütz mich mit dein Gnadenwaffen, [2])
mir all meine Sünd verzeih
und die ewge Ruh verleih!

Mosburg bei Klagenfurt.

XLI.

Was Wunder entstanden anheunt heunt [3])
drunten zu Betlehem seind;

---

[1]) In d'Zügen.—In Zügen greifen, in den lezten Zügen liegen.

[2]) Auch mit Sieg nemen die Waffen, streiten wieder meine Feind, weilen
der nur gar viel seind.

[3]) Vgl. das schlesische und kuhländische Lied: „Was soll das bedeuten? es
taget ja schon" Hoffmann und Richter schlesische Volkslieder S. 333. Meinert
alte teutsche Volkslieder in der Mundart des Kuhländchens S. 275.

22222222

zu Betlehem drunten im Stall Stall
leuchts wie ein himlischer Sal.
Ein glänzender Steren ist neulich aufgang,
ein Kindlein darinnen man gsehen hat an,
scheinet von ferne daher her,
leuchtet je länger je mer.

Was Wunder! zu Bethlehem heunt heunt
die Sonne um Mitternacht scheint!
Geh sag mir, was dieses bedeut deut
um Mitte der Winterszeit.
Vom Himmel ist kommen der götliche Son,
die Hirten von fern kommen beten in an,
kommet vom himlischen Sal Sal
zu uns in stinkenden Stall.

Ein himlischen Gsanten ich hör hör
kommen in Lustbarkeit her,
verkündiget uns groоe Freud Freud,
die uns schon längst prophezeit.
Das gloria in excelsis er singet daher,
der Friede sei gschloоen, er saget, auf Erd,
weil heunt dann vom himlischen Thron Thron
schikt Gott sein einigen Son.

Laudamus! singt alle zusam sam,
preiset das götliche Lamm.
Dieweil es zu der Mitternacht nacht
uns schon das Heil hat gebracht.
Tedeum laudamus singt alle geschwind
und helfet uns preisen das götliche Kind,
dieweil es zu der Mitternacht nacht
uns schon das Heil hat gebracht.

Mosburg bei Klagenfurt.

XLII.

Wol auf ihr Hirten, seid ihr schon beim Wald?
secht wie uns Gott geliebt im Himmels Sal!
Legt sich ins Krippelein, da er geborn,
daо er uns bringete, was wir verlorn.

Was kann die Liebe doch, o groβer Gott?
daβ sie dich tribe fort zu solcher Not,
daβ du sogar verlaβt den Himmels Sal,
und als ein Kindelein ligest im Stall.

Wie mildreich zeiget sich dein götlich Gsicht,
da dich verlaβet und beherbergt nicht [1])
das ganze Bethlehem in gröster Not!
must in ein Stall einkern, o höchster Gott!

O Kleinod auβerkorn, götlicher Son,
den uns Gott Vater schikt vom Himmelsthron,
wo ist die Bürgerschaft, die nach dir gehn,
daβ nur die Thiere dir zur Seiten stehn.

Beglüktes Bethlehem, du stolze Stat [2]),
wilst nicht beherbergen so edlen Gast?
wie tief erniedrigt sich der Schepfer dein,
daβ er vergnüget sich am Krippelein.

O kleines Kindelein, o groβer Gott,
thu uns doch gnädig sein in aller Not!
verzeih uns unser Sünd, ist unser Bitt;
liebreiches Jesukind, verstoβ uns nit.

                                    Mosburg bei Klagenfurt.

Explicit.
Des sein wir fro fro fro fro,
benedicamus domino.

---

[1]) Sed heu, hac urbe tota Quærunt hospitium, Nec mente tam devota Est
ullus civium Ut virgini mox dei Daturæ filium Vel unius diei Det diversorium.
Cogunt ut ruinosa Adirent stabula. Hymn. Est virgo cœli rore.
[2]) O urbium cunctarum Regina Bethlehem, Exsurge tam præclarum Visura
hospitem. Hymn. Est virgo cœli rore.

Es ist iezt so ain kalte nacht ett.
S. 222.

Es ist iezt so ain kalte nacht mich freut gar so,
wie wol ich das iezt gar nit acht, noch wirts mir schwer,

daß ich mueß hueten meiner herd. Mein knecht

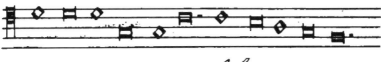

sein nit ains virers wort, habs wol vernumen.

So möcht ich aber wißen gan und wo sie wern

hin kumen.

467

Lob er und preis in der hoch est.
S. 218.

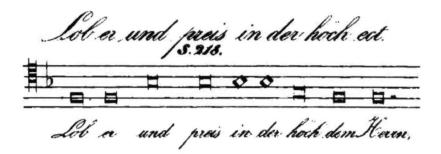

Lob er   und   preis in der hoch dem Herrn,

der uns so   weise sein gnad thuet aufsperren;

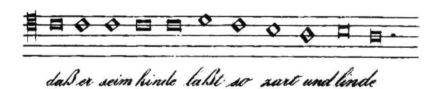

daß er seim kindle labst so zart und linde

tragen unser   sünde.

Druck:
Customized Business Services GmbH
im Auftrag der KNV-Gruppe
Ferdinand-Jühlke-Str. 7
99095 Erfurt